Handbuch Ingenieurgeodäsie

Eisenbahnbau

Inhalt

Das **Handbuch Ingenieurgeodäsie** behandelt in vier Einzelbänden folgende Teilgebiete: Grundlagen, Überwachungsmessungen, Ingenieurbau und Eisenbahnbau. Unter der Herausgeberschaft von Prof. Dr.-Ing. habil. Michael Möser (TU Dresden), Prof. Dr. sc. techn. Gerhart Müller (Dresden) und Prof. Dr.-Ing. Harald Schlemmer † (Darmstadt) wurde die ehemals achtbändige Reihe „Handbuch Ingenieurgeodäsie" neu konzipiert und überarbeitet. Ab der 3. Auflage des Bands Eisenbahnbau ist Prof. Dr.-Ing. habil. Michael Möser alleiniger Herausgeber des Handbuchs Ingenieurgeodäsie.

Der **Band Eisenbahnbau** bietet Fachleuten und Studierenden, die sich mit den umfangreichen und vielgestaltigen vermessungstechnischen Arbeiten im Eisenbahnbau beschäftigen, eine ausführliche und verständliche Darstellung dieses Spezialgebiets. Folgende Themen werden u. a. behandelt: historische Entwicklung, Begriffe, Regelwerk, geodätische Grundlagen, datentechnische Grundlagen, Ordnungsrahmen, gleisgeometrische Grundlagen, Messverfahren, Informationssysteme der Bahnen, geodätische Festpunktfelder, Entwurfsvermessung von Bahnanlagen, Bauvermessung, Feste Fahrbahn, Building Information Modeling (BIM), Infrastructure Information Modeling, Multikopter. Die 3. Auflage ist auf den aktuellen Stand der Technik abgestimmt und berücksichtigt die Belange der Deutschen Bahn AG und der Schweizerischen Bundesbahnen (SBB).

Autor/Autorin

Prof. Dr.-Ing. **Jörg Zimmermann** war Professor für Ingenieurvermessung, Vermessungstechnik und Eisenbahnvermessung an der Hochschule für Technik und Wirtschaft Dresden. Beim Bildungswerk des Verbands Deutscher Vermessungsingenieure e. V. (BILDUNGSWERK VDV) leitet er die Fachgruppe Gleisbau 11 (Gleisbau) und organisiert ein Jahresseminar mit Themen zur Eisenbahnvermessung. Ferner ist er Mitglied im Redaktionsbeirat der Fachzeitschrift „Der Eisenbahningenieur" und der Jahrespublikation „Eisenbahn-Ingenieur-Kompendium" sowie Gutachter Eisenbahnvermessung beim Lenkungskreis für die Zertifizierung von EURAIL-ING (Verband Europäischer Eisenbahn-Ingenieur-Verbände (UEEIV)).

Dipl.-Ing. **Susanne Wunsch** ist wissenschaftliche Mitarbeiterin an der Fakultät Verkehrswissenschaften „Friedrich List" der Technischen Universität Dresden und beschäftigte sich in ihrer Studien- und Diplomarbeit mit Themen der Eisenbahntrassierung und deren datentechnischer Modellierung und Validierung.

Michael Möser (Hrsg.)

Handbuch Ingenieurgeodäsie

Jörg Zimmermann/Susanne Wunsch

Eisenbahnbau

Mit Beiträgen von Jens Bartnitzek, Stephan Eisenegger, Théophil Engel, Hans Rudolf Gnägi, Thomas Heinrich, Thomas Hulboj, Hans Jacoby, Rainer Kretzschmar, Markus Maron, Michael Maronde, Ulrich Maschek, Rainer Mautz, Gerhart Müller, Sascha Neumann, Erich Siems, Ulrich Völter, Iris Wiebrock und Alexander Winz

3., neu bearbeitete Auflage

VDV-Schriftenreihe

Verantwortliche Autoren und alle weiteren Kapitel: Prof. Dr.-Ing. *Jörg Zimmermann*, Hochschule für Technik und Wirtschaft Dresden, Dipl.-Ing. *Susanne Wunsch*, Technische Universität Dresden

Kap. 1.1:	Prof. Dr. sc. techn. (i. R.) *Gerhart Müller*, Dresden; Dr.-Ing. *Erich Siems*, Niedernhausen
Kap. 1.3:	Dr. ès sc. techn. *Théophil Engel*, Villaz-St-Pierre/Schweiz
Kap. 2.2 u. 2.3:	Dipl.-Ing. *Thomas Heinrich*, DB Netz AG, Leipzig
Kap. 2.4:	Dipl.-Math. *Hans Rudolf Gnägi*, Ittigen/Schweiz
Kap. 2.5:	Dipl.-Ing. *Hans Jacoby*, DB Netz AG, Frankfurt a. M.
Kap. 2.6.6.4:	PD Dr.-Ing. habil. (EURAIL-ING) *Ulrich Maschek*, TU Dresden
Kap. 3.1.1:	Dipl.-Ing. *Hans Jacoby*, DB Netz AG, Frankfurt a. M.; Dr.-Ing. *Iris Wiebrock*, DB Netz AG, Frankfurt a. M.
Kap. 3.1.2:	Dipl.-Ing. *Stephan Eisenegger*, SBB AG, Bern/Schweiz; Dipl.-Ing. *Markus Maron*, SBB AG, Bern/Schweiz; PD Dr. habil. *Rainer Mautz*, SBB AG, Bern/Schweiz
Kap. 3.2.1:	Dipl.-Ing. *Thomas Heinrich*, DB Netz AG, Leipzig
Kap. 3.2.2:	Dipl.-Ing. *Stephan Eisenegger*, SBB AG, Bern/Schweiz; Dipl.-Ing. *Markus Maron*, SBB AG, Bern/Schweiz; PD Dr. habil. *Rainer Mautz*, SBB AG, Bern/Schweiz
Kap. 3.3 u. 3.4:	Dipl.-Ing. *Rainer Kretzschmar*, intermetric GmbH, NL Dresden
Kap. 3.5:	Dipl.-Math. *Ulrich Völter*, intermetric GmbH, Stuttgart
Kap. 4.1 u. 4.2:	Dipl.-Math. *Jens Bartnitzek*, A+S Consult GmbH, Dresden
Kap. 4.3:	M. Sc. *Sascha Neumann*, DB E&C GmbH, Berlin; M. Sc. *Thomas Hulboj*, DB E&C GmbH, Duisburg; Dipl.-Ing. (FH) *Michael Maronde*, DB E&C GmbH, Berlin; M. Sc. *Alexander Winz*, DB E&C GmbH, Berlin

Bibliografische Information der Deutschen Nationalbibliothek
Die Deutsche Nationalbibliothek verzeichnet diese Publikation in der Deutschen Nationalbibliografie; detaillierte bibliografische Daten sind im Internet über http://dnb.dnb.de abrufbar.

ISBN 978-3-87907-550-8 (Buch)
ISBN 978-3-87907-598-0 (E-Book)

Bismarckstr. 33, 10625 Berlin
www.vde-verlag.de
www.wichmann-verlag.de

Titelgrafik: intermetric GmbH, Stuttgart

Satz: Reemers Publishing Services GmbH, Krefeld
Druck und Bindung: Elanders GmbH, Waiblingen
Printed in Germany 2022-12

Vorwort

Die Erarbeitung des Manuskripts für die Neuauflage des Bands „Eisenbahnbau" der Handbuchreihe Ingenieurgeodäsie ist jetzt abgeschlossen. Seit der letzten Auflage hat es vor allem durch die fortschreitende Digitalisierung vielfältige Veränderungen gegeben. Geblieben sind die grundsätzlichen geometrischen und fachlichen Ansätze, wenn auch die Bearbeitung mit entsprechender Software erfolgt.

Dank der guten Zusammenarbeit mit den zuständigen Stellen der Bahnen, insbesondere der DB Netz AG, ist es gelungen, im vorliegenden Werk die Grundlagen und Anwendungen der Eisenbahnvermessung im deutschsprachigen Raum auf den neuesten Stand zu bringen. Es werden aber nicht nur die aktuellen Richtlinien bzw. Regelwerke, die zweckmäßigsten geodätischen Verfahren und die Bedingungen für deren Anwendung, sondern auch der Entwurf von Gleisen und Weichen behandelt. Für die geodätischen und die Trassen-Berechnungen steht eine Vielzahl von verschiedenen leistungsfähigen Softwarelösungen zur Verfügung. Auf die detaillierte Darstellung der Zusammenhänge der Berechnungsmethoden ist jedoch bewusst verzichtet worden. Die Erläuterung des neuesten Stands der Verfahren für die Vermessung und den Entwurf von Bahnanlagen konnte vor allem dadurch gewährleistet werden, dass die Erarbeitung von Teilen des Manuskripts kompetenten Expertinnen und Experten übertragen wurde.

Die aus dem Regelwerk der Bahnen resultierenden Erkenntnisse und Weiterentwicklungen der Verfahren sind in zahlreichen Publikationen einschlägiger Fachzeitschriften und anderer Veröffentlichungen zu finden. Dadurch erschwert sich aber die Einarbeitung der einzelnen Bearbeiter in die Materie außerordentlich. Die hiermit vorliegende geschlossene, zusammenfassende Darstellung der Fragestellungen dürfte den Lesern eine entscheidende Hilfe sein. In diesem Sinn ist auch die Darstellung der neuesten Verfahren der Eisenbahnvermessung bei den Schweizerischen Bundesbahnen (SBB) zu verstehen.

Die Zweckbestimmung der Handbuchreihe Ingenieurgeodäsie, den Studierenden Grundlagenwissen und den Praktikern anwendungsbereites Fachwissen zu vermitteln, wurde auch bei der Erarbeitung der Neuauflage beibehalten. Mit Rücksicht auf die Studierenden, die sich Fachkenntnisse erarbeiten müssen, ist auf eine ausführliche, vor allem aber leicht verständliche Erläuterung der Fachprobleme Wert gelegt worden.

Die Entwicklung auf dem Gebiet der Eisenbahnvermessung ist gegenwärtig dadurch gekennzeichnet, dass die Arbeiten überwiegend an private Vermessungs- bzw. Ingenieurbüros vergeben werden. Dadurch wächst die Zahl der Vermessungsingenieure, die sich mit den ihnen anfangs oft wenig geläufigen Problemen der Eisenbahnvermessung auseinandersetzen müssen. Der Band soll für diese Kollegen das erforderliche Fachwissen bereitstellen.

Durch die komplexe Anwendung komfortabler CAD-Programmsysteme für die geodätischen Berechnungen, den Entwurf und die Bauvorbereitung für Eisenbahnanlagen werden die Aufgabenabgrenzungen zwischen den Vermessungs- und den Bauingenieuren immer fließender, sodass der vorliegende Band auch für die planenden und bauausführenden Bauingenieure ein unentbehrliches Hilfsmittel sein kann. Die zunehmende Einführung des digitalen Bauens mit der Methode Building Information Modeling (BIM) wird neue Herausforderungen bringen.

Es ist uns sehr wichtig, der Mitautorin und den Mitautoren dieses Bands, die die Manuskripte neben ihrer verantwortungsvollen beruflichen Tätigkeit mit viel Engagement erarbeitet haben, für die gute Zusammenarbeit unseren herzlichen Dank auszusprechen. Darüber hinaus haben uns Michael Reifenhäuser und Roman Beck (DB Netz AG), Peter Holzberg (DB E&C GmbH) und Sven Hietzschold (TU Dresden) sehr gut unterstützt. Auch Ihnen gebührt unser herzlicher Dank. Letztlich geht eine weitere Danksagung an Michael Möser (Herausgeber der Handbuchreihe) und Gerold Olbrich (Wichmann Verlag) für die tatkräftige und zielführende Unterstützung bei der Erarbeitung der finalen Fassung des Manuskripts.

Dresden, im Oktober 2022 *Susanne Wunsch und Jörg Zimmermann*

Inhaltsverzeichnis

1 Geschichte und Einordnung

1.1 Historische Entwicklung

In diese neue Auflage des Bands Eisenbahnbau wurde ein Kapitel aufgenommen, das sich mit der Geschichte der Eisenbahnvermessung beschäftigt. Es werden in einem kurzen übersichtlichen Abriss die Entwicklung der Eisenbahn und ihre Vermessung von den ersten Jahren an dargestellt. Die ausgewählten Beispiele zeigen, welche Karten und Pläne die Geodäten damals nutzten, wie sie bei der Planung mitwirkten und welche Messinstrumente, Mess- und Rechenverfahren angewandt wurden. Es soll aber auch auf die Arbeitsbedingungen hingewiesen werden, mit denen sich die Feldmesser vor über 150 Jahren auseinanderzusetzen hatten. Schließlich wird aufgezeigt, wie die Ingenieure im Laufe der Zeit ihre Mess-, Rechen- und Absteckverfahren an den Eisenbahnbau mit dem Ziel einer bequemeren und effektiveren Arbeitsausführung angepasst haben.

1.1.1 Anfänge der Eisenbahnen

Die ersten Anfänge einer spurgeführten Bahn im weitesten Sinne sind aus dem Bergbau seit der Mitte des 16. Jahrhunderts bekannt. Die dort eingesetzten schweren Wagen hinterließen, da sie immer auf den gleichen Wegen verkehrten, Spuren auf den Straßen. Um Kosten für deren Erneuerung und Befestigung zu sparen, beschränkte man diese Baumaßnahmen nur auf die Spuren. Dadurch entstanden aus den gewöhnlichen Straßen die Radbahnen. Da diese Spuren stärker belastet werden konnten, entwickelten sich daneben auch die Wagen weiter.

Technische Ausrüstung der Fahrbahnen

Die Weiterentwicklung der Fahrbahnen mit Spurführungen bewirkten eine Verminderung des Rollwiderstands der Wagen. Es bildeten sich zwei Entwicklungslinien heraus:

- Tramroad

  Muldenförmige Holzfahrbahnen, auf denen Fahrzeuge mit normalen Rädern fahren konnten. Später verwendete man auch Winkelschienen, die eine bessere Spurführung gewährleisten sollten.

- Railroad

  Runde Holzschienen (historische Bezeichnung „Riegelwege“), auf denen nur Fahrzeuge mit Spurkranzrädern verkehren konnten. Die hölzernen Riegel wurden um 1800 durch eiserne Schienen ersetzt.

Beide Entwicklungslinien liefen bis Ende des 18. Jahrhunderts parallel, bis sich dann die Railroad-Spurführung dank der eisernen Schienen durchsetzte. Diese waren nur 91,5 cm lang. Dadurch entstanden Probleme bei der gradlinigen Ausrichtung der Gleise. Von diesem Zeitpunkt an handelte es sich zwar um „Eisenbahnen", die jedoch von der heutigen Auslegung des Begriffs noch weit entfernt waren. 1820 wurden die ersten schmiedeeisernen Schienen in Pilzkopfform, die 4,5 m lang waren, hergestellt. Sie waren für den Betrieb mit Lokomotiven geeignet.

Aus der zeitgenössischen Literatur sind keine Angaben über vermessungstechnische Arbeiten im Zusammenhang mit dem Bau dieser ersten Eisenbahnen bekannt. Der Lokomotivbetrieb erforderte jedoch eine wesentlich höhere Genauigkeit bei der Herstellung der Fahrbahnen als bisher, sodass anzunehmen ist, dass bei ihrer Planung und beim Bau umfangreiche vermessungstechnische Leistungen notwendig waren.

Technische Ausrüstung der Fahrzeuge

Eine wesentliche Steigerung der Leistungsfähigkeit erfuhren die Bahnen besonders mit der allmählichen Ablösung der Pferdekraft durch die Entwicklung und den Einsatz der dampfbetriebenen Lokomotiven.

Zwar hatte der Amerikaner Oliver Evans 1784 die Idee, die bis dahin stationären Dampfmaschinen durch bewegliche zu ersetzen, aber erst 1801 konnte er einen Prototyp in Bewegung setzen. Eine praktische Bedeutung erlangte diese Maschine nicht.

1802 meldeten die Engländer Richard Trevithik und Andrew Vivian (Finanzier) ein „Patent auf die Anwendung des Dampfes auf Eisenbahnen" an (Breymann 1847). Es war die erste einsatzfähige Lokomotive, die auf einer Eisenbahn verkehrte. Sie zog bereits 1804 fünf Wagen mit 17,3 t Nutzlast auf einer 15,6 km langen Strecke (Merthyr – Tydwill – Kohlebahn), die neben vielen kleinen Radien auch noch Steigungen bis zu 1:50 aufwies. Trevithik baute eine Reihe von Lokomotiven, die aber für den vorhandenen Oberbau zu schwer waren. Sie wurden nach kurzem Einsatz als stationäre Dampfmaschinen betrieben.

Der englische Grubeningenieur George Stephenson konnte sich in der Folgezeit gegen zahlreiche andere Pioniere der ersten Eisenbahnen durchsetzen, weil er einerseits die leistungsfähigeren Lokomotiven baute und andererseits Fahrbahn und Fahrzeuge als Einheit betrachtete. Erste Ergebnisse zeigten sich 1820 beim Betrieb der Hetton-Kohlebahn. Der eigentliche Durchbruch seiner Entwicklung erfolgte aber erst 1829 im Zusammenhang mit der Planung und dem Bau des Liverpool – Manchester Railway.

Erste Eisenbahnstrecken in England

Die ersten Eisenbahnstrecken mit exakter Spurführung, die überwiegend mit Lokomotiven betrieben wurden, waren die folgenden:

- Hetton-Kohlebahn

  Die 13 km lange, mit gusseisernen Schienen versehene Hetton-Kohlebahn war eine Bahn, auf der die Wagen teilweise mit Pferden und in hügeligen Gegenden mit „selbstwirkenden Rampen", auf denen die vollen Wagen beim Herabfahren die leeren Wagen hochzogen, betrieben wurde. Vor allem in den ebenen Bereichen kamen die ersten Lokomotiven 1822 zum Einsatz.

- Stockton – Darlington Railway

  Die 40,6 km lange Strecke wurde 1825 eröffnet. Sie konnte fast durchweg mit Lokomotiven befahren werden. Zur Überwindung eines größeren Höhenunterschieds war eine Steilrampe mit Dampfaufzug angeordnet worden. Eine Bergwerksgesellschaft, die die Strecke betrieb, gestattete anderen Interessenten, die Bahn auch mit Pferdewagen zu benutzen. Da sie eingleisig war, kam es zu großen Betriebsschwierigkeiten.

  Diese Bahn hat Stephenson gemeinsam mit seinem Sohn geplant und vermessen (Weigelt 1986).

- Liverpool – Manchester Railway

  Die 50 km lange Bahn zwischen Liverpool und Manchester wurde 1830 eingeweiht. Bis auf eine Steilrampe (20,8 ‰) in Liverpool, die mit einem dampfbetriebenen Schrägaufzug überwunden wurde, konnte die Strecke ausschließlich mit Lokomotiven betrieben werden. Pferdewagen waren nicht zugelassen. Aufgrund der geringen Zugkraft der Lokomotiven waren 70 % der Strecke sehr flach angelegt (< 1,1 ‰). Allerdings waren noch mehrere Rampen mit einer Neigung von 10,4 ‰ vorgesehen. Die Trassierung zeichnete sich durch lange Geraden und große Bogenradien (r = 1990 m) aus. Dadurch waren umfangreiche Erdarbeiten sowie große massive Brücken (63) und Tunnel erforderlich. Die gesamte Strecke wurde zweigleisig ausgebaut.

  Die Liverpool – Manchester Railway war richtungsweisend für den Bau der folgenden Bahnen. Da die von Stephenson in großer Stückzahl gebauten Lokomotiven weite Verbreitung fanden, wurden auch die weiteren Strecken mit deren Spurweite gebaut. Er hatte diese von der Killingworth-Bahn übernommen und mit 4 Fuß 8 Zoll festgelegt. Sie wurde später aus lauftechnischen Gründen auf 4 Fuß 8,5 Zoll = 1,435 m erweitert. Damit hatte sich der heute als „Normalspurweite" bezeichnete Abstand zwischen den Schienenköpfen zunächst in England und später international durchgesetzt. Sie kommt demnach nicht, wie meist angenommen, von der Postkutschen-Spurweite, sondern durch die zufällig von den Betreibern der Killingworth-Bahn festgelegte Größe (Weigelt 1985).

1.1.2 Entwicklung in Deutschland

Beeinflusst von der Anlage der Liverpool – Manchester Railway erkannten in Deutschland eine Reihe von Persönlichkeiten deren Bedeutung. So war sie Ausgangspunkt für die schnelle Verbreitung der Eisenbahnen, die grundlegende Veränderungen in Wirtschaft und Gesellschaft nach sich zogen. In Deutschland unterbreitete unter anderem Friedrich List bereits 1828 in einem Brief an den bayerischen Eisenbahnvorkämpfer Joseph Ritter von Baader einen Vorschlag für ein bayerisches Eisenbahnnetz.

Obwohl die Liverpool – Manchester Railway erst 1830 in Betrieb ging, schrieb List bereits 1829: *„Die außerordentlichen Resultate der Bahn von Liverpool nach Manchester wirkten wie ein elektrischer Schlag auf alle zivilisierten Nationen: Überall entstanden neue Eisenbahnprojekte"* (List 1829).

Er entwickelte einen Plan über die zweckmäßige Linienführung von Eisenbahnen in Deutschland. Der Vorschlag konnte aber infolge der deutschen Kleinstaaterei nicht verwirklicht werden. Auf S. 26 seines Schreibens heißt es dazu: *„Jedes Ländchen baut seine Eisenbahnen nach seinen Bedürfnissen und nach seinem Geschmack und kümmert sich nicht im geringsten um seine Nachbarn; erst später werden diese Einzelstrecken notdürftig zusammengestückelt von Land zu Land – oft ängstlich um die Grenzen eines Landes herum! – um Durchgangsverbindungen zu schaffen wie sie die Wirtschaft und am Ende das eigen Interesse der Bahnen fordert"* (List 1829).

1833 plädierte List für ein *„sächsisches Eisenbahnsystem als Grundlage eines allgemeinen deutschen Eisenbahnsystems"*.

Dem zweiten Nürnberger Bürgermeister Johannes Scharrer ist es zu verdanken, dass die erste deutsche Eisenbahnstrecke 1835 von Nürnberg nach Fürth gebaut wurde, obwohl sie nicht im Vorschlag von List enthalten war.

List schlug zunächst die Anlegung einer Eisenbahnstrecke von Leipzig nach Dresden vor. Sie ging 1839 in Betrieb.

Es setzte in diesem Zeitraum eine rasante Entwicklung zum Bau von Eisenbahnstrecken in den einzelnen deutschen Staaten ein. Bis 1840 waren bereits zehn weitere Eisenbahnstrecken mit einer Länge von rund 500 km fertig gestellt.

1.1.3 Karten als Planungsgrundlagen

Die für die grundlegende Festlegung der Eisenbahnstrecken benötigten kleinmaßstäbigen Karten waren bei der Planung der ersten Linien bereits weitgehend vorhanden. Allerdings war deren Qualität, vor allem aber die Genauigkeit in den Ländern, die keine Triangulation aufzuweisen hatten, sehr mangelhaft. Besondere Probleme entstanden dann, wenn großmaßstäbige Karten verkleinert und ohne trigonometrische Grundlage aneinandergefügt wurden.

Im Königreich Hannover war zunächst die „Kurhannoversche Landesaufnahme" (1764 – 1786, Maßstab 1:2.133,3) die Grundlage für die Planung der Eisenbahnstrecken. Sie wurde später durch die sogenannte „Reimann-Karte" (Maßstab 1:200.000) und den „Papen-Atlas" (Maßstab 1:100.000) ersetzt. Die Lagedarstellung wurde oft als „accurat" beurteilt. Nur die Geländedarstellung entsprach nicht den Erfordernissen (Siems & Stumpf 2007). In den Ländern Bayern, Baden, Württemberg und Sachsen lagen schon Karten vor, die auf der Grundlage von Triangulationen hergestellt worden waren und im Königreich Sachsen gab es bereits 1825 die sogenannten „Meilenblätter" auf der Grundlage der Triangulation von Major Friedrich Ludwig Aster im Maßstab 1:12.000. Dieser Maßstab war allerdings für die Planungen zu groß. Verwendung fanden deshalb die von der Kameralvermessung hergestellten „Topographischen Karten des Königreiches Sachsen und der angrenzenden Länderabteilungen" im Maßstab 1:120.000 (Brunner 1996). Dadurch war beispielsweise die Vorerkundung der Strecke Leipzig – Dresden mit guter Genauigkeit möglich. Ein Problem war auch hier, dass die Karten keine verwertbaren Höhenangaben besaßen. Die Höhensituation war überwiegend in Form von Schraffen dargestellt und damit für die vertikale Planung ungeeignet. Die erforderlichen konkreten Höhenangaben für den Bau der Eisenbahnstrecken waren deshalb in großem Umfang in kurzer Zeit zu ermitteln. Da zunächst nur grobe Angaben benötigt wurden und keine Höhenfestpunkte flächendeckend vorhanden waren, erfolgte die Höhenbestimmung wichtiger Punkte überwiegend barometrisch (Weichold 1985).

Nachdem auf den kleinmaßstäbigen Karten die Streckenvarianten festgelegt waren, musste der exakte Streckenverlauf in großmaßstäbigen Karten erarbeitet werden. Diese lagen jedoch in der benötigten Qualität und Aussagekraft nicht immer vor, sodass im erheblichen Umfang Geländeaufnahmen (horizontal und vertikal) erforderlich wurden. Die Situation war in den einzelnen deutschen Ländern sehr unterschiedlich. Während in den Ländern Bayern, Baden und Württemberg schon in der ersten Hälfte des 19. Jahrhunderts Flurkarten in den Maßstäben 1:2.500 und 1:5.000 vorlagen, waren in der Provinz Hannover nur unzusammenhängende Flurkarten ohne Koordinatensysteme vorhanden. Sie mussten über identische Punkte zusammengefügt und mit Höhenangaben versehen werden (Siems 2005). Auch in Sachsen konnten die vorhandenen Katasterkarten nicht für die Projektierung von Eisenbahnstrecken verwendet werden. Die ab 1834 für die Einführung eines neuen Grundsteuersystems hergestellten Karten im Maßstab 1:4.800, in denen hauptsächlich die Flurgrenzen aufgemessen wurden, und auch die im Anschluss daran ausgeführte Messtischaufnahme der Flurstücke im Maßstab 1:2.730 waren in der ursprünglichen Form nicht geeignet. Deshalb sind diese Karten entlang der geplanten Strecken mithilfe von tachymetrischen Messungen ergänzt und verdichtet worden (Hartenstein 1895). Da diese Karten nur selten Höhenangaben enthielten, wurden gleichzeitig mit der Geländeaufmessung Längsprofile und zahlreiche Querprofile mit einer seitlichen Ausdehnung bis zu ungefähr 250 m teils tachymetrisch, teils nivellitisch gemessen. Der projektierte Streckenverlauf wurde dann in die kleinmaßstäbigen Karten, in Sachsen beispielsweise in die Meilenblätter, übertragen (Abb. 1.1).

Die Vermessungsarbeiten waren in jener Zeit alles andere als bequem, wenn man bedenkt, dass die Reisen ins Gelände mit der Postkutsche, langen Fußmärschen und teilweise mangelhaften Quartieren verbunden waren. Dazu kamen noch außerordentlich harte Arbeitsbedingungen, wie eine Instruktion für Landmesser von 1814 ausweist. Darin besagt der § 28 unter anderem:

„Wenn bey der Revision nachgemessene Linien falsch befunden werden, so soll das erstemal nur die Verbeßerung der Arbeit auf des Landmeßers Kosten, das zweitemal aber ohne fehlbar deßen Verabschiedung erfolgen und zugleich von seynem verdienten Lohne soviel zurück behalten werden als nöthig ist, um die Fehler der Arbeit durch einen anderen anzustellenden Meßer verbeßern zu lassen.“

Trotz dieser Erschwernisse wurden die erforderlichen Karten in kurzen Zeiträumen fertig gestellt.

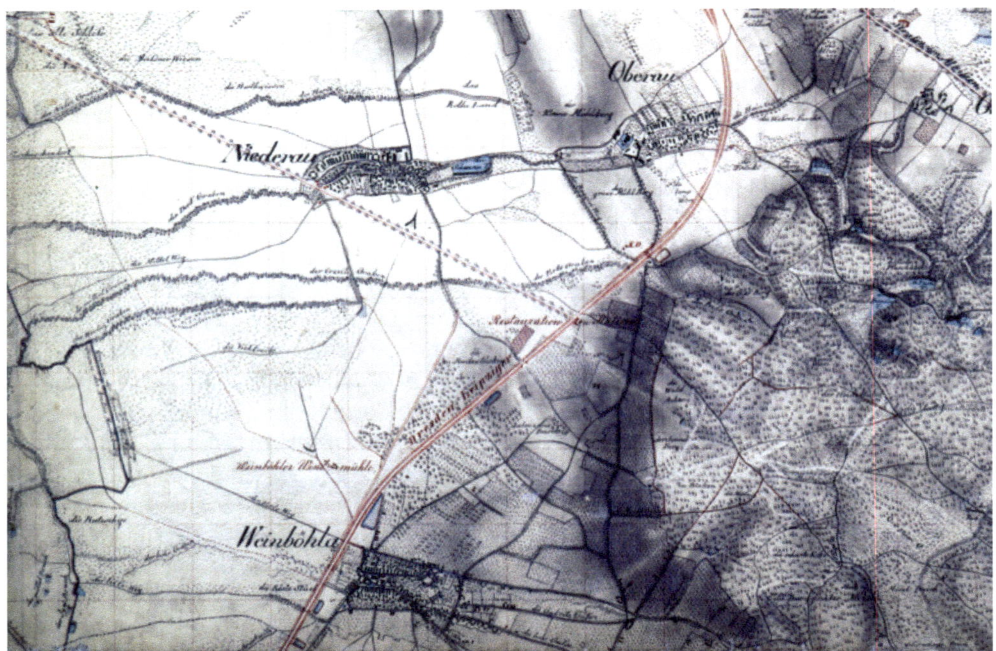

Abb. 1.1: Meilenblatt (Ausschnitt) mit Trasse der Strecke Leipzig – Dresden (Originalmaßstab 1:12.000) (Deutsche Fotothek SLUB Dresden)

1.1.4 Messverfahren

Lagemessungen

Die zum Bau erforderlichen Vermessungsarbeiten sind in den ersten Jahren des Eisenbahnbaus bis auf wenige Bilddarstellungen nicht dokumentiert. Es ist zwar bekannt, dass George Stephenson die bereits erwähnte Trasse nicht nur projektiert, sondern auch vermessen hat (Weigelt 1985). Es werden jedoch keine Angaben über die verwendeten Instrumente und Verfahren gemacht. Abbildung 1.2 zeigt Stephenson um 1830 als Unternehmer des Streckenbaus mit einem Feldmesser (Siems 2005). Die im Hintergrund dargestellten Messgeräte – eine Wasserwaage, eine Nivellierlatte und ein Feldzirkel – lassen auf die angewandten Messverfahren schließen. Während der Feldzirkel zur Längenmessung diente, wurden mit der Wasserwaage (Kanalwaage) und der Zielscheibe an der Nivellierlatte die Höhen festgelegt. Dabei wurde mit der Wasserwaage über die Wasseroberfläche in den beiden kommunizierenden Röhren eine horizontale Linie erzeugt, über die die Zielscheibe anvisiert wurde. Eine Ablesung an der Latte war nicht möglich.

Abb. 1.2: Stephenson mit einem Feldmesser (Siems 2005)

Daher wies der Beobachter die in der Höhe verschiebbare Zieltafel in die horizontale Linie ein. Die Ablesung an der Nivellierlatte nahm dann der Messgehilfe vor. Die Richtungen zur Winkelmessung waren meist noch mit Diopterzielungen festgelegt worden. Die Aufnahme einzelner Geländepunkte erfolgte mit dem Messtisch und hier mit dem Verfahren des grafischen Vorwärtseinschneidens (Abb. 1.3). Dabei wurden die Richtungen nach den mit Signalstangen markierten Zielpunkten mittels Dioptereinrichtungen festgelegt und auf dem Messtisch eingetragen. Der Abstand zwischen zwei Messtischpunkten A und B war eine Grund- bzw. Standlinie; sie wurde jeweils zweimal gemessen. Ergaben sich dabei größere Differenzen, so wurde eine dritte Messung durchgeführt und entschieden, welches Messungsergebnis verwendet werden sollte. Eine Mittelbildung war zu diesem Zeitpunkt (1832) offenbar noch nicht bekannt. Mitunter ist auf der Standlinie A – B noch ein Zwischenpunkt C eingerichtet worden, von dem dieselben Punkte angezielt wurden. Dadurch war eine Kontrolle der Punktbestimmung möglich. Nach Abschluss der Vermessungen wurden die Blätter übereinandergelegt und die Schnittpunkte der sich entsprechenden Richtungslinien markiert (Rachel 1915).

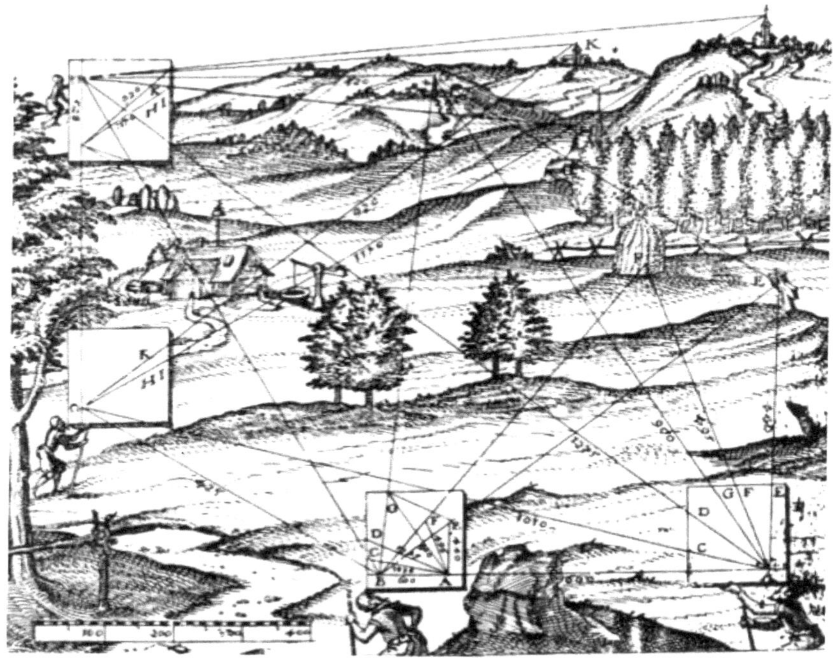

Abb. 1.3: Geländeaufnahme mit grafischen Vorwärtseinschnitten (Siems 2005)

Damit konnte eine direkte Streckenmessung umgangen werden. Das Messen längerer Strecken im Gelände bereitete nämlich mit den verfügbaren Längenmessgeräten einige Schwierigkeiten. Neben der Holzlatte (Länge 4 m) wurde meistens die Messkette verwendet. Acht Kettenglieder zu je 1 Elle hatten die Länge 1 Rute. Die Messkettenlänge betrug 5 Ruten. Da in den einzelnen Ländern unterschiedliche Maßeinheiten festgelegt waren, hatten die Messketten auch unterschiedliche Längen:

- Sachsen: 1 Elle = 0,537 m; 1 Rute = 4,295 m; 5 Ruten = 21,47 m
- Preußen: 1 Elle = 0,471 m; 1 Rute = 3,766 m; 5 Ruten = 18,83 m

Diese unterschiedlichen Maßeinheiten erschwerten den Bau von grenzüberschreitenden Bahnstrecken.

Die geschilderten Messverfahren wurden in der Zeit der ersten Eisenbahnen noch angewandt, wenngleich der Instrumentenbauer Georg Friedrich Brander bereits 1758 einen Theodolit mit Zielfernrohr und mit einem Strichkreuz auf einer Glasplatte gefertigt hatte. Letzteres wurde bisher dem genialen Instrumentenkonstrukteur Heinrich Wild um 1900 zugeschrieben. Der Mechaniker Georg Friedrich Reichenbach baute zusammen mit dem Uhrmacher Liebherr und dem Physiker Joseph von Fraunhofer seit 1805 Theodolite in der bis heute angewandten Bauweise. Man unterschied zwischen „Theodolit" und „Universalinstrument". Dieses besaß außer dem Horizontalteilkreis noch einen Vertikalteilkreis. Bekannt wurde Reichenbach vor allem durch die Realisierung der schon bekannten Idee, Streckenlängen mit einem parallaktischen Winkel zu bestimmen. Das mit einem solchen Zielfernrohr ausgerüstete Lineal (Kippregel) kam zunehmend zum Einsatz. Dieses Messverfahren, die Tachymetrie, löste später die Messtischaufnahme ab (Junius 1989).

Die zögerliche Einführung der Messinstrumente mit Zielfernrohr hatte im Wesentlichen drei Gründe:

1. Die Geometer mussten ihre Messgeräte auf eigene Kosten beschaffen.
2. Für die Herstellung der Kameralkarte wurden die Messgeräte vom Staat zur Verfügung gestellt. Zur Kosteneinsparung wurden nur Diopterinstrumente und einfache Messtische bewilligt.
3. Die neuen Instrumente waren sehr teuer.

Dazu kam, dass die Entlohnung so gering war, dass die meisten Geometer einen Kredit zur Finanzierung, selbst der einfachen Geräte, aufnehmen mussten (Weichold 1985).

Höhenmessungen

Da bis ins zweite Jahrzehnt des 19. Jahrhunderts ein Netz von Höhenfestpunkten in Deutschland nicht existierte, bereiteten die Messungen für brauchbare Höhenangaben in den Karten und für die Längs- und Querprofile der geplanten Eisenbahnstrecken große Probleme. Höhenfestpunkte mit trigonometrischen Verfahren oder durch Nivellement zu bestimmen, war im ersten Viertel des 19. Jahrhunderts aus technischen, zeitlichen und finanziellen Gründen nicht möglich. Stattdessen bot sich die barometrische Höhenbestimmung als schnelle und preisgünstige Messmethode an. In Sachsen hat Wilhelm Gotthelf Lohrmann um 1822 mit der barometrischen Bestimmung der Höhen markanter Erhebungen und anderer wichtiger Punkte begonnen. Die Genauigkeit der Messungen ließ oft zu wünschen übrig. Das hing in erster Linie damit zusammen, dass die atmosphärischen Luftdruckschwankungen während der Messungen nicht berücksichtigt wurden (Weichold 1985). Trotz dieser Erkenntnis sind die trigonometrischen und geometrischen Verfahren nur zögerlich für die Bestimmung der Höhenfestpunkte eingeführt worden. Erst ab etwa 1840 verzichtete man auf barometrische Messungen.

Die Höhenbestimmung für die Geländedarstellung (Einzelpunkte, Längs- und Querprofile) erfolgte mit geometrischen Messverfahren. So sind die Höhenmessungen beim Eisenbahnbau mit Libellennivellierinstrumenten ausgeführt worden. Bemerkenswert in diesem Zusammenhang ist, dass nach wie vor die sogenannten „Tableau"-Latten, an denen der Beobachter eine Zieltafel (Tableau) an der Latte einweist und der Messgehilfe die Ablesung an der Latte vornimmt, angewandt wurden. Diese „sprechenden" Latten, an denen der Beobachter die Ablesung tätigt, haben sich nur zögerlich durchgesetzt. Hauptgrund war sicherlich, dass die Strichteilung der Tableau-Latten für die Ablesung mit dem Fernrohr nicht geeignet war. Erst als etwa 1870 die „figürliche" Lattenteilung (Blockteilung) eingeführt wurde, war eine genügend genaue Fernrohrablesung an der Latte möglich. Dass es mancherorts noch Probleme mit der Höhenmessung gab, geht aus dem Bericht des Direktoriums der Leipzig-Dresdner Eisenbahn vom 31.12.1836 hervor. Dort heißt es unter anderem:

„Mehrere in der Absteckung sich zeigende Differenzen machten nothwendig, das vom Comité dem Directorio übergebene Nivellement von Leipzig bis Borsdorf nochmals vornehmen zu lassen, und es fand sich dadurch, dass zwar die Hauptpunkte richtig waren, dass aber im Detail Unrichtigkeiten stattfanden, welche zur Folge hatten, dass auf dem bereits fertigen Planum Abänderung gemacht werden mußten, wodurch das Niveau bis 28 Zoll theils tiefer, theils höher gelegt wurde."

Als Ursache für diese Probleme kommt noch hinzu, dass die Höhenfestpunkte meist nicht sicher gegründet waren. So wurden Grenzsteine, Treppenstufen, Deckplatten von Durchlässen und so weiter als Höhenfestpunkte benutzt, deren lokale Beschreibungen oft unzureichend waren.

1.1.5 Trassierung

Vorerkundung

Die Festlegung der Trassen erfolgte, wie auch heute noch, in erster Linie nach den Verkehrsbedürfnissen der Wirtschaft. Aber auch politische Gesichtspunkte, die oft der Kleinstaaterei in Deutschland geschuldet waren, Forderungen der Grundeigentümer, über deren Territorium die Strecken verlaufen sollten, sowie die Wünsche einflussreicher Politiker spielten eine Rolle. Hatte man sich auf die grundsätzliche Linie geeinigt, folgten die Vorarbeiten.

Vorarbeiten

Die festgelegte grundsätzliche Linienführung wurde zunächst als Tangentenpolygon in die Karte eingetragen. Enthielt diese Höhenlinien, so konnten aus deren Verlauf die Neigungsverhältnisse des Geländes beurteilt werden. Waren nur Karten ohne aussagefähige Höhenangaben vorhanden, mussten sie in der Örtlichkeit gemessen werden. Aus Zeitgründen bot sich hierfür die barometrische Höhenmessung an, die im Bedarfsfall mit Nivellements ergänzt wurde (Abb. 1.4). Meist sind jedoch vor allem die Neigungsverhältnisse bestimmt worden. Man bediente sich dazu sogenannter Gradbogen. In Flusstälern ist auch die Fließgeschwindigkeit des Wassers zur Beurteilung der Geländeneigungen herangezogen worden. Objekte, die in der Karte nicht dargestellt waren, konnten meist entsprechend geschätzter oder abgeschrittener Strecken eingetragen werden.

Im Rahmen der Vorarbeiten wurden vor allem auch die grundsätzlichen bau- und betriebstechnischen Festlegungen getroffen, zum Beispiel ein- oder zweigleisiger Streckenausbau, maximale Neigungen, Lage der Bahnhöfe und Betriebsanlagen. Damit war die Voraussetzung geschaffen, in einem relativ breiten Geländestreifen Variantenuntersuchungen vorzunehmen. Gelegentlich wurden die Varianten nur oberflächlich untersucht, „rekognosziert", wie es damals hieß. Hierfür wurde im Mittel eine Bearbeitungszeit von 1 km pro Tag erreicht (Siems & Stumpf 2007).

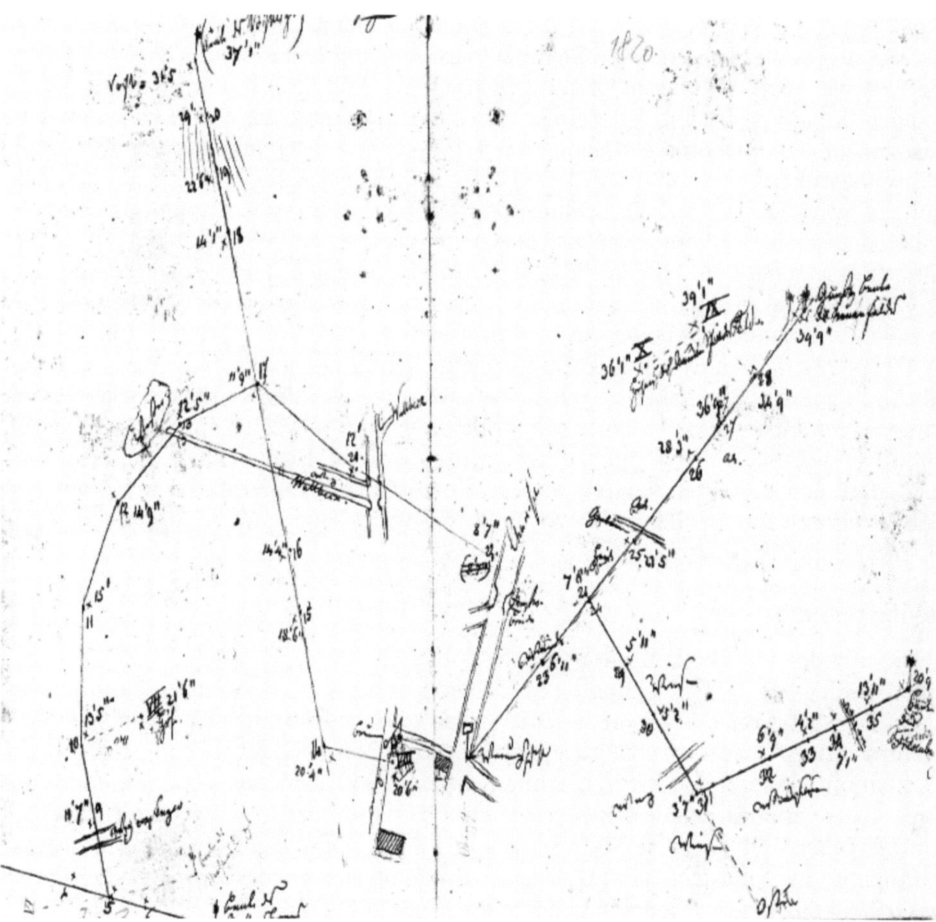

Abb. 1.4: Beispiel für ein Nivellements-Feldbuch 1820 (Siems & Stumpf 2007)

Der Trassenoptimierung lagen folgende Gesichtspunkte zugrunde: Zunächst wurde, auf den Erfahrungen beim Bau der ersten englischen Eisenbahnen aufbauend, angestrebt, mit langen Geraden, großen Radien und flachen Neigungen zu trassieren. Hauptgrund für diese als „englisches System" bezeichneten Vorgaben war die geringe Zugkraft der Lokomotiven. Deshalb wurden viele Strecken entlang von Flüssen angelegt. Fahrversuche mit den ersten in England gebauten Lokomotiven hatten ergeben, dass ein Zug mit einer Last von 918 Zentnern auf ebener Strecke mit einer Geschwindigkeit von 23,5 km/h, bei einer Neigung von 1:700 (1,4 ‰) mit 19,6 km/h und bei einer Neigung von 1:300 (3,3 ‰) mit 15,5 km/h bewegt werden konnte.

In Deutschland war man um 1835 der Meinung, dass größere Steigungen als 1:300 vermieden werden sollten. Diese Vorgabe, die vereinzelt noch bis 1848 vertreten wurde, war nicht gerechtfertigt, weil die Zugkraft der Lokomotiven zunehmend stärker wurde. Die auf der Strecke Nürnberg – Fürth eingesetzte Lokomotive „Adler" leistete 41 PS.

Sie bewältigte eine Neigung von 1:167 (6 ‰) ohne Probleme (Burton 1981). Die erste in Deutschland gebaute Lokomotive „Saxonia" auf der Strecke Leipzig – Dresden wurde mit 55 PS angegeben. Mit diesen Leistungen konnten schon Strecken mit etwas größeren Neigungen befahren werden. Allerdings war die Trassierung der Strecke kompliziert. Hier ist zunächst die maximale Neigung mit 1:100 (10 ‰) festgelegt worden. Der englische Eisenbahnfachmann James Walker, der als Ratgeber berufen wurde und maximale Neigungen von 1:200 (5 ‰) vorschlug, ging offenbar von der Leistung der ersten in England eingesetzten Lokomotiven aus. Das hatte insofern weitreichende Folgen, als bei der Ortschaft Machern ein langer und tiefer Geländeeinschnitt angelegt werden musste. Beim Ort Oberau war der Einschnitt so tief, dass stattdessen ein Tunnel gebaut wurde. Einer höheren Leistungsfähigkeit der Dampfmaschinen stand die geringe Adhäsion der einen Treibachse der deutschen Lokomotiven entgegen. In Amerika hatte man das Problem dadurch gelöst, dass mehrere Treibachsen gekoppelt wurden und somit die höheren Leistungen der Dampfmaschinen in Zugkraft umgesetzt werden konnten. Mit diesen Lokomotiven war auch die Möglichkeit geschaffen worden, Eisenbahnstrecken mit kleineren Radien und größeren Neigungen besser dem Gelände anzupassen und Bau- und Betriebskosten zu sparen. Diese Art zu trassieren wurde als „amerikanisches System" bezeichnet (Siems & Stumpf 2007).

Trassenfestlegung

Das Ergebnis der Vorarbeiten, die auch als „Generaltracierung" in Becker (1858) bezeichnet wurde, war die Festlegung eines Geländestreifens, der für den Verlauf der endgültigen Trasse besonders geeignet schien. Zur Konkretisierung des Trassenverlaufs („Detailtracierung") wurde zunächst ein sogenanntes Vornivellement entwickelt. Standen Karten mit Höhenlinien zur Verfügung (etwa ab 1840) und war das Gelände für die künftige Trasse eben oder nur schwach geneigt, so wurde der Trassenverlauf in diesen Karten festgelegt. Waren diese Voraussetzungen nicht vorhanden, erfolgte eine Messtischaufnahme im Maßstab 1:2.500. Der Übertragung des ersten Entwurfs der Trasse in die Örtlichkeit stand nun nichts mehr im Wege. Bezüglich der Absteckung der neuen Trasse heißt es in Becker (1858):

„Zum Behufe der Absteckung der ausgemittelten Bahnachse wird dieselbe für's Erste als Polygon betrachtet, und auf die Bahnkrümmungen keine Rücksicht genommen; es werden die Winkelpunkte mit hohen Stangen bezeichnet. Da diese Stangen bei dem Aufstellen des Winkelinstruments weggenommen werden müssen, so ist zur Erhaltung des Punktes zweckmäßig, daß kleine Kästchen aus Brettern zusammengenagelt, 1½ bis 2' hoch angefertigt werden, welche gerade so lang und breit sind, daß die etwas zugehauene Signalstange hineinpaßt. Diese Kästchen werden ganz in den Boden eingegraben."

Dieser Tangentenpolygonzug war die Grundlage für die Messung eines Längsprofils und der Querprofile. Sie wurden im Längenmaßstab 1:2.500 und im Höhenmaßstab 1:250 gezeichnet. Dieses Tangentenpolygon benannte man verschiedentlich auch als „Meßweg". Er bildete die Grundlage für die Absteckung der endgültigen Trasse, die meist mit dem „Meßweg" identisch war, aber auch im Sinne einer Optimierung von diesem abweichen konnte. Nach Messung der Brechungswinkel des endgültigen Trassenverlaufs schloss sich die Bogenabsteckung an. Der Punktabstand in der Geraden betrug 10 Ruten (zirka 40 m), im Bogen 5 Ruten (zirka 20 m = 1 Messkettenlänge) (Siems & Stumpf 2007). Mitunter ist danach, vor allem im hügeligen Gelände, eine Aktualisierung des Längsprofils und der Querprofile erforderlich geworden. An den Stellen der optimierten Trasse, an denen Querprofile gemessen werden sollten, wurden Zwischenpunkte eingeschaltet. Zur Orientierung auf der Trasse erfolgte die Festlegung einer Stationierung, in die auch kreuzende Objekte, zum Beispiel Wege und Flüsse, einbezogen wurden. Bei eingleisigen Strecken wurde die Gleisachse, bei zweigleisigen Strecken die „Mittellinie" (Bahnachse) mit starken Holzpfählen abgesteckt. Für die Überprüfung der Gleishöhenlage ordnete man an der Böschungskante zusätzlich weitere Holzpfähle an. Es schloss sich die Bau- und Betriebskostenberechnung an.

1.1.6 Absteckverfahren

Als Instrumente zur Messung der Tangentenschnittwinkel kamen Theodolite der Firmen Reichenbach, Ertel und Breithaupt zur Anwendung. Sie waren zur repetitionsweisen Winkelmessung eingerichtet. Die Teilkreise konnten an vier diametral gegenüberliegenden Teilkreisstellen abgelesen werden. Meist waren diese noch mit einem Versicherungsfernrohr ausgerüstet, mit dem ein Fernziel anvisiert und die Teilkreisstellung während der Messung kontrolliert werden konnte. Die repetitionsweise Winkelmessung wurde auch angewandt, weil die satzweise Richtungsmessung offenbar noch nicht bekannt war. Fielen die Tangentenschnittpunkte an unzugängliche Stellen, wurden wie auch heute noch Hilfspunkte auf den Tangenten bestimmt und die Brechungswinkel indirekt gemessen.

Die Bogenzwischenpunkte wurden meist mit rechten Winkeln von Tangenten und Sehnen aus in die Örtlichkeit übertragen (Orthogonalverfahren). Hierzu diente eine in den Fußpunkten aufgestellte Kreuzscheibe. Aus der Literatur ist auch das Sehnenverlängerungsverfahren bekannt (Abb. 1.5). Becker (1858) schlägt für die Absteckung der Bogenzwischenpunkte folgende Arbeitsschritte vor:

- Absetzen der Tangentenlängen → BA, BE
- Polares Absetzen des Scheitelabstands → BM

Gleicher Vorgang von den Hilfstangentenpunkten der Tangente in BM. Ferner weist er darauf hin, dass man bei längeren Bögen die Absteckung mit Peripheriewinkeln ausführen kann. Auf diese Methode hatte schon Birk (1847) hingewiesen. Es handelt sich in beiden Fällen um die Darlegung der trigonometrischen Zusammenhänge ohne einen Bezug auf deren praktische Anwendung. Bei den umfangreichen Bahnbauten im niedersächsischen Raum ist die Absteckung mit Peripheriewinkeln um 1850 schon üblich gewesen.

Zur Vereinfachung der Berechnungen, die mit Logarithmentafeln ausgeführt werden mussten, sind etwa ab 1840 Zahlentafeln erschienen, zum Beispiel 1840 von Schulze *„Tafeln für Bögen von 100 bis 1000 Ruten"* (Siems & Stumpf 2007), Waege (1863) *„Anleitung zur Kurvenabsteckung mit besonderer Rücksicht auf Eisenbahnanlagen"*, Kröhnke (1851) *„Taschenbuch zum Abstecken von Kurven"*. Den Zahlenwerten lag der Einheitskreis zugrunde. Sie waren für die Anwendung des Orthogonalverfahrens und gleichmäßiger Bogenteilung nach Zentriwinkel-Teilwerten oder nach Radien-Teilwerten gegliedert.

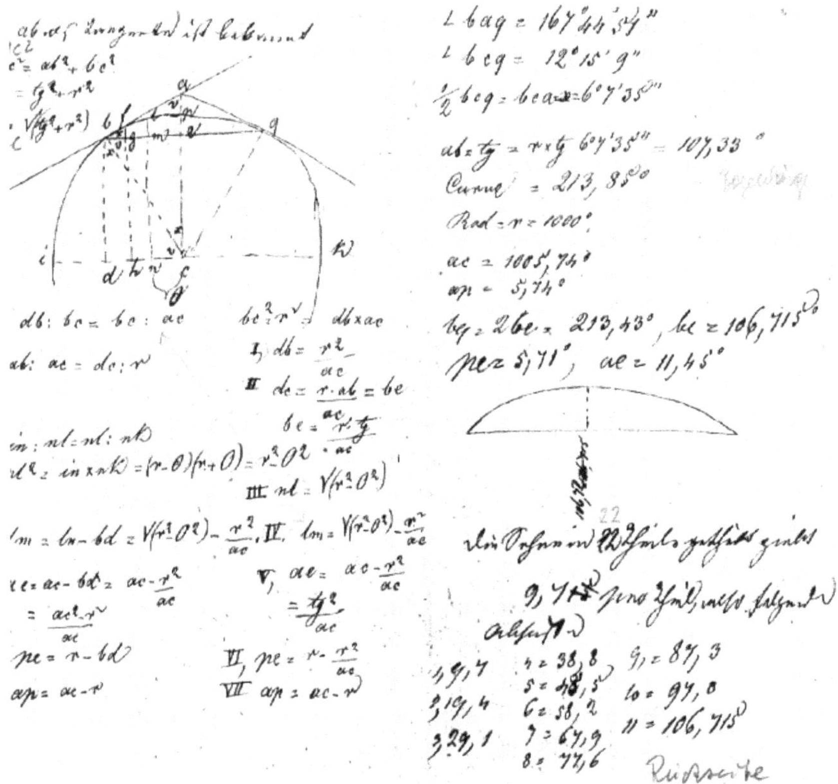

Abb. 1.5: Berechnung der Bogenabstände von der Sehne aus Siems & Stumpf (2007)

Korb- und Übergangsbögen wurden erstmals in der 15. Auflage behandelt (Kröhnke 1911). Der Punktabstand sollte bei kleinen Radien zirka r/30 sein. Mitunter wurden die Bogenzwischenpunkte auch auf runden Stationswerten angeordnet.

Bei den Eisenbahnstrecken, die über Ländergrenzen hinweg geführt wurden, ergaben sich Schwierigkeiten dadurch, dass die Höhenbezugssysteme der einzelnen Länder bis zu 2 m differierten. Aus diesem Grunde machte die Eisenbahndirektion Hannover 1864 dem Minister des Innern den Vorschlag, sämtliche Nivellements auf denselben Nullpunkt zu beziehen und nach und nach ein Netz von zuverlässigen Nivellements-Fixpunkten und sonstigen Höhenzahlen über das ganze Königreich zu verbreiten (Siems & Stumpf 2007). Mit der Schaffung eines zentralen Höhenbezugspunkts an der Berliner Sternwarte, der sich auf das Mittelwasser des Amsterdamer Pegels bezog (Höhen über Normal Null), wurde dieses Problem erst 1879 einer Lösung zugeführt.

1.1.7 Bogengeometrie

Wie bereits erwähnt, sollten bei der Projektierung von Eisenbahnstrecken enge Kurven weitestgehend vermieden werden. Es wurden allenfalls Strecken mit großen Radien und flachen Neigungen geplant, weil befürchtet wurde, dass die starren Achsanordnungen der Lokomotiven und Wagen die Reibung in den Bögen stark erhöhen und wegen der geringen Zugkräfte die Nutzlast der Züge herabgesetzt werden müsse. Davon zeugt auch der Vorschlag des Eisenbahnpioniers Harkort in seiner 1833 erschienenen Denkschrift (Harkort 1827). Er forderte beim Bau von Pferden gezogener Kohlebahnen:

„Bei Bogenwendungen ist stets darauf zu sehen, dass die äußere Seite des Gestänges höher liege, als wie die innere, damit die Reibung vermieden wird und die Räder nicht aus dem Gleise springen" (Siems 2005).

Es handelt sich bei diesem Vorschlag nicht um die bei Pferdebahnen nicht messbare Fliehbeschleunigung, sondern um die Minderung der Reibung. Ein markantes Beispiel für möglichst geradlinige Streckenführung ist die Eisenbahn von Nürnberg nach Fürth.

Bei der Strecke Leipzig – Dresden war zunächst der Mindestradius mit 2.000 Fuß (zirka 566 m) festgelegt worden. Dann schlug Walker vor, die Mindestradien mit 4.000 Fuß (zirka 1.133 m) festzulegen. Nur an einer Stelle wurde ein Gleisbogen mit dem Radius von 3.300 Fuß (ca. 935 m) vorgesehen.

Mit der Steigerung der Geschwindigkeit spielte dies eine immer größere Rolle. Die physikalischen und mathematischen Zusammenhänge zwischen Zuggeschwindigkeit, Gleisradius und Überhöhung wurden erstmals von Poppe (1844), von Glünder (1846) und von de Pambour dargelegt. Auf der Grundlage seiner Formeln hat der Ingenieur de Pambour eine Tabelle berechnet, aus der die Überhöhung in englischen Zoll für verschiedene Radien und Geschwindigkeiten (Meilen/h) zu entnehmen ist. Die abgeleiteten Formeln waren durch die Einführung der leicht kegelförmigen Räder in der Anwendung kompliziert. 1854 veröffentlichte der Feldmesser Garcke die heute noch angewandte Formel und schreibt, *„dass beim Bau der Eisenbahnen die Überhöhung sich nach dem schnellsten Zug zu richten habe"* (Siems 2005). Er nahm allerdings die in die Formel eingehende Schwerebeschleunigung mit 32,25 Fuß/s^2 = 10,12 m/s^2 an. Diese Annahme ist größer als der heute benutzte Wert von 9,81 m/s^2. Dadurch sind seine Überhöhungsbeträge um etwa 3 % kleiner als die später angewandten Beträge. Ferner schlug er vor, den Übergang von der Überhöhung Null in der Geraden bis zur Überhöhung u im Kreisbogen vollständig in der Geraden anzuordnen, damit im gesamten Kreisbogen die volle Überhöhung vorhanden ist (Überhöhungsrampe). Dadurch erzeugte er in der Geraden eine allmählich ansteigende Zentripetalkraft, die am Kreisbogenanfang ruckartig durch die einsetzende Zentrifugalkraft aufgehoben wird. Später wurde zur Minderung dieser unangenehmen Erscheinung vorgeschlagen, die Überhöhungsrampe je zur Hälfte in die Gerade und den Kreisbogen zu legen, ohne jedoch dieses Problem (Ruck) gelöst zu haben.

Zur Beseitigung des Rucks im Krümmungswechsel schlug Pressel bereits 1854 als erster einen Übergangsbogen vor, indem er längengleich mit der Überhöhungsrampe im Grundriss eine Parabel 3. Grades einbaute (Pressel 1854). Da er jedoch die mathematische Ableitung dieser Kurve sehr kompliziert gestaltete und kein entsprechendes Absteckverfahren gefunden hatte, wurde dieser Vorschlag in der Praxis nicht angewandt.

Der preußische Eisenbahnbaumeister Ilse schlug 1865 erneut vor, den Übergang von der Geraden in den Kreisbogen mit einer kubischen Parabel vorzunehmen, ohne dass er sich auf die Veröffentlichung von Pressel bezog (Ilse 1865). Seine Rechengänge für die Absteckung mit rechtwinkligen Koordinaten der Parabel und des anschließenden Kreisbogens sind ebenfalls relativ kompliziert. Darüber hinaus ist zu bedenken, dass die Absteckwerte mithilfe von Logarithmen berechnet werden mussten. Obwohl die Vorschläge von Pressel und Ilse als die „vollkommenere" Lösung angesehen wurden, sind beim Bau der Brennerbahn 1865 stattdessen Vorbogen angewandt worden, weil diese Lösung „weniger Zeit und Mühe" erforderten (Thommen 1865). Der Bauinspektor der Brennerbahn Thommen hatte die Bögen mit den Radien 1.200 Fuß (zirka 380 m) bis 2.000 Fuß (zirka 632 m) mit einem Vorbogen mit doppeltem Radius des Hauptbogens versehen. Für die Bögen mit den Radien 900 Fuß (zirka 284 m) bis 1.200 Fuß (zirka 380 m) wurden zwei Vorbögen angeordnet. Der erste Vorbogen hatte den vierfachen und der zweite Vorbogen den doppelten Radius des Hauptbogens. Thommen schlug ferner vor, dass bei einer solchen Lösung die Größe des Mindestradius noch weiter herabgesetzt werden könnte.

Den Presselschen Vorschlag griff der französische Vermessungsingenieur Nördling 1867 auf. Er schrieb:

„Zu der gradlinig ansteigenden Überhöhungsrampe gehört eine Anschlußkurve (Übergangsbogen), in der die Krümmung ebenso gradlinig anwächst. Diese Eigenschaft hat in gewissen Grenzen die kubische Parabel $y = C \cdot x^3$*. Sie ist daher für die Übergangsbogen die geeignete Kurve"* (Helmert 1872).

In zwei Abhandlungen gab er die Absteckverfahren an, die bis in das 20. Jahrhundert angewandt wurden.

Die kubische Parabel weist am Übergangsbogenende ÜE einen Krümmungs- und Ordinatensprung gegenüber dem anschließenden Kreisbogen auf, der bei kurzen Bogenlängen zwar vernachlässigbar klein ist, bei langen jedoch berücksichtigt werden muss. Zur Lösung dieses Problems hat es von verschiedenen Fachleuten Vorschläge gegeben, die sich in der Praxis nicht durchsetzen konnten. Helmert hatte sich dieser Problematik angenommen und die Berechnungsformeln für viele Bogenkombinationen abgeleitet (Helmert 1872). Besonders hervorzuheben ist jedoch sein Vorschlag, die kubische Parabel in der ersten Hälfte von der Tangente und in der zweiten Hälfte von Kreisbogenpunkten aus abzustecken. Er wies nach, dass die y-Werte, die von der Tangente abzusetzen sind, mit den Verschiebewerten des Kreisbogens zur Parabel übereinstimmen. Diese Feststellung trifft auch zu, wenn in der ersten Hälfte statt der Geraden ein Kreisbogen angeordnet ist (allgemeine Lösung, Abb. 1.6). Damit ist der Ordinatensprung am Übergangsbogenende beseitigt. Durch diese Verbiegung der kubischen Parabel konnte der Krümmungssprung vernachlässigbar klein gehalten und beliebig lange kubische Parabeln abgesteckt werden.

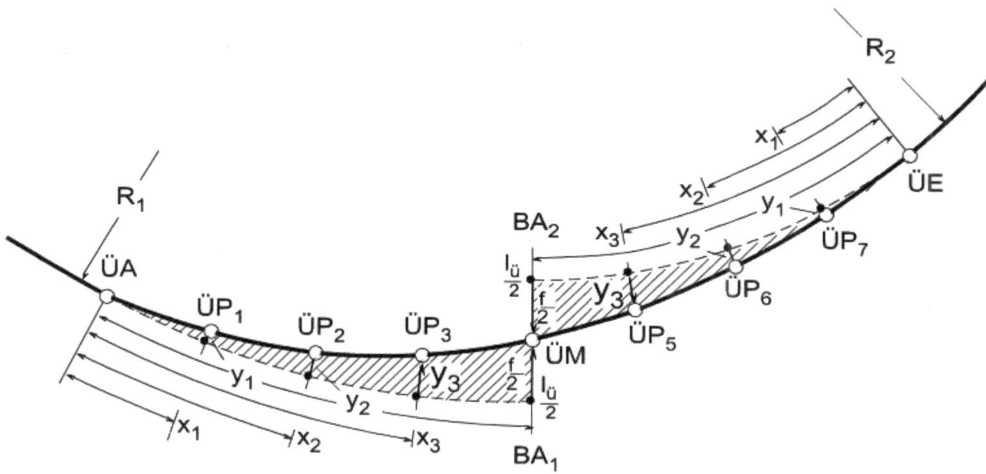

Abb. 1.6: Absteckverfahren der kubischen Parabel nach Helmert

Zur Verbesserung eines ruhigen Fahrzeuglaufs bei hohen Geschwindigkeiten hat Cherbuliez den räumlichen Weg des Wagenschwerpunkts beim Befahren eines Übergangsbogens untersucht. Er stellte fest, dass vor allem die vertikale Bewegung des Schwerpunkts, hervorgerufen durch die Anhebung der äußeren Schiene im Bereich der Überhöhungsrampe, die Laufruhe der Fahrzeuge ungünstig beeinflusst. Die von ihm in Cherbuliez (1916) abgeleiteten Formeln gestatten die Berechnung der Höhenlage der Schienen (innere Absenkung, äußere Anhebung) für die gewählten herkömmlichen Übergangsbogenformen, damit der Wagenschwerpunkt keine vertikale Bewegung ausführt.

Die Arbeiten von Nördling, Helmert und einer Reihe weiterer Autoren, in denen auch teilweise geschwungene Rampen vorgeschlagen wurden, fanden zunächst in der Praxis keine Beachtung. Dies hing in erster Linie damit zusammen, dass für die kleinen Geschwindigkeiten nur kurze Übergangsbogen notwendig waren. Deshalb wurde zwar auf die Gestaltung der Überhöhungsrampen großer Wert gelegt, die zugehörigen Kurven aber nicht ausgeführt. Erst mit der Einführung höherer Streckengeschwindigkeiten Anfang der 1930er-Jahre und den damit verbundenen längeren Übergangsbögen erlangten vor allem die Arbeiten von Nördling und Helmert an Bedeutung (Schramm 1937). Die kubische Parabel wurde später durch die Klotoide und andere fahrdynamisch bessere Übergangsbogenformen, zum Beispiel Parabel 4. Grades, Parabel 5. Grades (Bloss-Kurve), Sinusoide, ersetzt.

Große Eisenbahnbauten

Schon bei den ersten Eisenbahnstrecken wurden große Bauwerke in Angriff genommen. Die erste große Eisenbahnbrücke wurde 1837 bei Riesa über die Elbe gebaut. Deren Sandsteinpfeiler ruhten auf Pfahlrosten und waren durch hölzerne Bogenträger mit einer Spannweite von 28,3 m verbunden. Auch die Pfeiler der Brücke bei Leipzig-Connewitz waren aus Sandstein gebaut. Die Spannweite der hölzernen Bogenträger betrug 15,3 m. Die bekannteste Brücke aus dieser Zeit ist die Göltzschtalbrücke bei Reichenbach im

Vogtland. Sie ist die größte Brücke der Welt, die aus Ziegeln und Natursteinen gemauert wurde (1851). Die stockwerkartig angeordneten Bögen – ähnlich den römischen Aquädukten – erreichten eine Höhe von 78 m und eine Länge von 574 m. Die Gewölbe haben lichte Weiten bis zu 30,9 m. Sie ist bis heute unverändert in Betrieb.

Freiberger Bergleute waren es, die den Tunnel bei Oberau in bergmännischer Bauweise ausführten. Obwohl dieser nur 1.868 Fuß (512 m) lang war, wurden für den Vortrieb in der Tunnelachse vier Schächte bis zur Tunnelsohle abgeteuft. Dadurch konnte von diesen aus an acht Stellen und zusätzlich an den beiden Portalen die Tunnelröhre aufgefahren werden. In den Schächten wurden je zwei Lote aufgehängt, von denen aus die Vortriebsrichtung abgeleitet wurde. Die kurzen Abstände der Schächte sind dadurch begründet, dass die Messungen unter Tage mit den Zielungen nach den Punkten, die nur mit Kerzen signalisiert werden konnten, sehr ungenau waren. Die Bauzeit betrug drei Jahre.

Instandhaltung

Die hohe Verkehrsdichte, die großen Geschwindigkeiten, die höheren Fahrzeugmassen und der leichte Oberbau waren Ursachen für die zunehmende Deformation des Oberbaus. Die Notwendigkeit der Überprüfung der Lage- und Höhenverschiebungen und deren Korrektur gewannen immer mehr an Bedeutung. Die Höhen- und Überhöhungsfehler konnten mit Nivellements einfach bestimmt werden. Dagegen war die messtechnische Erfassung der Lagefehler sehr aufwendig. Das bestehende Gleis musste mit großer Genauigkeit aufgemessen und mit der theoretisch richtigen Lage verglichen werden. Das war allerdings mit der erforderlichen Genauigkeit nur möglich, wenn die Solllage exakt dokumentiert war.

Es handelt sich hier um die Bestimmung kleiner horizontaler Verschiebungen zur Herstellung einer kontinuierlichen Krümmung. Es lag deshalb der Gedanke nahe, das bestehende Gleis selbst als Grundlage der Aufmessung und Absteckung zu benutzen, wobei dessen horizontale Lage durch die Messung von Pfeilhöhen und deren Vergleich mit den Sollwerten die gesuchten Verschiebungen liefert. Diese Art der Gleisbogenberichtigung ist gegen Ende des 19. Jahrhunderts vom Landmesser Alexander Nalenz erstmalig entwickelt, angewandt und veröffentlicht worden. Er hatte aus den gemessenen Pfeilhöhen die Richtungswinkel der Tangenten in den einzelnen Messpunkten abgeleitet und grafisch aufgetragen. Diese Darstellung wird als Winkelbild bezeichnet. Aus der grafischen Gegenüberstellung der theoretisch richtigen Winkelgrößen mit den aus der Messung erhaltenen leitete er die Horizontalabstände ab. Diese Darstellung wird als Abstandsbild bezeichnet. Somit konnte die Verschiebung zur Berichtigung der Gleislage an jedem gemessenen Punkt angegeben werden.

Das Verfahren ist von Höfer praktikabler gestaltet worden. Deshalb spricht man auch vom „Nalenz-Höfer-Verfahren". Daneben hat sich aber auch der Begriff „Winkelbildverfahren" erhalten (Schramm 1932). Da das grafische Eintragen des theoretisch richtigen Entwurfs im Winkelbild nur mit begrenzter Genauigkeit möglich ist und der genaue Anschluss der Bogenlage an die anschließenden Geraden gewährleistet werden muss, kann es zu unerwünschten Horizontalverschiebungen kommen. Deren Korrektur konnte zunächst nur durch die mit erheblichem Aufwand verbundene Verbesserung des Entwurfs im Winkelbild versucht werden. Meist führte die Korrektur erst nach mehreren Versuchen zum Ziel. Im Bestreben, diesen Nachteil zu umgehen, ist im Reichsbahn-Vermessungsamt Dresden in den 1930er-Jahren das sogenannte „Abstandsbildverfahren" entwickelt worden. Mit diesem lassen sich die unerwünschten Verschiebungen ohne Zuhilfenahme des Winkelbilds berichtigen. Das Verfahren ist in Müller (1984) ausführlich beschrieben.

Inzwischen sind die grafischen Verfahren durch die elektronischen Tachymeter und die Bearbeitung der Gleislagefehler mit Programmsystemen abgelöst worden.

1.1.8 Rechentechnik

Obwohl Blaise Pascal bereits 1642 eine mechanische Rechenmaschine konstruierte, wurden erst ab 1855 von Xavier Thomas auf der Grundlage des von Leibniz erfundenen Prinzips Rechenmaschinen in einer Serie hergestellt (Pädagogische Hochschule Ludwigsburg 2001) und vor allem im Bankwesen und im geringerem Umfang auch im Vermessungswesen eingesetzt. Aufgrund der Herstellung in einer Manufaktur und des damit verbundenen hohen Preises fanden diese Maschinen keine große Verbreitung. Wie aus Trinks (1926) hervorgeht, wurden brauchbare Maschinen vor allem von der Firma Brunsviga (Braunschweig) etwa ab 1890 in größeren Stückzahlen auf den Markt gebracht. Bis zu dieser Zeit erfolgten die Berechnungen logarithmisch.

Die Genauigkeit der Berechnungen für den Bau von Gleisanlagen erforderte mindestens 7-stellige Logarithmentafeln und die zeitaufwendige Interpolation der Werte. Deshalb brachte die Anwendung der mechanischen Rechenmaschinen einen außerordentlichen Zeitgewinn, obwohl die Werte der Winkelfunktionen auch weiterhin aus Tafeln entnommen werden mussten. Eine weitere Erleichterung brachten die von der Firma Brunsviga hergestellten Doppelrechenmaschinen. Es handelte sich um zwei nebeneinander angeordnete Rechenwerke, die mit einer gemeinsamen Handkurbel betrieben wurden. Man konnte damit die x- und y-Werte der Koordinaten in einem Rechengang bestimmen. Die zunächst von Hand betriebenen Maschinen wurden nach und nach durch elektrisch betriebene ersetzt. Durch den damit verbundenen automatischen Rechenablauf war eine gewisse Zeiteinsparung möglich. Nach wie vor konnten allerdings auch mit diesen Maschinen nur die vier Grundrechenarten gelöst werden. Einen wesentlichen Fortschritt in Bequemlichkeit und vor allem im Zeitgewinn brachten die 1973 von Hewlett Packard produzierten elektronischen Taschenrechner HP 35 mit wissenschaftlichen Funktionen. Solche Rechner standen, von zahlreichen Firmen produziert, ab etwa 1975 in großem Umfang zur Verfügung. Sie wurden in den Folgejahren durch die Einführung der Personalcomputer ersetzt. Mit diesen ist die komplexe Berechnung der Projekte mit Programmsystemen möglich geworden.

1.2 Ingenieurvermessung im Eisenbahnbau

Vermessung und Eisenbahnbau sind seit jeher eng verknüpft. Im Laufe der langen Entwickung haben sich eine Vielzahl von speziellen Mess- und Berechnungsverfahren herausgebildet. Das anspruchsvolle Teilgebiet „Eisenbahnvermessung – Bahngeodäsie" in der Ingenieurvermessung ist wie folgt definiert:

Die Eisenbahnvermessung oder Bahngeodäsie ist das Teilfachgebiet der Ingenieurgeodäsie, das alle Geoinformationen für die topologische Datenstrukturierung, -verwaltung und interdisziplinäre Nutzung numerisch koordinatengebundener Gleistrassen liefert und die damit zusammenhängenden Berechnungen ausführt.

Daher nehmen diese Arbeiten innerhalb der Ingenieurgeodäsie und somit auch innerhalb dieser Handbuchreihe eine Sonderstellung ein.

In Abhängigkeit von der Aufgabenstellung sind folgende Probleme zu lösen:

- Für Neu- und Ausbaustrecken sind wegen der hohen Entwurfsgeschwindigkeit umfangreiche und sehr präzise Messungen erforderlich.
- Bei der Befahrung der Gleise entstehen durch die wirkenden Spurführungskräfte Gleislageänderungen, die mit sog. Gleisrichtverfahren in der Regel maschinell beseitigt werden.
- Reparaturarbeiten an bestehenden Gleisen und Weichen stellen bei der Lage- und Höhenoptimierung wegen der Vielzahl von einzuhaltenden Anschlussbedingungen und Zwangspunkten eine besondere Herausforderung dar. Hier sind nicht nur vermessungstechnische und gleisgeometrische Kenntnisse, sondern auch Fachwissen über bau-, betriebs- und gleistechnische Zusammenhänge des Systems Eisenbahn erforderlich.
- In Abhängigeit vom Verschleißgrad erfolgt eine Instandhaltung des liegenden Gleises oder eine Erneuerung durch eine Gleisauswechslung.

Die Eigenart des Verkehrswegs (spur- und somit zwangsgeführter Verkehr) erfordert bei der geometrischen Gestaltung in horizontaler und vertikaler Richtung die Berücksichtigung der einwirkenden Kräfte:

- Horizontale Kraft in Richtung der Bogentangente bzw. der Geraden, verursacht durch die Beschleunigung oder Verzögerung der Fahrzeuge.
- Kraft in Richtung der Erdanziehung, bedingt durch die Fallbeschleunigung.
- Horizontale Kraft in Richtung der Bogennormalen (Zentrifugal- bzw. Zentripetalkraft).

Die Fahrzeuge verursachen durch Tauch-, Wank- und Rollbewegungen dynamische und durch die Achslasten zusätzlich (quasi)statische Kräfte. Weitere Kräfte, die auf das Gleis einwirken, entstehen durch Effekte, die auf verschiedene Verschleißerscheinungen zurückzuführen sind (unrunde Räder, Unebenheiten und Oberflächenfehler der Schienenoberkante, Schweißstöße, Druck- und Zugspannungen im lückenlos verschweißten Gleis). Im Vergleich zum Straßenverkehr sind die absoluten Kräfte, die auf das Gleis übertragen werden, wesentlich größer, da es sich um spurgeführte Fahrzeuge handelt.

Das Gleis wird jedoch durch entsprechende konstruktive und geometrische Bemessungen so ausgebildet, dass es diese Kräfte ohne dauerhafte Deformation aufnehmen kann. Praktisch sieht es aber so aus, dass durch die Genauigkeit der Bauausführung und die realen Belastungen unter dem rollenden Rad diese theoretischen Vorgaben nicht exakt den wirklichen Verhältnissen entsprechen. Dadurch können die angenommenen Belastungen eines Gleises durchaus überschritten werden. Die Folge sind stärkere Veränderungen der Gleisgeometrie sowie ein unruhiger Fahrzeuglauf. Deshalb muss das Gleis in Abhängigkeit von der betrieblichen Belastung nach gewissen Zeitabständen wieder in die theoretisch richtige Lage und Höhe gebracht werden. Zur Gleisinstandhaltung gehören folgende getrennte Arbeitsgänge:

- Herstellen der theoretisch festgelegten Gleisgeometrie (Lage und Höhe),
- Austauschen von defekten Teilen des Oberbaus (Schwellen, Befestigungsmittel usw.).

Die geodätischen Arbeiten bei der Gleisinstandhaltung bedingen, dass das deformierte Gleis vorhanden ist. Eine optimierte neue Gleislage wird mit Gleisstopf- und -richtmaschinen durch relative Verfahren erreicht. Die entsprechenden Steuerungsdaten werden überwiegend durch das sog. Vormessen erhalten.

Nach einer längeren Nutzungsdauer ist der Verschleiß des Gleises und die Deformation in Lage und Höhe soweit fortgeschritten, dass eine Erneuerung des Gleises notwendig wird. Ursachen sind vor allem Betriebseinwirkungen, aber auch klimatische Einflüsse. Bei einer Gleiserneuerung wird eine Änderung der Gleisgeometrie meist nur dann vorgenommen, wenn es dafür betriebliche oder andere Notwendigkeiten gibt. Das ist z. B. bei der Ertüchtigung des Gleises für eine höhere Streckengeschwindigkeit oder bei baulichen Veränderungen an der Strecke der Fall. Deshalb ist eine komplette Neuabsteckung der absoluten Gleislage notwendig. Das anschließend verlegte neue Gleis wird mit Gleisstopf- und -richtmaschinen in die erforderliche projektgerechte absolute Lage und Höhe gebracht. Dadurch wird eine den Anforderungen des Bahnbetriebs hohe Kontinuität bezüglich der Krümmung und des vertikalen Verlaufs erreicht.

Der Deformation der Gleise durch betriebliche Einwirkungen kann mit dem Bau von Gleisen in „Fester Fahrbahn“ begegnet werden. Das klassische Gleis in einer Schotterbettung wird hierbei durch eine feste Oberbau-Konstruktion auf Beton- und/oder Asphalttragschichten ersetzt. Damit wird die Nutzungsdauer bei sinkenden Instandhaltungskosten erhöht. Die notwendige Elastizität wird durch optimierte Masse-Feder-Systeme erreicht. Insgesamt sind die Baukosten höher und die Bauausführung erfordert eine hohe Präsizion. Spätere Änderung in Lage und Höhe sind nicht mehr möglich. Dem stehen aber erheblich geringere Kosten für die Instandhaltung gegenüber.

Die geodätischen Verfahren für die

- Gleisinstandhaltung,
- Gleiserneuerung und
- Feste Fahrbahn

sind deshalb grundsätzlich verschieden.

Eine Besonderheit stellen auch die Rahmenbedingungen für die Messungen im laufenden Eisenbahnbetrieb dar. Hier sind die geltenden Unfallverhütungsvorschriften strikt einzuhalten. Besondere Bedingungen sind auf Strecken mit Oberleitung zu beachten. Die Sicherung der Beschäftigten im Gefahrenbereich der Gleise während der geodätischen Arbeiten hat oberste Priorität. Deshalb steigt die Bedeutung von Messverfahren, bei denen das Betreten des Gefahrenbereichs nicht mehr erforderlich ist. Dazu zählen z. B. fahrzeuggestützte Aufmessungen mit Laserscannern oder die Erfassung der Gleislage mit UAV (Unmanned Air Vehicles) und entsprechenden Aufnahmesystemen (z. B. Kamera oder Laserscanner). Als Beispiel dafür wird im Kapitel 4 das Verfahren „Drones2BIM“ erläutert.

Die erforderliche Linienführung wird durch Trassierungsparameter erreicht, die den geforderten Entwurfsgeschwindigkeiten gleisgeometrisch und fahrdynamisch entsprechen müssen. Daher ist auf Neubaustrecken durch die gestreckte Linienführung ein relativ hoher Anteil an Ingenieurbauwerken, vor allem Brücken und Tunnel, zu finden.

Die genannten Fakten zeigen, dass der Umfang und die Genauigkeit der vermessungstechnischen Arbeiten im Eisenbahnbau wesentlich größer als in anderen Baubereichen sind. Hinzu kommt, dass die Vermessungsingenieure auch mit der Spezifik der Eisenbahntechnik im Allgemeinen vertraut sein müssen.

1.3 Entwicklung der Koordinatensysteme

Das Kapitel beschreibt zuerst die Entwicklung des numerischen Koordinateneinsatzes im internationalen Bereich. Dann werden die einzelnen Bahnen vorgestellt. Die Schweizerische Bundesbahnen AG (SBB) nehmen hierbei einen wichtigen Platz ein, da sie maßgeblich an dieser Entwicklung beteiligt waren. Aber auch die Deutsche Bahn AG (DB) und die Österreichischen Bundesbahnen (ÖBB) haben die Bedeutung dieser Entwicklung erkannt und befassen sich mit diesem Thema.

Internationale Entwicklung

1986 beginnt eine Entwicklung außerhalb der Bahnen in der Zuständigkeit der „Fédération Internationale des Géomètres (FIG)“. Auf ihrem Weltkongress in Helsinki 1990 empfiehlt sie in einer Resolution, aktiv den Kontakt zum Internationalen Eisenbahnverband UIC (Union Internationale des Chemins de fer) herzustellen. Es folgen in den 1990er-Jahren drei „Open Rail Sessions“. Auf diesen interdisziplinären Foren zum Koordinateneinsatz bei den Bahnen tauschen Ingenieurgeodäten der FIG und Fachleute der Bahnvermessung ihre Erfahrungen aus. 1999 wird das Thema der koordinatenbasierten Gleisbearbeitung beim „Interaction Seminar“ der UIC World Division in Peking als Keynote vorgestellt. Die schwedischen Bahnen Banverket (BV) leiten daraufhin die Arbeit zu diesem Thema. Im Projekt „Track Machine Guidance“ wurde das Potenzial des Koordinateneinsatzes im Gleisbau geprüft. Als Ergebnis wurden die Zuständigkeiten klar benannt:

- Die Bahnen müssen als Netzbetreiber die Verantwortung für die geometrische Richtigkeit und Vollständigkeit von Gleisgeometriedaten übernehmen. Für die Ermittlung der Gleisgeometrie sind Kenntnisse aus benachbarten Fachdisziplinen unabdingbar.

- Als direkte Folge ergibt sich die Anforderung an die Gleisbaufirmen im Themenfeld „Track Machine Guidance“. Ihre Kompetenz bezieht sich auf das millimetergenaue Herstellen der absoluten Gleislage.

Das Projekt Georail ebnete 2006 den Weg zum UIC-Merkblatt 728R „Bahngeodäsie“. Es ist das erste Dokument, welches international im Bahnbereich reglementarisch den Umgang des Koordinateneinsatzes beschreibt.

Der unverändert aktuelle Text fasst auf Empfehlungsstufe die wichtigsten Punkte aus der Erfahrung der redigierenden Bahnen im Umgang mit Koordinaten zusammen:

- für die DB die Notwendigkeit des Aufbaus eines landesweit homogenen Koordinatennetzes,
- für die SNCF Empfehlungen für den Einsatz von absoluten Koordinaten, die sie in der Praxis der Erhaltung ihres Hochgeschwindigkeitsnetz gewonnen hat und
- für die SBB im Abschlussabschnitt die Erfahrungen zum Koordinateneinsatz aus zehn Jahren Aufbau und zehn Jahren Praxis mit absoluten Gleiskoordinaten.

Das Glossar des Merkblatts ist eine Verständigung zwischen den Bahnen und den Landesvermessungsbehörden sowie zwischen der UIC und der International Association of Geodesy (IAG).

Die Abstimmung der Bahnkoordinaten mit den geodätischen Grundlagen der jeweiligen Länder in Gleislagepräzision ist wichtig. Nur so kann innerhalb der Bahnorganisation der Aufbau eines Koordinatendienstes parallel zu dem der Landesvermessungen als Doppelarbeit vermieden werden.

Zur Sicherung von Gleisgeometriedaten in der geforderten bautechnischen Genauigkeit bedarf es folgender Kompetenzen:

- Ein Bahnfachdienst trägt die Verantwortung für die Gleisgeometrie, weil er als direkt Betroffener Eigeninteresse an vollständigen und richtigen Daten hat, um über den ganzen Lebenszyklus das Gleis fahrdynamisch, optimal bei jeder Durcharbeitung, in seine Soll-Lage zu setzen. Ein solches Qualitätsniveau ist unerlässlich zur Sicherung der Wirtschaftlichkeit des Gleisbaus.
- Geodätische Kompetenz muss in dieser Organisation integriert sein, um die für den Gleisbau notwendige Qualität der Gleiskoordinaten zu garantieren. Das Wissen zur Lösung der anspruchsvollen theoretischen Basis, welcher der Trassierungsrechnung zugrunde liegt, ist geodätische Spezialistenarbeit. Sie allein kann neben dem Festlegen der Gleisgeometrie die wichtige Aufgabe der Einheitlichkeit der Bahnkoordinaten im übergeordneten Referenzrahmen der Landesvermessung sichern. Diese Kompetenz muss so nahe wie möglich an der Umsetzung der Gleisgeometrie vor Ort angesiedelt sein.

Oberbautechnische Anforderungen und das technische Wissen der Geodäsie (gesicherte, einheitliche Koordinatenbasis) bilden das Fundament für den Aufbau weiterer Anwendungen der Koordinaten der Eisenbahninfrastruktur. Sie allein garantiert die Durchgängigkeit von koordinatenreferenzierten Daten beliebiger Art, Herkunft, Struktur, Vollständigkeit und Richtigkeit.

Stand bei den SBB

1986 beginnt bei den SBB die netzweite Einführung absoluter Landeskoordinaten zur automatisierten Steuerung der Baumaschinen im Gleis. Zentimetergenau rekonstruierbare Gleisgeometrien über die gesamte Liegedauer der Anlagen sind das Ergebnis.

Seit 1996 ist das Bahnnetz der SBB vollständig mit Koordinaten nutzbar. Vermessungsbüros haben im Landeskoordinatensystem alle Gleise und Weichen tachymetrisch erfasst. Zur Optimierung der Wertschöpfung dieser Daten investierten die SBB in ein neues Trassierungssystem. Dieses Trassierungstool zeichnet sich durch hohe technische, datentechnische und benutzungsspezifische Vorteile aus. Damit können alle Aufgabenstellungen für die Gleistrassierung im durchgehenden Datenfluss vom Feld bis ins Büro bearbeitet werden.

Seit Abschluss der Umstellung auf Landeskoordinaten verfügen die SBB über eine zeitgemäße, in weiten Teilen höchsten Anforderungen entsprechendes Werkzeug. Damit wurde der Wechsel auf ein koordinatenbasiertes Einrechnen von Gleisen und Weichen vollzogen. Abstimmungen zwischen Vermessung, Fahrbahn und Gleisbau begleiteten permanent diesen Prozess.

Weite Teile des Gleisbau- und Gleiserhaltungsprozesses werden heute mit dem IT-Tool unterstützt. Das Gleis kann so bei jeder Durcharbeitung mit höchster Präzision in seine absolute Soll-Lage versetzt werden. Schon in den 1990er-Jahren war es auch möglich, beim Bau der Festen Fahrbahn millimetergenaue Gleislagen[1] zu garantieren.

Drei Eigenheiten des Systems werden im Folgenden kurz vorgestellt:

- die Qualität der Gleistrasse,
- die Automatisierung der Datenflüsse und
- die IT-Zuständigkeiten.

Qualität der Gleistrassen

Einer der Hauptgründe schlechter Gleislagen war die Unzulänglichkeit der Gleisgeometriesteuerdaten für die Baumaschinen. Die Trassierung der absoluten Gleislage ermöglicht es, Zwangspunkte mit Angabe der einzuhaltenden Querverschiebung in die Einrechnung einzubinden.

---

1 Riesen H.-R. & Herren H.-R. (1994) : L'implantation de la voie avec ± 1 MM de Précision dans le tunnel CFF du Grauholz. Un record, 3ème Conférence Internationale sur la Topographie (CITOP), Paris, 6 et 7 Décembre 1994.

Abb. 1.7: Absolute Koordinaten-Trasse vs. klassische, relative Gleistrasse.
Gestrichelte Linie: relative Gleistrasse, durchgezogene Linie: absolute Koordinaten-Trasse.

Abbildung 1.7 zeigt die Problematik. Die durchgezogene Linie entspricht der optimalen Solltrasse. Gestrichelt dargestellt ist eine Situation aus der Zeit vor der Nutzung koordinatenbasierter Trassen. Die Zwangspunkte müssen mit dem zulässigen seitlichen Abstand von der Baumaschine passiert werden.

Wegen fehlender Orientierungspunkte erkennt der Maschinenführer erst kurz vor dem Erreichen des Zwangspunkts die Abweichung seiner Machine von der optimalen Gleislage. Er kann die Linienführung im Stopfprozess nur noch auf kurze Distanz korrigieren. Es kommt zu einer ungewollten, erhöhten Verkrümmung der Linienführung. Sie wird mit zunehmender Liegedauer des Gleises durch die fahrenden Züge ausgewuchtet. Am Ende führt das dann zum Aufschaukeln der Fahrzeuge und schließlich zu langwelligen Verformungen des Gleises.

Automatisierung

Eine weitere Qualitätsverbesserung ist eine direkte Konsequenz aus der „Automatisierung" der Datenbearbeitungsabläufe. Nach zehn Jahren zeigte sich die Verdoppelung der Qualität der Hauptgleise des gesamten SBB-Netzes, wie in Tabelle 1.1 dargestellt. Dabei wurden insgesamt 9.643 km Gleise durchgearbeitet, was etwa der doppelten Länge des Gleisnetzes der Hauptgleise entspricht.

Tabelle 1.1: Veränderung des Bestgleisanteils zwischen 1986 und 1996

Jahr	Bestgleisanteil [%]
1986	19.9
1996	40.1

Jedem Gleisumbau und jeder Gleisdurcharbeitung ging während der zehn Einführungjahre der neuen Arbeitsmethode eine koordinatenbasierte Trassierung voraus. Dabei durchlief das Gleisprojekt mehrere Bearbeitungsetappen in der Zuständigkeit verschiedener Fachdienste. Nachdem der Gleistrassierer die Gleisgeometrie gerechnet und den Datensatz zentral gespeichert hatte, ergänzten sukzessive alle weiteren Fachdienste darin ihre Fachattribute. Das IT-System prüfte bei jeder Anreicherung die Vollständigkeit und die Richtigkeit sowie das Einhaltung der Vorgaben aus dem Regelwerk automatisch.

Erst wenn das Gleisprojekt auf diese Weise alle Planungsetappen durchlaufen hat, können es die Gleisbauer abrufen und nutzen. Nur fehlerfreie Steuerdatensätze kommen so auf den Baustellen bei der Steuerung von Baumaschinen zum Einsatz. In Abbildung 1.8 ist der Datenablauf dargestellt.

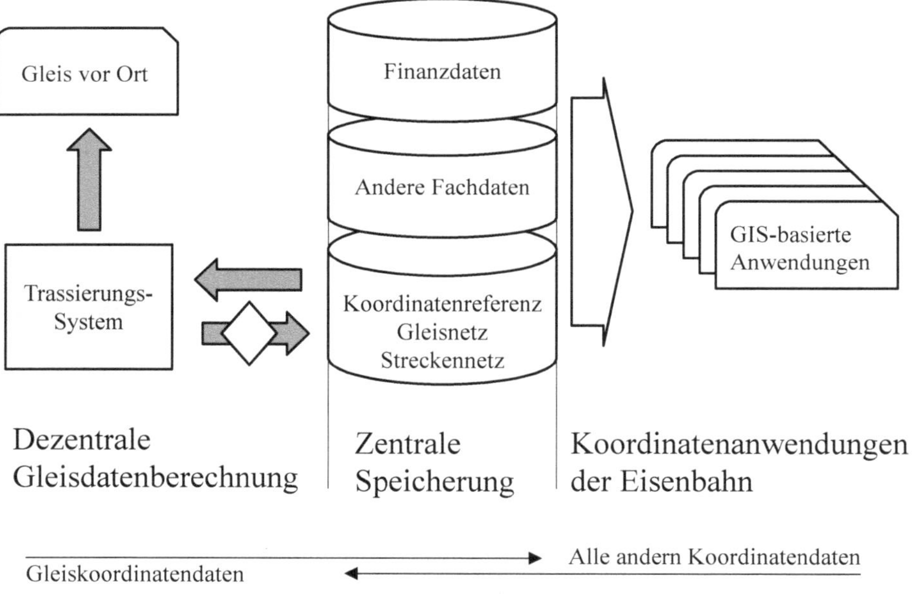

Abb. 1.8: Gesamtsicht der Verwaltung von SBB-Koordinatendaten (SBB)

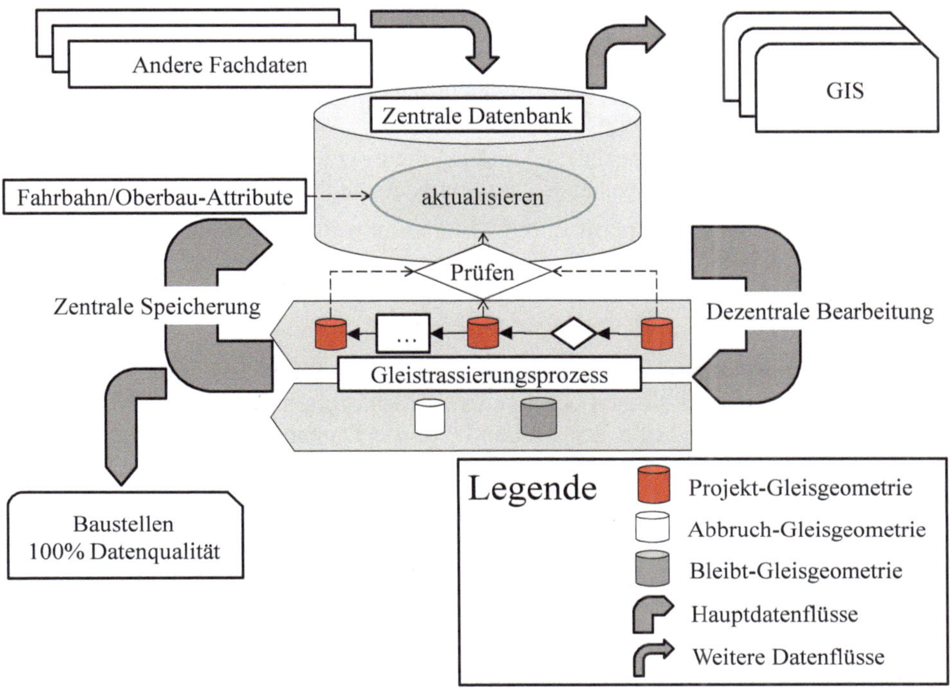

Abb. 1.9: Datenfluss zur Aufarbeitung von 100 % Qualitäts-Gleisdaten (SBB)

In Abbildung 1.9 werden die automatisiert unterstützten Datenflüsse dargestellt. Mit diesem Gesamtkonzept können die SBB die Baumaschinensteuerung mit höchster Datenqualität effektiv betreiben.

IT-Zuständigkeiten

IT-Zuständigkeiten sind wie folgt definiert:

- Dezentral, d. h. nahe am Endbenutzer, die Gleistrassensystempflege, die Systemdokumentation und die Systemweiterentwicklung.
- Zentral die Datenablage und die Schnittstellen zum Geoinformationssystem (GIS) der weiteren Nutzer von Koordinaten.

Das System bewährte sich auch bei der Durchführung der Bahnreform bei den SBB. Es kam weder zu Datenverlusten noch zu einer Beeinträchtigung der Gleislagequalität. Pannen auf den Baustellen infolge falscher oder fehlender Gleisdaten traten nicht mehr auf.

Die SBB verfügt heute damit über:

- ein leistungsfähiges, seit Jahrzehnten in der Praxis operativ bewährtes Trassensystem. Das Strecken- und Gleisnetz sowie sämtliche Weichen inklusive deren Nummerierung werden damit gerechnet;
- ein Tool, welches die Arbeitsschritte von Planung bis zur Baustelle, vom Gleisbau bis zum Gleisunterhalt prozessgesteuert, automatisiert, fehlerfrei stützt;
- einen IT-Tool basierten Support durch Mitarbeiter von Vermessung, Fahrbahn und Gleisbauunternehmer. Sie müssen Fachwissen nicht mehr von der Basis selber neu aufbauen, sondern können es in weiten Teilen aus der Nutzung des Trassensystems erfahren.

Die Koordinatenbasis von Gleis- und Streckengeometrie-Daten liefert die Grundlagen zum Aufbau einer auf Koordinaten beruhenden, GIS-basierten Gesamtdatenverwaltung. Bei den SBB sind das ab Mitte der 1990er-Jahre die Datenbank feste Anlagen (DfA) und in der Folge weitere Datenbanksysteme, u. a. auch aus dem Bereich der finanziellen Führung, welche nun koordinatenreferenziert sind.

Um optimiert Daten zwischen den Systemen austauschen zu können, müssen alle Daten den Bezug zum übergeordneten Referenzsystem nehmen. Diese Abstimmung setzt einen guten Dialog zwischen den Partnern voraus.

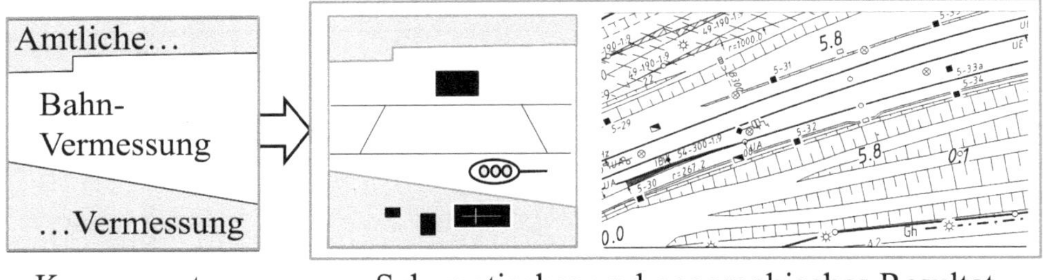

Abb. 1.10: Lageplan aus Teilen von amtlicher und Eisenbahnvermessung

Die Abstimmung SBB-übergeordnet ist am Beispiel der Erstellung des Lageplans dokumentiert. Diese setzt sich zusammen aus Teilen von amtlicher und Eisenbahnvermessung (Abb. 1.10). Beide Datenquellen werden gegenseitig ausgetauscht. Nur wenn technisch die Datenflüsse einwandfrei gesichert sind, ist eine wirtschaftliche Planerstellung möglich. Heute beträgt allein für die SBB-Anlagen die Zahl der gespeicherten Daten eine zweistellige Millionenzahl. Die einheitliche Referenzierung all dieser Daten mit Koordinaten ist die Grundlage des interoperablen, faktenbasierten Life-Cycle-Managemens. Um die Aufgabe umfassend zu meistern, werden dazu Tools aus dem Big-Data-Bereich benötigt.

Stand bei der DB Netz AG

Die steigenden Anforderungen an eine reproduzierbare absolute Gleistrasse bedingten andere Lösungen als die bisher angewandte permanente Gleisvermarkung, da diese Lage- und Höhenveränderungen ausgesetzt sein kann. Als Grundlage für die Gleisvermessung dienen die Festpunkte des DB-Referenznetzes (DB_REF). Eine detaillierte Darstellung der Festpunktfelder bei den Bahnen ist im Kapitel 2.3 enthalten.

Mit dem DB_REF verfügt die DB Netz AG über einen hochpräzisen, unternehmensweit einheitlichen und jederzeit reproduzierbaren Koordinatenreferenzrahmen für alle Aufgaben der Gleistrassierung und des konstruktiven Ingenieurbaus.

Eine Aufgabe ist es, standardisierte GNSS-basierte Methoden der Gleisvermessung (z. B. Aufmessung, Soll-Ist-Vergleich, Abnahmevermessung) zu nutzen. Der Umfang der Vermarkungspunkte ist dabei auf den tatsächlich erforderlichen Umfang zu reduzieren und die Punkte sind bezüglich Deformationen zu überwachen.

Zum Entwicklungsstand bei der DB:

- Die Nutzung des GNSS-Netzes für die Navigation ist voll operativ: Die Position von Messzügen wird auf Gleisnetzdaten, die in der benötigten Genauigkeit erfasst wurden, dargestellt.
- Die Ingenieurgeodäsie ist bei den Eisenbahnverwaltungen in den Bereich Fahrbahn integriert, Themen sind dabei z. B.:
  - Festlegen einer bestmöglichen Gleislage und -höhe nach den geltenden Trassierungsrichtlinien;
  - technisch optimierte Prozesse für Aufmessung, Absteckung und geodätische Abnahme nach Baumaßnahmen schaffen;
  - Entwicklung von Verfahren für die unterjährige Kontrolle der absoluten Gleislage und -höhe mit und ohne GNSS-Unterstützung.
- Im Datenmanagement ist das DB_REF Grundlage aller Geodaten. Ein wichtiges Thema ist die Harmonisierung der Daten:
  - einerseits die Gleisnetzdaten, welche die Gleisgeometrie beschreiben,
  - andererseits die Gleisnetzdaten für die Darstellung in den Lageplänen (Bahnhofs- und Streckenpläne).
  - Zudem sind örtliche Anlagen in Instandhaltungssystemen mit Koordinaten zu ergänzen (sogenannte Geo-ID), um Einsatzplanungen und Navigation zu unterstützen.
- Herausforderungen sind
  - technischer Art: Entwicklung effizienter geodätischer Methoden für die Gleisüberwachung mit gleichzeitiger Prüfung der Anschlusspunkte;
  - organisatorischer Art: Einführung standardisierter Prozesse für die Nutzung der Geodaten (Vermessung, Bau, Überwachung, Management).

Stand bei den ÖBB

Bei den ÖBB hat das Thema der Gleistrassierung in der Vergangenheit an Bedeutung gewonnen. Neben einer Gleisdatenbank (iGleis) und einer Datenbank für den Oberbaudatenbestand (iOberbau) wurde mit infra:gis ein Geoinformationssystem (GIS) eingeführt:

- Dabei sind die Hauptgleise und damit verknüpfte Daten die Grundlage für das GIS; künftig sollen die Gleise mit ihren absoluten Koordinaten im Landeskoordinatensystem die Grundlage für die Trassierung bilden und die einzelnen Objekte bzw. Anlagen koordinatenmäßig erfasst werden.
- Um die Strategie hin zu absoluten Koordinaten umzusetzen, wurden mit dem vorhandenen GNSS-Netz der Bahn Transformationsparameter berechnet und für die Aufnahme der Bahnanlagen über den österreichischen GNSS-Korrekturdatendienst TEPOS der ÖBB zur Verfügung gestellt.

Die ÖBB-Infrastruktur AG plant, mittelfristig unternehmensweite Methoden und Werkzeuge zur nachhaltigen Stammdatenverwaltung und -konsolidierung einzuführen, um damit die Datenqualität der Stammdaten im Anlagenbereich zu erhöhen sowie Daten-Redundanzen in der Anlagendatengenerierung abzuschaffen.

Mit dem Anlagenverzeichnissystem (AVS) wurde eine Datenbank zur eindeutigen Verwaltung von Anlagenkomponenten bereitgestellt. Alle relevanten Applikationen greifen auf eine einheitliche Datenbasis zurück. Einheitliche Pflegeprozesse werden durch das Master Data Management und die Governance-Funktionalitäten sichergestellt.

Das geometrische Modell ermöglicht eine eindeutige strecken- und gleisbezogene Abbildung, sowie die Verbindung zu den geodätischen Daten und eine entsprechende Visualisierung.

Dafür wurde durch die Vermessungsabteilung eine Darstellung des Gleisnetzes (Gleise, Weichen, Gleisabschlüsse) erarbeitet. Bestehende Lagepläne sind durch Angaben über die Streckenbefahrung und das Hinterlegen von Orthophotos ergänzt. Durch die Verknüpfung der Gleisnetzdaten mit den Datenbanken des Oberbaus wird der Bezug der Geometrie zu den Anlagedaten hergestellt. Fehler in den Datenbanken werden in diesem Schritt korrigiert.

Neben der Entwicklung im Bereich der Gleistrassierung haben die ÖBB in Zusammenarbeit mit den Hochschulen im Bereich der Optimierung des Übergangsbogens intensive Grundlagenarbeit geleistet. Dazu zählt z. B. die Einführung des „Wiener Bogens“ als Übergangsbogenform. Mit diesem wird eine Verminderung des Verschleißes von Gleisanlagen erreicht.

1.4 Literatur

Bayer, R. (1989): Vom Gedanken zur Wirklichkeit. transpress Verlag für Verkehrswesen, Berlin.

Birk (1847): Ueber Absteckung der Kreisbogen bei Eisenbahn-Anlagen. In: Eisenbahn-Zeitung, Stuttgart, S. 19-21.

Becker, M. (1858): Der Straßen- und Eisenbahnbau in seinem ganzen Umfang und mit besonderer Rücksicht auf die neuesten Construktionen. Verlagsbuchhandlung von Carl Mäcken, Stuttgart.

Bloss, A. E. (1936): Der Übergangsbogen mit geschwungener Überhöhungsrampe. In: Organ für die Fortschritte des Eisenbahnwesens, 91 (15), S. 319-320.

Borchert, F. (1989): Die Leipzig-Dresdner Eisenbahn. transpress Verlag für Verkehrswesen, Berlin.

Breymann (1847): Ueber die Entstehung und allmählige Entwicklung der Eisenbahnen. Eisenbahnzeitung Stuttgart.

Brunner, H. (1996): Historische Landesvermessungen in Sachsen. Mitteilungen des Landesvereins Sächsischer Heimatschutz e. V., Sonderdruck aus Heft 1.

Burton, A. (1981): Als die Lokomotiven laufen lernten. Herbig Verlag, München.

Cherbuliez, A. (1916): Die Gestaltung der Übergangs- und Verbindungsbogen in Eisenbahngleisen. In: Organ für die Fortschritte des Eisenbahnwesens, 22, S. 355-387 u. S. 384-387.

Dieterich, A. & Eggestein, W. (1936): 100 Jahre Eisenbahn. Verlag Julius Beltz, Berlin.

Glünder, B. F. (1846): Abhandlungen über die Bewegungshindernisse in den Krümmungen der Eisenbahnen. Hahn, Hannover.

Harkort (1827): Denkschrift an den Freiherrn von Stein.

Hartenstein, H. (1895): Notizen über W. G. Lohrmann, einem Dresdner Geodäten, Meteorologen und Astronomen. Staatsarchiv Dresden, Loc 36641 Rep. L II Spec. 33039, Canzlei – Acta: Kameralvermessung.

Helmert, F.-R. (1872): Die Übergangskurven für Eisenbahngeleise. I. A. Mayer, Aachen.

Hundert Jahre deutsche Eisenbahnen 1835 – 1935. Reichsverkehrsministerium, Berlin.

Ilse (1865): Ueber bewährte Verbindungs-Curven für Eisenbahn-Gleise. In: Organ für die Fortschritte des Eisenbahnwesens, S. 13-18.

Instruktion (1814): Instruktion für Landmesser vom 23.10.1814. Staatsarchiv Dresden, Fin – Plank, Loc. 2519.

Junius, H. (1989): Von Instrumentenmachern und Konstrukteuren. In: Vermessungsgeschichte, Teil 2, Cramers Kunstanstalt, Dortmund, S. 157-164.

Kioscha, W. (1989): Vermessungsgeschichte, Teil 2. Cramers Kunstanstalt, Dortmund.

Kröhnke, H. (1851): Taschenbuch zum Abstecken von Kurven. Springer, Wiesbaden.

Kröhnke, H. (1911): Taschenbuch zum Abstecken von Kurven. B. G. Teubner, Leipzig.

List, F. (1829): Schriften zum Verkehrswesen. Berlin.

Malz, P. (2004): Die sächsische Eisenbahnvermessung. Eigenverlag, Dresden.

Müller, G. (1984): Ingenieurgeodäsie, Verkehrsbau, Eisenbahnbau. Verlag für Bauwesen, Berlin.

Panofsky, W. (1961): Museumsführer, DB Museum, Nürnberg.

Pädagogische Hochschule Ludwigsburg (2001): Rechnende Räder. Studiengalerie Fach Kunst an der Pädagogischen Hochschule Ludwigsburg.

Poppe (1844): Über Eisenbahnkurven. Eisenbahnzeitung, Metzlersche Buchhandlung, Stuttgart, S. 42-45 u. S. 51-54.

Pressel, W. (1854): Eisenbahnbau. Ueber die Verbindung der geraden mit den gekrümmten Bahnstrecken. Metzlersche Buchhandlung, Stuttgart, S. 173-175.

Rachel, P. M. (1915): Altdresdner Familienleben in der Biedermeierzeit. Staatsarchiv Dresden.

Schramm, G. (1932): Das Winkelbildverfahren in der Praxis. In: Organ für die Fortschritte des Eisenbahnwesens.

Schramm, G. (1937): Entwicklung und Stand der Übergangsbogenfrage. In: Organ für die Fortschritte des Eisenbahnwesens, 10, S. 175-184.

Siems, E. (2005): Erste Eisenbahnen – nicht ohne Feldmesser. In: Der Eisenbahningenieur, S. 70-76.

Siems, E. & Stumpf, J. (2007): Vermessungen bei Planung und Bau der ersten Eisenbahnstrecken in Niedersachsen. Schriftenreihe des Förderkreises Vermessungstechnisches Museum Dortmund e. V., 36.

Thommen, A. (1865): Thommens Uebergangscurven. In: Organ für die Fortschritte des Eisenbahnwesens, S. 158-160.

Trinks, F. (1926): Geschichtliche Daten aus der Entwicklung der Rechenmaschinen von Pascal bis zur Nowa Brunsviga. Werksveröffentlichung der Brunsviga Maschinenwerke Grimme Natalis & Co AG, Braunschweig.

Waege, W. (1863): Anleitung zur Kurvenabsteckung mit besonderer Rücksicht auf Eisenbahnanlagen. Görlitz (aus Siems & Stumpf 2007).

Weichold, A. (1985): Wilhelm Gotthelf Lohrmann 1796 – 1840. Johann Ambrosius Barth, Leipzig.

Weigelt, H. (1985): Epochen der Eisenbahngeschichte. Hestra-Verlag, Darmstadt.

Weigelt, H. (1986): Fünf Jahrhunderte Bahntechnik. Hestra-Verlag, Darmstadt.

Willmann, E. (1939): Die Entwicklung des Vermessungswesens bei den deutschen Eisenbahnen. In: Allgemeine Vermessungs-Nachrichten, 10, S. 264.

2 Grundlagen

2.1 Begriffe

2.1.1 Geodätische Begriffe

Koordinatensysteme

Dreidimensionale Koordinaten werden entweder in kartesischen Koordinaten (X, Y, Z), in ellipsoidischen Koordinaten (Breite, Länge, ellipsoidische Höhe) in Bezug auf ein Referenzellipsoid oder in Projektionskoordinaten (Ost, Nord, Höhe über dem Ellipsoid) angegeben. Koordinatensysteme sind im Kapitel 4 des Bands Grundlagen im Handbuch Ingenieurgeodäsie detaillierter ausgeführt.

Die meistbenutzten Koordinatenreferenzen sind:

- X, Y, Z: Geozentrische, kartesische, dreidimensionale Koordinaten.
- Länge (λ), Breite (φ), Höhe (h) über dem Ellipsoid: Geographische Koordinaten in Bezug auf ein Ellipsoid.
- Ost (E), Nord (N): Ebene Koordinaten, die aus einer Kartenprojektion bezüglich des Ellipsoiden hervorgehen.
- Höhe (H): Höhe über dem Geoid in einem Höhenreferenzsystem. Ebene Koordinaten werden häufig durch die Höhe ergänzt.

Geodätisches Referenzsystem

Geodätische Referenzsysteme werden auch als Terrestrische Referenzsysteme (TRS) bezeichnet. Diese sind dreidimensionale Koordinatensysteme mit 0XYZ und Bezug zur Erde.

- Der Ursprung 0 liegt nahe dem Massenzentrum der Erde:
  - zentimetergenau für die geozentrischen Systeme mittels räumlicher Geodäsie,
  - mehrere hundert Meter genau für die quasi-geozentrischen Systeme mittels klassischer Techniken der Geodäsie (Triangulation).
- Die Koordinatenachse 0Z liegt nahe der Rotationsachse der Erde.
- Der Bezugsmeridian liegt in der Ebene der 0X- und 0Z-Achse (z. B. der Meridian von Greenwich).
- Die Ebene der 0X- und 0Y-Achse definiert die Äquatorebene.

Europäisches Bezugssystem

Das ETRS89 (European Terrestrial Reference System 1989) wurde durch die Unterkommission EUREF der Internationalen Vereinigung für Geodäsie 1989 definiert. Der Maßstab und der Bezugspunkt sind identisch mit dem ITRS (International Terrestrial Reference System) zum Zeitpunkt 1989.0 und folgt seither der Bewegung der eurasischen Kontinentalplatte (tektonische Platte). Dadurch kann die Bestimmung der Koordinaten in Zentral- und Nordeuropa in einer ersten Näherung als zeitunabhängig betrachtet werden.

Der von ETRS89 abgeleitete Referenzrahmen wird als ETRF89 (European Terrestrial Reference Frame) bezeichnet.

Geodätische Referenzpunkte

Geodätische Referenzpunkte, auch terrestrische Referenzpunkte genannt, sind lokal vermarkte Punkte auf der Erdoberfläche, deren Koordinaten von den nationalen Landesvermessungsstellen durch tachymetrische Messungen oder durch Positionierung mit den globalen Navigationssatellitensystemen (GNSS) bestimmt werden. Diese Punkte haben Koordinaten im nationalen Bezugssystem und im ETRS89.

Kartenprojektion

Mit der Kartenprojektion (Abbildungsvorschrift) wird die dreidimensionale Oberfläche der Erde in der Ebene abgebildet. UTM (Universal Transverse Mercator) ist ein Beispiel einer solchen Kartenprojektion. Die Punkte des Projektionssystems sind in einem ebenen Projektionssystem in Ost-West (E) und Nord-Süd (N) dargestellt. Der mathematisch eindeutige Bezug zwischen dreidimensionalen und zweidimensionalen Daten ist durch das Referenzsystem und eine Abbildungsvorschrift gegeben. Bei der Verebnung auftretende Verzerrungen müssen berücksichtigt werden.

2.1.2 Trasse und Trassenelemente

2.1.2.1 Grundlagen der Trassierung

Im Verkehrsbau bezeichnet der Begriff „Trasse" die Achse eines linienförmigen Objekts. Eine Trasse besteht aus aufeinanderfolgenden, mathematisch definierten Elementen. Die Festlegung erfolgt auf der Grundlage von bautechnischen, topographischen, fahrdynamischen, ökologischen, fahrpsychologischen, ästhetischen und wirtschaftlichen Aspekten in horizontaler und vertikaler Richtung.

Linienförmige Objekte dienen der Verbindung verschiedener Orte und haben eine verkehrliche Funktion (Transport von Personen und Gütern). Zu den linienförmigen Objekten zählen folgende Bauwerke:

- Fahrbahnen von spurgeführten Verkehrsmitteln, z. B. Eisenbahnen, Straßenbahnen, Einschienen-, Schwebe- oder Magnetschwebebahnen;
- Fahrbahnen für den Straßenverkehr, z. B. Autobahnen;

- Wasserstraßen;
- Rohrleitungen;
- Freileitungen, z. B. Bahnstromleitungen abseits von Eisenbahnstrecken.

Die Trasse ist eine Linie im Raum (linienförmiges Bauwerk). Die Planung einer Trasse wird klassisch in eine horizontale und eine vertikale Komponente zerlegt. Der horizontale Verlauf (Grundriss) erfolgt durch die Projektion in die Horizontalebene. Für die Bearbeitung des vertikalen Verlaufs (Gradiente) wird die abgewickelte Trasse in eine durch sie gelegte vertikale Ebene in Form eines Längsprofils projiziert. Die Trennung ist notwendig, weil die geometrischen und fahrdynamischen Anforderungen an den horizontalen Verlauf einer Trasse komplizierter sind als an den vertikalen Verlauf. Hinzu kommt, dass die digitale Karte und auch das Längsprofil sich als zweidimensionale Darstellungen einfacher in einer Trassierungssoftware bearbeiten lassen. Inzwischen sind bereits Softwarelösungen verfügbar, mit denen eine komplexe dreidimensionale Bearbeitung möglich ist. Damit können z. B. dreidimensionale Vorentwürfe oder Studien zu dreidimensionalen Trassen inklusive Kostenabschätzung erstellt werden.

Eine Trasse besteht aus einer Folge von einzelnen Trassenelementen, die grundsätzlich folgende Anforderungen erfüllen müssen:

- Geometrische Eigenschaften und fahrdynamische Anforderungen sollen auf das Verkehrsmittel abgestimmt sein.
- Die Trasse soll mathematisch exakt definierbar und einfach zu berechnen sein.
- Bauausführung und Instandhaltung der aus diesen Elementen zusammengesetzten Trassen soll einfach und wirtschaftlich sein.

Die Gestaltung von Trassen (Trassierung) wird in drei Schritten durchgeführt:

1. Festlegen des horizontalen Verlaufs der Trasse unter Berücksichtigung der topographischen Gegebenheiten,
2. Festlegen des vertikalen Verlaufs unter Beibehaltung des in Schritt 1 festlegten horizontalen Verlaufs,
3. Optimierung des horizontalen und vertikalen Verlaufs, ggf. Erarbeiten von verschiedenen Varianten.

Durch die Kombination der horizontalen und vertikalen Trassenelemente entstehen anspruchsvolle Raumkurven. Der Planungsingenieur ist somit in der Lage, eine Trasse zu entwerfen, die den topographischen, geometrischen, fahrdynamischen, verkehrstechnischen und wirtschaftlichen Bedingungen entspricht.

Der Vermessungsingenieur hat anschließend die Aufgabe, den Trassierungsentwurf geometrisch (koordinatenmäßig) zu berechnen und in die Örtlichkeit zu übertragen. Dieser Vorgang wird als Absteckung bezeichnet. Gegenwärtig wird eine Trasse vorwiegend punktweise in die Örtlichkeit übertragen. Dafür werden Absteckungsdaten (Koordinaten), die sich auf das entsprechende Grundlagennetz beziehen, für eine endliche Anzahl von Punkten berechnet. Diese Punkte repräsentieren Größe, Form und Lage der Trasse hinreichend genau. Tachymeter unterstützen diesen Prozess durch spezielle Trassenabsteckungssoftware, sodass sich der Vorbereitungsaufwand auf die Bereitstellung spezieller Dateien, die nur die Trassenelemente beinhalten, beschränkt.

Wegen einer guten Übersichtlichkeit wird die Trasse durch Geraden-, Bogenhaupt- und Bogenzwischenpunkte nach Lage und Höhe abgesteckt (vgl. Handbuch Ingenieurgeodäsie, Band Grundlagen, Kap. 9). Bei der dreidimensionalen Trassierung erfolgt mit entsprechender Softwareunterstützung diese Vorgehensweise ebenfalls, aber nicht in der vorstehend genannten strikten Trennung.

In naher Zukunft ist eine Wandlung dieser Prozesse zu erwarten, da Building Information Modeling (BIM) auch in der Trassierung zur Anwendung kommen wird (vgl. Handbuch Ingenieurgeodäsie, Band Grundlagen, Kap. 1.3 und 4). Die statische, punktweise Absteckung von Trassen wird durch eine dynamische Steuerung der Baumaschinen mithilfe des digitalen Modells ersetzt. Die punktweise Absteckung behält vorläufig noch dort ihre Bedeutung, wo sie in einen technologischen Prozess eingeordnet ist, der ebenfalls statischen Charakter trägt. Aber auch hier ist durch BIM eine grundlegende Veränderung zu erwarten.

2.1.2.2 Trassierung in der Horizontalebene

Horizontale Trassenelemente im Eisenbahnbau haben entweder eine konstante oder eine veränderliche Krümmung.

Gerade

Die Gerade ist wegen der Spurführung der Fahrzeuge ein nach wie vor wichtiges Trassenelement im Eisenbahnbau. Im Vergleich zum Bogen haben die Spurführungskräfte in einer Geraden einen sehr geringen Einfluss auf die Deformation des Gleises.

Kreisbogen

Der Kreisbogen ist die mathematisch und bautechnisch einfachste Verbindung zweier sich schneidender Geraden. Durch die Wahl des Radius r kann eine gute Anpassung an die Topographie und die Bedingungen der Fahrzeuge erreicht werden. Geometrisch wird eine Folge von Geraden und Kreisbögen bzw. eine Folge von Kreisbögen mit unterschiedlicher Krümmung exakt berechnet. Fahrdynamisch entstehen aber bei höheren Geschwindigkeiten beim Übergang eines Fahrzeugs von einem zum nächstfolgenden Trassenelement fahrdynamische Probleme, die gelöst werden müssen. Dazu folgende Betrachtung (Abb. 2.1).

Auf ein sich in der Geraden bewegendes Fahrzeug wirken verschiedene Kräfte ein:

- Horizontale Beschleunigung in Richtung der Geraden (erzeugt die Geschwindigkeit v des Fahrzeugs),
- Beschleunigung in Richtung der Schwerkraft der Erde (Erdbeschleunigung $g = 9{,}81\ m/s^2$).

Wird ein Bogen durchfahren, so wirkt zusätzlich noch eine weitere Beschleunigung auf das Fahrzeug ein:

- Horizontale Beschleunigung nach bogenaußen (Fliehbeschleunigung a_f).

Diese unerwünschte Beschleunigung kann wie folgt berechnet werden:

$$a_f = \frac{v^2}{r} = v^2 \cdot k \qquad (2.1)$$

a_f = Fliehbeschleunigung in $\frac{\text{m}}{\text{s}^2}$

v = Geschwindigkeit in $\frac{\text{m}}{\text{s}}$

r = Radius im betrachteten Punkt in m

k = Krümmung in $\frac{1}{\text{m}}$

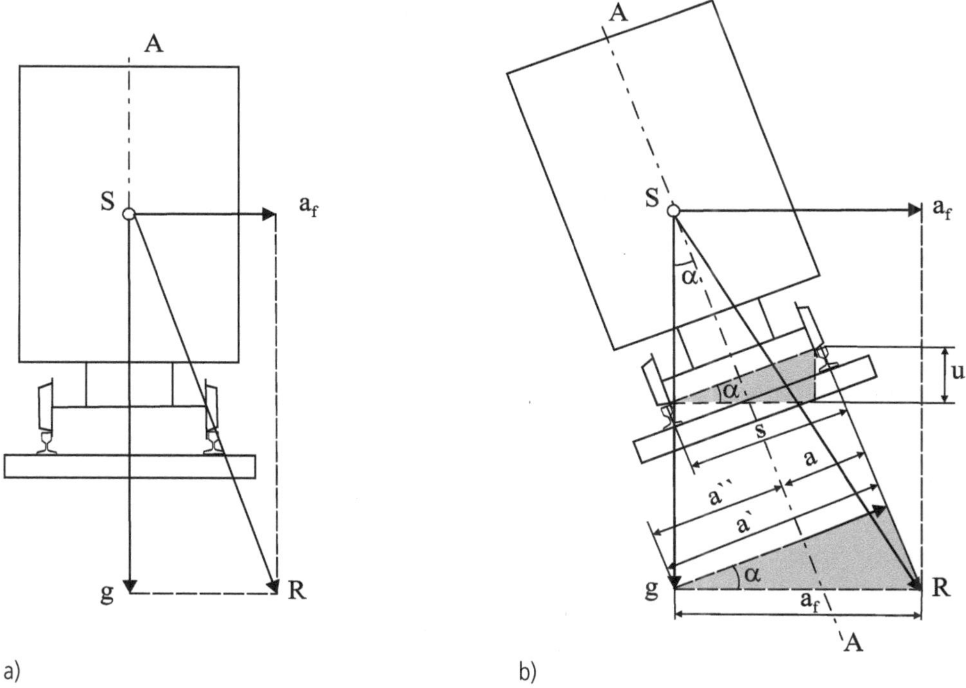

Abb. 2.1: Wirkung von Flieh- und Fallbeschleunigung: a) im nicht überhöhten Gleis, b) im überhöhten Gleis

Beim Durchfahren des Kreisbogens ist der Radius r konstant, somit ist die Fliehbeschleunigung a_f nur noch von der Geschwindigkeit v abhängig (Gl. (2.1)). Aus Sicherheitsgründen und zur Gewährleistung eines angenehmen Fahrkomforts für die Fahrgäste dürfen die Fliehbeschleunigung a_f und die Geschwindigkeit v einen bestimmten Wert nicht überschreiten. Für die Deutsche Bahn ist Folgendes festgelegt:

$$a_f \leq 0{,}85 \frac{\mathrm{m}}{\mathrm{s}^2} \tag{2.2}$$

Daraus kann abgeleitet werden, mit welcher Maximalgeschwindigkeit max v ein nicht überhöhter Gleisbogen durchfahren werden darf.

Zur Erhöhung der Maximalgeschwindigkeit kann die Wirkung der Fliehbeschleunigung a_f z. B. durch Anheben des bogenäußeren Schienenstrangs gegenüber dem inneren um den Betrag u ganz oder teilweise kompensiert werden. Dadurch wird das Fahrzeug um den Winkel α aus der Horizontalen gekippt und auf die Ladung bzw. auf die Fahrgäste wirkt die zum Wagenboden parallel wirkende Fliehbeschleunigung a_f ein. Diese lässt sich wie folgt berechnen:

$$\frac{u}{s} = \sin\alpha \tag{2.3}$$

u = Überhöhung in mm
s = Stützweite, Maß zwischen beiden Schienenkopfmitten ($s \approx 1.500$ mm)

Wie aus Abbildung 2.1 ersichtlich:

$$a' = a_f \cdot \cos\alpha \tag{2.4}$$

$$a'' = g \cdot \sin\alpha \tag{2.5}$$

Durch Kippung um den Winkel α wird

$$a = a' - a'' = \frac{v^2}{r} \cdot \cos\alpha - g \cdot \sin\alpha \tag{2.6}$$

Da wegen der Festlegung $u \leq 180$ mm → $\leq 7{,}6$ gon wird, kann mit guter Näherung $\cos\alpha \approx 1$ gesetzt werden. Somit wird

$$a = \frac{v^2}{r} - \frac{u \cdot g}{s} \tag{2.7}$$

Die Seitenbeschleunigung wird $a = 0$, wenn

$$\frac{v^2}{r} = \frac{u \cdot g}{s} \tag{2.8}$$

ist. In diesem Fall fällt die Wagenachse A,A mit der Resultierenden R zusammen. Die Überhöhung u kann unter Nutzung von Gleichung (2.8) berechnet werden:

$$u = \frac{v^2 \cdot s}{r \cdot g} \tag{2.9}$$

Bei der Fahrt durch einen Kreisbogen sind die Größen s, g und r konstant. Variabel ist hingegen die Geschwindigkeit v. Deshalb kann die Seitenbeschleunigung a nur für eine bestimmte Geschwindigkeit v eliminiert werden. Bei einer Überschreitung von v wird $a > 0$, bei einer Unterschreitung wird $a < 0$. Werden v und u so gewählt, dass $a = 0$ wird, kann die Gleichung (2.9) mit einer Konstanten c wie folgt zusammengefasst werden:

$$c = \frac{v^2 \cdot s}{g} \tag{2.10}$$

Damit wird die Überhöhung u dann

$$u = \frac{c}{r} = c \cdot k \tag{2.11}$$

Die Überhöhung u und die Krümmung k stehen folglich in einem linearen Zusammenhang.

Schlussfolgerung

Soll die Seitenbeschleunigung $a = 0$ bleiben und wird eine konstante Geschwindigkeit v vorausgesetzt, so muss einer Krümmung k die Überhöhung u nach Gleichung (2.11) zugeordnet werden.

Damit ergeben sich die Zusammenhänge zwischen Überhöhung u und Krümmung k für die Gerade ($r = \infty$):

$$k = 0; \quad u = 0 \tag{2.12}$$

und im Kreisbogen:

$$k = \frac{1}{r}; \quad u = c \cdot k = \text{const.} \tag{2.13}$$

Überhöhungsrampe und Übergangsbogen

Der Übergang von der Überhöhung $u = 0$ zur Überhöhung $u = c \cdot k$ muss zur Gewährleistung eines ruhigen Fahrzeuglaufs allmählich erfolgen. Das wird dadurch erreicht, dass der Höhenverlauf der bogeninneren Schiene beibehalten und der der bogenäußeren Schiene allmählich angehoben wird. Eine weitere Möglichkeit ist, dass die bogenäußere Schiene um den halben Überhöhungsbetrag angehoben und die bogeninnere Schiene um den halben Überhöhungsbetrag abgesenkt wird. Dieser Bereich wird als *Überhöhungsrampe* bezeichnet. Die mathematische Gesetzmäßigkeit sagt aus, dass zur Gewährleistung der Kompensierung der Seitenbeschleunigung ($a = 0$) beim Übergang von der Geraden in den Kreisbogen im Bereich der Überhöhungsrampe ein Übergangsbogen angeordnet werden muss, dessen Krümmungsänderung sich analog zur Überhöhungsrampe entwickelt. Diese Festlegung hat Einfluss auf die Fahrdynamik beim Durchfahren des Übergangsbogens (vgl. Kap. 2.6 und Handbuch Ingenieurgeodäsie, Band Grundlagen, Kap. 9.4).

Durch die entsprechende Zuordnung von Überhöhungsrampe und Übergangsbogen nach Gleichung (2.11). lässt sich auch für den Übergang von der Geraden in den Kreisbogen, eine konstante Geschwindigkeit v vorgesetzt, die Seitenbeschleunigung eliminieren ($a = 0$).

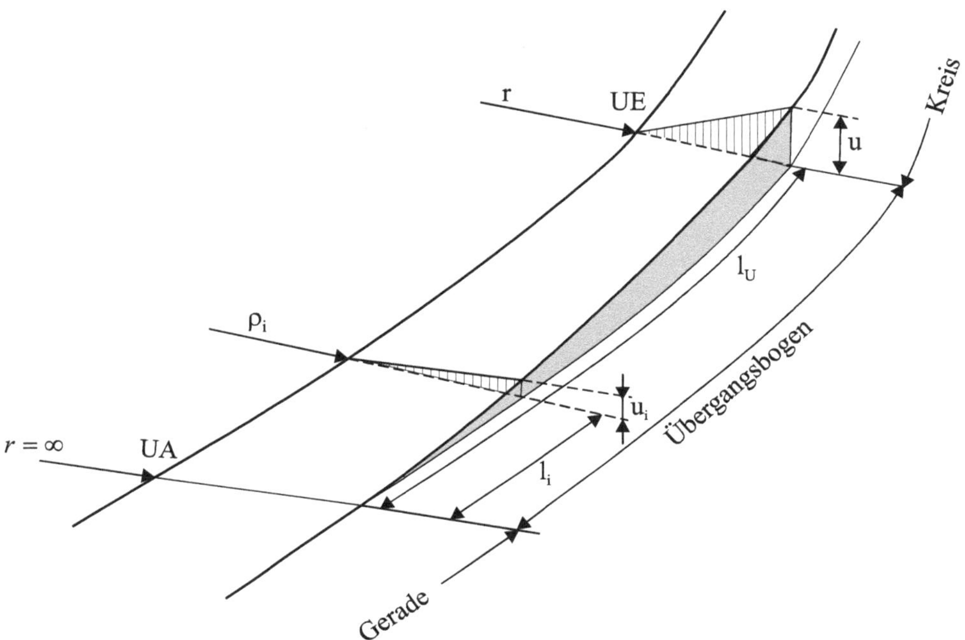

Abb. 2.2: Anordnung einer linearen Überhöhungsrampe zwischen Gerade und Kreisbogen

Die bautechnisch einfachste Lösung ist eine linear wachsende Überhöhung. Mit der Anordnung einer linearen Überhöhungsrampe ist eine einfache technische Instandhaltung des Gleises möglich. Wenn folglich u proportional zur Länge l wächst, muss auch die Krümmung k der zugehörigen Kurve linear wachsen. Die Klotoide erfüllt diese Bedingung. Die natürliche Gleichung der Klotoide lautet:

$$A^2 = r \cdot l \tag{2.14}$$

Durch die Wahl des Parameters A kann sie allen Krümmungsverhältnissen optimal angepasst werden.

Bei hohen Geschwindigkeiten hat die lineare Überhöhungsrampe jedoch fahrdynamische Nachteile. Es treten am Rampenanfang *RA* und am Rampenende *RE* ruckartige Hubbeschleunigungen auf. Daher werden für Hochgeschwindigkeitsstrecken und bei beengten Verhältnissen andere Rampenformen verwendet:

- Biquadratische Parabel (Übergangsbogen: Parabel 4. Grades),
- Kubische Parabel (Übergangsbogen: Parabel 5. Grades, auch Bloss-Kurve),

- Sinusrampe (Übergangsbogen: Sinusoide),
- Gleis mit Übergangsbogen und kräfteminimaler Überhöhungsrampe (sog. Wiener Bogen, geschwungene Krümmungslinie als Polynom 7. Ordnung) – Einbau patentrechtlich geschützt.

Die Sinusoide und der Wiener Bogen stellen an die Bauausführung und die Instandhaltung sehr hohe Anforderungen. Die Sinusoide wird in Ausnahmefällen beim Bau von Hochgeschwindigkeitsstrecken der Deutschen Bahn, der Wiener Bogen z. B. beim Bau von Hochgeschwindigkeitsstrecken der ÖBB sowie bei U-Bahn-Strecken (Wiener Linien) angewandt. Der Wiener Bogen erfüllt alle theoretischen Anforderungen perfekt und minimiert somit den Instandhaltungsaufwand erheblich. Das ist darauf zurückzuführen, dass im Unterschied zu allen anderen Übergangsbögen höherer Ordnung bei diesem Übergangsbogen der Fahrzeugschwerpunkt Berücksichtigung findet.

Bogenhauptpunkte

Bogenhauptpunkte legen Anfang und Ende eines Trassenelements fest, d. h., an diesen Punkten ändern sich der Krümmungswert und/oder der Krümmungssinn.

Bogenhauptpunkte sind:

- Kreisbogenanfang *BA*,
- Kreisbogenende *BE*,
- Übergangsbogenanfang *UA*,
- Übergangsbogenende *UE*,
- Bogenwechsel *BW*.

Bogenzwischenpunkte

Bogenzwischenpunkte legen die Form des Bogens zwischen den Bogenhauptpunkten fest.

Die Stationen der Bogenhauptpunkte ergeben sich zwangsläufig aus der Konfiguration der Trasse. Die Stationen der Bogenzwischenpunkte können frei gewählt werden. Die zu wählenden Punktabstände sind in erster Linie von der Krümmung abhängig. Erst durch drei Punkte ist ein Bogen eindeutig festgelegt.

Die allgemeine Bogengeometrie und die klassischen Bogenabsteckungsverfahren sind im Handbuch Ingenieurgeodäsie (Band Grundlagen, Kap. 9) hergeleitet.

2.1.2.3 Trassierung in der Vertikalebene

Neben der horizontalen Komponente muss auch der vertikale Verlauf einer Trasse betrachtet werden.

Gradiente

Der vertikale Trassenverlauf wird als *Gradiente* bezeichnet und besteht im Wesentlichen aus folgenden Elementen:

- Gerade,
- Kreisbogen,
- Spline-Funktion.

Neigungsverhältnis

Durch das Neigungsverhältnis s ist das Verhältnis vom Höhenunterschied Δh zum Längenunterschied Δl zweier Punkte auf der Geraden definiert.

$$s = \frac{\Delta h}{\Delta l} \text{ in ‰} \tag{2.15}$$

Im Eisenbahnbau wird dieses Verhältnis wegen der technisch nur gering möglichen Steigungswerte auf 1000 m bezogen.

Neigungswechsel

Als Neigungswechsel (NW) wird der Übergang von einer Längsneigung in eine andere Längsneigung bezeichnet.

Gerade

Die Gradiente besteht aus einer Folge geneigter Geraden mit positivem oder negativem Anstieg.

Zur Berechnung der Gradiente müssen an den Neigungswechseln deren Stationen (horizontaler Abstand vom Trassennullpunkt) und Höhen bekannt sein. Damit ist die Längsneigung s der Geraden festgelegt.

Ausrundungsbogen

Die verschieden geneigten Geraden werden an den Schnittpunkten (Neigungswechsel) bei einer größeren Differenz zwischen ankommender und abgehender Längsneigung ausgerundet. Die Ausrundung erfolgt in der Regel mit einem Kreisbogen.

Spline-Funktionen

Ausnahmsweise können Ausrundungen auch durch Parabeln oder Spline-Funktionen erfolgen. Dies bietet sich besonders an, wenn eine größere Anzahl von Zwangspunkten zu berücksichtigen ist.

2.1.3 Gleisgeometrie

Die Gleisgeometrie umfasst alle Parameter zur Definition der Gleislage bezüglich horizontaler und vertikaler Lage und der Überhöhung (7-Linien-Modell). Sie wird in den Gleisnetzdaten abgelegt. Diese bestehen aus Lagepunkten, Höhenpunkten und Überhöhungspunkten. Weiterhin gehören linienförmige Elemente dazu:

- Lage – rechtes und linkes Gleis,
- Gradiente – rechtes und linkes Gleis,
- Überhöhung – rechtes und linkes Gleis,
- Kilometrierung (auch Stationierung).

Die einzelnen Elemente im „7-Linien-Modell" werden durch ihre Parameter beschrieben.

Spezielle Gleisnetzdefinitionen garantieren die syntaktisch korrekte Verknüpfung von Punkt- und Linieninformationen zum „7-Linien-Modell".

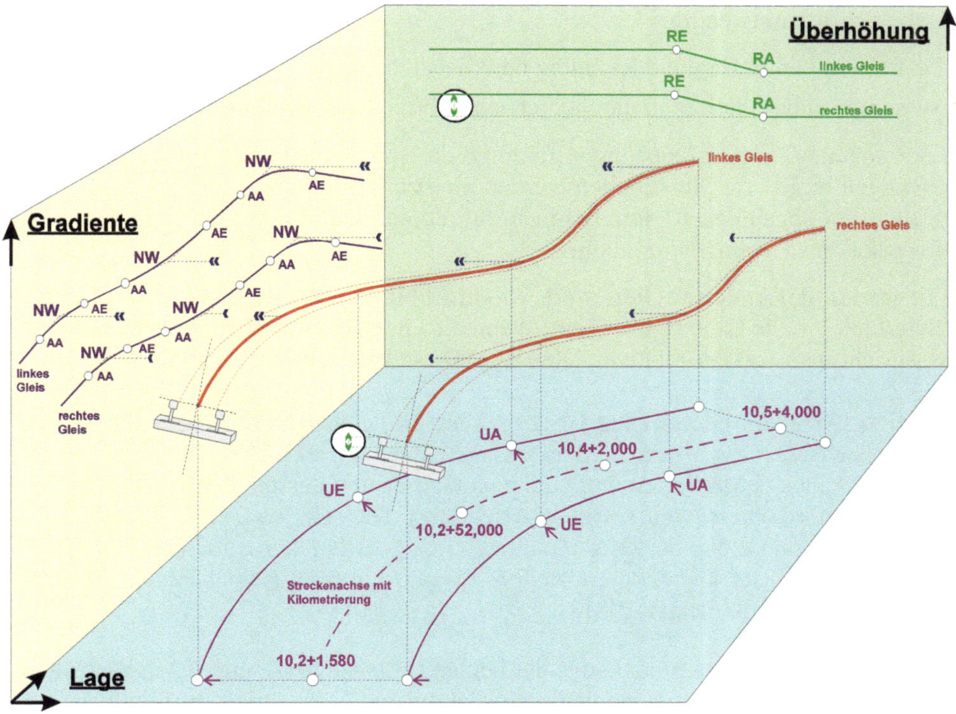

Abb. 2.3: „7-Linien-Modell" (Gleisnetzdaten – Geometrie) (Deutsche Bahn)

Die Koordinaten der Gleisnetzdaten dienen sowohl der Steuerung von Gleisbaumaschinen als auch der Berechnung der absoluten Gleisgeometrie.

Innere und äußere Gleisgeometrie

Bei der Beurteilung der Gleisgeometrie wird nach äußerer (absoluter) und innerer (relativer) Geometrie unterschieden. Die absolute Lage, Höhe, Längs- und Querneigung des Gleises wird als äußere Geometrie bezeichnet, deren Änderung längs der Strecke als innere Geometrie. Die äußere Geometrie stellt den Bezug zur Umgebung her, die innere Geometrie betrachtet die Form des Gleises.

Die innere Geometrie hat auf die Fahrdynamik, den Verschleiß und den Fahrkomfort unmittelbaren Einfluss. Daher kommt ihr beim Beurteilen der Gleislagequalität besondere Beachtung zu. Dabei ist der geometrische Bezug des Gleiskörpers zu den benachbarten Bauwerken und Anlagen, wie Bahnsteigen, Tunnel, Brücken und insbesondere der Oberleitungsanlage, also die äußere Geometrie, nicht zu vernachlässigen.

2.1.3.1 Relative Gleislage

Bei der Gleisinstandsetzung wird ein vorhandenes, unter Betriebsbedingungen deformiertes Gleis so korrigiert, dass es nach der maschinellen Bearbeitung nahezu wieder der theoretisch festgelegten Gleislage und -höhe entspricht. Dafür sind folgende technologische Schritte notwendig:

- Feststellen von Betrag und Richtung der Gleisdeformation (Istgleislage),
- Verschieben des Gleises in die theoretisch richtige Lage (Sollgleislage).

Die horizontale Gleisverschiebung wird durch das sog. Richten, die vertikale durch das sog. Stopfen realisiert. Die Arbeiten werden meist mit Gleisstopf- und Richtmaschinen oder auch mit speziellen Kleinmaschinen durchgeführt. Bei einer Gleisinstandsetzung sind vertikal nur Hebungen möglich.

Ein liegendes, deformiertes Gleis wird, wie in Abbildung 2.4 dargestellt, von der Lage E_0 (Standlinie) in die Lage E_1 überführt. Wenn die Gleislage E_1 auf E_0 bezogen betrachtet wird, spricht man von der relativen Gleislage. Diese kann wie folgt definiert werden:

> Lage und Höhe von Gleispunkten, bezogen auf benachbarte Punkte desselben Gleises bzw. zwischen zwei verschiedenen Linienzügen E_0 und E_1 (z. B. zwischen der Gleisachse eines deformierten, vorhandenen Gleises und dessen theoretisch richtigen Verlaufs in horizontaler und vertikaler Richtung). Die relative Gleislage sagt nichts über die Lage und Höhe der Gleispunkte in Bezug zu Punkten außerhalb der Gleise (z. B. Signale, Maste, Gebäude und andere Zwangspunkte) aus (siehe auch: Absolute Gleislage) (Autorenkollektiv 1981).

Die mathematischen Zusammenhänge der beiden Linienzüge (E_0 und E_1) in horizontaler Richtung wurden in der Vergangenheit in Verfahren zur Bearbeitung der relativen Gleislage dargestellt, z. B. Winkelbildverfahren und Abstandsbildverfahren.

In vertikaler Richtung werden sie im Allgemeinen durch einfache Berechnungen, wie im Kapitel 2.6 beschrieben, ausgeführt.

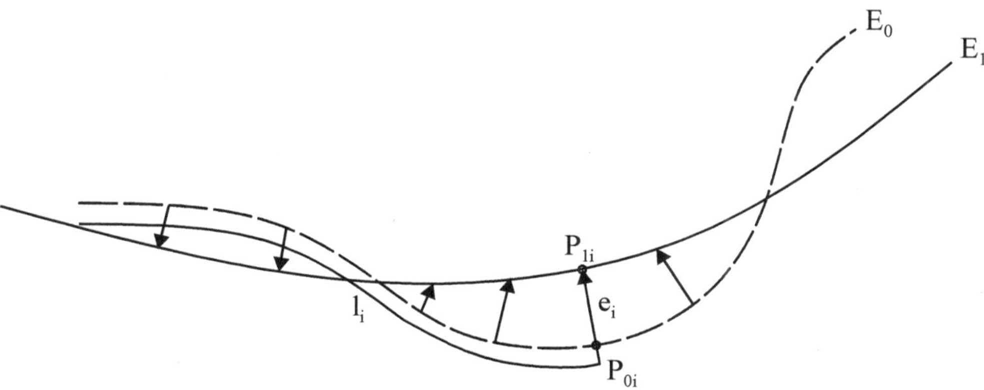

Abb. 2.4: Relative Lage zweier Gleisachsen

Die relative Gleislage wird durch die Größen

- l_i: Bogenlänge vom Nullpunkt der Linie bis zum Punkt P_{0i},
- e_i: Länge der Normalen zwischen den äquivalenten Punkten P_{0i} und P_{1i} der Linien E_0 und E_1,
- Δh: Größe des Höhenunterschieds zwischen den äquivalenten Punkten P_{0i} und P_{1i} der Linien E_0 und E_1

bestimmt.

Die relative Gleisgeometrie ist wie folgt definiert:

Lage und Höhe von Gleispunkten, bezogen auf benachbarte Punkte desselben Gleises. Die relative Gleisgeometrie hat keinen Bezug zu Punkten außerhalb des Gleises, z. B. zu Zwangspunkten (UIC-Kodex 728 E (2009)).

2.1.3.2 Absolute Gleislage

Bei der Gleiserneuerung ist dagegen das deformierte Gleis zum Zeitpunkt des Bauens nicht mehr vorhanden. Die theoretisch festgelegte Gleisgeometrie muss sich hierbei auf Punkte beziehen, die mit dem Gleis keinen unmittelbaren Zusammenhang haben (Abb. 2.5). Die Gleisgeometrie wird durch ein einheitliches Bezugssystem, das in der Örtlichkeit durch Festpunkte vermarkt sein kann, reproduziert. Damit kann die absolute Gleislage bestimmt werden.

Die absolute Gleisgeometrie ist wie folgt definiert:

In einem übergeordneten Bezugssystem positionierte Grundlage der Gleisdefinition mittels einer mathematisch definierten, kontinuierlichen Folge von Geometrieelementen in Lage, Höhe und Überhöhung, als Resultat der Gleisprojektierung und als Grundlage von Absteckung und Unterhalt der Gleise (UIC-Kodex 728 E (2009)).

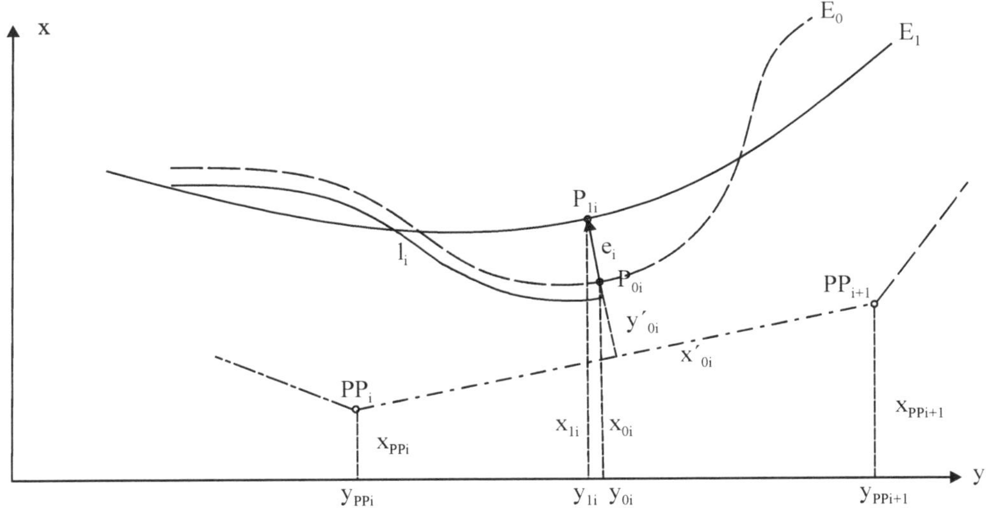

Abb. 2.5: Absolute und relative Gleislage zweier Gleisachsen

Die absolute Gleislage ist durch die Koordinaten

- y und x (Landes- oder übergeordnetes Koordinatensystem),
- y' und x' (lokales Koordinatensystem)

festgelegt.

2.1.3.3 Vergleich relative und absolute Gleislage

Die relative Gleislage sagt a priori nichts über die absolute Gleislage aus. Sie kann jedoch zur Bestimmung der absoluten Lage von E_1 verwandt werden, wenn diese von E_0 bekannt ist und die Abstandsmaße e_i zur Verfügung stehen (Abb. 2.5).

Eine Unterscheidung beider Begriffe ist notwendig, da sich die Mess- und Auswerteverfahren zur Festlegung der relativen und absoluten Gleislage hinsichtlich des Messaufwands und der Genauigkeit wesentlich voneinander unterscheiden. Im Rahmen einer Gleisinstandsetzung kann das vorhandene, mit Lage- und Höhenabweichungen behaftete Gleis mit Gleisricht- und -stopfverfahren in den meisten Fällen sofort mit praktischer Genauigkeit in die Sollgleislage gebracht werden. Bei der Gleiserneuerung ist dies nicht möglich, da das deformierte Gleis ausgebaut worden ist. Hier wird mithilfe der im Handbuch Ingenieurgeodäsie (Band Grundlagen, Kap. 7 und 9) beschriebenen Verfahren zunächst die Trasse in die Örtlichkeit übertragen. Es handelt sich dabei um eine Folge von Einzelpunkten, die in einem definierten Abstand parallel zur Gleislage vermarkt werden. Die Punkte der Absteckungskurve sind die Grundlage für die Verlegung des Gleises. Die in den verschiedenen Richtlinien der Bahnen angegebene Vermessungsgenauigkeit für die Absteckung bezieht sich ausschließlich auf die Absteckungskurve. Zur Beurteilung der Gleislagefehler kommen zu diesen noch die Verlegefehler des Gleises hinzu, die im Wesentlichen vom Gleisbauverfahren und von der Sorgfalt, mit der die Gleisbauarbeiten ausgeführt wurden, abhängen. Dadurch ist es nicht von vornherein möglich, von der Genauigkeit der Absteckungskurve auf die Genauigkeit der verlegten Gleisachse zu schließen. Daraus geht auch hervor, dass die Genauigkeitsgrenzen benachbarter Pfeilhöhen die relative Lage betreffen und mit der Genauigkeit der Absteckungskurve (absolute Gleislage) keinen unmittelbaren Zusammenhang haben können.

Das Gleis – auch ein mit hoher Genauigkeit verlegtes – wird im Laufe der Betriebsbelastung deformiert. Die Gleisdeformationen sind umso kleiner, je besser die Ist- und Sollwerte der Gleislage übereinstimmen. Die Überschreitung der Fliehbeschleunigung ist die Hauptursache für die horizontalen Gleisdeformationen. Da die Größe der Fliehbeschleunigung, wie aus Gleichung (2.1) hervorgeht – konstante Geschwindigkeit vorausgesetzt –, nur von der Krümmung k abhängt, ist zur Vermeidung von Lagedeformationen die Einhaltung einer hohen Krümmungsgenauigkeit notwendig.

Zusammenfassend kann festgestellt werden:

- Beim Bau und bei der Instandsetzung von Gleisen ist auf die Herstellung einer Krümmung zu achten, die der Sollkrümmung sehr nahekommt.
- Die Herstellung der Sollwerte der absoluten bzw. relativen Gleislage schließt die Herstellung der entsprechenden Krümmung mit ein.
- Die Herstellung der Sollkrümmung ist dagegen von der absoluten bzw. relativen Gleislage vollkommen unabhängig, Gleichung (2.1) hat keine Beziehungen zur absoluten bzw. relativen Gleislage.

Diese Zusammenhänge werden in Abbildung 2.6 veranschaulicht, wobei mit E_0 nicht die Standlinie, sondern ein alternativer Entwurf gemeint ist.

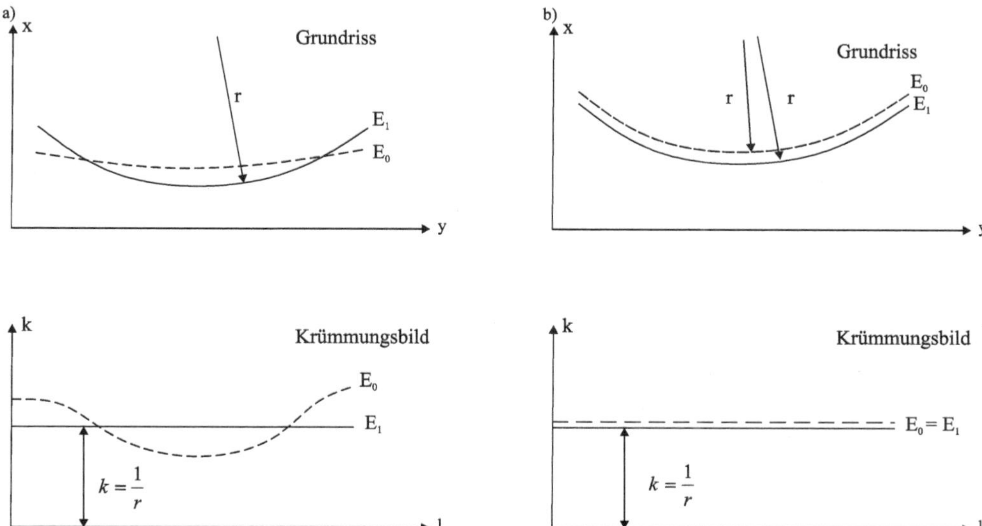

Abb. 2.6: Zusammenhang zwischen Lage und Krümmung der Entwürfe E_0 und E_1: a) Die Lage von E_1 schmiegt sich der von E_0 an, die Krümmung beider Linien differiert; b) E_0 und E_1 haben eine unterschiedliche absolute Lage, jedoch gleiche Krümmung

Die geplante absolute Gleislage E_1 (ausgezogene Linie) hat, wie in Abbildung 2.6a veranschaulicht, die richtige Krümmung (Sollwert).

Der mit Lageungenauigkeiten behaftete Linienzug E_0 schmiegt sich der Sollgleislage E_1 an. Es handelt sich um kleine Lageabweichungen. Die Krümmung von E_0 zeigt jedoch gegenüber E_1 größere Differenzen.

Das bedeutet, kleine Lageabweichungen bedingen große Krümmungsabweichungen.

In Abbildung 2.6b ist der Kreisbogen mit dem Radius *r* nicht in der Solllage E_1, sondern in E_0 hergestellt worden. Dadurch treten große Lageabweichungen auf. Die Krümmung von E_0 entspricht jedoch der Sollgröße.

Das bedeutet, große Lageabweichungen rufen kleine Krümmungsabweichungen hervor.

2.1.3.4 Genauigkeitsmaße für die Gleislagequalität

Aus den Darlegungen geht hervor, dass zur Beurteilung der Gleislage und -höhe und der fahrdynamischen Verhältnisse, die nur von der Krümmung abhängig sind, zwei Gruppen definiert werden müssen:

- Genauigkeitsmaße zur Beurteilung der Lage und Höhe und
- Genauigkeitsmaße zur Beurteilung der Krümmung.

Beide Genauigkeitsmaße sind voneinander unabhängig (Stange 1994). Die Genauigkeitsmaße zur Beurteilung der Gleislage (Abb. 2.7) werden in die Komponenten

- σ_t Standardabweichung in Richtung der Tangente und
- σ_n Standardabweichung in Richtung der Normalen

zerlegt, weil beide eine unterschiedliche Bedeutung für den Bau und den Betrieb von Eisenbahnen haben. Sie sind, wie die Darlegungen im Handbuch Ingenieurgeodäsie (Band Grundlagen, Kap. 9) und im Kapitel 3.4 zeigen, der direkten Messung und damit der Überprüfung zugänglich.

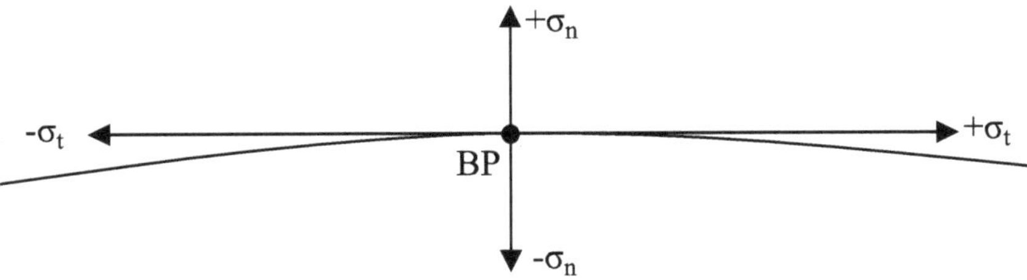

Abb. 2.7: Absteckungsfehler in tangentialer und normaler Richtung

Die Krümmung im Bogenpunkt (BP) ist, da sie als lokales Element im unendlich Kleinen definiert wird, der direkten Messung nicht zugänglich.

Krümmung

Die Krümmung einer Kurve ist die Richtungsänderung der Tangente in Bezug auf die Längenänderung, wobei ρ allgemein den Radius (auch im Übergangsbogen) bezeichnet.

$$k = \frac{d\tau}{dl} = \frac{1}{\rho} \tag{2.16}$$

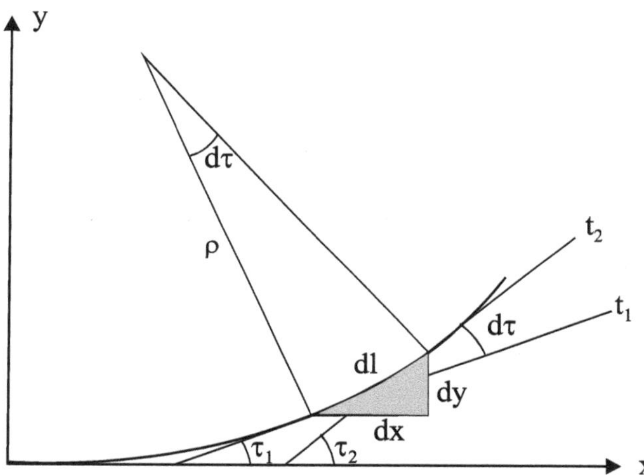

Abb. 2.8: Bogendifferenzial zur Ableitung der Krümmung

$$\tau_2 = \tau_1 + d\tau \tag{2.17}$$

Die Krümmung kann deshalb nur punktweise durch Messen der Pfeilhöhen wie folgt bestimmt werden.

Unter der Voraussetzung eines flachen Bogenverlaufs wird in Stange (1994) der Zusammenhang zwischen Pfeilhöhe h und der mittleren Krümmung k_m mit Abbildung 2.9a

$$h = \frac{\Delta l^2}{2} \cdot k_m \tag{2.18}$$

Allgemein, wenn die benachbarten Sehnen ungleich lang sind, mit Abbildung 2.9b

$$h = \frac{a \cdot b}{2} \cdot k_m \tag{2.19}$$

abgeleitet. Es handelt sich um die Pfeilhöhe eines Kreisbogens durch die drei benachbarten Punkte. Die Kurve wird durch einen Kreisbogen mit dem mittleren Radius

$$r_m = \frac{1}{k_m} \tag{2.20}$$

angenähert.

a)

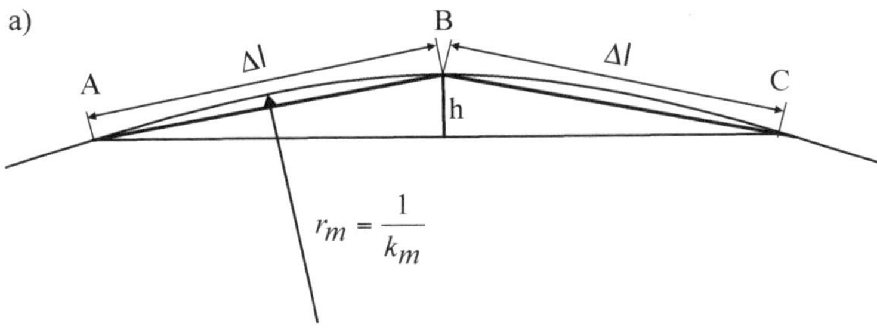

b)

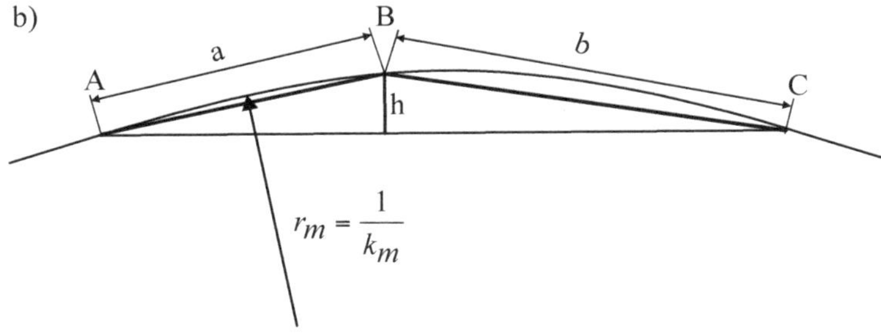

Abb. 2.9: Zusammenhang zwischen Pfeilhöhe und Krümmung: a) gleichmäßige Trassenteilung, b) ungleichmäßige Trassenteilung

Die folgenden grundsätzlichen Untersuchungen beschränken sich auf eine mit gleichen Punktabständen versehene Kurve. Die gefundenen Ergebnisse lassen sich in gleicher Weise auch auf Kurven mit ungleichmäßiger Trassenteilung übertragen.

Aus der Umkehrung der Gleichung (2.18) folgt:

$$k_m = \frac{2}{\Delta l^2} \cdot h \tag{2.21}$$

Der Standardabweichung der Krümmung wird durch Differenzieren zu

$$\sigma_k = \frac{2}{\Delta l^2} \cdot \sigma_h \tag{2.22}$$

bestimmt.

Die zu erwartenden Krümmungsfehler einer Absteckungskurve, deren Pfeilhöhen direkt gemessen wurden, lassen sich mit Gleichung (2.22) auf einfache Weise berechnen.

Wird die Gleislage mit einem Absteckungsverfahren von Festpunkten aus abgesteckt (absolute Lage), so liegen die Pfeilhöhenfehler σ_h dieser Absteckungskurve a priori nicht vor. Sie müssen erst über die Lagefehler der abgesteckten Punkte bestimmt werden. Dabei übt die Lagestandardabweichung in Richtung der Tangente s_t keinen nennenswerten Einfluss auf die Pfeilhöhenfehler aus, sodass er in den folgenden Betrachtungen vernachlässigt wird.

Der Pfeilhöhenfehler der Absteckungskurve ergibt sich aufgrund des Additionsprinzips kleiner Krümmungen aus den Normalenkomponenten der Absteckungsfehler aus den folgenden Beziehungen (Abb. 2.10):

$$\varepsilon_h = \frac{1}{2} \cdot (\varepsilon_1 + \varepsilon_3 - 2 \cdot \varepsilon_2) \quad \text{(gleichmäßige Trassenteilung)} \tag{2.23}$$

Nimmt man an, dass die drei benachbarten Punkte A, B, C mit den gleichen unabhängigen Absteckungsfehlern σ_n behaftet sind, so wird:

$$\sigma_h = \sqrt{\frac{3}{2}} \cdot \sigma_h \tag{2.24}$$

Mit der Gleichung (2.22) kann dann zu den entsprechenden Krümmungsfehlern übergegangen werden.

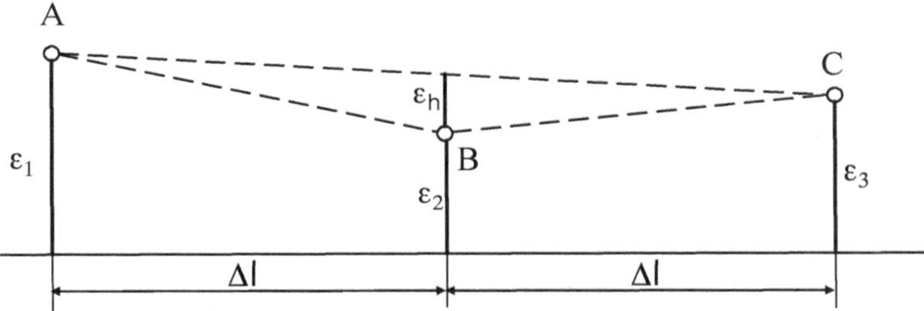

Abb. 2.10: Berechnung des Pfeilhöhenfehlers aus den Fehlern in Richtung der Normalen bei der Absteckung der absoluten Lage (gleichmäßige Trassenteilung)

Damit ist die Voraussetzung geschaffen worden, die Krümmungsgenauigkeit einer Absteckungskurve aus direkt gemessenen Pfeilhöhen und aus den Lagefehlern (Normalenfehler) der abgesteckten Punkte zu berechnen und unmittelbar miteinander zu vergleichen. In dieser allgemeinen Form ist dies jedoch nicht ohne Weiteres möglich. Deshalb soll das folgende Beispiel zur Gewinnung verwertbarer Schlussfolgerungen dienen.

Krümmungsfehler aus direkten Pfeilhöhenmessungen

Die Standardabweichung der Pfeilhöhenmessung wird mit

$$\sigma_h = 0{,}001\,\text{m} \tag{2.25}$$

und die gleichmäßige Trassenteilung mit

$$\Delta l = 10\,\text{m} \tag{2.26}$$

angenommen. Man erhält aus Gleichung (2.22) die Standardabweichung der Krümmung mit

$$\sigma_k = 0{,}000\,020\,\text{m} \tag{2.27}$$

Dieser Krümmungsfehler überlagert sich im konkreten Fall der betrachteten Krümmung. Für den Fall einer Geraden ergibt sich ein Kreisbogen mit dem Radius r = 50.000 m.

Wäre die Pfeilhöhenmessung z. B. in einem Kreisbogen mit dem Radius r = 1.000 m vorgenommen worden, so würde sich dieser durch den erhaltenen Krümmungsfehler in

$$\sigma' = k' \pm \sigma_k \quad \text{mit } r' = \frac{1}{k'} \tag{2.28}$$

$$r' = 980\,\text{m} \quad \text{bzw. } r'' = 1.020\,\text{m} \tag{2.29}$$

ändern.

Krümmungsfehler aus der absoluten Gleislage einer mit einem Absteckungsverfahren abgesteckten Kurve

Nimmt man eine Standardabweichung s_n in Richtung der Bogennormalen mit

$$\sigma_n = 0{,}001\,\text{m} \tag{2.30}$$

an, so wird die Standardabweichung der Pfeilhöhen

$$\sigma_h = 0{,}001\,22\,\text{m} \ \text{(siehe Gleichung (2.24))} \tag{2.31}$$

und die Standardabweichung der Krümmung

$$\sigma_k = 0{,}000\,0244\,\text{m} \quad \text{bei } r = 40.825\,\text{m} \quad \text{statt Gerade.} \tag{2.32}$$

Die Standardabweichung der Krümmung hat sich gegenüber der Pfeilhöhenmessung auf das 1,2-Fache vergrößert. Die angenommene Standardlageabweichung eines Punkts σ_n = 0,001 m kann in der Praxis nicht erreicht werden. Sie liegen je nach örtlicher Situation zwischen σ_n = 0,007 m (Sehnen-Tangentenwinkel-Verfahren) und σ_n = 0,012 m (Orthogonalverfahren), sodass sich statt einer Geraden Kreisbögen mit den Radien

$$r = 5.832\,\text{m} \quad \text{und} \quad r = 3.402\,\text{m} \tag{2.33}$$

ergeben. Die Standardabweichungen der Krümmung haben sich damit auf das 8,6-Fache bzw. 14,7-Fache gegenüber der Pfeilhöhenmessung vergrößert.

Für die praktische Anwendung lassen sich folgende Schlussfolgerungen ziehen:

- Die Absteckung der Gleisachse in kurzen Abständen zur Herstellung einer guten Gleiskrümmung muss nicht nur aus Gründen des hohen Messaufwands abgelehnt werden, sondern auch deshalb, weil diese Verfahren die für einen ruhigen Fahrzeuglauf erforderliche Krümmungsgenauigkeit der Absteckungskurve nicht gewährleisten. Die Krümmungsgenauigkeit der Gleisachse wird, da sich die Fehler der Gleisverlegung den Krümmungsfehlern der Absteckungskurve überlagern, noch weiter herabgesetzt.
- Die Absteckung einer absoluten Gleislage dient deshalb in erster Linie der Gewährleistung der projektierten Lage in Bezug auf Punkte der unmittelbaren Umgebung (Zwangspunkte). Die Punktabstände der Absteckungskurve können deshalb entsprechend groß gewählt werden.
- Die für eine gute Gleislage erforderliche Krümmungsgenauigkeit kann nur mit Verfahren erreicht werden, die die theoretisch richtigen Pfeilhöhen am bereits verlegten Gleis mit großer Genauigkeit herstellen.

Die Herstellung einer den Erfordernissen des Eisenbahnbetriebs genügenden guten Gleislage und -höhe kann deshalb nur durch die Arbeitsgänge

- Gleisverlegung nach Lage und Höhe (absolute Gleislage) auf der Grundlage einer punktweisen Absteckungskurve,
- Herstellen einer entsprechenden Krümmungsgenauigkeit mithilfe von Richtverfahren,
- Herstellen eines kontinuierlichen Höhenverlaufs durch Heben und Stopfen

erzielt werden.

Die Untersuchung des Krümmungsfehlers an einer Stelle der Trasse hat keinen praktischen Wert. Sie diente im vorliegenden Fall nur zum Nachweis, dass die Verfahren zur Herstellung der absoluten Gleislage (Absteckungsverfahren) selbst bei dichter Punktfolge wesentlich größere Krümmungsfehler liefern als die Verfahren zur Herstellung der relativen Gleislage.

Zur Beurteilung der Krümmungsgenauigkeit einer Absteckungskurve oder der Achse eines vorhandenen Gleises ist es erforderlich, die Krümmungsgenauigkeit an einer Vielzahl von Punkten zu bestimmen, um daraus auf die Standardabweichung der Krümmung des betrachteten Kurvenstücks zu schließen. Bei den folgenden Betrachtungen wird die Gerade als Kreis mit $r = \infty$ ($k = 0$) behandelt.

Die Berechnung der Krümmungsfehler erfolgt, da die Pfeilhöhe von den Punktabständen abhängig ist, getrennt nach gleichmäßiger und ungleichmäßiger Trassenteilung.

Gleichmäßige Trassenteilung

Die Pfeilhöhen h_i werden in gleichmäßigen Punktabständen gemessen und mit den Sollpfeilhöhen h_{si} verglichen. Der Pfeilhöhenfehler ε_{hi} wird dann:

$$\varepsilon_{hi} = h_i - h_{si} \tag{2.34}$$

Die Standardabweichung der Pfeilhöhenmessung des betrachteten Kurvenstücks erhält man, da die einzelnen Messgrößen voneinander unabhängig sind, aus:

$$\sigma_h = \sqrt{\frac{\sum \varepsilon_{hi}^2}{n}} \tag{2.35}$$

Es handelt sich um wahre Fehler, da der wahre Wert h_{si} bekannt ist. Die Standardabweichung der Krümmung des betrachteten Kurvenstücks wird dann durch Einsetzen der Standardabweichung der Pfeilhöhenmessung in Gleichung (2.22) gefunden.

Ungleichmäßige Trassenteilung

Liegen ungleichmäßige Punktabstände vor, so werden aus den wahren Pfeilhöhenfehlern zunächst die lokalen Krümmungsfehler berechnet

$$\varepsilon_{ki} = \frac{2}{a \cdot b} \varepsilon_{hi} \tag{2.36}$$

und dann wird mit

$$\sigma_k = \sqrt{\frac{\sum \varepsilon_{ki}^2}{n}} \tag{2.37}$$

zur Standardabweichung der Krümmung des betrachteten Kurvenstücks übergegangen.

Damit ist ein globales Genauigkeitsmaß für die Krümmung geschaffen worden, das Aussagen über die Genauigkeit der Absteckungskurve bzw. Gleisachse zulässt und als ein Qualitätsmerkmal für den Zustand des Gleises anzusehen ist. Durch Vergleich solcher globalen Genauigkeitsmaße verschiedener Strecken lassen sich z. B. Rangfolgen für den Zeitpunkt von Instandhaltungsmaßnahmen festlegen.

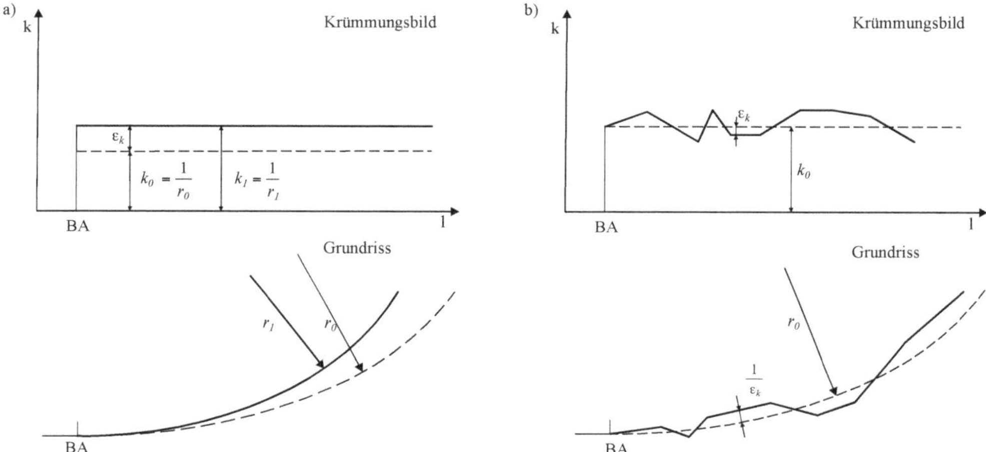

Abb. 2.11: Zusammenhang zwischen Krümmungsfehler und Fahrzeuglauf: a) ruhiger Fahrzeuglauf trotz konstanten Krümmungsfehlers, b) unruhiger Fahrzeuglauf wegen unregelmäßiger Krümmungsfehler

Diese globalen, diskreten Genauigkeitsmaße sagen jedoch nichts über den konkreten tatsächlichen Verlauf des Krümmungsfehlers entlang des betrachteten Kurvenstücks aus. Für einen ruhigen Fahrzeuglauf ist in erster Linie eine gleichbleibende oder sich stetig monoton ändernde Krümmung wichtig. Es ist deshalb leicht einzusehen, dass dafür nicht so sehr – kleine Krümmungsfehler vorausgesetzt – die absolute Größe der Krümmungsfehler eine Rolle spielen, sondern die Vorzeichen der Krümmungsfehler in Bezug auf die unmittelbare Nachbarschaft. So wird durch konstante Krümmungsfehler, die mit gleichen Vorzeichen wirken, zwar der Absolutbetrag der Krümmung um eine konstante Größe verändert (Abb. 2.11a), aber da sich die Fliehbeschleunigung ebenfalls konstant ändert, bleibt der angestrebte ruhige Fahrzeuglauf erhalten. Die Ursache eines unruhigen Fahrzeuglaufs sind Krümmungsfehler, die im Verlauf der Kurve Größe und Vorzeichen wechseln. Sie erzeugen, wie aus Gleichung (2.1) hervorgeht, eine sich kurzzeitig ändernde Fliehbeschleunigung (Abb. 2.11b).

Es ist demzufolge notwendig, dass die benachbarten Krümmungsfehler unter Beachtung der Vorzeichen bestimmte Beträge nicht überschreiten. Die Krümmung ist, wie bereits dargelegt, eine unanschauliche, der direkten Messung nicht zugängliche Größe. Die Untersuchungen zeigen jedoch, dass die Krümmungs- und Pfeilhöhenfehler gleichwertige Genauigkeitsmaße sind. Zur Beurteilung des konkreten Krümmungsverlaufs eines verlegten Gleises werden deshalb die Pfeilhöhenfehler als Grundlage für die Festlegung von Krümmungsfehlergrenzen verwendet.

2.1.3.5 Gleisgeometrische Grundsätze

An die geometrische Gestaltung der Gleise werden eine Reihe von technischen Forderungen gestellt, die in bestimmten Grenzen einzuhalten sind. Im Wesentlichen sind das:

- Die Krümmung darf in Abhängigkeit der Geschwindigkeit bestimmte Werte nicht übersteigen.
- Die Krümmung muss sich monoton stetig ändern (Übergangsbogen) oder gleichbleiben (Kreisbogen, Gerade).
- Die Gleislage muss an Zwangspunkten so festgelegt werden, dass die Lichtraumumgrenzung gewährleistet wird.
- Die Neigung der Gleise darf bestimmte Grenzmaße nicht übersteigen.
- Die Höhenlage muss stetig sein.
- Die Überhöhung muss der Krümmung entsprechen.

Aus der Darstellung der Gleisachse im Grundriss (Lageplan) kann man die ersten beiden Forderungen nicht und die dritte Forderung nur ungenau entnehmen. Es ist deshalb erforderlich, diese in speziellen grafischen Darstellungen der Analyse und Bearbeitung zugänglich zu machen.

Die weiteren Forderungen können mit herkömmlichen geodätischen Verfahren nachgewiesen werden. Deshalb sind sie an dieser Stelle nicht Gegenstand der Betrachtungen.

Krümmungsbild

Unter einem Krümmungsbild versteht man die grafische Darstellung der Krümmung k in Bezug auf die Bogenlänge l in einem rechtwinkligen Koordinatensystem.

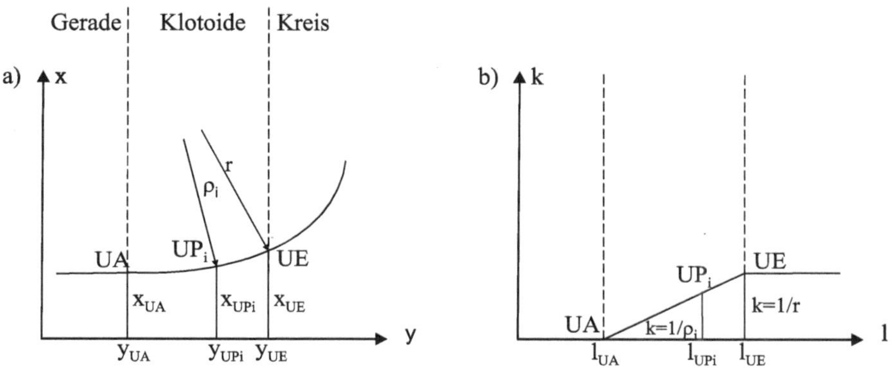

Abb. 2.12: Zusammenhang zwischen a) Grundriss, b) Krümmungsbild

2.1.4 Gleistechnische Begriffe

2.1.4.1 Bahnanlagen

Bahnanlagen

Bahnanlagen sind alle zum Betrieb einer Eisenbahn erforderlichen Anlagen. Sie werden unterteilt in Bahnanlagen der Bahnhöfe, der freien Strecke und sonstige Bahnanlagen.

Fahrzeuge gehören nicht dazu. Bahnanlagen müssen so beschaffen sein, dass sie den Anforderungen der Sicherheit und Ordnung genügen.

Bahnkörper

Abbildung 2.13 zeigt die Grundbegriffe des Bahnkörpers in ihrem Zusammenhang. Die Abmessungen sind z. B. für die Deutsche Bahn der Richtlinie 800.0130 zu entnehmen.

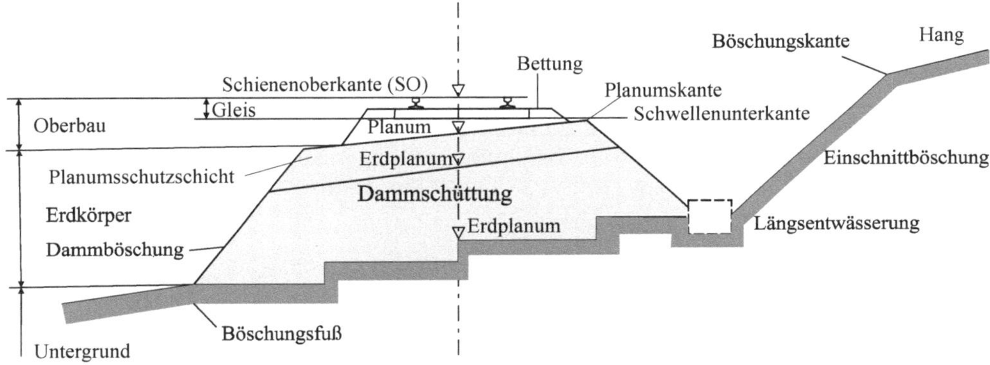

Abb. 2.13: Bahnkörper

Der Bahnkörper ist ein Sammelbegriff für Oberbau und Erdkörper. Dieser ist so auszubilden, dass alle von Eisenbahnfahrzeugen auftretenden Krafteinwirkungen sicher aufgenommen werden und das Oberflächenwasser rasch abgeführt wird (Autorenkollektiv 1981).

Gleis

Unter dem Begriff „Gleis" versteht man die mit Befestigungsmitteln auf Schwellen oder in Fester Fahrbahn festgelegten Schienenstränge.

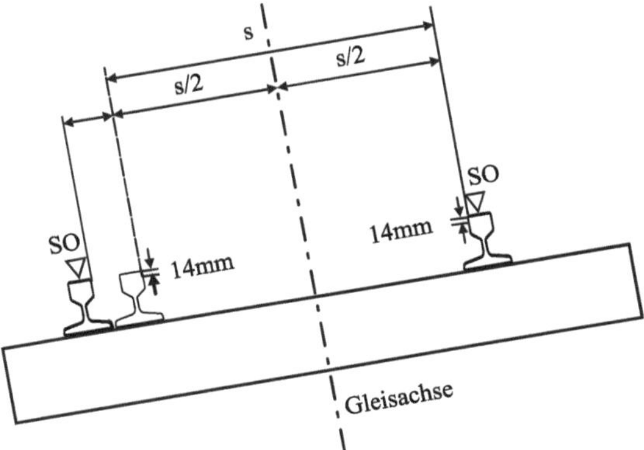

Abb. 2.14: Lage der Gleisachse im Gleis mit Spurerweiterung

Spurweite

Die Spurweite ist das kleinste Maß (lichte Weite) zwischen den Schienenköpfen eines Gleises, bei Normalspurbahnen im Bereich von 0 bis 14 mm, bei Schmalspurbahnen im Bereich von 0 bis 10 mm, unter Schienenoberkante (SO) gemessen (Autorenkollektiv 1981).

Das Grundmaß der Spurweite *s* ist die theoretische Spurweite ohne Berücksichtigung von Spurerweiterungen bzw. Spurverengungen.

Als Normalspurweite wird lt. Berner Abkommen von 1886 mit $s = 1.435$ mm bezeichnet. Größere Spurweiten, z. B. 1.520 mm der Russischen Staatsbahnen, werden als Breitspur, kleinere Spurweiten, z. B. 1.000 mm, 900 mm, 750 mm oder 600 mm, werden als Schmalspur bezeichnet.

Spurerweiterung

Als Spurerweiterung bezeichnet man die Vergrößerung des Grundmaßes der Spurweite eines Gleises.

Mit vorgeschriebenen Spurerweiterungen wird ein Zwängen von Schienenfahrzeugen im Bogenverlauf vermieden. Darüber hinaus entstehen Spurerweiterungen als Folge des Eisenbahnbetriebs.

Spurverengung

Als Spurverengung bezeichnet man die Verkleinerung des Grundmaßes der Spurweite eines Gleises.

Die Größen und die Anordnungen der Spurerweiterungen und Spurverengungen sind durch Richtlinien geregelt, die einen sicheren Eisenbahnbetrieb gewährleisten sollen.

Oberbau

Gleis und Bettung bilden den Sammelbegriff „Oberbau“. Der Oberbau ruht auf dem Planum (Planumsschutzschicht) (Autorenkollektiv 1981).

Bettungsquerschnitt

Als Bettungsquerschnitt wird ein senkrechter Schnitt durch den Oberbau bis zum Planum rechtwinklig zur Gleisachse bezeichnet (Autorenkollektiv 1981).

Feste Fahrbahn

Bei der Festen Fahrbahn wird das Schotterbett durch eine lastverteilende Tragplatte aus Beton oder Asphalt ersetzt. Auf dieser Platte werden die Schienen elastisch gelagert (DB-Ril 883.4500).

Erdkörper

Es handelt sich um den Teil des Bahnkörpers, der den Oberbau trägt. Zum Erdkörper gehört alles, was zur Herstellung und Sicherung des Bahnkörpers nötig ist, z. B. Dämme, An- und Einschnitte mit Böschungen und Entwässerungseinrichtungen, Kunstbauten (Stützmauern, Durchlässe usw.) (Autorenkollektiv 1981).

Lichtraum

Die Gewährleistung eines gefahrlosen Betriebs auf einem Verkehrsweg verlangt die Freihaltung eines definierten Raums um dessen Achse. Dieser wird mit dem Begriff „Lichtraum“ bezeichnet. Die Größe und Form des Lichtraums hängen in erster Linie von den Eigenarten des Verkehrswegs und der auf ihm verkehrenden Fahrzeuge ab. Er wird durch eine „Lichtraumumgrenzungslinie“ definiert. Aufgrund der Spurgebundenheit der Eisenbahnen werden an deren Realisierung hohe Genauigkeitsforderungen gestellt.

Lichtraumumgrenzung

Die Lichtraumumgrenzung ist die auf Gleisachse und Schienenoberkante bezogene äußere Umgrenzung eines für alle Gleise vorzusehenden Raums. In diesen dürfen bauliche Anlagen oder Einrichtungen sowie feste oder lagernde Gegenstände nicht hineinragen. Ausgenommen davon sind Einrichtungen für die unmittelbare Beeinflussung der Fahrzeuge, z. B. Oberleitungen und Zugbeeinflussungseinrichtungen. Die Lichtraumumgrenzung dient dem ungehinderten und gefahrlosen Bewegen der Fahrzeuge und berücksichtigt Wank- und Schlingereinflüsse sowie Unregelmäßigkeiten der Gleislage.

Grenzlinie

Die Grenzlinie umschließt den Raum, den ein Fahrzeug unter Berücksichtigung der horizontalen und vertikalen Bewegungen, der Gleislagetoleranzen und der Mindestabstände von der Oberleitung benötigt.

Gefahrenbereich

Der Gefahrenbereich ist der Gleisbereich, in dem Arbeitskräfte durch bewegte Schienenfahrzeuge gefährdet werden können. Der Gefahrenbereich wird in Abhängigkeit von der an der Arbeitsstelle zulässigen Geschwindigkeit von der Gleisachse gemessen.

Sicherheitsraum

Der Sicherheitsraum ist der Raum für den Aufenthalt der Arbeitskräfte außerhalb der Gefahrenbereiche.

Grenzzeichen

Das Grenzzeichen gibt die Grenze an, bis zu der bei zusammenlaufenden Gleisen das Gleis besetzt werden darf.

Gleisachse

Unter der Gleisachse versteht man die in Längsrichtung des Gleises zwischen den Schienenkopfinnenflächen (0 bis 14 mm unter Schienenoberkante gemessen) verlaufende Mittellinie. In Gleisbögen mit Spurerweiterung, vgl. Abbildung 2.14, verläuft die Gleisachse parallel zur Schienenkopfinnenfläche des äußeren Schienenstrangs im Abstand der halben Regelspurweite) (DIN 18709-2).

Gegenstand der geodätischen Aufmessung, Berechnung und Absteckung ist die Gleisachse.

Bahnachse

Die Bahnachse ist ein Linienzug, der i. d. R. mit der Mittellinie des Bahnkörpers zusammenfällt. Bei einer eingleisigen Strecke entspricht die Bahnachse der Gleisachse, sofern nicht ein zweigleisiger Bahnkörper vorhanden ist. Bei einer zweigleisigen Strecke liegt die Bahnachse zu dem ohne Verziehung durchgehenden Hauptgleis parallel. In Bahnhöfen verläuft die Bahnachse im Zuge der durchgehenden Hauptgleise. Die Bahnachse hat Bedeutung für die Streckenkilometrierung (Ordnungsrahmen) und für Angaben und die Berechnung des vertikalen Verlaufs (Gradiente) der Gleise (siehe auch DIN 18709-2).

Einfache Weichen und Bogenweichen

Die Richtlinien für die Anordnung und die Einrechnung von Weichen sind im Kapitel 2.6 beschrieben.

Weichen

Weichen sind Oberbaukonstruktionen, die Schienenfahrzeugen den Übergang von einem Gleis in ein anderes ohne Fahrtunterbrechung ermöglichen.

Zur Realisierung der verschiedenen Anforderungen an die Gestaltung der Gleisanlagen und des Eisenbahnbetriebs kommen Weichen mit unterschiedlichen geometrischen und konstruktiven Parametern zum Einsatz. Diese sind bei den einzelnen Bahnverwaltungen unterschiedlich.

Einfache Weichen

Einfache Weichen sind durch ein gerades Stammgleis und ein in Blickrichtung vom Weichenanfang zum Weichenende nach rechts (Rechtsweiche) oder nach links (Linksweiche) abzweigendes Gleis (Zweiggleis) gekennzeichnet.

Zur Unterscheidung der einzelnen Weichentypen sind folgende Begriffe und Abkürzungen zu beachten, die in Abbildung 2.15 dargestellt werden.

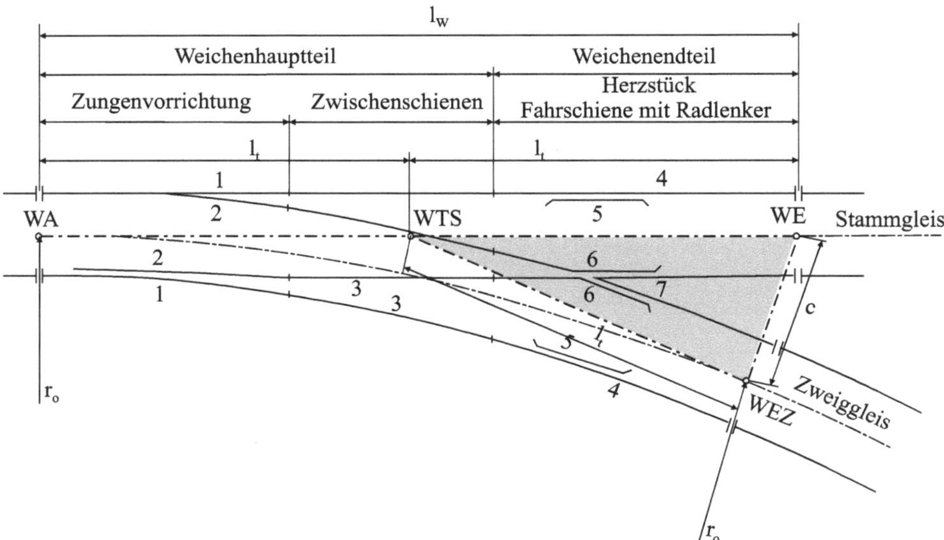

Abb. 2.15: Fahrkantenbild einer einfachen Weiche (nach DIN 18709-2). WA: Weichenanfang, WTS: Weichentangentenschnittpunkt, WE: Weichenende im Stammgleis, WEZ: Weichenende im Zweiggleis, l_t: Tangente des Zweiggleisbogens, b: Seitenlänge des gleichschenkligen Weichendreiecks, c: Spreizmaß, l_w: Weichenlänge, 1: Backenschienen, 2: Weichenzungen, 3: Zwischenschienen, 4: Fahrschienen, 5: Radlenker, 6: Flügelschienen, 7: Herzstück.

Grundform

Zur rationellen Fertigung der Weichen sind, den einzelnen Einsatzbedingungen entsprechend, Standardtypen einfacher Weichen und Kreuzungen entwickelt worden. Diese besitzen standardisierte Abmessungen (z. B. bei der Deutschen Bahn gemäß Richtlinie 800.0120A01). Aus den Grundformen werden zur Anpassung an die örtlichen Verhältnisse

- Bogenweichen, Bogenkreuzungen, Bogenkreuzungsweichen und
- Weichen mit verlängertem oder verkürztem Zweiggleis

abgeleitet.

Stammgleis

Als Stammgleis bezeichnet man bei einfachen Weichen das gerade Gleis, bei Bogenweichen das schwächer gekrümmte Gleis. Der Radius wird mit r_s bezeichnet.

Zweiggleis

Das aus dem Stammgleis abzweigende Gleis wird mit Zweiggleis bezeichnet. Die Gleisachse des Zweiggleises tangiert im *WA* die Achse des Stammgleises. Der Zweiggleisradius wird bei einfachen (geraden) Weichen mit r_0, bei Bogenweichen mit r_Z bezeichnet.

Weichentangentenschnittpunkt *WTS*

Die im Weichenende *WEZ* an die Achse des Zweiggleisbogens angelegte Tangente schneidet die Stammgleisachse im *WTS*.

Weichenwinkel α

Die Stammgleisachse und die Tangente an die Gleisachse des Zweiggleisbogens im *WEZ* schließen im *WTS* den Weichenwinkel α ein.

Weichenneigung

Als Weichenneigung wird der Tangens des Weichenwinkels α bezeichnet. Er wird als Verhältniszahl angegeben:

$$\tan\alpha = 1 : n \tag{2.38}$$

Spreizmaß *c*

Der lineare Abstand zwischen den Weichenendpunkten *WE* und *WEZ* nennt man Spreizmaß. Es wird mit *c* bezeichnet.

Weichenhauptteil

Der Weichenhauptteil umfasst die Zungenvorrichtungen und die Zwischenschienen.

Weichenendteil

Der Weichenendteil besteht aus Herzstück, Radlenkern und Fahrschienen.

Weichendreieck

Die Punkte *WTS*, *WE* und *WEZ* legen das gleichschenklige Weichendreieck fest. Dieses bleibt in Form und Größe beim Biegen von einfachen Weichen zu Bogenweichen, auch bei Weichen, die ganz oder teilweise im Übergangsbogen liegen, erhalten.

Zwischenschienen

Die Zwischenschienen sind zwischen Zungenvorrichtung und Weichenendteil angeordnet. Die sich beim Biegen der Weichen ändernden Schienenlängen werden im Bereich der Zwischenschienen berücksichtigt.

Weichenlänge l_w

Das Maß zwischen *WA* und *WE* ist die Weichenlänge l_w, auch als Baulänge bezeichnet.

Weichenkennzeichnungen

Die eindeutige Kennzeichnung der Weichen erfolgt durch die folgenden Kenngrößen:

- Schienenform, z. B. S 49, S 54, UIC 60
- Radius des Zweiggleises, z. B. Zweiggleisradius der Grundform r_0 = 190 m; 215 m; 300 m; 500 m; 1200 m und 2500 m; wenn ein Zweiggleiskorbbogen angeordnet wird r_0 = 6000/3700 oder 7000/6000 m
- Weichenneigung, z. B. 1:9; 1:12 oder 1:18,5
- Weichenart

  EW: einfache Weiche

  DW: Doppelweiche

  IBW: Innenbogenweiche

  ABW: Außenbogenweiche

  EKW: einfache Kreuzungsweiche

  DKW: doppelte Kreuzungsweiche

  Kr: Kreuzung
- Richtung des Zweiggleises

  l: Linksweiche

  r: Rechtsweiche
- Schwellenart

  H: Hartholzschwellen

  B: Betonschwellen

  St: Stahlschwellen

- Bewegliches Herzstück

  Im Bereich des Herzstücks muss zur Gewährleistung der Abzweigfahrt der Schienenstrang zwischen Flügelschienen und Herzstück unterbrochen werden, die sogenannte Herzstücklücke. Es handelt sich um einen spurführungslosen Bereich. Im Allgemeinen wird die Spurführung an dieser Stelle durch die Radlenker gewährleistet. Bei sehr flachen Weichen, die im Zweiggleis mit hoher Geschwindigkeit befahren werden dürfen, wird die Herzstücklücke sehr lang. Zur Verhinderung einer Entgleisung wird in diesen Fällen die Weiche mit einer beweglichen Herzstückspitze ausgestattet. Man unterscheidet dabei zwei Bauformen, Herzstückspitze:

  gb: gelenkig beweglich

  fb: federnd beweglich

  So ausgestattete Weichen werden in der Weichenbezeichnung mit diesen Abkürzungen versehen.

- Letzte durchgehende Schwelle *ldS*

  Aufgrund des geringen Gleisabstands am Weichenende können die Schwellen des Stamm- und des Zweiggleises an dieser Stelle noch nicht getrennt werden. Es werden deshalb bis zur Länge $\bar{s}$ nach dem Weichenende noch durchgehende Schwellen angeordnet. Dies beeinflusst die Gestaltung der Gleisgeometrie im Anschluss an das Weichenende. Die Länge $\bar{s}$ hängt von der Weichenneigung ab. Sie ist um so länger, je flacher die Weichenneigung ist.

- Grafische Darstellung der Weichen

  In den Plänen werden die Weichen, wie in den folgenden Abbildungen zu sehen ist, stilisiert durch die Gleisachse des Stammgleises und durch das Weichendreieck dargestellt.

  Aus betrieblichen Gründen unterscheidet man im Feldriss und im Lageplan (von Hand) ortsbediente und (vom Stellwerk) fernbediente Weichen durch die Art der Darstellung des Weichendreiecks.

Einfache Weiche mit durchgehendem Zweiggleisbogen

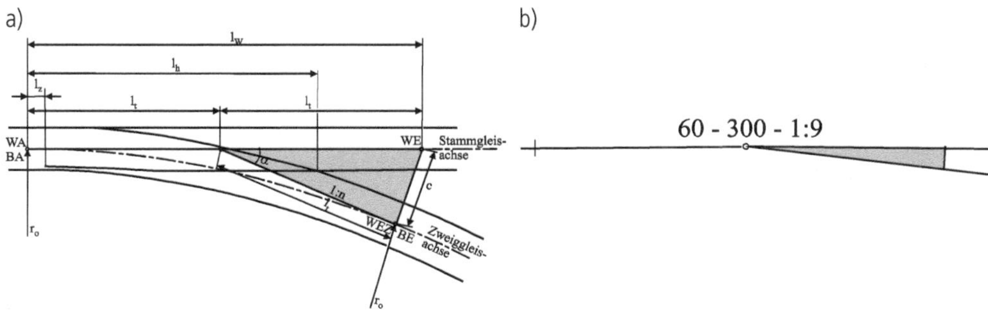

Abb. 2.16: Einfache Weiche mit durchgehendem Zweiggleisbogen (fernbedient): a) Fahrkantenbild, b) grafische Darstellung

Wie in Abbildung 2.16 dargestellt, verläuft der Zweiggleisbogen von *WA* bis *WEZ* durchgehend, dann hat die Weiche ein Bogenherzstück. Die großen Seitenlängen des gleichschenkligen Weichendreiecks werden mit *b* bezeichnet. Sie entsprechen in diesem Fall der Länge l_t der Zweiggleisbogentangenten. Weichen mit durchgehendem Zweiggleisbogen und Bogenherzstück eignen sich besonders als Bogenweichen.

Einfache Weiche mit verkürztem Zweiggleisbogen

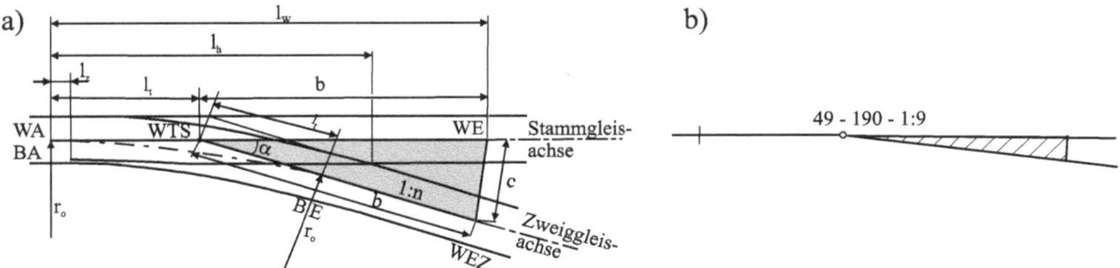

Abb. 2.17: Einfache Weiche mit verkürztem Zweiggleisbogen (ortsbedient): a) Fahrkantenbild, b) grafische Darstellung

Wie in Abbildung 2.17 ersichtlich, endet der Zweiggleisbogen vor dem Herzstück, so ist das Endteil der Weiche gerade. Diese Weiche hat ein gerades Herzstück. Hierbei sind die Seiten *b* des gleichschenkligen Weichendreiecks länger als die Tangentenlänge l_t des Zweiggleisbogens. Solche Weichen werden bevorzugt bei Verbindungen paralleler Gleise mit geringem Gleisabstand eingesetzt, weil die fahrdynamisch erforderliche Zwischengeradenlänge zwischen den beiden Weichen durch das gerade Endteil gewährleistet werden kann.

Einfache Weiche mit Bogenherzstück und gerader Fortführung des Zweiggleises

In diesem Fall endet der Zweiggleisbogen nach dem Herzstück. In der Folge wird dann das Zweiggleis als Gerade fortgeführt.

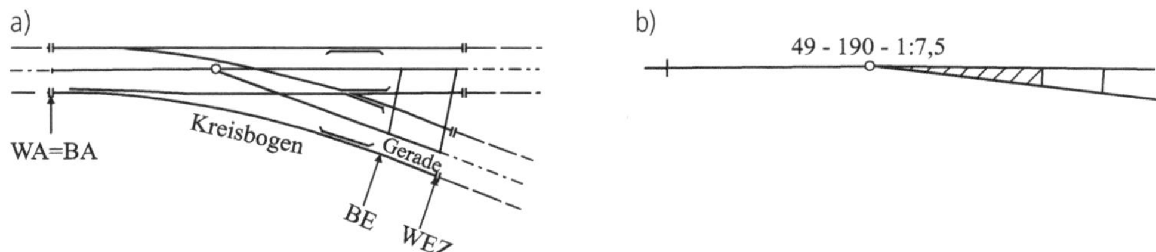

Abb. 2.18: Einfache Weiche mit Bogenherzstück und gerader Fortführung des Zweiggleises (ortsbedient): a) Fahrkantenbild, b) grafische Darstellung

Klotoidenweiche für Abzweigstellen

Klotoidenweichen in durchgehenden Hauptgleisen gewährleisten z. B. in Abzweigstellen eine ruhige Fahrt durch den Zweiggleisbogen bei hohen Geschwindigkeiten. Die geometrische Gestaltung des Zweiggleisbogens zeigt Abbildung 2.19.

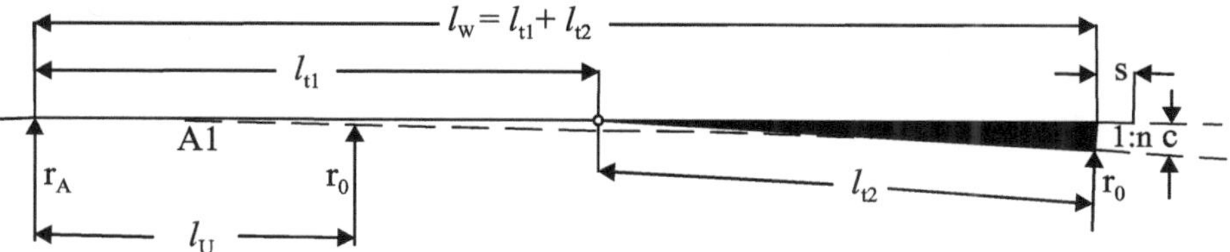

Abb. 2.19: Klotoidenweiche für Abzweigstellen (DB-Ril 800.0120A02)

Im Bereich der Zunge für den Zweiggleisbogen ist anstelle des Kreisbogens ein Klotoidenstück angeordnet. Die Klotoide beginnt allerdings am *WA* nicht am Klotoidenursprung (Radius $r = \infty$), sondern mit einem großen Krümmungsradius r_A. Dies ist im Hinblick auf die technischen Ausführungen der Zungenspitzen, die nicht unendlich dünn ausgeführt werden können, notwendig. Die Krümmung der Zunge steigt von $k_A = 1 / r_A$ linear bis $k_0 = 1 / r_0$. Der Zweiggleisbogen wird anschließend als Kreisbogen mit dem Radius r_0 bis zum Weichenende *WEZ* fortgeführt, sodass die Gestaltung des Gleisverlaufs im Anschluss an die Weiche ganz normal entworfen werden kann. In der Weichenbezeichnung werden die Zweiggleisradien r_A und r_0 angegeben.

Beispiele: 60 – 3000/1500 – 1:18,32 – fb oder 60 – 16000/6100 – 1:40,154 – fb

Klotoidenweichen für Gleisverbindungen

Für Gleisverbindungen sind die Klotoidenweichen für Abzweigstellen nicht geeignet, weil sich im Anschluss an die erste Weiche im Zweiggleis die Krümmungsrichtung im Verlauf der zweiten Weiche ändert. Es würde ein Bogenwechsel entstehen, der nicht mit hoher Geschwindigkeit befahren werden könnte. Deshalb muss der Krümmungsradius bei den Klotoidenweichen für Gleisverbindungen im Endteil mit einer zweiten Klotoide zu $r = \infty$ verändert werden. Abbildung 2.20 zeigt die geometrische Gestaltung des Zweiggleisbogens.

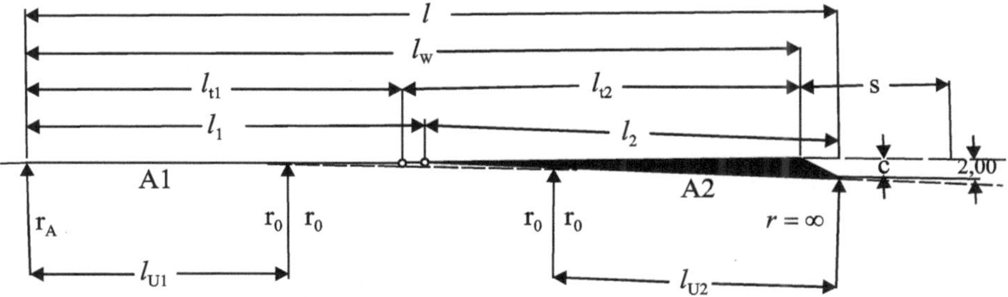

Abb. 2.20: Klotoidenweiche für Gleisverbindungen (DB-Ril 800.0120A02)

Die Zunge ist in gleicher Weise wie bei der Klotoidenweiche für Anschlussstellen ausgebildet. Der sich anschließende Kreisbogen mit dem Radius r_0 wird jedoch nicht bis zum *WEZ*, sondern nur bis zum Klotoidenende im Weichenendteil weitergeführt. Die Klotoide im Weichenendteil beginnt mit dem Radius r_0 des Zweiggleisbogens und endet am *WEZ* mit $r = \infty$. Die folgende Weiche beginnt dann im Zweiggleis mit $r = \infty$ und hat den umgekehrten Krümmungsverlauf. Die geometrische Gestaltung des Zweiggleisbogens wird, wie die Beispiele zeigen, entsprechend vermerkt.

Beispiele: 60 – 3000/1500 – ∞ – fb oder 60 – 16000/6100 – ∞ – fb

Bogenweichen

Wird das ursprünglich gerade Stammgleis gebogen, entsteht eine Bogenweiche.

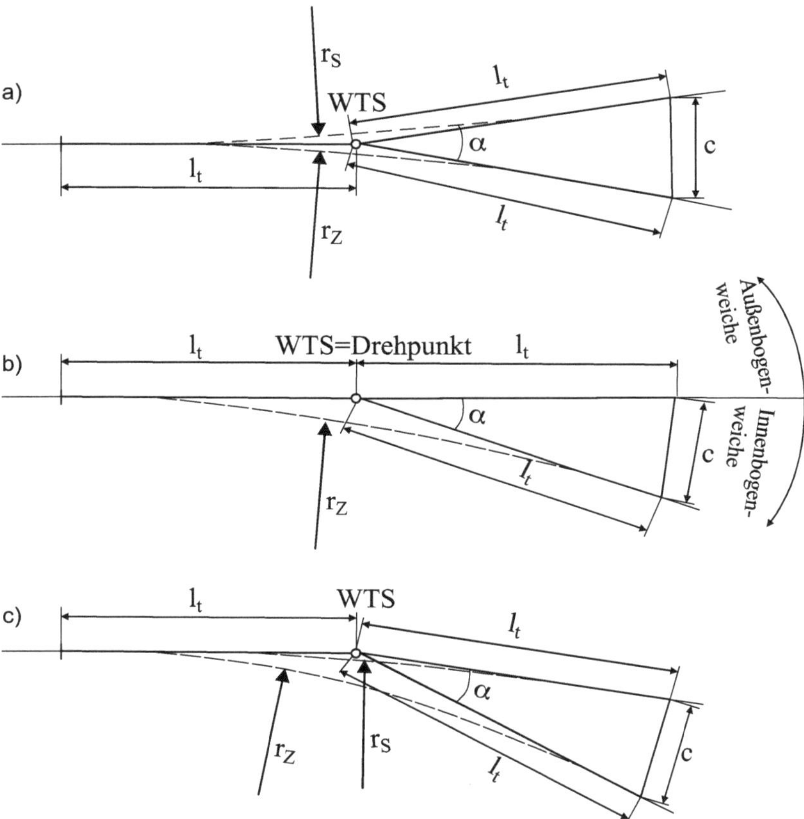

Abb. 2.21: Entwicklung der Bogenweichen: a) Außenbogenweiche, b) Grundform, c) Innenbogenweiche

Beim Biegen der Weiche bleiben die Weichenmaße l_t, b, c und damit das Weichendreieck erhalten. Durch diese Festlegung ergibt sich zwangsläufig eine Änderung des Zweiggleisradius. Die sich daraus ergebenden Änderungen der Schienenlängen werden durch entsprechende Bemessung der Zwischenschienenlängen realisiert.

Liegen im Ergebnis dieses Biegevorgangs die Mittelpunkte der beiden Gleisbogen der Weiche auf der gleichen Seite, so spricht man von einer Innenbogenweiche *IBW*. Liegen die Mittelpunkte auf verschiedenen Seiten der Weiche, so handelt es sich um eine Außenbogenweiche *ABW* (Abb. 2.21).

Die Berechnung der Zweiggleisradien für Bogenweichen erfolgt i. Allg. mit den in den Gleichungen (2.39) bis (2.42) angegebenen Näherungsformeln.

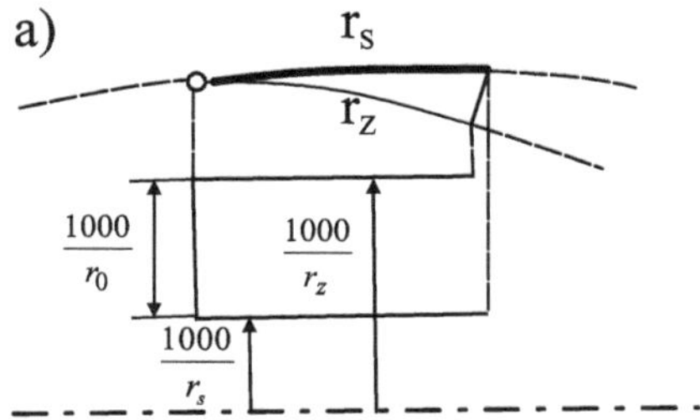

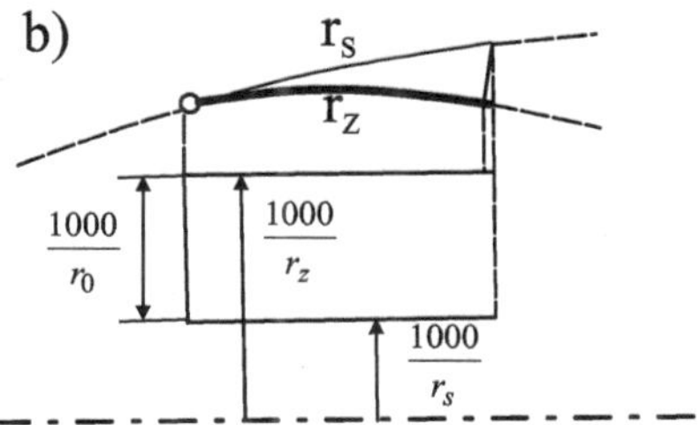

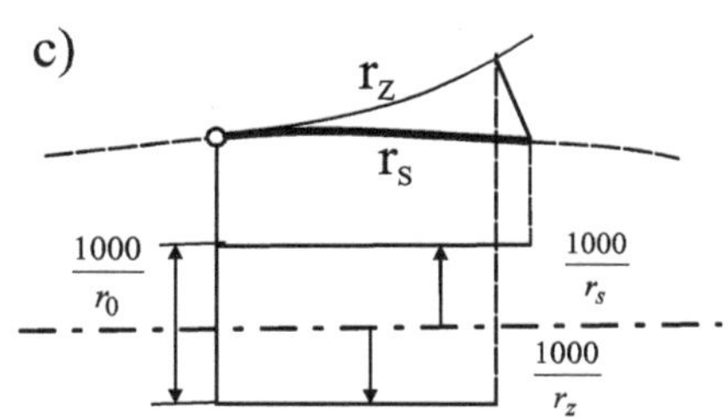

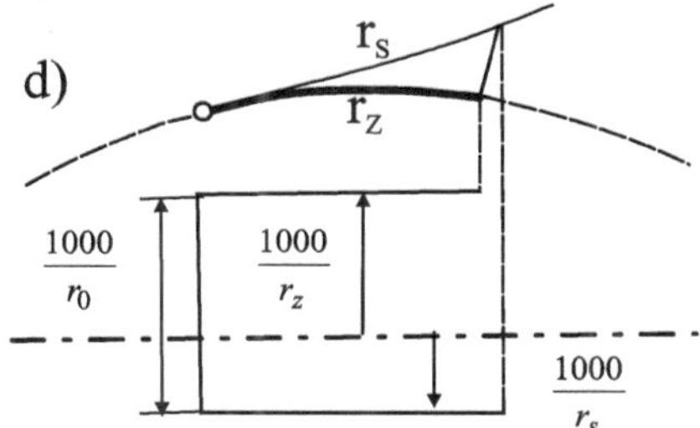

Abb. 2.22: Veranschaulichung der Näherungsformeln für die Berechnung der Zweiggleisradien (DB-Ril 800.0120): a) Innenbogenweiche, Hauptfahrweg schwächer gekrümmt, b) Innenbogenweiche, Hauptfahrweg stärker gekrümmt, c) Außenbogenweiche, Hauptfahrweg schwächer gekrümmt, d) Außenbogenweiche, Hauptfahrweg stärker gekrümmt. r_0 = Radius des Zweiggleises der Weichengrundform, r_S = Radius des Stammgleises (schwächer gekrümmtes Gleis), r_Z = Radius des Zweiggleises (stärker gekrümmtes Gleis).

Für die Innenbogenweiche mit schwächer gekrümmtem Hauptfahrweg, also Abzweigung zur Bogeninnenseite, gilt folgende Näherungsformel:

$$\frac{1000}{r_z} = \frac{1000}{r_s} + \frac{1000}{r_0} \tag{2.39}$$

Für die Innenbogenweiche mit stärker gekrümmtem Hauptfahrweg, also Abzweigung zur Bogenaußenseite, gilt folgende Näherungsformel:

$$\frac{1000}{r_s} = \frac{1000}{r_z} - \frac{1000}{r_0} \tag{2.40}$$

Für die Außenbogenweiche mit schwächer gekrümmtem Hauptfahrweg gilt folgende Näherungsformel:

$$\frac{1000}{r_z} = \frac{1000}{r_0} - \frac{1000}{r_s} \tag{2.41}$$

Für die Außenbogenweiche mit stärker gekrümmtem Hauptfahrweg gilt folgende Näherungsformel:

$$\frac{1000}{r_s} = \frac{1000}{r_0} - \frac{1000}{r_z} \tag{2.42}$$

Wird das gerade Stammgleis einer einfachen Weiche zu einer Klotoide gebogen, entsteht eine Übergangsbogenweiche *UBW*. Das Weichendreieck bleibt auch in diesem Fall erhalten (Abb. 2.23). Bogenweichen werden im Feldriss und Lageplan durch die Gleisachsen der beiden Gleisbogen dargestellt.

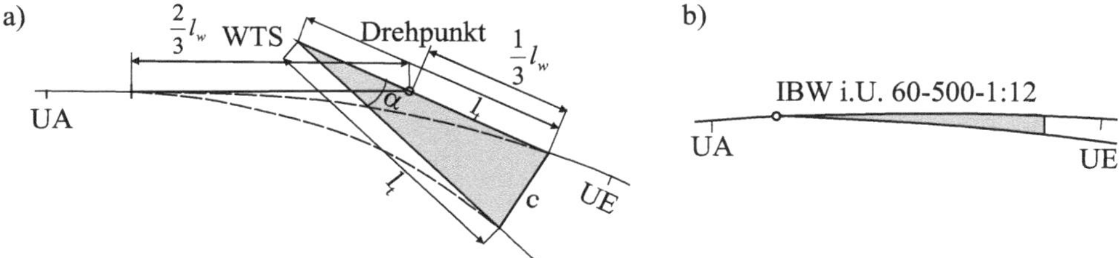

Abb. 2.23: Weiche im Übergangsbogen: a) Stellung des Weichendreiecks, b) grafische Darstellung

Die sog. Zweibogenweichen entstehen nicht durch Biegen der Weichengrundform, sondern als Sonderkonstruktionen, wie z. B. die in Ablaufbergen eingesetzten symmetrischen Außenbogenweichen ABW 49 – 215 – 1:4,8.

Nur zum Teil im Bogen liegende Weichen werden als unvollständige Bogenweichen bezeichnet.

Bei der Verwendung von Weichengrundformen mit geradem Herzstück als Außenbogenweiche soll der Herzstückbereich nicht gebogen werden, um einen Gegenbogen im Zweiggleis zu vermeiden.

Bei Innenbogenweichen reduziert sich der Radius des Zweiggleises. Er darf nur bis zu den in den jeweiligen Richtlinien festgelegten Grenzwerten verkleinert werden. Wenn in Ausnahmefällen kleinere Radien erforderlich sind, muss die Zustimmung der zuständigen Stelle eingeholt werden. In diesen Fällen handelt es sich um Sonderkonstruktionen von Weichen.

Grafische Darstellung der Bogenweichen

Bogenweichen sind in den Lageplänen mit der Kurzbezeichnung *IBW* (Innenbogenweiche) oder *ABW* (Außenbogenweiche), der Schienenform, dem Radius der Weichengrundform und der Endneigung zu bezeichnen. Die Radien des Stamm- und des Zweiggleises sind anzugeben und deren Begrenzung durch Pfeile zu kennzeichnen. Dies entfällt, wenn sie mit dem Weichenanfang bzw. Weichenende zusammenfallen. Weichen, die vollständig oder teilweise im Übergangsbogen liegen, sind mit „i.U.“ bzw. „z.T. i.U.“ zu kennzeichnen (Abb. 2.23b).

2.1.4.2 Kreuzungen und Kreuzungsweichen

Kreuzungen

Kreuzungen sind Oberbaukonstruktionen, die Schienenfahrzeugen das Befahren zweier einander durchschneidender Gleise ermöglichen.

Die Einrechnung und Festlegung von Kreuzungen sind im Kapitel 2.6 näher beschrieben.

Einfache Kreuzungen

Die Kreuzungen werden durch die vier hinter den Herzstücken liegenden Schienenstöße (Kreuzungsenden *KE*) begrenzt (siehe Abb. 2.24). Die *KE* legen die Länge *l* der Kreuzung und die Spreizmaße *c* fest. Das Viereck zwischen den Spitzen der Herzstücke wird Kreuzungsviereck genannt.

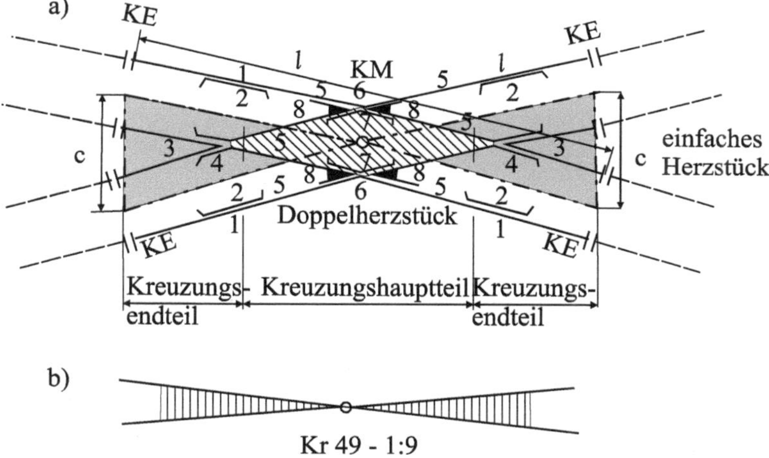

Abb. 2.24: Einfache Kreuzung: a) Fahrkantenbild, b) grafische Darstellung. l: Kreuzungslänge, c: Spreizmaß, KE: Kreuzungsende, KM: Kreuzungsmitte; schraffierte Fläche: Kreuzungsviereck, getönte Fläche: Kreuzungsdreiecke; 1: Fahrschiene, 2: Radlenker, 3: Herzstück, 4: Flügelschiene, 5: Zwischenschiene, 6: Knieschiene, 7: Radlenker, 8: Herzstück

Nach der Größe des Neigungswinkels, der bei Weichen und Kreuzungen als Tangenswert angegeben wird, unterscheidet man

- Regelkreuzungen mit der Neigung 1:9,
- Steilkreuzungen, Neigung steiler als 1:9 und
- Flachkreuzungen mit beweglichen Doppel-Herzstückspitzen, Neigung flacher als 1:9.

Die Kennzeichnung einer Kreuzung erfolgt durch die Angabe der Schienenform und der Neigung, z. B. Kr 49 - 1:9.

Kreuzungen mit einem geraden und einem gekrümmten Gleis

Außer den einfachen Kreuzungen, bei denen sich zwei gerade Gleise kreuzen, werden auch solche gebaut, bei denen ein Gleis gerade und das andere in der Grundform gebogen ist (Abb. 2.25). Die Kennzeichnung wird in diesem Fall durch die Radienangaben der Gleise ergänzt. Die Darstellung im Feldriss und im Lageplan erfolgt, wie in den Abbildungen 2.24 bis 2.26 zu sehen ist, durch Schraffur der Kreuzungsdreiecke rechtwinklig zur Winkelhalbierenden.

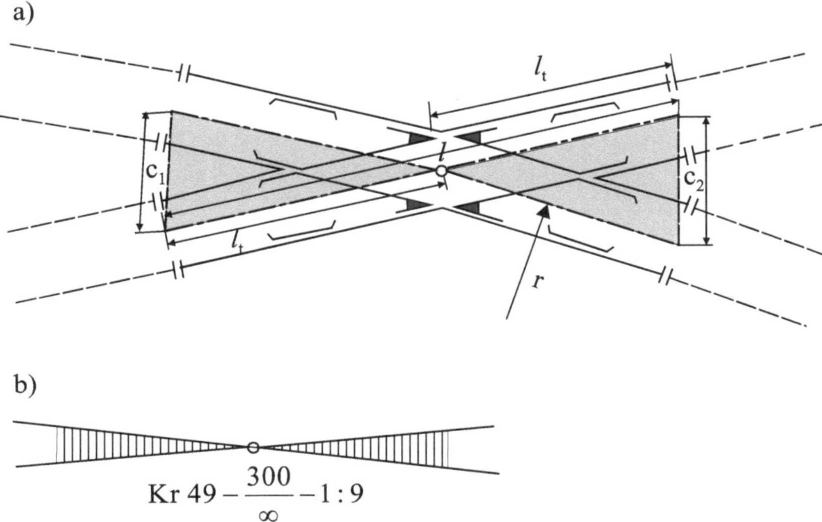

Abb. 2.25: Kreuzung mit einem geraden und einem gekrümmten Gleis: a) Fahrkantenbild, b) grafische Darstellung

Bogenkreuzungen

Werden die bei der Grundform geraden Gleise zu Kreisbogen gekrümmt, so entsteht eine Bogenkreuzung (Abb. 2.26). Da auch in diesem Fall die Maße l_t, c und damit die Kreuzungsdreiecke erhalten bleiben, ändern sich die Radien beider Gleise gleichmäßig. Die Mittelpunkte der Bogenkreuzungen liegen immer auf der gleichen Seite. Dadurch entstehen stets Innenbogenkreuzungen. Im Lageplan werden, wie bei den Bogenweichen, die gekrümmten Achsen beider Gleise dargestellt.

Werden Kreuzungen, die bereits ein gekrümmtes Gleis in der Grundform besitzen, zu einer Bogenkreuzung gebogen, so kann auch eine Außenbogenkreuzung entstehen. Bei dieser liegen die Kreismittelpunkte der gebogenen Gleise auf beiden Seiten der Kreuzung. Die Radienänderung wird wie beim Biegen von Weichen unter Beachtung der gegebenen geometrischen Abhängigkeit berechnet.

Regel- und Steilkreuzungen sind mit starren Doppelherzstückspitzen, Flachkreuzungen mit beweglichen Doppelherzstückspitzen ausgestattet. Letztere müssen signaltechnisch ähnlich wie Weichen ausgerüstet werden.

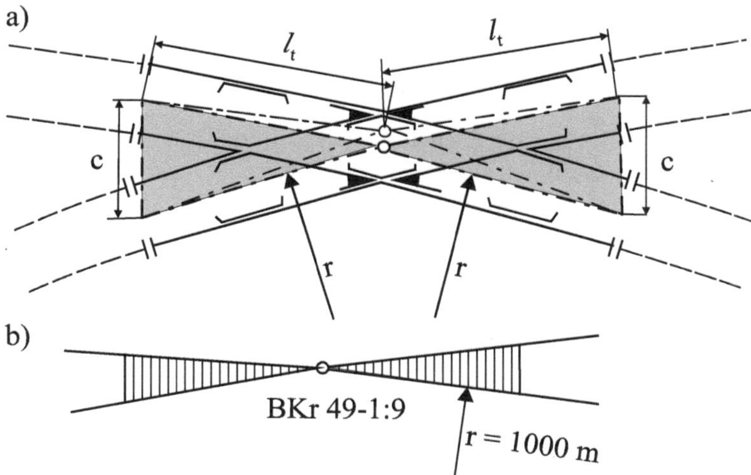

Abb. 2.26: Bogenkreuzung: a) Fahrkantenbild, b) grafische Darstellung

Kreuzungsweichen

Kreuzungsweichen sind Oberbaukonstruktionen, die Schienenfahrzeugen sowohl das Befahren zweier sich schneidender Gleise als auch den Übergang von einem Gleis auf ein anderes ohne Unterbrechung der Fahrt ermöglichen.

Gerade Kreuzungsweichen

Kreuzungsweichen werden unterschieden in:

- Einfache Kreuzungsweichen (EKW)

  Bei diesen Weichen ist nur ein Übergang auf das andere Gleis möglich.
- Doppelte Kreuzungsweichen (DKW)

  Bei diesen Weichen sind zwei Übergänge auf das andere Gleis möglich.

Kreuzungsweichen werden mit der Schienenform, dem Zweiggleisradius und der Endneigung bezeichnet. Das Zweiggleis wird durch gerade Striche gekennzeichnet.

Bei Kreuzungsweichen können die Endneigungen gegenüber der jeweiligen Grundform wie folgt geändert werden:

- Bei den Grundformen mit Zweiggleisradius r_0 = 190 m können die einfachen geraden Herzstücke auf einer oder beiden Seiten durch Bogenherzstücke mit dem Radius r_0 = 190 m ersetzt werden, wobei Endneigungen von 1:7,5 oder steiler, z. B. 1:6,6, entstehen.
- Bei den Grundformen mit dem Zweiggleisradius r_0 = 500 m kann durch Austausch oder Biegen der Zungenvorrichtung die Neigung an einem oder beiden Weichenenden flacher als 1:9 hergestellt werden.

Derartige von den Grundformen abgeleitete Kreuzungsweichen sind mit der Schienenform, dem Zweiggleisradius und der Neigung der Grundform zu bezeichnen. Zusätzlich ist zuerst die Neigung am linken, anschließend die am rechten Weichenende sowie jeweils die Krümmungsrichtung („r“ oder „l“) der Bogenherzstücke oder Zungenvorrichtungen anzugeben. Einfache Kreuzungsweichen sind dabei – unabhängig von ihrer Lage – stets mit unten liegendem Zweiggleisbogen zu betrachten.

Bogenkreuzungsweichen

Werden die sich schneidenden geraden Gleise der Grundform zu Kreisbogen gekrümmt, so entstehen Bogenkreuzungsweichen.

Die Radien der ursprünglich geraden Kreuzungsgleise sind dabei stets gleich groß. Deren Mittelpunkte liegen auf der gleichen Weichenseite.

Liegt der Mittelpunkt des Zweiggleisbogens einer einfachen Kreuzungsweiche auf der anderen Seite als die Mittelpunkte der Kreuzungsgleisbogen, so spricht man von einer einfachen Außenbogenkreuzungsweiche.

Liegt der Mittelpunkt des Zweiggleisbogens einer einfachen Kreuzungsweiche auf der gleichen Seite wie die Mittelpunkte der Kreuzungsgleisbogen, so spricht man von einer einfachen Innenbogenkreuzungsweiche.

Aus betrieblichen und Instandhaltungsgründen werden Kreuzungsweichen nach Möglichkeit durch einfache Weichen ersetzt.

2.2 Regelwerk

Grundlage aller Infrastrukturmaßnahmen bei den Bahnen ist die 3D-Erfassung der Trassen einschließlich der relevanten Einrichtungen am Gleis – also die dreidimensionale Vermessung. Für die Kompatibilität und einheitliche Qualität dieser Infrastrukturdaten ist ein gemeinsamer Ordnungsrahmen sowie ein ganzheitliches Management bei Erfassung, Auswertung und Dokumentation unerlässlich. Strukturen und Inhalte, Erfassungsmethoden sowie die Freigabe adäquater Messmittel benötigen eindeutige, in entsprechenden Regelwerken definierte Vorgaben.

Dazu zählen

- Gesetze und Verordnungen,
- Normen und Richtlinien,
- Merkblätter.

Gesetze und Rechtsverordnungen enthalten nur allgemeine und keine ins Detail gehende Vorgaben. Diese sind in untergesetzlichen Regelwerken wie Normen und Richtlinien enthalten.

Die ***Normen*** beschreiben den Stand der Technik. Sie präzisieren durch genaue Angaben zu Maßen, Toleranzen, Messmethoden und Weiterem die anerkannten Regeln der Technik und sind deshalb Basis für die Regelwerke der einzelnen Bahnen. Das gilt hier insbesondere auch für die bahntechnischen Normen, die die Grundlage für das technische Regelwerk der Bahnen bilden. In den entsprechenden Richtlinien werden praktische, effiziente und aktuelle Arbeitsgrundlagen sowie Hilfsmittel für alle am System Bahn Beteiligten vorgegeben und dokumentiert. In den Richtlinien spiegelt sich das Wissen der Bahn wider. Sie standardisieren das Know-how und gewährleisten so eine kostengünstige Weiterentwicklung des Gesamtsystems Bahn.

Die ***Richtlinien*** sind Basis für eine korrespondierende Weiterentwicklung von Eisenbahnvermessung, Infrastrukturdatenvorhaltung und -management sowie aller fachlich tangierender Vorgaben und Regelungen. Sie sind Garant für die Weiterentwicklung des eisenbahnspezifischen Know-how der Vermessung sowie einer ganzheitlichen Dokumentation technischer und raumbezogener Bestandsdaten bei den europäischen Bahnen.

Merkblätter enthalten bereichs- und/oder themenbezogene Ergänzungen und Hinweise zu fachlichen Regeln. Sie verfügen gleichermaßen über deren Bedeutung und tragen dem Stand der Technik, Normen und anderen Regelwerken Rechnung. Sie werden aufgestellt, wenn bestimmte technische Konsequenzen als notwendig erkannt worden sind.

Internationale und Europäische Grundlagen

Von der Union Internationale des Chemins de fer (Internationaler Eisenbahnverband) werden Merkblätter herausgegeben. Sie können verbindlich, empfehlend oder indikativ sein. Ein Beispiel für die Eisenbahnvermessung ist das UIC-Merkblatt 728-1 „Absolute coordinates for track engineering work – A Railway Geodesy approach".

Die von der Europäischen Union (EU) erlassenen Verordnungen und Richtlinien sind Rechtssetzungen auf Ebene der EU. Sie dienen der Angleichung der unterschiedlichen nationalen Rechtsordnungen. Sie geben verbindlich zu erreichende Ziele vor, überlassen den Mitgliedsstaaten aber die Wahl der Form und Mittel zur Umsetzung. Auf die zur Harmonisierung des Eisenbahnwesens von der EU erlassenen Verordnungen, bspw. Technische Spezifikationen für die Interoperabilität (TSI), und deren Umsetzung in nationale Regelungen soll hier nicht näher eingegangen werden.

Gesetze und Verordnungen in Deutschland

Gemäß dem Allgemeinen Eisenbahngesetz (AEG), § 4 Abs. 1 sind die Eisenbahnen verpflichtet, ihren Betrieb sicher zu führen und die Eisenbahninfrastruktur, die Fahrzeuge und das Zubehör sicher zu bauen und im betriebssicheren Zustand zu halten.

Die als Rechtsverordnung erlassene Eisenbahn-Bau- und Betriebsordnung (EBO) konkretisiert die Vorgaben des AEG und definiert entsprechende Anforderungen. Diese Anforderungen gelten als erfüllt, wenn Bahnanlagen und Fahrzeuge den Vorschriften der EBO und, soweit diese keine ausdrücklichen Vorschriften enthält, den anerkannten Regeln der Technik entsprechen.

2.2.1 Richtlinien und Vorschriften in Deutschland

Grundsätze und Strukturen

Grundsatz des Regelwerks bei der Deutschen Bahn ist es, Aufgaben, Strukturen, Kompetenzen, Geschäftsprozesse sowie betrieblich-technische Sachverhalte verbindlich zu definieren und zu dokumentieren. Es regelt die Zusammenarbeit und das Zusammenwirken der einzelnen Konzernunternehmen. Mit einheitlichen Gestaltungsgrundsätzen werden die entsprechenden Geschäftsprozesse konzernübergreifend unterstützt. Die Regelungen sichern gleichzeitig die Einhaltung aller, die Erfüllung des Geschäftszwecks berührenden nationalen und internationalen

- Gesetze,
- Verordnungen,
- Normen,
- kaufmännischer Regelungen sowie
- der anerkannten Regeln der Technik.

Das Regelwerk wird entsprechend den Geschäften der Konzernunternehmen und ihrem Regelungsbedarf anwenderorientiert strukturiert und entwickelt.

Grundlagen DB-Regelwerk

Die Richtlinien der Deutschen Bahn enthalten

- Gebote und Verbote,
- Regeln und Grundsätze,
- Erlaubnisse und Empfehlungen,
- Unverbindliche Festlegungen und
- Erläuterungen.

Gebote und Verbote sind uneingeschränkt einzuhalten, sofern nicht für konkret beschriebene Ausnahmen Abweichungen zugelassen sind oder auf Antrag von der Zentrale der Deutschen Bahn bzw. der Zentrale des Eisenbahn-Bundesamts (EBA) im Einzelfall genehmigt werden.

Regeln und Grundsätze sind im Normalfall anzuwenden. Abweichungen von Regeln und Grundsätzen müssen vom Anwender aktenkundig begründet werden.

Erlaubnisse und Empfehlungen sind Sonderregelungen für bestimmte Fälle und technische Verfahren. Ihre Anwendung bzw. deren Verzicht bedarf keiner Begründung. Das Gebot der Wirtschaftlichkeit ist zu beachten. Erlaubnisse und Empfehlungen schlagen bestimmte Lösungen und Verfahren als zweckmäßig vor, ohne andere auszuschließen. Sie wehren bestimmte Lösungen ab, ohne sie zu verbieten.

Unverbindliche Festlegungen weisen auf Lösungen hin. Anwendung oder Verzicht bedürfen keiner Begründung.

Erläuterungen erklären den Inhalt des vorausgehenden Absatzes und sollen zu dessen Verständnis beitragen.

Handbücher (HB) sind Sammlungen einzelner Richtlinienmodule (Ril) einer Richtlinienfamilie (gleiche führende Richtliniennummer). Die einzelnen Richtlinien werden im Folgenden nur dann separat aufgeführt, wenn es inhaltlich im Sinne dieses Buchs sinnvoll ist. Gleiches gilt für Anhänge und Vordrucke zu einzelnen Richtlinienmodulen (Kennung A bzw. V nach der Modulnummer).

2.2.2 Ausgewählte Richtlinien der Deutschen Bahn

Informationen zum Regelwerk der Deutschen Bahn sind unter folgender Internetadresse zu finden:

https://fahrweg.dbnetze.com/fahrweg-de/kunden/nutzungsbedingungen/regelwerke/betrieblich-technisch_regelwerke

Ril 132.0118 Arbeiten im Gleisbereich

Beschreibung der Aufgaben, Kompetenzen und Verantwortung bei Arbeiten im Gleisbereich an Bahnanlagen und anderen Anlagen, Umsetzung der Vorgaben der Unfallverhütungsvorschriften der Deutschen Gesetzlichen Unfallversicherung (DGUV)

Ril 458.0108 Engstellendokumentation

Vorgaben für die Engstellendokumentation, siehe auch Ril 883.7400

Ril 800.0104 Kilometer-, Hektometer- und Zusatzzeichen anbringen

Ausrüstung von Strecken mit Kilometer-, Hektometer- und Zusatzzeichen, siehe auch Ril 883.1000

Ril 800.0110 Linienführung

Regelung der Auswahl der Parameter der Linienführung unter Berücksichtigung sicherheitsrelevanter, technischer und wirtschaftlicher Gesichtspunkte

Ril 800.0113 Gleisabschlüsse – Bedarfsermittlung

Regelung der Ausrüstung von Gleisenden mit Gleisabschlüssen, enthält Regelungen zur Gestaltung der Gleisgeometrie im Bereich von Gleisabschlüssen

Ril 800.0120 Auswahl der Weichen, Kreuzungen und Hemmschuhauswurfvorrichtungen

Regelung der Auswahl von Weichen, Kreuzungen und Hemmschuhauswurfvorrichtungen nach technisch-wirtschaftlichen Gesichtspunkten

Ril 800.0130 Streckenquerschnitte auf Erdkörpern

Gestaltung der Streckenquerschnitte (u. a. Lichtraum und Gleisabstände) für Ausbau- und Neubaustrecken sowie für S-Bahnen

Ril 800.0130A01 Umgrenzung des lichten Raums (in Überarbeitung)

Festlegungen zum Lichtraum, siehe auch EBO, DIN EN 15273 und künftig Ril 883.5400

Das Modul muss in der derzeit gültigen Fassung (21.06.2018) zwingend zusammen mit den Regelungen der EBO angewendet werden, es befindet sich aktuell in vollständiger Überarbeitung.

Ril 800.0130A02 Gleisabstände

Festlegungen für Gleisabstände, siehe auch EBO

Ril 800.0130A03 Fahrbahn-Querschnitte

Regelungen für Fahrbahnquerschnitte

Ril 800.0130A04 Rand- und Zwischenwege

Regelungen für die Anordnung von Rand- und Zwischenwegen

Ril 800.0130A05 Planum

Festlegungen für Planumsbreiten, ausgehend von den Gleisabständen nach Ril 800.0130A02

Ril 800.0130A07 Abstand der Planumskanten und Abstände fester Anlagen von Gleismitte

Festlegungen für die Abstände von Planumskanten und festen Anlagen

HB 80004 Zugbildungsanlagen

Sammlung aller Module der Richtlinienfamilie 800.04 mit Regelungen zur Gestaltung und Ausrüstung von Zugbildungsanlagen für den Güterverkehr, die mit einem Ablaufberg sowie rangiertechnischer Ausrüstung auszustatten sind

HB 80400 Eisenbahnbrücken (und sonstige Ingenieurbauwerke) planen, bauen und instandhalten

Sammlung aller Module der Richtlinienfamilie 804 mit Regelungen zur Gestaltung von Eisenbahnbrücken

HB 809 Infrastrukturmaßnahmen realisieren

Sammlung aller Module der Richtlinienfamilie 809 mit einheitlichen Vorgaben zu Planung, Durchführung und Dokumentation von Infrastrukturmaßnahmen, Verknüpfung dieser Vorgaben mit den für die Projektabwicklung relevanten Prozessen und mit dem Regelwerk

Ril 813.0201 Bahnsteige konstruieren und bemessen

Regelungen zur Gestaltung von Bahnsteigen, der Gleisgeometrie im Bereich von Bahnsteigen und den Einbaubaumaßen für Bahnsteige

HB 82001 Grundlagen des Oberbaus

Sammlung aller Module der Richtlinienfamilie 820, Darstellung der Bestimmungen im Regelwerk Oberbau, die für die Planung, den Neubau und die Instandhaltung des Oberbaus übergreifend und von allgemeiner Bedeutung sind, Definition der damit verbundenen Begriffe

HB 82300 Oberbauarbeiten planen

Sammlung aller Module der Richtlinienfamilie 823 mit Festlegungen zu Investitionen und Instandsetzungen für Gleise und Weichen, bspw. Maßnahmenplan und Oberbauprogramm

Ril 823.0700 Bestellen von Weichen, Kreuzungen, Hemmschuhauswurfvorrichtungen und Schienenauszügen

Regelungen für die Beschaffung von Weichen, Kreuzungen, Hemmschuhauswurfvorrichtungen und Schienenauszügen mittels Weichenskizzen

Ril 823.0900 Regelungen für die Entwurfsplanung

Regelungen zur fahrdynamischen und oberbautechnischen Prüfung

HB 82401 Oberbauarbeiten durchführen

Sammlung aller Module der Richtlinienfamilie 824

Ril 824.2200 Maschinelle Stopf- und Richtarbeiten durchführen

Regelungen für die Durchführung maschineller Stopf- und Richtarbeiten, siehe auch Ril 883.3250

Ril 824.2200A02 Vorgaben für die maschinelle Durcharbeitung

Enthält u. a. Vorgaben für die zulässigen Größen der Hebe- und Richtwerte, siehe auch Ril 883.3250

HB 88301 Gleis- und Bauvermessung

Sammlung aller Module der Richtlinienfamilie 883 für Regelungen zur Gleis- und Bauvermessung, Trassierung, Geo-Monitoring, Befliegungen sowie zugehörigen Prüfungen und Freigaben

Ril 883.0100 Grundsätze der Gleis- und Bauvermessung

Grundlagen für alle geodätischen Tätigkeiten an Fahrweg und Fahrbahn der Deutschen Bahn, insbesondere bei Erfassung, Entwurf, Auswertung, Berechnung, Analyse, Bau, Abnahme, Qualitätssicherung, Instandhaltung und Überwachung

Ril 883.1000 Eisenbahnstrecken kilometrieren

Anforderungen an die Festlegung der Kilometrierungslinien, siehe auch Ril 800.0104

Ril 883.2000 DB_REF-Festpunktfeld

Anforderungen an die Erstellung und den Erhalt des DB_REF-Festpunktfelds

Ril 883.2500 Geodätisches Bezugssystem für BIM; Grundsätze und Anwendung

Definition des geodätischen Bezugs- und Abbildungssystems für BIM-Modelle und Spezifizierung für die Abbildung der Fahrbahn in BIM

Ril 883.3000 Geodätische Fahrbahnvermessung

Anforderungen an die geodätische Vermessung der Fahrbahn zur Sicherstellung der absoluten Gleisgeometrie im Sinne Ril 883.9010

Ril 883.3000A01 Geodätische Fahrbahnvermessung; Gleisvermarkung Begriffe

Erläuterung des Prinzips der Gleisvermarkung und der zugehörigen Begriffe

Ril 883.3000A02 Geodätische Fahrbahnvermessung; Gleisvermarkung erstellen

Festlegungen für die örtliche Erstellung von Gleisvermarkungspunkten

Ril 883.3100 Geodätische Fahrbahnvermessung; Geodätische Aufnahme

Anforderungen an die geodätische Aufnahme der Fahrbahn

Ril 883.3200 Geodätische Fahrbahnvermessung; Geodätische Absteckung

Anforderungen an die geodätische Absteckung der Fahrbahn

Ril 883.3250 Gleise und Weichen vormessen für maschinelle Stopf-Richtarbeiten (Dua)

Regelungen zur Vormessung für die Instandhaltung der Gleise und Weichen gemäß Ril 824.2200 und Ril 824.2200A02

Ril 883.3300 Geodätische Fahrbahnvermessung; Geodätische Kontrollvermessung

Anforderungen an geodätische Kontrollvermessungen sowie deren Durchführung und Dokumentation, siehe auch Ril 883.3400

Ril 883.3400 Geodätische Fahrbahnvermessung; Geodätische Abnahmevermessung

Anforderungen an geodätische Abnahmevermessungen sowie deren Durchführung und Dokumentation

Ril 883.3500 Geodätische Fahrbahnvermessung; Geodätische Abnahmetoleranz

Definition der Toleranzen für geodätische Abnahmen

Ril 883.3700 Geodätische Fahrbahnvermessung; Brückenschwellenverzeichnis erstellen

Definition bautechnischer Begriffe und Leitfaden für den technologischen Ablauf zur Erstellung von Brückenschwellenverzeichnissen

Ril 883.4000 Geodätische Fahrbahnvermessung; Fahrbahnen mit $v_e > 230$ km/h aufnehmen, abstecken, abnehmen und dokumentieren

Sicherstellung der absoluten Geometrie für Fahrbahnen mit Geschwindigkeiten größer 230 km/h

Ril 883.4500 Geodätische Fahrbahnvermessung; Feste Fahrbahn abstecken, überwachen, abnehmen und dokumentieren

Spezifizierung der geodätischen Anforderungen an Absteckung, Überwachung, Abnahme und Dokumentation zur Sicherstellung der absoluten und relativen Geometrie der Festen Fahrbahn

Ril 883.5000 Fahrbahnen einrechnen

Festlegungen für die Trassen- und Gradienteneinrechnung für Fahrbahnen

Für die Erstellung von Trassierungsentwürfen erfolgen die Festlegungen künftig in den Richtlinien 883.5200 und 883.5260.

Ril 883.5200 Trassenplan, Weichenhöhenplan und Trassierungsentwurf erstellen; Gemeinsame Regelungen (in Vorbereitung)

Vorgaben zur Erstellung der Trassenpläne, Weichenhöhenpläne und Trassierungsentwürfe

Ril 883.5220 Trassenplan erstellen (in Vorbereitung)

Spezifizierung der Anforderungen an die Erstellung von Trassenplänen

Ril 883.5240 Weichenhöhenplan erstellen (in Vorbereitung)

Spezifizierung der Anforderungen an die Erstellung von Weichenhöhenplänen

Ril 883.5260 Trassierungsentwurf erstellen (in Vorbereitung)

Spezifizierung der Anforderungen an die Erstellung von Trassierungsentwürfen

Ril 883.5400 Lichtraumprofile und Grenzlinien (in Vorbereitung)

Regelungen zu Lichtraum und Grenzlinien für die Trassierung neuer Anlagen und die Prüfung vorhandener baulicher Anlagen auf Lichtraumfreiheit, siehe auch Ril 800.0130A01

Ril 883.5600 Prüfung geodätischer Festpunktfelder und gleisgeometrische Prüfung veranlassen und durchführen

Festlegung zu Verfahren und Tätigkeiten zur Prüfung und Freigabe geodätischer Festpunktfelder und der gleisgeometrischen Prüfung und Freigabe von Infrastrukturmaßnahmen mit gleisgeometrischem Bezug an Fahrweg und Fahrbahn der Deutschen Bahn

Ril 883.6000 Geodätische Messinstrumente und -systeme kalibrieren und einsetzen

Regelung der Voraussetzungen für den Einsatz von geodätischen Messinstrumenten, Gleisführungssystemen und Multisensorsystemen am Fahrweg und an sonstigen Bahnanlagen

Ril 883.7100 Topografische Objekte aufnehmen

Festlegung für Anforderungen an die Aufnahme topographischer Objekte und deren Positionsbestimmung im geodätischen Bezugssystem

Ril 883.7200 Geodätische Bestandsaufnahme durch Befliegung

Regelung der Anforderungen an Befliegungen zur geodätischen Bestandsaufnahme der Geländeinformationen mit Luftbildern und Scannerdaten sowie die Erstellung von klassifizierten Punktwolken und digitalen True-Orthophotos

Ril 883.7400 Lichtraumengstellen aufmessen

Beschreibung der technischen Vorgehensweise zur Erfassung von Lichtraumengstellen im Zuge der Dokumentation, siehe auch Ril 458.0108, für die Planung und Realisierung von Anlagen im Bereich des Lichtraums siehe u. a. Ril 800.0130A01, 883.3300, 883.3400, 883.5400 sowie EBO

Ril 883.8000 Geo-Monitoring; Grundsätze

Regelung grundsätzlicher Anforderungen an das Geo-Monitoring

Ril 883.8000A01 Überwachung der Gleise und Weichen (in Vorbereitung)

Regelung der Anforderungen an Messung und Auswertung zur Überwachung der Gleise und Weichen im Rahmen des Geo-Monitorings

Ril 883.8100 Geo-Monitoring; Bedarf analysieren und bewerten

Spezifizierung der Anforderungen an die Gefährdungsanalyse und -bewertung sowie die Planung des Geo-Monitorings

Ril 883.8200 Geo-Monitoring planen

Spezifizierung der Anforderungen an die Durchführung des Geo-Monitorings

Ril 883.3000 Geo-Monitoring durchführen, auswerten und dokumentieren

Spezifizierung der Anforderungen an die Durchführung, die Auswertung und die Dokumentation im Rahmen des Geo-Monitorings

Ril 883.9000 Verzeichnis der Abkürzungen

Verzeichnis der im Handbuch 88301 verwendeten Abkürzungen im Kontext der Gleis- und Bauvermessung

Ril 883.9010 Begriffe und Definitionen

Auflistung der im Kontext der Gleis- und Bauvermessung verwendeten Begriffe und Definitionen

Ril 883.9020 Weichengrundmaße

Ausweisung erforderlicher Maße zur örtlichen Herstellung von Weichenanfängen und Weichenenden sowie Bauteillängen von Weichen und Kreuzungen

Richtlinienfamilie 885 Vorhaltung technischer und raumbezogener Bestandsdaten (in Überarbeitung)

Befindet sich in vollständiger Überarbeitung, einzelne Richtlinien und Inhalte werden in andere Richtlinien transferiert (z. B. Richtlinienfamilien 883, 886), Anpassung der Inhalte zur Dokumentation in DB-GIS aufgrund der Umstellung auf AVANI (siehe auch Abschn. 3.1.1)

Richtlinienfamilie 886 Bestand in Plänen dokumentieren

Definition einheitlicher Vorgaben für die Erstellung von Bestandsplänen mit einheitlichen Leitplanken für alle Fachlinien (Gewerke), die in den fachlinienspezifischen Richtlinien zu berücksichtigen und von den Erstellern der Bestandspläne einzuhalten sind

886.0101 Bestand in Plänen dokumentieren; Grundsätze

Grundsätzliche Regelungen für die Dokumentation in Plänen

886.0102 Bestand in Plänen dokumentieren; Vorgaben für Zeichnungen und Schriftfelder

Regelungen für die Gestaltung von Zeichnungen und Schriftfeldern

886.0103 Bestand in Plänen dokumentieren; Planverwaltendes System und planverwaltende Stelle

Spezifizierungen zur planverwaltenden Stelle, dem planverwaltenden System und dem Umgang mit Nutzdaten, Metadaten und Dokumentenarten

886.0201 Bestand in Plänen dokumentieren; Planzeichen für DVS IZ-Plan

Festlegungen für Planzeichen und Verzeichnis der Planzeichen für das Datenverwaltungssystem Informationszentrum Plan (DVS IZ-Plan)

Ril 997.0101A01 Oberleitungsanlagen; Allgemeine Grundsätze

Zusammenstellung der allgemeinen Grundlagen für die Ermittlung des Raumbedarfs für Oberleitungen

2.3 Geodätische Grundlagen

2.3.1 Bezugssystem der Deutschen Bahn

2001 wurde bei der Deutschen Bahn die Einführung des ETRF89 als einheitliches geodätisches Bezugssystem für die Vorhaltung von Infrastrukturdaten veranlasst. Für die entsprechende praktische Umsetzung erfolgte die Einrichtung des Projekts NXO. Im Ergebnis wurde das Bezugssystem DB_REF (DB-Referenznetz) entwickelt und in der ersten Stufe örtlich realisiert. Die Einführung erfolgte mit Freigabe der Festpunktkoordinaten am 28. Juni 2004 und Aufnahme in das Regelwerk zum 01. Januar 2006.

2.3.1.1 Definition DB_REF

Das Bezugssystem der Deutschen Bahn ist seit dem 01.12.2016 das DB_REF2016 (DB-Referenznetz, Normalhöhen bezogen auf GCG2016). DB_REF2016 basiert auf dem von den amtlichen deutschen Landesvermessungen verwendeten dreidimensionalen, geozentrischen ETRF89 in Verbindung mit dem ebenfalls amtlichen Quasigeoidmodell GCG2016. Der Einführung des DB_REF2016 war die Einführung des DB_REF zum 28. Juni 2004 auf Basis der Ausgleichung von 2003 vorangegangen, weshalb dieses nach Einführung des DB_REF2016 zur eindeutigen Abgrenzung als DB_REF2003 bezeichnet wird. Die Systeme DB_REF2003 und DB_REF2016 unterscheiden sich in ihrer Definition lediglich in dem verwendeten Quasigeoidmodell und damit in der Höhenkomponente, die geozentrischen Koordinaten und die verebneten Lagekoordinaten sind identisch. Zur besseren Lesbarkeit wird im folgenden Text bei allen identischen Parametern allgemein von DB_REF gesprochen. Ist explizit das DB_REF Stand 2003 gemeint, wird der Begriff DB_REF2003 verwendet.

Im Gegensatz zur deutschen Landesvermessung erfolgt die Lageverebnung des DB_REF nicht mittels UTM-Abbildung auf einem GRS80-Ellipsoid, sondern mittels Gauß-Krüger-Abbildung auf einem Bessel-Ellipsoid. Die verebneten Lagekoordinaten der Deutschen Bahn unterscheiden sich daher grundlegend von denen der deutschen Landesvermessungen. Der geozentrische Übergang von ETRF89 auf DB_REF erfolgt deutschlandweit einheitlich mittels 7-Parametertransformation (Tabelle 2.1 und Tabelle 2.2). Die Höhenkomponente des DB_REF bezieht sich dagegen auf das GRS80-Ellipsoid des ETRF89, da sich die Quasigeoidundulationen der verwendeten Quasigeoidmodelle darauf beziehen. Auf die Berechnung separater, auf das Bessel-Ellipsoid bezogener Quasigeoidmodelle wurde verzichtet.

Tabelle 2.1: Datumsübergang von ETRF89 nach DB_REF (Deutsche Bahn)

Translation	Rotation	Maßstab
$dX = -584{,}9567$ m	$rX = +1{,}1155257601''$	−7,992171 ppm
$dY = -107{,}7277$ m	$rY = +0{,}2824170155''$	
$dZ = -413{,}8036$ m	$rZ = -3{,}1384505907''$	

Tabelle 2.2: Datumsübergang von DB_REF nach ETRF89 (Deutsche Bahn)

Translation	Rotation	Maßstab
$dX = +584{,}9636$ m	$rX = -1{,}1155214628''$	+7,992235 ppm
$dY = +107{,}7175$ m	$rY = -0{,}2824339890''$	
$dZ = +413{,}8067$ m	$rZ = +3{,}1384490633''$	

Folgende Transformationsparameter sind für das DB_REF zu verwenden:

- DB_REF-Bezugsellipsoid für die Lage (Bessel)
  - Große Halbachse: $a = 6.377.397{,}155$ m
  - Abplattung: $1/f = 299{,}15281$
  - Gauß-Krüger-Abbildung
  - Mittelmeridiane 6°, 9°, 12° und 15° östliche Länge
- DB_REF-Bezugsellipsoid für die Höhe (GRS80/ETRF89)
  - Große Halbachse: $a = 6.378.137$ m
  - Abplattung: $1/f = 298{,}257222$
- Quasigeoidmodell GCG2016
  - wird durch das Bundesamt für Kartographie und Geodäsie (BKG) bereitgestellt

Lagekomponente

Die DB_REF-Lageabbildung entspricht etwa einem mittleren Deutschen Hauptdreiecksnetz (Bessel-Ellipsoid, Gauß-Krüger-Abbildung), wie es in den meisten Bundesländern und bis zur Umstellung auf ETRF89 bzw. DB_REF auch bei der Deutschen Bahn verwendet wurde. Die Koordinaten der beiden Systeme weichen im Mittel um 0,5 bis 1,0 m voneinander ab, in den Grenzbereichen der Bundesrepublik Deutschland um bis zu 3 m. In einigen Bundesländern wurde aber bis zur Umstellung auch noch das osteuropäische System 42/83 (Krassowskij-Ellipsoid, Gauß-Krüger-Abbildung) verwendet, hier liegen die Koordinatendifferenzen bei größer 100 m.

Die Lagekoordinaten des DB_REF (Gauß-Krüger-Abbildung) unterscheiden sich grundlegend von denen der deutschen Landesvermessung (UTM-Abbildung), was vor allem Nachteile bei korrespondierenden bzw. übergreifenden Planungen mit sich bringen kann. Gegen den großen Vorteil der Einheitlichkeit der Koordinaten standen einige wesentliche Nachteile. So müsste z. B. der gegenüber der Gauß-Krüger-Abbildung deutlich größere UTM-Maßstab von bis zu 400 mm/km auch bei kleinräumigen Messungen berücksichtigt werden. Weiterhin war das Abbildungssystem der Deutschen Bahn bis zur Einführung von DB_REF die Gauß-Krüger-Abbildung, es lagen daher bundesweit bereits erhebliche Datenmengen in diesem Abbildungssystem vor, u. a. auch die Trassierungsparameter. Allein durch die Maßstabsänderungen hätte es zu genehmigungspflichtigen Änderungen kommen können, was ggf. eine umfassende Anpassung der Regelwerke und gesetzlicher Vorschriften erforderlich gemacht hätte. Weiterhin wären Gleisabstände, Spannmaße oder größere Bauteillängen (z. B. Weichengroßteile) nicht mehr ohne Maßstabskorrektur aus Koordinaten ableitbar gewesen. Auch die Umstellung der DB-GIS Datenbestände hätte sich beim Wechsel auf UTM enorm verkompliziert. Unter Abwägung aller Vor- und Nachteile wurde daher die Beibehaltung der Gauß-Krüger-Abbildung beschlossen.

Höhenkomponente

Die Höhen des DB_REF2016 entsprechen den Höhen des amtlichen deutschen Höhenbezugs DHHN2016, unterscheiden sich aber für gleisgenaue Anwendungen signifikant durch ihre Realisierungsgenauigkeit. Sie werden daher als DB_REF2016-Höhen bezeichnet. Der Einführung des DB_REF2016 zum 01. Dezember 2016 war die Einführung des DB_REF2003 zum 28. Juni 2004 vorangegangen. Die Systeme DB_REF2003 und DB_REF2016 unterscheiden sich lediglich in dem verwendeten Quasigeoidmodell und damit in der „physikalischen“ Höhenkomponente (Gebrauchshöhe). Die geozentrischen Koordinaten und die verebneten Lagekoordinaten sind unter Berücksichtigung der jeweiligen Realisierungsgenauigkeiten identisch. Als Quasigeoidmodell wurde für das DB_REF2003 das $EGG97_{DB\_REF}$ festgelegt (Abb. 2.27), ein im Zuge der Urmesskampagne zu DB_REF verbessertes EGG97. Die Gründe zum nochmaligen Wechsel des Modells lagen zum einen in der Veröffentlichung des vor allem in der inneren Genauigkeit deutlich verbesserten Quasigeoidmodells GCG2016 als auch in Anwendungsschwierigkeiten eines in Deutschland erstmalig eingeführten vollständig dreidimensionalen Bezugssystems für ingenieurgeodätische Vermessungen. Die gesammelten praktischen Erfahrungen für die Durchführung örtlicher Vermessungen und deren Auswertung flossen nach den ersten zwölf Jahren Anwendung des DB_REF2003 in die entsprechenden

Richtlinien der Deutschen Bahn ein und führten zu einer deutlichen Präzisierung der Mess- und Auswertevorgaben für das DB_REF2016. Obwohl sich DB_REF2003 und DB_REF2016 per Definition nur um die Höhenkomponente unterscheiden, sind aufgrund der Realisierungsgenauigkeiten für die Umstellung somit immer vollständig dreidimensionale Messungen erforderlich.

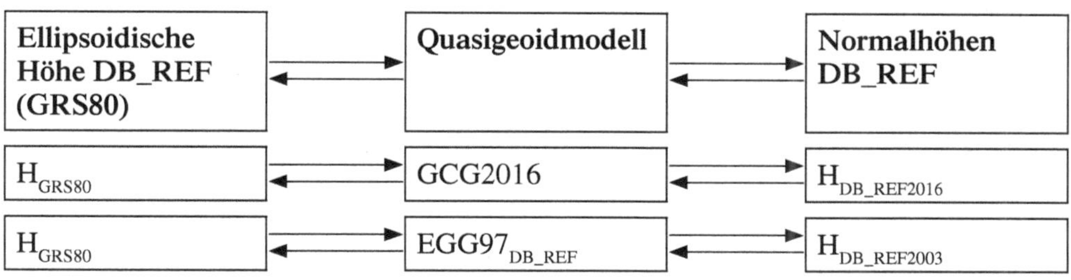

Abb. 2.27: Höhendefinition für das DB_REF (Deutsche Bahn)

Dreidimensionales Bezugssystem

DB_REF2016 bzw. DB_REF2003 sind vollständig dreidimensionale Bezugssysteme. Die Koordinaten des DB_REF2016 und des DB_REF2003 lassen sich per Definition eineindeutig dreidimensional nach ETRF89 überführen. Einschränkungen ergeben sich nur aus der jeweiligen Realisierungsgenauigkeit, die Abweichungen sind wie zuvor beschrieben erwartungsgemäß bei DB_REF2003 höher als bei DB_REF2016.

2.3.1.2 Erstrealisierung DB_REF

Die Realisierung des DB_REF erfolgte mit einer einheitlichen, deutschlandweiten Kampagne in den Jahren 2001 bis 2004. Für die Erstellung eines trassennahen Referenznetzes wurden ca. 7.000 standardisierte Festpunkte im mittleren Abstand von 4 km entlang aller aktiven Strecken der Deutschen Bahn neu vermarkt. Als künftige Standorte für temporäre GNSS-Referenzstationen waren u. a. folgende Kriterien zu erfüllen: Langzeitstabilität in Lage und Höhe, dauerhaft sehr gute Satellitenmesstauglichkeit, permanente Verfügbarkeit und Anfahrbarkeit mittels Kraftfahrzeugs. Für die Koordinatenbestimmung erfolgten ca. 21.000 Beobachtungen als reine GPS-Messungen in 8.100 Sessionen. Für die Berechnung wurden weitere 17.000 Datensätze von ca. 250 SAPOS-Stationen und C-Netzpunkten der deutschen Landesvermessungen verwendet, die Auswertung erfolgte mittels einer mehrstufigen strengen 3D-Netzausgleichung. Gelagert wurde das Netz auf den kurz zuvor amtlich neu berechneten SAPOS-Koordinaten der Landesvermessungen. Die so ermittelten ETRF89-Koordinaten der 7.000 Punkte wurden mittels eines zuvor festgelegten einheitlichen Transformationsparametersatzes ins DB_REF überführt. DB_REF ist damit eine Realisierung (Verdichtung) des amtlichen deutschen ETRF89 zur Epoche 2003. Später erfolgte Änderungen des amtlichen ETRF89 wirken nicht mehr auf DB_REF. Das System DB_REF kann in seiner höchsten Genauigkeitsstufe daher grundsätzlich nur aus sich selbst heraus erhalten werden.

2.3.1.3 Ältere Bezugssysteme und deren Umstellung

Betrachtet man die Historie der Bezugssysteme der Deutschen Bahn, so muss grundsätzlich nach den verschiedenen Anwendungen unterschieden werden. Zum einen handelt es sich um Anwendungen mit Kartier- bzw. GIS-Genauigkeit, bei der Deutschen Bahn also vor allem um die Topographie im DB-GIS / AVANI und die daraus erstellten Lagepläne (Ivl-Pläne) im Maßstab 1:1.000. Für diese Anwendungen wurden bisher grundsätzlich keine Höheninformationen vorgehalten und müssen daher auch in der Historie nicht betrachtet werden. Dagegen sind Trassierungsdaten dreidimensionale Daten, die mit wesentlich höherer Genauigkeit als reine Topographiedaten (Genauigkeitsfaktor 1:10 bis 1:20) erfasst und vorgehalten werden.

Daten mit GIS- bzw. Kartiergenauigkeit

Mit Einführung des DB-GIS im Jahr 1995 erfolgte erstmalig die Zusammenführung der bisher lokal und analog geführten Lagepläne. Die Bezugssysteme des DB-GIS waren die zu diesem Zeitpunkt gültigen amtlichen Landessysteme, die vor allem aufgrund der deutschen Wiedervereinigung jedoch in einigen Bundesländern unterschiedlich waren (Abschn. 2.3.1.1).

Vor allem aus dieser für einen deutschlandweit agierenden Infrastrukturbetreiber unbefriedigenden Situation wurde zum 28. Juni 2004 das Bezugssystem DB_REF eingeführt. Die Umstellung der DB-GIS-Datenbestände nahm einige Zeit in Anspruch und war (mit Ausnahme der Trassierungsdaten) im Jahr 2011 abgeschlossen. Die Einführung von DB_REF2016 zum 01. Dezember 2016 hatte keine Auswirkungen auf die Topographiedaten des DB-GIS, da hier nur der für Topographieobjekte nicht vorgehaltene Höhenbezug geändert wurde.

Trassierungsdaten werden dagegen dreidimensional in der Gleisnetzdatenbank des DB-GIS vorgehalten und aus dieser als Zeichnungsobjekt im DB-GIS bzw. dem Ivl-Lageplan abgebildet. Trassierungsdaten sollen grundsätzlich wie die DB-GIS-Daten im DB_REF vorliegen, für die reine Visualisierung sind aber auch die Daten der alten Landessysteme ausreichend, welche bis zur vollständigen Umstellung auf DB_REF ebenfalls in der Gleisnetzdatenbank gespeichert sind.

Trassierungs- und Festpunktdaten

Bei den Trassierungsdaten der Deutschen Bahn handelt es sich um ausführungsscharfe Daten, d. h., in Verbindung mit dem umgebenden Festpunktfeld (Abschn. 3.2.1) müssen diese Daten jederzeit gleisgenaue Arbeiten, wie z. B. Absteckungen für Umbaumaßnahmen, Vormessungen für Gleisdurcharbeitungen etc., ermöglichen. Da Trassierungsdaten also unmittelbar und mit hoher Genauigkeit mit dem umgebenden Festpunktfeld korrelieren, müssen bei einem Wechsel des Bezugssystems immer beide Datensätze betrachtet werden.

Trassierungsdaten bestehen aus einer Abfolge von Hauptpunkten und Elementen, die unter gewissen mathematischen Bedingungen miteinander verknüpft sind, z. B. Tangentialität zwischen aneinander anschließenden Elementen. Damit sind Trassierungen komplexe, in sich steife Gebilde, die bei einem Bezugssystemwechsel nur erhalten werden können, wenn alle Hauptpunkte ohne Maßstabsänderung um einen identischen Betrag gedreht bzw. verschoben werden. Die gleichen Bedingungen müssen damit an das zugehörige Festpunktfeld gestellt werden.

Da die Trassierungsdaten der Deutschen Bahn für das gesamte Gebiet der Bundesrepublik Deutschland vorliegen, müssten für einen Bezugssystemwechsel also deutschlandweit alle DB-Festpunkte auf diese Weise überführt werden können, was aufgrund des Wechsels von verschiedenen global inhomogenen Systemen (alte Landesnetze) in ein einziges homogenes System (DB_REF/ETRF89) nicht möglich ist. Der globale Altdatensatz müsste also in gewisse hinreichend homogene Segmente zerlegt werden, z. B. ein Bundesland, eine Strecke, ein Streckenabschnitt, ein Bahnhof, eine Weichenstraße, eine Weiche ... Für einen deutschlandweit einheitlichen Ansatz lagen dafür keine ausreichenden Informationen vor, da die Entstehung der „inhomogenen" Altdaten nicht mehr nachvollzogen werden kann. Die Umstellung der Trassierungsdaten erfolgt bei der Deutschen Bahn daher ausschließlich projektbezogen.

Je Projekt wird zunächst das umgebende Festpunktfeld im neuen Bezugssystem DB_REF durch geodätische Anschlussmessungen an das vorgegebene Referenznetz (Abschn. 3.2.1) bestimmt. Die Lagerung erfolgt dabei ohne jegliche Zwänge an das Altsystem (bisherige Landesnetze). Ausgehend von diesem Festpunktfeld erfolgt die Aufmessung der Istgleislage und auf Basis dieser Gleisaufmessung eine vollständige Neutrassierung im neuen Bezugssystem. Anschlüsse an bereits im DB_REF berechnete benachbarte Trassierungen müssen dabei streng eingehalten werden. In Altsystemen vorhandene Trassierungen können dabei nur als Start- bzw. Näherungslösung verwendet werden, z. B. durch Transformation der Bogenhauptpunkte.

Da die vollständige Umstellung der Trassierungsdaten einschließlich des umgebenden Festpunktfelds auf DB_REF2016 nur projektbezogen, z. B. bei Erneuerung einer Gleisanlage, erfolgt, behalten die bisherigen Trassierungs- und Festpunktdaten in den Altsystemen bis dahin ihre Gültigkeit. In der DB-Richtlinie 883.3000 sind entsprechende Vorgaben für die Beibehaltung geodätischer Altsysteme bzw. die Notwendigkeit der Umstellung auf DB_REF2016 definiert. Für Anwendungen mit geringeren Genauigkeitsanforderungen kann es legitim sein, nur die Bogenhauptpunkte nach DB_REF zu transformieren und bei den Trassierungselementen gewisse Unstetigkeiten in Kauf zu nehmen. Auf diese Art und Weise erfolgen z. B. Planungen der Leit- und Sicherungstechnik im DB_REF, wenn die Gleisnetzdaten vollständig oder teilweise in geodätischen Altsystemen vorliegen.

2.3.2 Bezugssystem der SBB

Die Schweiz hat mit dem Lagebezugsrahmen LV95 ein neues Referenzsystem eingeführt. Das System wird durch ungefähr 200 Punkte realisiert und hat eine Genauigkeit von 1 bis 2 cm horizontal und 2 bis 4 cm vertikal. Seit 2017 ist das LV95 das offizielle Bezugssystem der Schweiz, zum einen als global gelagertes System (CHTRS95) und zum anderen als lokal gelagertes System (CH1903+). Damit wurde das über 100 Jahre in Gebrauch befindliche lokale Bezugssystem LV03 abgelöst. Über eine Parametertransformation (3 Translationsparameter) kann auf das europäische Bezugssystem ETRS89 zugegriffen werden.

Das neue Bezugssystem wird durch ein permanentes GNSS-Netzwerk – das Automatische GNSS-Netz Schweiz (AGNES) –, bestehend aus 31 Standorten, realisiert. Es ermöglicht die Überwachung der Referenzkoordinaten, um ein stabiles Referenzsystem zu gewährleisten. Betrieben wird AGNES vom Bundesamt für Landestopografie (swisstopo). Daneben gibt es in der Schweiz auch rein kommerzielle Referenzdienste.

Das Positionsbestimmungssystem „swipos-GIS/GEO“ (Swiss Positioning Service), basierend auf AGNES ermöglicht in Echtzeit den Zugriff auf Korrekturdaten für eine virtuelle Referenzstation mit einer Genauigkeit von 2 cm horizontal und 4 cm vertikal (jeweils 2σ, 95 %) für geodätische Anwendungen.

2.4 Datentechnische Grundlagen

Daten sind auch für die Eisenbahn eine wesentliche Grundlage für den störungsfreien, täglichen Betrieb und für zweckmäßige Entscheidungen im Hinblick auf zukunftweisende Entwicklungen. Angesichts der rasanten Entwicklung der Systeme, welche Daten verwalten, muss Dokumentation, Sicherung und Austausch der Daten möglichst systemneutral erfolgen, um nachhaltig zu sein. Welche Methoden, Standards und Werkzeuge zu diesem Zweck für die Bahnen zur Verfügung stehen und wie sie eingesetzt werden können, wird in diesem Kapitel dargestellt.

2.4.1 Einleitung und Übersicht

Alle Ausführungen dieses Kapitels betreffen allgemeine Daten. Da aber Geodaten besonders anspruchsvoll und kostspielig betreffend Erfassung, Nachführung, Austausch und Bearbeitung sind, wird hier vorrangig von Geodaten gesprochen. Nach der Einleitung (Abschn. 2.4.1) geht es um die Geodaten der Eisenbahn und wie sie mit Geoinformationssystemen (GIS) verwaltet werden (Abschn. 2.4.2). Dann wird als Grundlage der systemneutralen Methoden das modellbasierte Vorgehen eingeführt (Model Driven Approach MDA). Bevor mit Daten gearbeitet wird, werden diese präzise durch ein Datenmodell beschrieben (Abschn. 2.4.3). Am Beispiel der Gleisdaten von DB und SBB wird anschließend gezeigt, wie man mit dem MDA zu grenzüberschreitend verfügbaren und nachhaltig gesicherten Gleisdaten kommt, ohne die Systeme von DB und SBB ändern zu müssen (Abschn. 2.4.4). Dann folgen Werkzeuge (Abschn. 2.4.5), Transferformate (Abschn. 2.4.6) und Schlussfolgerungen (Abschn. 2.4.7).

2.4.2 Geodaten und GIS bei der Eisenbahn

2.4.2.1 Begriffliche Einordnung

Geodaten sind Daten mit Geometrie, z. B. mit geographischem Bezug. Ein Geoinformationssystem (GIS) besteht einerseits aus einem Datenverwaltungssystem (Datenbank) mit raschem Zugriff auch auf Geodaten und andererseits aus einer grafisch interaktiven Bedienungsoberfläche. Letztere erlaubt, die Geodaten grafisch zu visualisieren, d. h. als zweidimensionalen Plan oder als dreidimensionale räumliche Ansicht, und auch sie grafisch interaktiv zu bearbeiten.

2.4.2.2 GIS im Eisenbahnbereich

Wichtige GIS-basierte Themen bei den Eisenbahnen sind z. B. Betrieb und Instandhaltung der Anlagen, Naturgefahren oder Lärm. Zentimetergenau erfasste Daten der Vermessung im Bahnbereich unterstützen bei Bau und Instandhaltung der Bahnanlagen. Zu den verwalteten Geodaten gehören unter anderem Gleisgeometrie, Fahrbahn, Fahrleitungsanlagen, Ingenieurbauten, Sicherungsanlagen oder auch Telekommunikation. Dank der Entwicklung geeigneter Karten stehen wichtige Informationen zum aktuellen Zustand des Bahnnetzes übersichtlich zur Verfügung (siehe Kap. 3.1).

2.4.2.3 Datenmodellierung

Betrachten wir eine Bahn, die für die Verwaltung ihrer Infrastruktur ein GIS einsetzen möchte. Dann hat man einerseits einen Realwelt-Ausschnitt mit Gleisen, Bahnhöfen, Zügen, Kapazitäten, Bahnverkehrsbedingungen usw., also mit Realwelt-Objekten, die Eigenschaften und Beziehungen haben. Andererseits hat man ein leistungsfähiges GIS, das digitale Daten über die Realwelt-Objekte braucht, um diese bearbeiten zu können. Abbildung 2.28 zeigt, wie man durch einen Abstraktionsprozess von der Realwelt zu den benötigten Daten kommt. Dabei gilt es, diejenigen Realwelt-Objekte und ihre charakteristischen Eigenschaften zu identifizieren, die für die konkrete Anwendung wesentlich sind. Für diese sind passende Wertebereiche mit Zahlen oder Texten festzulegen. Ferner ist abzuklären, ob Beziehungen zwischen Realwelt-Objekten wesentlich sind. Auch Detaillierungsgrad, geometrische und thematische Qualität für die digitale Aufbereitung der Realwelt-Objekte sind festzulegen.

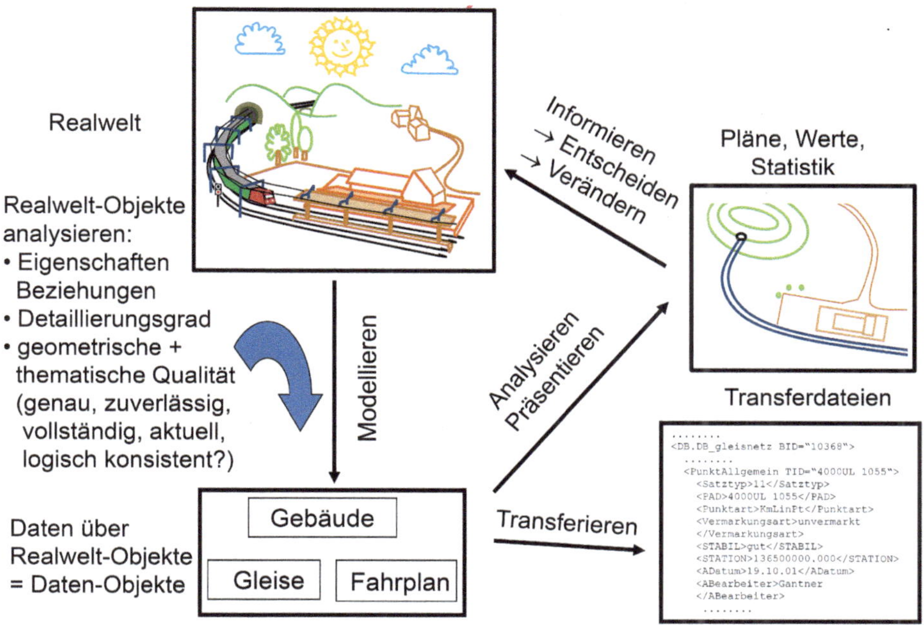

Abb. 2.28: Datenmodellierung für den GIS-Einsatz

2.4.2.4 Datenaustausch

Die technischen, administrativen und kommerziellen Daten für den reibungslosen Betrieb werden von jeder Bahn auf eigenen, verschiedenen Computersystemen verwaltet und aktualisiert. Der tägliche grenzüberschreitende Einsatz der Bahnen und ihre zunehmende übergreifende technische Vernetzung verlangen immer mehr nach reibungsloser Verfügbarkeit von Daten über technische, regionale und politische Grenzen hinweg. Es stellt sich daher die Frage, ob und wie verschieden strukturierte Daten zum selben Thema von verschiedenen Systemen gemeinsam genutzt werden können, ohne dass die Originalsysteme geändert werden müssen, was angesichts der Komplexität dieser Systeme kaum mit vertretbarem Aufwand möglich wäre. Beispielsweise war es im GeoRail-Projekt (Engel et al. 2005) notwendig, die Gleisdaten der Deutschen Bahn in das System der Schweizerischen Bundesbahnen zu integrieren und umgekehrt. Dabei waren sowohl Koordinatensysteme als auch Datenstrukturen und Transferformate unterschiedlich. Ferner galt es zu berücksichtigen, dass weder das eine noch das andere System, das die Daten lieferte bzw. zu übernehmen hatte, umgebaut werden konnte.

Solcher Datentransfer, auch mit Strukturumbau, ist eine der Hauptanwendungen für das modellbasierte Vorgehen.

2.4.3 Das modellbasierte Vorgehen (Model Driven Approach – MDA)

2.4.3.1 ISO- und CEN-Vorgaben

Ausgehend vom Bedürfnis, Geodaten über Landes-, Bezirks- und Systemgrenzen zu transferieren, begann 1992 in Europa die Normung im Geobereich durch das technische Komitee TC287 vom Europäischen Komitee für Normung (Comité Européen de Normalisation – CEN). Die Verallgemeinerung existierender nationaler Transferformate (wie EdiGéo in Frankreich oder NTF in England) zu einem europäischen Transferformat erwies sich als unmöglich, da die nationalen Datenstrukturen hinter den Transferformaten zu verschieden waren. Man entschloss sich daher für die modellbasierte Methode, d. h., primär wird die Datenstruktur eines bestimmten Anwendungsbereichs mithilfe einer konzeptionellen Datenbeschreibungssprache (Conceptual Schema Language – CSL) exakt beschrieben. Aus dieser exakten Datenbeschreibung, dem sog. (konzeptionellen) Datenmodell, kann dann z. B. das entsprechende Transferformat automatisch hergeleitet werden.

Die Arbeiten von CEN/TC287 wurden 1999 mit europäischen Vornormen (ENV) statt als europäische Normen (EN) abgebrochen. Die erarbeiteten Normendokumente erwiesen sich als nicht implementierbar, da man mit EXPRESS eine ungeeignete CSL gewählt hatte. Die Mitglieder von CEN/TC287 entschlossen sich, bei der weltweiten Normung durch ISO/TC211 mitzuwirken und die dort erarbeiteten Normen später als EN zu übernehmen.

ISO/TC211 startete 1994 die Normungsarbeit und entschied sich ebenfalls für den MDA. Ende 2003 ist CEN/TC287 wieder zum Leben erweckt worden und ist daran, die Normenserie ISO 19100 als Euronormen (EN) zu übernehmen. Folgende Normen der Normenserie ISO 19100 von ISO/TC211 spielen für den Anwendungsfall hier eine wichtige Rolle:

- **ISO 19103 GI Conceptual schema language:** Festlegung, dass der objektorientierte Formalismus zur Beschreibung der Datenstrukturen verwendet werden soll und Definition von UML als konzeptionelle Beschreibungssprache (CSL) der Normenserie ISO 19100. Alle textuellen CSL kompatibel mit UML sind ebenfalls ISO-konforme CSL (z. B. INTERLIS).
- **ISO 19107 GI-Spatial schema / ISO 19137 Profiles of spatial schema:** ISO 19107 ist eher ein technischer Report aller existierenden ca. 100 räumlichen Datentypen zur Beschreibung von Geodaten. Ein minimales Profil, d. h. eine unbedingt notwendige Teilmenge von ISO 19107, wird von ISO 19137 definiert.
- **ISO 19109 GI-Rules for application schema:** Prinzip, wie die Normen der Serie ISO 19100 für Datenbeschreibungen realer Anwendungen zu kombinieren sind.
- **ISO 19111 GI-Spatial referencing by co-ordinates:** Behandelt geodätische Koordinatenreferenzsysteme und Transformationen zwischen ihnen.
- **ISO 19115 GI-Metadata:** Metadaten sind Daten über Daten und wesentlich für die Realisierung systematischer Datensuchdienste. Dies ist eine sehr umfassende Norm und eine der ersten, die in verschiedenen Ländern implementiert wurde.
- **ISO 19118 GI-Encoding / ISO 19136 GI-GML:** ISO 19118 verlangt, dass die Struktur der zugehörigen Transferdatei automatisch aus dem gegebenen konzeptionellen Schema bestimmt werden kann. XML ist als Transferformat zu verwenden. Allerdings sind die Regeln nicht exakt genug, um eine eindeutige Kodierung zu gewährleisten. Zusammen mit dem Open Geospatial Consortium (OGC) wurde die Geography Markup Language (GML) als Transferformat mit Herleitungsregeln in der Norm ISO 19136 entwickelt.

2.4.3.2 INTERLIS und ISO 19100

In der Schweiz wurde 1985 beim Versuch, eine Transferdatei für die Daten der amtlichen Vermessung zu definieren, die CSL INTERLIS entwickelt (KOGIS 2006). INTERLIS ist bereits seit 1991 operativ im Einsatz, wurde verbessert gemäß der Entwicklung der Normenserie ISO 19100 und benötigt heutzutage ebenfalls UML als grafischen Startentwurf sowie XML als Transferformat. INTERLIS ist Schweizer Norm SN 612031 und ist als eCH-Standard eCH-0031 zum Download bereit. Mit INTERLIS wurden zunächst die Daten der amtlichen Vermessung modelliert (Festpunkte, Bodenbedeckung, Liegenschaften, administrative Grenzen etc.), weiter Leitungs- und Werkkataster (Wasser, Abwasser, Gas, Elektrizität, Telekommunikation, Fernwärme), später auch Straßen und Bahnen und Anwendungen mit Daten ohne Raumbezug (siehe Abschn. 2.4.4.2).

INTERLIS ist Modellierungssprache und Datenaustauschmethode. INTERLIS ist system- und anwendungsneutral und wurde ursprünglich im Auftrag der Schweizerischen Vermessungsdirektion entwickelt, um den problemlosen Datenaustausch zwischen GIS zu ermöglichen. Ausgetauschte Daten sind jedoch nur dann brauchbar, wenn von ihnen eine genaue und einheitliche Beschreibung vorliegt.

Kernidee von INTERLIS ist daher die exakte Beschreibung der Datenstrukturen in Form von Datenmodellen, indem die entsprechenden Objekte, ihre Attribute mit den Wertebereichen sowie die Beziehungen zwischen den Objekten genau festgelegt werden. Die INTERLIS-Norm legt zudem fest, wie aus dem Datenmodell die Beschreibung des entsprechenden Transferformats automatisch hergeleitet werden kann. Entsprechend den Forderungen von ISO/TC211 wurde INTERLIS objektorientiert weiterentwickelt, hat UML integriert und bietet auch XML-basierte Transferformate. Neben dem ursprünglichen INTERLIS-Transfer-Format (ITF) steht der von ISO bevorzugte XML-Dialekt GML zur Verfügung sowie das INTERLIS-spezifische XML-Transfer-Format (XTF), das auch inkrementelle Nachlieferung, polymorphes Lesen und Grafiktransfer unterstützt. Damit entspricht INTERLIS der Normenserie ISO 19100, bietet aber zusätzliche Möglichkeiten.

Die entsprechenden Werkzeuge sind implementiert und in täglichem Gebrauch:

- „Compiler" prüft Datenmodelle und leitet Transferformate her;
- „Checker" prüft Daten gegenüber ihrem Datenmodell;
- „Conversion System" bzw. „UMLT/ILIT" zur semantischen Transformation;
- „GeoShop" zur grafischen Präsentation im Internet und als Datendrehscheibe.

INTERLIS ist damit eine funktionstüchtige Implementierung des modellbasierten Vorgehens.

Entsprechend den Anforderungen der europäischen und der weltweiten Normung sollte nicht nur für amtliche Vermessung und verwandte Gebiete, sondern auch zur Bearbeitung und zum Austausch der Bahndaten das modellbasierte Vorgehen zum Einsatz kommen. Folgende Möglichkeiten stehen zur Verfügung:

(I) UML + GML gemäß ISO 19100

(II) UML + ESN + GDF gemäß ISO 20524-1

(III) UML + INTERLIS + ITF/XTF/GML gemäß ISO 19100 und SN 612031

Bei Variante (I) ist die nötige Präzision auf Attributsebene nicht gegeben und der direkte Übergang von UML nach GML nicht definitiv geregelt und auch nicht implementiert. Bei Variante (II) wird UML nur zur Darstellung von Datentypen und nicht zur Modellierung von Realitätsausschnitten verwendet. Von der textuellen Datenbeschreibung mit ESN gibt es keinen automatischen Übergang nach GDF („Geographic Data Files", Transferformat). Mit Variante (III) ist ein Normenwerk gegeben, das ISO 19100 entspricht, die zweckmäßigen Automatisierungen aufweist und mit den nötigen Werkzeugen implementiert und getestet worden ist. Deshalb wurde als Basis für die Bearbeitung von Bahnprojekten Variante (III) gewählt. Abschnitt 2.4.4 zeigt mit Variante (III) die grenzüberschreitende Verfügbarkeit von Bahndaten in sehr heterogenem Systemumfeld, ohne dass Systemwechsel notwendig sind.

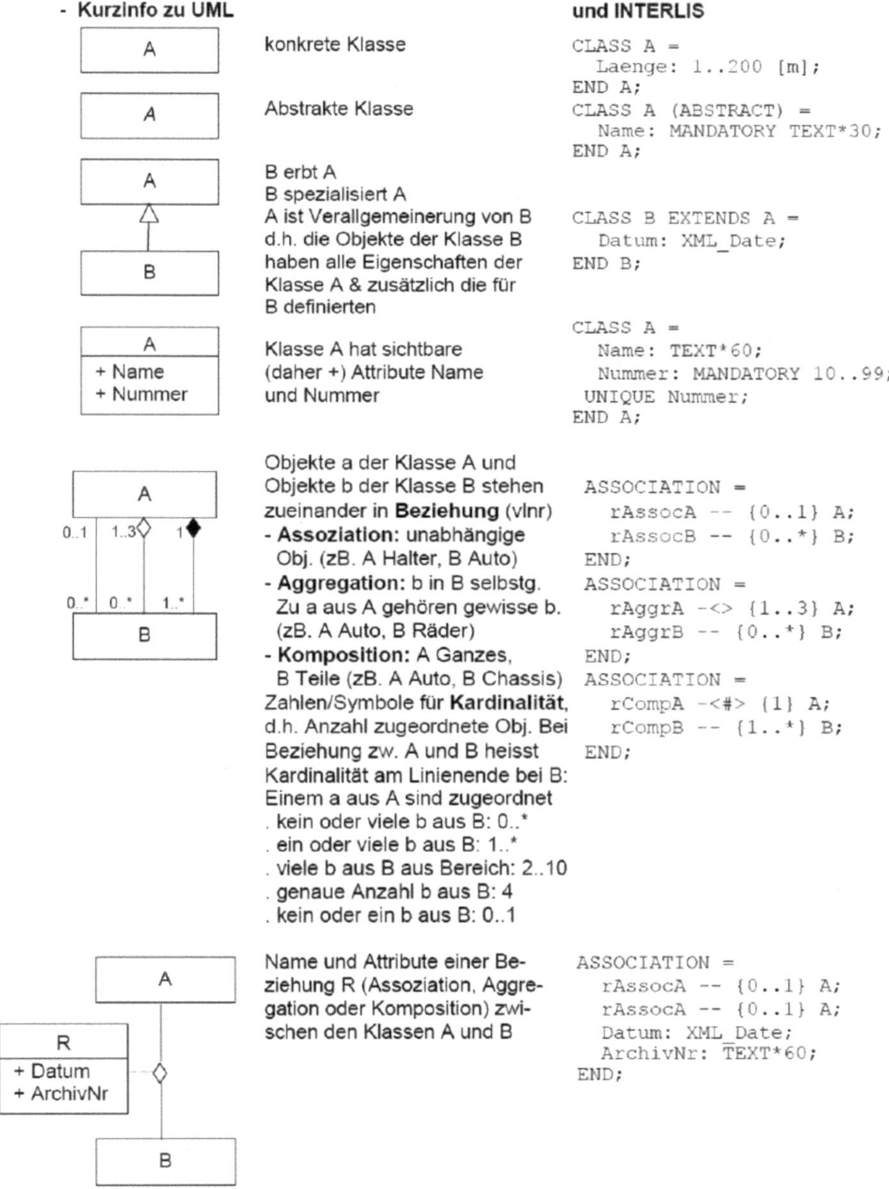

Abb. 2.29: Hauptelemente der konzeptionellen Beschreibungssprachen UML und INTERLIS im Vergleich

Abbildung 2.29 zeigt die Hauptelemente der beiden konzeptionellen Beschreibungssprachen im Vergleich. UML ist eine grafische formale Sprache, die von der Open Management Group (OMG) normiert wird (weiterführende Informationen: OMG 2017) für die vollständige Definition und Kendall et al. (2003) für eine kurzgefasste aber gut verständliche Einführung in UML). INTERLIS ist eine formale Sprache in Textform, wurde im Auftrag der Schweizerischen Vermessungsdirektion entwickelt und wird von der breit abgestützten INTERLIS-Community gewartet und weiterentwickelt. Die vollständige Dokumentation liefert das INTERLIS-2-Referenzhandbuch (KOGIS 2006). Eine ausführliche Einführung in die Modellierung mit UML und INTERLIS findet sich in Dorfschmid et al. (2009), eine aktualisierte Kurzfassung in Gnägi (2017).

2.4.3.3 Modellbasiertes Vorgehen zum Datenaustausch mit Strukturumbau

Bevor man sich um Austauschformate bzw. allgemein um (Geo-)Datendienste kümmert, wird bei der modellbasierten Methode die Struktur der betroffenen Daten exakt und computerlesbar auf systemunabhängiger Ebene durch ein sogenanntes (konzeptionelles) Datenmodell oder konzeptionelles Schema beschrieben. Mithilfe dieses konzeptionellen Schemas kann nicht nur ein Austauschformat automatisch hergeleitet werden oder bei Bedarf mehrere. Das entspricht der automatischen Definition der Schnittstelle(n). Ferner ist auch die automatische Datenprüfung (Qualitätssicherung) und der Umbau auf andere Datenstrukturen mit gleichen Inhalten (semantische Transformation) möglich.

Unterschiedlich strukturierte Geodaten können mithilfe der semantischen Transformation ausgetauscht und gemeinsam genutzt werden. Dank des flexiblen Aufbaus des MDA können zudem Anpassungen von Geodaten, zum Beispiel an neue Standards, weitgehend automatisch vorgenommen werden.

Für die Eisenbahn steht der Datenaustausch mit Strukturumbau zwischen Startsystem S und Zielsystem Z im Vordergrund. Um diesen systemunabhängig mit der modellbasierten Methode zu realisieren, braucht es fünf Schritte A bis E:

1. Der **Realitätsausschnitt („Schritt A“)** legt die Grenzen der zu bearbeitenden Anwendung fest und beschreibt die interessierenden Objekte, ihre Eigenschaften sowie die gewünschten Funktionalitäten in Umgangssprache. Oft ist er durch vorhandene Daten gegeben (für S und Z).
2. Das **konzeptionelle Datenmodell („Schritt B“)** beschreibt die Gliederung der Transferdatei in Zeilen und Felder und wird direkt aus dem konzeptionellen Datenmodell hergeleitet (für S und Z).
3. Die **Beschreibung des (modellspezifischen) Standardformats („Schritt C“)** folgt automatisch aus dem konzeptionellen Datenmodell gemäß vordefinierten Regeln.
4. Mit dem **1:1-Prozessor („Schritt D“)** werden die Daten vom Format des betroffenen Systems entsprechend ihrem konzeptionellen Datenmodell in das Standardformat für S umgebaut (bzw. umgekehrt für Z). Die Software für diesen Umbau heißt 1:1-Prozessor. Dieser Umbau ist recht einfach, da die beiden Formate derselben Datenstruktur entsprechen.

5. Mit **semantischer Transformation („Schritt E“)** kann der Strukturumbau von S nach Z zwischen den Datenmodellen definiert werden. Der entsprechende Datenumbau erfolgt automatisch vom Standardformat aus S ins Standardformat aus Z.

Abgesehen von den eingangs erwähnten Anwendungen der modellbasierten Methode ist noch zu ergänzen:

- Ein konzeptionelles Datenmodell als Text kann mit einem „Compiler“ automatisch auf Richtigkeit (Konsistenz) geprüft werden.
- Konzeptionelle Datenmodelle mit entsprechenden Daten im Standardformat bilden eine nachhaltig dokumentierte Datensicherung.

2.4.4 Modellbasiertes Vorgehen am Beispiel des Gleisdatentransfers

2.4.4.1 Einführung

In diesem Abschnitt wird das modellbasierte Vorgehen mit den Schritten A bis E an einem praktischen Beispiel gezeigt und erklärt. Ziel dieses Beispiels ist die grenzüberschreitende Verfügbarkeit von Gleisdaten der Deutschen Bahn (DB) sowie der Schweizerischen Bundesbahnen (SBB). Die Gleisdaten der beiden Bahnen werden in unterschiedlichen Computersystemen verwaltet und sind zudem unterschiedlich strukturiert.

Gemäß Schritt A werden zunächst die Beschreibungen der Gleisdaten von DB und SBB benötigt. Im vorliegenden Fall konnten sowohl die DB als auch die SBB eine Beschreibung des jeweiligen proprietären Austauschformats zur Verfügung stellen. Gemäß Schritt B werden anschließend die konzeptionellen Datenmodelle der Gleisdaten von DB (Zielsystem) und SBB (Startsystem) erstellt. In Schritt C wird für beide Modelle das Standard-Austauschformat hergeleitet. In Schritt D werden die Startdaten von DB und SBB mit einem 1:1-Prozessor auf das jeweilige Standard-Format von DB bzw. SBB umgebaut. Dann erfolgt in Schritt E die semantische Transformation vom Standardformat des Startsystems (SBB) ins Standardformat des Zielsystems (DB) und umgekehrt. Um allgemein mit dieser Methode zwischen zwei beliebigen Bahnen einfach Gleisdaten austauschen zu können, braucht es das konzeptionelle Datenmodell einer harmonisierten Gleisdatenstruktur. Ein entsprechender Vorschlag und die sich damit eröffnenden Möglichkeiten werden am Schluss des Kapitels besprochen.

Das in diesem Kapitel beschriebene praktische Beispiel zeigt das modellbasierte Vorgehen, basierend auf den konzeptionellen Beschreibungssprachen UML (grafisch, zur Übersicht) sowie INTERLIS 2 (als Text, für Details). Als Standardtransferformat wird INTERLIS-XML verwendet (vgl. Abschn. 2.4.5).

2.4.4.2 Zielsystem: Gleisdaten im Format der DB

Schritt A: Realitätsausschnitt der DB in Umgangssprache

Tabelle 2.3: ASCII-Schnittstelle der Satzart 11 – Punkt Allgemein (Deutsche Bahn; Winter et al. 2002)

Feld	Feldname	von	bis	Format	Eingabe	Beschreibung
	SATZTYP	1	2	I2	11	Satzart
1	PAD	3	13	A11	X	Punktadresse
2	PART	14	17	A4	X	Punktart bzw. Objektklasse DB-GIS
3	VERMART	18	20	I3	*	Vermarkungsart
4	STABIL	21	21	I1	*	Stabilitätskennzeichen
5	STATION	22	34	F13.3	X	Bei PSTRRIKZ <> 4: Strecken-Kilometrierung des Punkts Bei PSTRRIKZ = 4: optionaler Stationswert (= Längenbezug zur zugehörigen Kante) Standardwert = '0' Werte > '0' werden von DB-GIS originär verwaltet und fortgeführt
6	PDATUM	35	42	A8	X	Datum der letzten Änderung
7	PBEARB	43	50	A8	X	Bearbeiter:in der letzten Änderung
8	PAUFTR	51	58	A8	*	Auftrag
9	PPROG	59	66	A8	*	Erzeugendes Programm
10	PTEXT	67	86	A20	*	Kommentar
11	PSTRECKE	87	90	I3A1	X	Bei PSTRRIKZ <> 4: Streckenbezeichnung Bei PSTRRIKZ = 4: Gleisnummer Bahnhofsgleis oder '0'
12	PSTRRIKZ	91	91	I1	X	Richtungskennzeichen
13	PID					Punkt-ID des Referenzpunkts, bei Auswahl PART=DBRF wird PID-Feld geöffnet und muss mit einer ID aus dem ID-Katalog gefüllt werden.

Die Deutsche Bahn unterhält eine „Datenbank zur Verwaltung von geometrischen und topologischen Daten von Gleisanlagen der Deutschen Bundesbahn" (Winter et al. 2002). Die Datenbasis besteht aus geometrischen sowie topologischen Daten. Für eine saubere Modellierung der Gleisnetzdaten werden beide Datentypen benötigt. Die geometrischen Daten beinhalten die einzelnen Punkte und Gleisabschnitte, in den topologischen Daten sind zum Beispiel die Informationen enthalten, wie die einzelnen Abschnitte zu einer Strecke (topologisch Gleiskante genannt) zusammengesetzt werden. Tabelle 2.3 zeigt einen Ausschnitt aus der Beschreibung des proprietären Formats der DB-Gleisdaten (Winter et al. 2002). Dabei geht es um die allgemeinen Punktdaten, das sind die Datenobjekte der Klasse „PunktAllgemein".

Tabelle 2.4: ASCII-Schnittstelle der Satzart 11 – Codeliste PART/Punktart (Deutsche Bahn; Winter et al. 2002)

PART		Punktart
BHPG	Punkte der Lageelemente	`LageElPt`
BHPS	Punkte der Kilometrierungslinie	`KmLinPt`
GRAD	Punkte der Höhenlinie (Gradiente)	`GradientPt`
RAMP	Punkte der Überhöhungslinie (Rampe)	`RampenPt`
WEIW	Punkte von Weichen	`WeichePt`
GVPV	Punkte der Gleisvermarkung	`GleisVmkPt`
DBRF	Festpunkte des DB-Referenzsystems	`RefFestPt`
????	Sonstige Punkte/unbekannte Punktart	`andere`

Tabelle 2.5: ASCII-Schnittstelle der Satzart 11 – Codeliste `PSTRRIKZ/Richtung` (Deutsche Bahn; Winter et al. 2002)

PSTRRIKZ		Richtung
0	Eingleisige Strecke	`Eingleisstrecke`
1	Richtungsgleis	`Richtungsgleis`
2	Gegenrichtungsgleis	`Gegenrichtungsgleis`
3	Kilometrierungslinie	`Kilometrierungslinie`
4	Bahnhofsgleis	`Bahnhofsgleis`
5	keinem Gleis zugehörig	`keinGleis`

Schritt B: Konzeptionelles Datenmodell in UML/INTERLIS für die DB

Abbildung 2.30 zeigt die Struktur der DB-Gleisdaten grafisch im UML-Diagramm. Das Diagramm enthält auch das Klassenrechteck der Klasse „PunktAllgemein“, die der ASCII-Schnittstelle von Tabelle 2.3 entspricht. Beim Entwurf des UML-Diagramms wurden verschiedene Attributsnamen übernommen (z. B. `PAD`), andere wurden etwas aussagefähiger umformuliert (z. B. `Punktart` statt `PART`, `Richtung` statt `PSTRRIKZ`). Zugunsten der Geometrie, deren Transformation anspruchsvoll ist, wurden fast alle thematischen Attribute nicht modelliert (z. B. Vermarkungsart, Stabilitätskennzeichen, Datum und Bearbeiter der letzten Änderung etc.). Auch auf die kurvilineare Koordinate wird verzichtet (`STATION`, Streckenkilometrierung). Die Beziehung zwischen den Klassen `PunktAllgemein` und `GleiskanteStrecke` wurde vorerst nicht realisiert, da die Liste `LaPt` von allen Lagepunkten eines `GleiskanteStrecke` Objekts ihre Punktnummer `PAD` enthält. Daher ist die Kardinalität der Rolle `KanteMitPunkt` jetzt `{0..4}` statt `{1..4}` und von der Rolle `PunkteAufKante` jetzt `{0..*}` statt `{2..*}`.

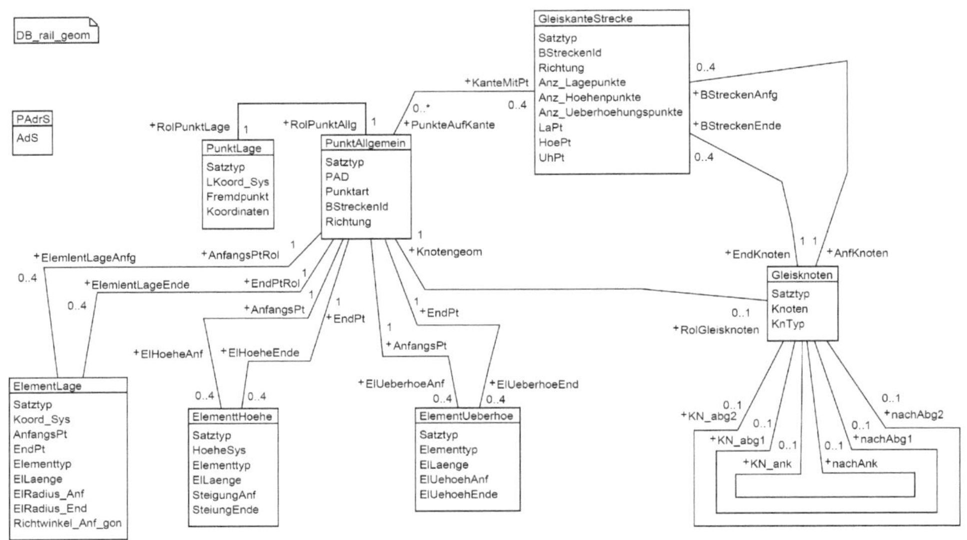

Abb. 2.30: Grafisches konzeptionelles Datenmodell DB Gleis (UML)

```
MODEL DB (de) AT "http://www.gis.ethz.ch" VERSION "2022-03-31"  =
  UNIT
    NeuGrad [gon] = 200.0 / PI [INTERLIS.rad];
  DOMAIN
    Azimutart = 0.00000 .. 399.99999 CIRCULAR [gon];
    BStreckenart = (Eingleisstrecke,Richtungsgleis,Gegenrichtungsgleis,
      Kilometrierungslinie,Bahnhofsgleis,keinGleis);
    PAdr = 1..999999; !!Vorläufig einfacher als DB GND-Definition (TEXT*11)
    Vermarkungsart = (unvermarkt,FBolzen,InMauer,Bodenvermarkung,
      Tunnelvermarkung,Lochstein,Draenrohr,Eisenrohr,indirekt,Hoehenbolzen,
      TPStein,TPPlatte,Grenzstein,Grenzmarke,Nagel,Kreuz,IDBolzen);

  TOPIC DB_gleisnetz =

    CLASS PunktAllgemein =
      Satztyp : MANDATORY 11 .. 11;
      PAD : MANDATORY DB.PAdr;
      Punktart : MANDATORY (LageElPt,KmLinPt,GradientPt,RampenPt
        ,WeichePt,GleisVmkPt,RefFestPt,andere);
      BStreckenId : TEXT*4;
      Richtung : DB.BStreckenart;
      UNIQUE PAD;
    END PunktAllgemein;
[..]
```

Abb.2.31: Detailliertes konzeptionelles Datenmodell der DB-Gleisdaten in INTERLIS 2 (Ausschnitt)

In Abbildung 2.31 wird der Modellausschnitt mit der Klasse „PunktAllgemein“ als Text in der konzeptionellen Beschreibungssprache INTERLIS 2 für die präzise konzeptionelle Modellierung dargestellt. Im `DOMAIN` Bereich des Datenmodells sind verschiedene Attributstypen definiert, die dann in der `CLASS PunktAllgemein` verwendet werden, z. B. der Aufzähl-Attributstyp `BStreckenart` im Attribut `Richtung`.

```
[..]
<xs:complexType name="DB.DB_gleisnetz.PunktAllgemein">
  <xs:sequence>
    <xs:element name="Satztyp">
      <xs:simpleType>
        <xs:restriction base="xs:integer">
          <xs:minInclusive value="11"/>
          <xs:maxInclusive value="11"/>
        </xs:restriction>
      </xs:simpleType>
    </xs:element>
    <xs:element name="PAD">
      <xs:simpleType>
        <xs:restriction base="xs:integer">
          <xs:minInclusive value="1"/>
          <xs:maxInclusive value="999999"/>
        </xs:restriction>
      </xs:simpleType>
    </xs:element>
    <xs:element name="Punktart">
      <xs:simpleType>
        <xs:restriction base="xs:string">
          <xs:enumeration value="LageElPt"/>
          <xs:enumeration value="KmLinPt"/>
          <xs:enumeration value="GradientPt"/>
          <xs:enumeration value="RampenPt"/>
          <xs:enumeration value="WeichePt"/>
          <xs:enumeration value="GleisVmkPt"/>
          <xs:enumeration value="RefFestPt"/>
          <xs:enumeration value="andere"/>
        </xs:restriction>
      </xs:simpleType>
    </xs:element>
    <xs:element name="BStreckenId" minOccurs="0">
      <xs:simpleType>
        <xs:restriction base="xs:normalizedString">
          <xs:maxLength value="4"/>
        </xs:restriction>
      </xs:simpleType>
    </xs:element>
    <xs:element name="Richtung" type="DB.BStreckenart" minOccurs="0"/>
  </xs:sequence>
  <xs:attribute name="TID" type="IliID" use="required"/>
</xs:complexType>
<xs:complexType name="DB.DB_gleisnetz.PunktLage">
[..]
```

Abb. 2.32: Beschreibung des Standardformats XTF durch XML-Schema (Ausschnitt)

Schritt C: Beschreibung des Standardformats der DB

Das konzeptionelle Datenmodell in INTERLIS kann in einem ersten Schritt mithilfe von Standardwerkzeugen (z. B. INTERLIS-Compiler; KOGIS 2019a) auf Fehlerfreiheit geprüft werden. Das Standard-Austauschformat ist INTERLIS-XML (kurz XTF), ein XML-Dialekt (Abschn. 2.4.6.5). Dessen Formatbeschreibung erfolgt wie für viele Formate vom XML-Typ mithilfe der Formatbeschreibungssprache XML-Schema. Diese Formatbeschreibung kann automatisch aus dem fehlerfreien konzeptionellen INTERLIS-Datenmodell anhand des INTERLIS-Compilers hergeleitet werden. Abbildung 2.32 zeigt einen kleinen Ausschnitt dieser Formatbeschreibung für die Klasse `PunktAllgemein` aus dem UML-Diagramm von Abbildung 2.30 und dem INTERLIS-Modell von Abbildung 2.31. Zum Unterschied zwischen Formatbeschreibung und Format (siehe Abschn. 2.4.6.2).

Schritt D: DB-Gleisdaten ins Standardformat umbauen

Abbildung 2.33 zeigt die DB-Gleisdaten im proprietären Format für einen Ausschnitt der Tabelle `PunktAllgemein`. Die Bedeutung der einzelnen Felder ist den Tabellen 2.3, 2.4 und 2.5 zu entnehmen. Um die Werkzeuge des modellbasierten Vorgehens nutzen zu können, ist es zweckmäßig, die Daten in das Standardformat XTF gemäß der Formatbeschreibung (Ausschnitt in Abb. 2.32) umzubauen. Jetzt braucht es dazu ein einfaches Programm, genannt 1:1-Prozessor, weil hinter dem proprietären Format und dem Standardformat dasselbe Datenmodell steckt und daher kein Strukturumbau nötig ist.

```
12345678 1 2345678 2 2345678 3 2345678 4 2345678 5 2345678 6 2345678 7 2345678 8 2345678 9 23

114000UL 1055BHPS  01136500000.00019.10.01Gantner 19102001   V6.20UA         0 S 0.000040003
114000UL 1056BHPS  01136550010.09419.10.01Gantner 19102001   V6.20UA         0 S 0.000040003
114000UL 1057BHPS  01136550062.44819.10.01Gantner 19102001   V6.20UE      1000 S 0.000040003
114000UL 1058BHPS  01136550073.02919.10.01Gantner 19102001   V6.20UE      1000 S 0.000040003
114000UL 1059BHPS  01136560018.00419.10.01Gantner 19102001   V6.20UA         0 S 0.000040003
114000UL 1060BHPS  01136580016.54519.10.01Gantner 19102001   V6.20UA         0 S 0.000040003
114000UL 1155BHPG  01136500000.00019.10.01Gantner 19102001   V6.20UA         0 R 0.000040001
114000UL 1156BHPG  01136550010.12019.10.01Gantner 19102001   V6.20UA         0 R 0.000040001
114000UL 1157BHPG  01136550062.47419.10.01Gantner 19102001   V6.20UE       998 R 0.000040001
114000UL 1158BHPG  01136550073.00619.10.01Gantner 19102001   V6.20UE       998 R 0.000040001
114000UL 1159BHPG  01136560017.98119.10.01Gantner 19102001   V6.20UA         0 R 0.000040001
114000UL 1160BHPG  01136580016.70019.10.01Gantner 19102001   V6.20UA         0 R 0.000040001
[..]
114000UL 1260BHPG  01136580016.39019.10.01Gantner 19102001   V6.20UA         0 L 0.000040002
114000UL 8807GRAD  01136570042.87619.10.01Gantner 19102001   V6.20AA R= -6000 R 0.000040001
114000UL 8809GRAD  01136570088.78419.10.01Gantner 19102001   V6.20AE R= -6000 R 0.000040001
114000UL 8857GRAD  01136570085.43219.10.01Gantner 19102001   V6.20AA R= -4000 L 0.000040002
114000UL 8859GRAD  01136580016.02819.10.01Gantner 19102001   V6.20AE R= -4000 L 0.000040002
114000UL 8891GRAD  01136500000.00019.10.01Gantner 19102001   V6.20NW o.A.      R 0.000040001
[..]
114000UL70103BHPG  00100000000.00011.08.04a_rennei0404082 DBGIS   interaktive GT       40001
114000UM 1051BHPS  01136590040.64619.10.01Gantner 19102001   V6.20UE       399 S 0.000040003
[..]
```

Abb. 2.33: DB-Gleisdaten im proprietären Format; die Kopfzeile ist zur leichteren Zuordnung nummeriert (Deutsche Bahn; Winter 2002)

Abbildung 2.34 zeigt einen Ausschnitt derselben Daten im Standardformat XTF, allerdings nur von denjenigen, die im Datenmodell beschrieben sind, entsprechend den gefärbten Spalten von Abbildung 2.33. Das vollständige XML-Element `PunktAllgemein` im Standardformat entspricht den gefärbten Wertebereichen der ersten Inhaltszeile des proprietären Formats. Vergleicht man die fünf Spaltenwerte der ersten Zeile von Abbildung 2.33 mit den fünf Zeilen des entsprechenden XML-Elements von Abbildung 2.34, dann ist offensichtlich, dass das Standardformat vom XML-Typ wesentlich mehr Speicherplatz beansprucht als das proprietäre CSV-Format mit fixen Spalten. Das ist der Preis dafür, die Daten im Standardformat mit Standardsoftware prüfen und nachhaltig sichern zu können.

```
[..]
<DB.DB_gleisnetz BID="10368">
  [..]
  <PunktAllgemein TID="4000UL 1055">
    <Satztyp>11</Satztyp>
    <PAD>4000UL 1055</PAD>
    <Punktart>KmLinPt</Punktart >
    <BStreckenId>4000</BStreckenId>
    <Richtung>Kilometrierungslinie</Richtung>
  </PunktAllgemein>
  <PunktAllgemein TID="4000UL 1056">
    <Satztyp>11</Satztyp>
    <PAD>4000UL 1056</PAD>
    [..]
```

Abb. 2.34: DB-Gleisdaten im Standard-Format XTF (nach Umbau durch 1:1-Prozessor)

2.4.4.3 Startsystem: Gleisdaten im Format der SBB

Schritt A: Realitätsausschnitt der SBB in Umgangssprache

Die Gleisdaten der SBB enthalten die exakte und umfassende Gleisgeometrie. Die beiden Hauptklassen der Gleisdaten sind `Weiche` und `GleisAbschnitt`.

Schritt B: Konzeptionelles Datenmodell in UML für die SBB

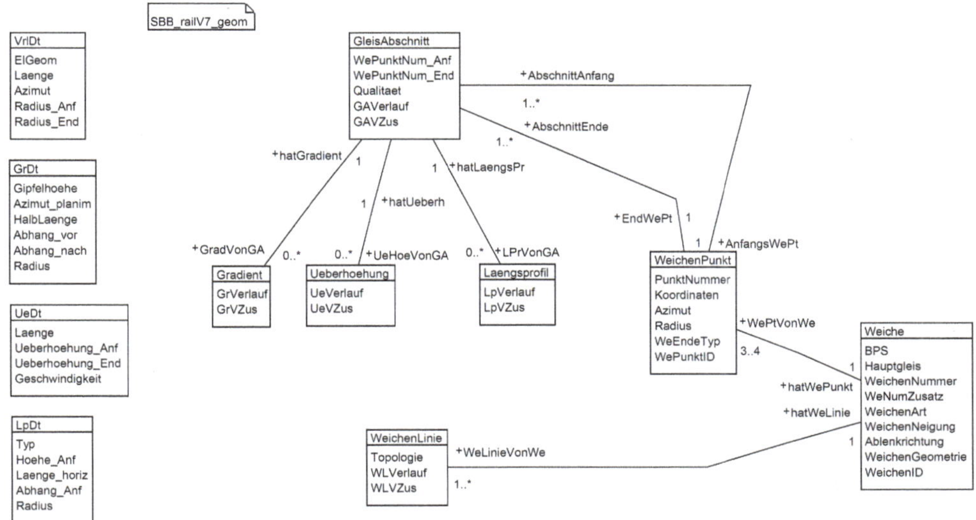

Abb. 2.35: Grafisches konzeptionelles Datenmodell der SBB-Gleisdaten (UML)

Auch hier wird für die präzise Beschreibung der Attributswerte, Konsistenzbedingungen etc. in Textform die konzeptionelle Beschreibungssprache INTERLIS verwendet (Beispiel in Abb. 2.31).

Schritt C: Beschreibung des Standardformats der SBB

Ist das konzeptionelle Datenmodell der SBB-Gleisdaten in INTERLIS 2 mit dem „Compiler" geprüft und fehlerfrei, kann auch hier automatisch die Beschreibung des Standard-Austauschformats XTF in XML-Schema hergeleitet werden (Beispiel in Abb. 2.32).

Schritt D: SBB-Gleisdaten im Standardformat

Ebenfalls analog zu den Gleisdaten der DB erfolgt der Umbau der SBB-Gleisdaten aus dem proprietären Format ins Standard-Format XTF (vergleiche Abb. 2.31 bis Abb. 2.34).

2.4.4.4 Strukturumbau der Gleisdaten

Schritt E Teil 1: Strukturumbau SBB → DB

Der Vergleich des DB-Modells mit dem SBB-Modell zeigt markante Unterschiede. Während bei der Punktklasse `WeichenPunkt` der SBB die Punktkoordinaten mit dem Attribut `Koordinaten` unmittelbar in der Punktklasse vorkommen, sind bei der DB Koordinaten und thematische Attribute auf zwei verschiedene Klassen `PunktAllgemein` und `PunktLage` verteilt, die durch eine 1:1-Beziehung miteinander verknüpft sind.

Bei SBB und DB ist die Abstraktion des Gleisverlaufs eine Polylinie. Beim SBB-Modell gibt es bei Polylinien-Objekten (wie `WeichenLinie` oder `GleisAbschnitt`) ein Verlauf-Attribut (wie `WLVerlauf` oder `GAVerlauf`) vom INTERLIS-Typ `POLYLINE`, d. h. mit einer Folge von Stützpunkten samt Verbindungsgeometrie. Darin sind die Stützpunkte nicht nummeriert, es sind lediglich deren Koordinaten vorhanden. Ganz anders bei der DB-Struktur. Dort gibt es bei jedem Polylinien-Objekt (wie `GleiskanteStrecke`) die Anzahl der Stützpunkte (`Anz_Lagepunkte`) und auch eine Liste der Stützpunkte, die aber nur die Nummern dieser sog. Lagepunkte enthält (Attribut `LaPt`). Deren Koordinaten findet man über die Nummer via Klasse `PunktAllgemein` in der Klasse `PunktLage`. Die Verbindungsgeometrien der Polylinien befinden sich segmentweise in der Klasse `ElementLage`. Dort findet sich für zwei benachbarte Stützpunkte (sog. Lagepunkte) der Polylinie die detaillierte Beschreibung für die Geometrie der Verbindung zwischen diesen beiden Lagepunkten. Diese zeigt an, ob es sich um ein Geradenstück, um einen Kreisbogen oder um eine Klotoide samt den entsprechend benötigten Detailparametern handelt (Attribut `Elementtyp`). Zu finden sind die `ElementLage`-Objekte von einem `GleiskanteStrecke`-Objekt mit den Punktnummern der Liste `LaPt`. Das sind die Nummern der Anfangspunkte der `ElementLage`-Objekte. Das bedeutet, dass die `ElementLage`-Objekte schließlich in der DB-Datenbank nicht nur über ihre Objektidentifikation gefunden werden können, sondern auch über die Nummer ihres Anfangspunkts (Attribut `AnfangsPt`). Da im DB-Modell alle Lagepunkte eine Nummer haben, müssen alle Stützpunkte von Polylinien eine eindeutige Nummer erhalten.

Der Strukturumbau mit UMLT/ILIT hat zurzeit im Wesentlichen zwei Schritte:

1. Die Definition der Transformation auf Modellebene zwischen dem Startmodell SBB und dem Zielmodell DB mittels der Abbildungssprache UMLT (UML-Transformationsdefinition).
2. Automatischer Umbau der mittels UMLT definierten Transformationsregeln in konkrete Transformationsprogramme, die dann den eigentlichen Strukturumbau der Daten durchführen.

Beide Schritte werden im SumSuG-Projektbericht (Strösslin et al. 2017) näher beschrieben. Im SumSuG-Funktionen-Testbericht (Gnägi 2022) ist mit Schwergewicht der erste Schritt beschrieben. Im aktuellen Kapitel steht ebenfalls der erste Schritt, also die Sicht des Benutzers im Vordergrund.

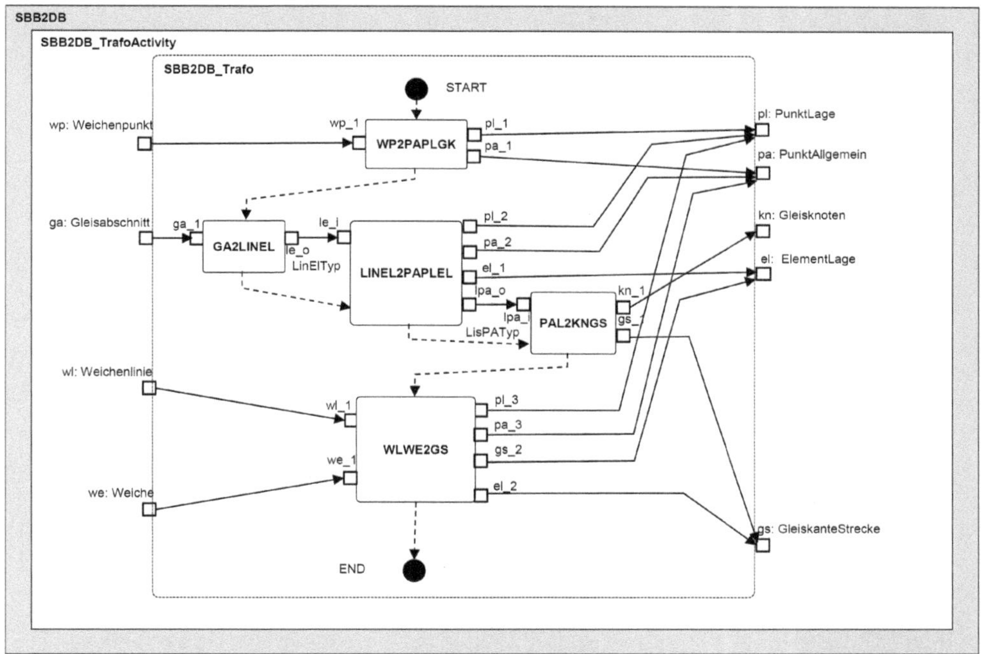

Abb. 2.36: Strukturumbau SBB→DB mit UMLT / ILIT

Die mit UMLT in grafischer Form definierte Transformationsdefinition ist in Abbildung 2.36 dargestellt. Darin besteht das Transformationsmodell (`SBB2DB`) aus Transformationsaktivitäten (hier eine einzige: `SBB2DB_TrafoActivity`), diese wiederum aus Transformationen (hier auch nur eine: `SBB2DB_Trafo`) und diese aus Transformationsaktivitäten (hier fünf verschiedene: `WP2PAPL`, `GA2LINEL`, `LINEL2PAPLEL`, `PAL2KNGS` und `WLWE2GS`, die letzte ohne Details).

Am Transformationskasten befinden sich linkerhand als Input-Knöpfe der Transformation die Hauptklassen des Startmodells `SBB_railV7_geom` von Abb. 2.35 und rechterhand als Output-Knöpfe die Hauptklassen des Zielmodells `DB_railV7_geom` von Abb. 2.30. Im UMLT-Diagramm zeigt jede TrafoAction nur an, von welcher Startklasse die Attributswerte eines Objekts auf welche Zielklassen zu verteilen sind. So werden etwa die Attribute eines Objekts der SBB-Klasse `Weichenpunkt` durch das Transformationselement `WP2PAPL` auf Objekte der zwei DB-Klassen `PunktLage` und `PunktAllgemein` verteilt. Welche Funktionen in der „TrafoAction“ (in unserem Beispiel `WP2PAPL`) den Umbau im Detail realisieren, ist dem ILIT-Text zu entnehmen (für `WP2PAPL` in Abb. 2.37).

Abb. 2.37: Wertzuweisungen der TrafoActions in ILIT

Durch die Zuordnung („Assignment“) wird dem Attribut links von := der Wert rechts von := zugeordnet. Betrachten wir die letzte Gruppe von Zeilen in Abb. 2.37: `gs_1.Satztyp` bekommt das Attribut `Satztyp` der Output-Klasse `gs_1` den Zahlenwert `33`. Dem Attribut `gs_1.Richtung` wird die Zeichenkette “`Richtungsgleis`“ zugeordnet.

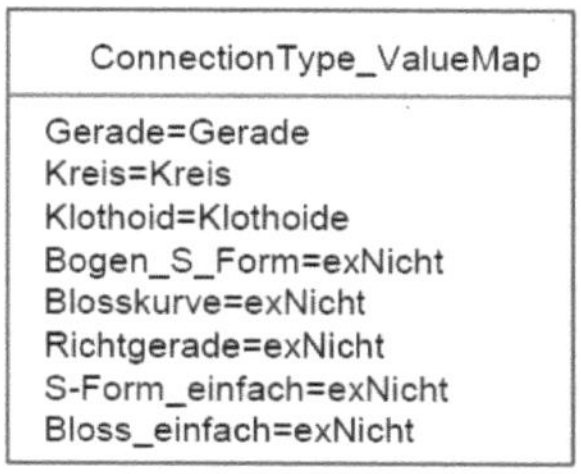

ConnectionType_ValueMap

Gerade=Gerade
Kreis=Kreis
Klothoid=Klothoide
Bogen_S_Form=exNicht
Blosskurve=exNicht
Richtgerade=exNicht
S-Form_einfach=exNicht
Bloss_einfach=exNicht

Abb. 2.38: Wertzuweisungen ConnectionType_ValueMap

Für die Bearbeitung von Input-Attributen oder Hilfsvariablen stehen verschiedene Funktionen zur Verfügung. In den Abbildungen 2.37 und 2.38 sind zu finden:

- Der „StringConcatenator" kann Zeichenketten zusammenhängen.
- Der „ValueMapper" kann Aufzählattributwerte umbenennen.
- Die Daten der einzelnen Segmente für die Berechnung der Objekte der DB-Klassen `PunktLage`, `PunktAllgemein`, `Gleisknoten` und `ElementLage` müssen vom Verlauf eines SBB-Gleisabschnitts vorliegen. Wie Abbildung 2.36 zeigt, braucht es deshalb eine eigene TrafoAction `GA2LINEL`, welche diese Segmente über ihren Output-Pin `le_o` liefert. Diese TrafoAction `GA2LINEL` besteht aus einer einzigen Wertzuweisung in ILIT (Abb. 2.37) mit dem Aufruf der Funktion `SplitLinToLinEl`.
- Alle vorkommenden Punkte müssen für die DB eine eindeutige Punktnummer haben, auch die Stützpunkte von SBB-Polylinien, die zunächst nur Koordinaten haben. Diese Nummern berechnet die Funktion `PointNrGenerator`.

Das Beispiel `SBB2DB` illustriert, wie die Definition des Strukturumbaus auf konzeptionellem Level durch Zuordnung der Attribute des Input-Datenmodells zu den Attributen des Output-Datenmodells nach allfälligen Umrechnungen vorgenommen werden kann. Wenn diese konzeptionelle Definition des Strukturumbaus vorliegt, erfolgt die Durchführung des Strukturumbaus auf Datenlevel automatisch per Knopfdruck von Startdaten im Standardformat auf Zieldaten im Standardformat. Im UMLT-Editor-Handbuch (Fowly 2013) sind die ursprünglich verfügbaren UMLT/ILIT-Funktionen erläutert. Im SumSuG-Funktionen-Testbericht (Gnägi 2022) finden sich alle aktuellen Erweiterungen der Funktionenliste.

Schritt E Teil 2: Strukturumbau: Koordinatentransformationen

Der Strukturumbau ist für Attributstypen im Allgemeinen meist problemlos. Es handelt sich dabei um Zuordnungen, Umbenennung von Aufzähltypwerten mit dem „ValueMapper", Umrechnung von Einheiten (inch ↔ cm) etc. Anspruchsvoll ist hingegen der Wechsel des Koordinatensystems. Eine großräumige Koordinatentransformation ist möglicherweise im Grenzgebiet zweier Bahnen mit unterschiedlichen Koordinatensystemen zu wenig genau, wie folgendes Beispiel zeigt.

SNCF und SBB benutzen das gleiche Arbeitswerkzeug. Die Resultate der beiden Bahnen sind deshalb direkt vergleichbar. Es wird nur das Strukturumbauelement Koordinatentransformation betrachtet, ohne weitere umfangreiche Modellierung. Aus dem Einlesen der Daten ins gleiche EDV-Trassierungstool ergibt sich eine De-facto-Standardisierung und Vergleichbarkeit der Gleisdaten. Die Koordinaten der französischen Daten sind im System Lambert 2 definiert und die Schweizer Koordinaten im LV95-System. Die Transformation erfolgte, wie im Grundlagenkapitel erläutert, über ETRF89.

Tabelle 2.6: Transformationspunkte im Lambert2-System (SNCF) und CH1903-System (SBB)

	St-Louis SNCF, Lambert 2			**St-Louis Système CH**		
115 SAI 4	992'784.43	300'216.02	259.90	607'390.44	272'838.25	254.80
115 SAI 3	992'578.01	300'449.12	258.80	607'050.54	273'119.53	255.00
115 SAI 2	990'733.02	302'553.51	254.80	609'286.08	270'372.42	259.90
115 SAI 1	990'375.62	302'812.13	255.00	609'095.20	270'618.44	258.80

In Tabelle 2.6 sind die Koordinaten der Transformationspunkte vor und nach der Umrechnung dargestellt, in Abbildung 2.39 die grafische Abbildung des Resultats.

Beurteilung des Resultats: Die SBB- und die DB-Daten haben Positionsgenauigkeiten im ±1 cm Bereich. Die SNCF-Daten wurden photogrammetrisch erhoben. Qualitätsangaben fehlen. Abb. 2.39 zeigt einen Querabstand D im Meterbereich zwischen dem Verlauf derselben Gleise in CH1903 ohne Transformation (blau) und mit Transformation aus Lambert 2 (rot). Um das zu vermeiden und auch in Übergangszonen Transformationsergebnisse zu erhalten, welche den Anforderungen des Gleisbaus entsprechen, braucht es:

- ein einheitliches Koordinatenreferenzsystem,
- lokal präzise Transformationsparameter und
- genaue Angaben über die Art und die Präzision der Messmethode.

Schlussfolgerung: Der Strukturumbau braucht allenfalls eine auf lokalen Daten basierende Funktion für Koordinatentransformation, welche in Transformationselementen verwendet werden kann.

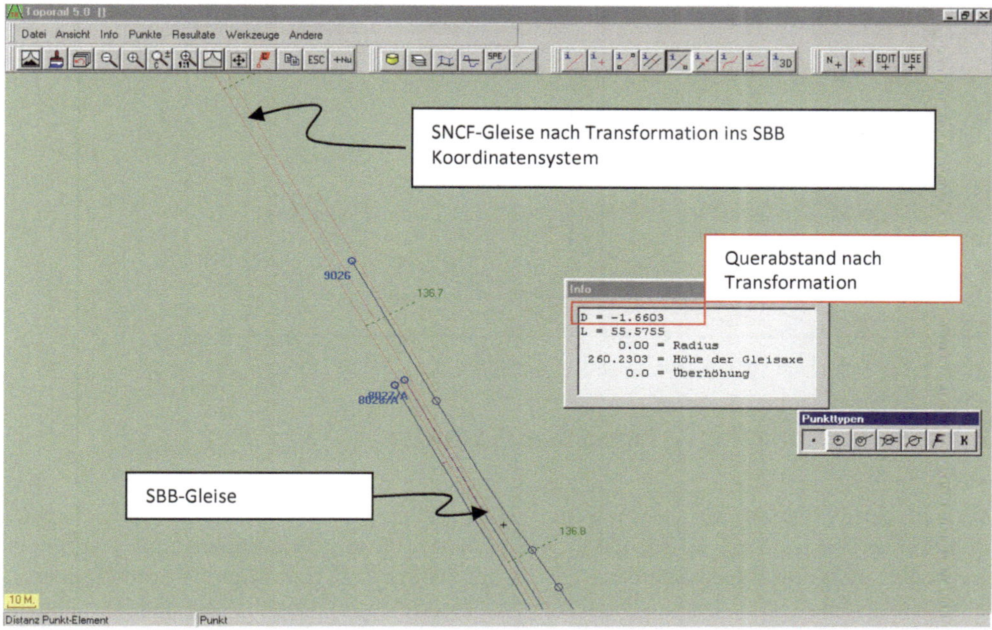

Abb. 2.39: Resultat der SNCF-Gleisdaten nach Transformation ins SBB-Referenzsystem (SBB)

2.4.4.5 Grenzüberschreitend verfügbare und nachhaltig gesicherte Gleisdaten

Praktische Berechnungen der vorgestellten Transformation mit Strukturumbau von SBB-Gleisdaten nach DB-Gleisdaten waren im Grenzraum Basel möglich. Von Interesse ist der nördlichste doppelspurige Gleisverlauf der Schweizer Gleise, der die Verbindung nach Deutschland darstellt. Wir beschränken uns auf eine einfache grafische Visualisierung der Ergebnisse mithilfe der Abbildung 2.40. Das Bild links zeigt als violette Linien die Darstellung der SBB-Gleisdaten, die in der SBB-Datenstruktur für einen Ausschnitt im Grenzraum Basel vorliegen. Das sind die Startdaten für die Transformation mit Strukturumbau auf die DB-Datenstruktur. Das Bild rechts zeigt als Ergebnis der Transformation die Gleisnetzdaten von SBB und DB je in der DB-Datenstruktur. Die beiden schwarzen Linien sind die Gleise der DB, in welche die entsprechenden Gleise der SBB übergehen. Diese Daten der DB-Gleise befinden sich original in der DB-Struktur. Die violetten Linien entsprechen wieder den Gleisen der SBB. Sie sind mithilfe der Transformation von Abbildungen 2.36, 2.37 und 2.38 aus der SBB-Struktur in die DB-Datenstruktur umgebaut worden. Sowohl die Gleisnetzdaten der SBB als auch die Gleisnetzdaten der DB liegen rechts im gewünschten DB-Format vor. Das rechte Bild von Abbildung 2.40 zeigt, dass damit auf Datenebene im Grenzraum Basel ein einheitlicher Gleisverlauf entsteht. In der grafischen Darstellung liegt das umgerechnete Gleisnetz der SBB exakt über dem Netz der DB.

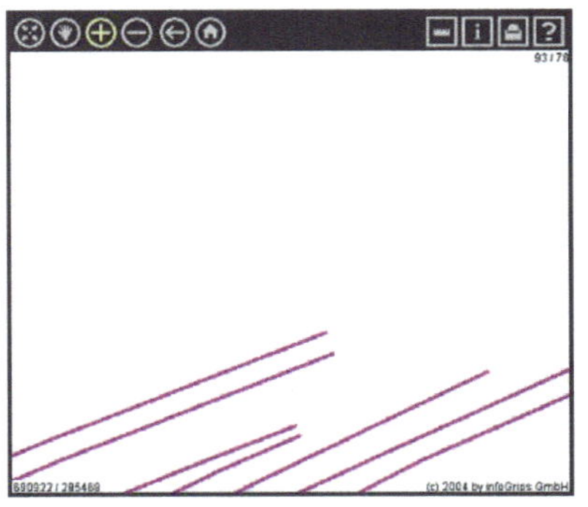

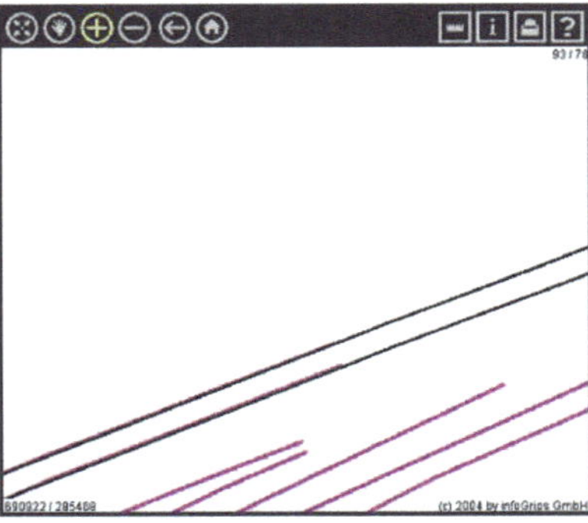

Abb. 2.40: Ausschnitt der Gleisnetzdaten SBB und DB

2.4.4.6 Datentransfer via harmonisierte Struktur

Grundsatz: Braucht ein Land einen Datentransfer nach (und Datenübernahme von) verschiedenen Nachbarländern, müssen verschiedene Strukturumbauten realisiert werden. Einfacher wäre es, in Europa eine Standardstruktur zu definieren und von jedem Land nur nach/von dieser Standardstruktur umzubauen. In der Schweiz ist man derzeit erfolgreich daran, die Austauschbarkeit von Geodaten zu verschiedensten Themen in einer Geodateninfrastruktur (GDI) zu realisieren. Dazu wird die Austauschstruktur mit einem sog. minimalen Geodatenmodell (MGDM) in UML/INTERLIS für jedes Thema beschrieben.

Für Bahndaten ist die railML© Community dabei, große Themenbereiche zu standardisieren. Die entsprechenden Datenmodelle werden mit UML/XML-Schema beschrieben, d. h. aus dem UML-Klassendiagramm wird direkt das physische Datenmodell als Formatbeschreibung hergeleitet. Somit wird ohne präzise und formatunabhängige konzeptionelle Formulierung der Details in konzeptioneller Datenbeschreibungssprache gearbeitet. Im Folgenden wird die Herleitung eines minimalen Gleisdatenmodells beschrieben.

Schritt A: Realitätsausschnitt für Gleise der UIC in Umgangssprache

Ausgehend von den Gleisdaten-Modellen der DB und der SBB wird als Beispiel ein harmonisiertes Gleisdaten-Modell vorgeschlagen. Dieses harmonisierte Modell muss einerseits möglichst ähnliche Objekte enthalten, wie die einzelnen Bahn-Modelle, die ins harmonisierte Modell umzubauen sind, und möglichst viele Attribute aus den Bahn-Modellen übernehmen. Andererseits sollte es so schlank wie möglich und von zukunftsfähiger Struktur sein.

Schritt B: Konzeptionelles Gleis-Datenmodell in UML/INTERLIS für die UIC

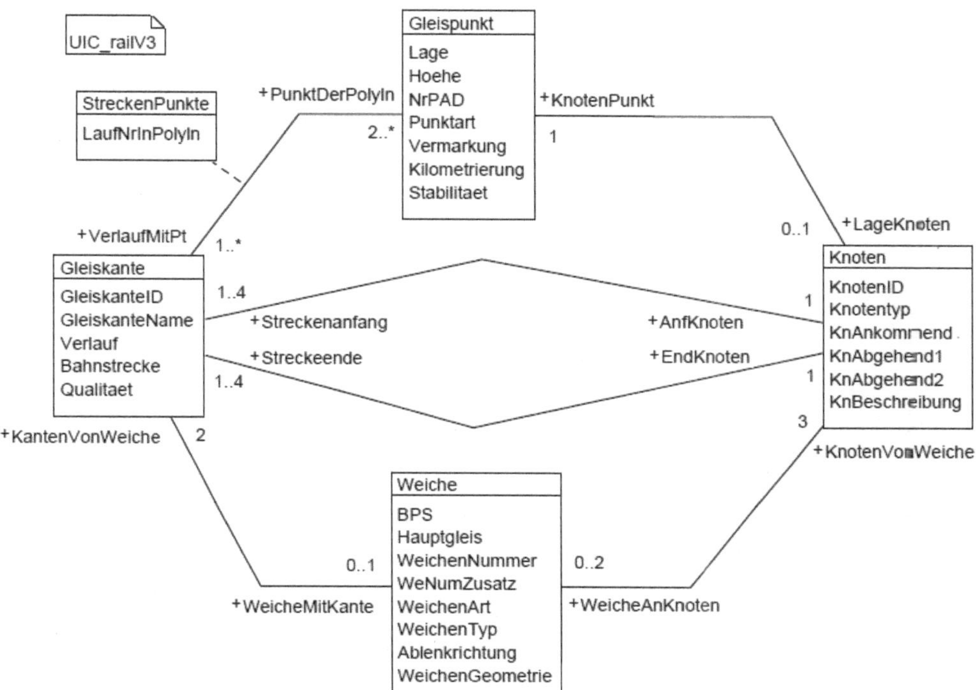

Abb. 2.41: Grafisches konzeptionelles Datenmodell (UML-Diagramm)

Die Übersicht über das harmonisierte Modell liefert wie bei DB und SBB das UML-Klassendiagramm. Die präzise Modellierung der Gleisdaten erfolgt beim harmonisierten Modell mit der konzeptionellen Beschreibungssprache INTERLIS 2. Auch hier begnügen wir uns mit dem UML-Diagramm und verzichten auf eine Abbildung des INTERLIS-Texts.

Schritt C: Beschreibung des Standardformats der UIC

Auch beim harmonisierten Modell in INTERLIS 2 wird mit dem INTERLIS-Compiler (KOGIS 2012) zuerst sichergestellt, dass das Modell keine Fehler aufweist. Anschließend wird wie schon bei den SBB- und DB-Modellen automatisch die Beschreibung des Standard-Austauschformats in INTERLIS-XML hergeleitet.

Schritte D und E: 1:1-Prozessoren und Strukturumbau

Es gelten dieselben Überlegungen wie für DB und SBB, erläutert in den Abschnitten 2.4.4.2 und 2.4.4.4. Für weitere Ausführungen zum Datentransfer via harmonisierter Datenstrukturen vergleiche Präsentation CompRail (Gnägi & Stahel 2006).

2.4.5 Werkzeuge, Beispielsatz

In der Erläuterung der fünf Schritte des modellbasierten Vorgehens im Abschnitt 2.4.4 wurden die folgenden Werkzeuge und Transferformate verwendet:

(A) Realitätsausschnitt beschreiben: Umgangssprache, Tabellen, Dokumentationen etc.

(B) Konzeptionelles Datenmodell: Die konzeptionellen Beschreibungssprachen UML-Klassendiagramm (grafisch, für Übersichten) und INTERLIS 2 (als Text, objektorientiert, für die Präzisierung von Datentypen, Beziehungen, Konsistenzbedingungen etc.), den UML-INTERLIS-Editor (KOGIS 2008) und den INTERLIS-Compiler (KOGIS 2012).

(C) Format und Formatbeschreibung (physisches Datenmodell): Als Standardformat wird ausschließlich INTERLIS-XML verwendet. Bei der Analyse vorhandener Formate in Abschnitt 2.4.6 werden auch noch andere Formate besprochen. Tabelle 2.7 zeigt, für welche Formate durch den INTERLIS-Compiler automatisch die Formatbeschreibung zu einem gegebenen Datenmodell hergestellt werden kann und welche Format-Beschreibungssprachen dabei zum Einsatz kommen.

(D) Umformatierung proprietär ↔ Standard mit 1:1-Prozessoren: Die in den Beispielen benötigten 1:1-Prozessoren mussten erst entwickelt werden, da für die Bearbeitung der speziellen Bahndatenformate noch keine Standardsoftware existierte. Dazu wurde die Programmiersprache Java verwendet.

(E) Strukturumbau: Im Abschnitt 2.4.4.4 wurden UMLT (grafisch) und ILIT (textuell) als Umbausprachen vorgestellt: Sie erlauben den objektorientierten Strukturumbau zwischen objektorientierten Datenmodellen. Die grafische Benutzeroberfläche ist einfach und einleuchtend. Es gibt geeignete Umbaufunktionen, deren Liste einfach zu erweitern ist. Die Software ist zwar Open Source und Freeware, aber es gibt im Moment erst wenig ausgereifte Testversionen. Alternativen sind FME der kanadischen Firma SafeSoftware und IG Conversion System der Schweizer Firma InfoGrips: Beide sind beschränkt auf relationalen Strukturumbau auch zwischen objektorientierten Datenmodellen und haben sehr viele Bearbeitungsfunktionen. FME hat eine perfekte grafische Benutzeroberfläche. IG Conversion System braucht Forth als textuelle Umbaudefinitionssprache. Die Software beider Alternativen ist ausgereift und wird kommerziell vertrieben. Sie ist besser geeignet für 1:1-Prozessoren als für Strukturumbau.

Tabelle 2.7: Unterstützte Formate des INTERLIS-Compilers

Format	Beschreibungssprache
INTERLIS XML (XTF)	XML-Schema
GML (Geography Markup Language)	XML-Schema
INTERLIS Transfer Format ITF (CSV)	fmt-File (proprietär CH)

2.4.6 Bedeutende Transferformate

2.4.6.1 Wo stehen die Transferformate im modellbasierten Vorgehen?

Als Hauptanwendung des modellbasierten Vorgehens ist in Abschnitt 2.4.4 der Datentransfer analysiert worden. Daten werden als Dateien zusammengefasst transferiert. Das Transferformat legt fest, wie eine solche Transferdatei in Felder aufgeteilt wird, wie die Felder getrennt werden und ob es Feldkennzeichnungen gibt. Zum Transferformat gibt es eine Formatbeschreibung (das sogenannte physische Datenmodell), die festlegt, wie das Format aussieht. Daten in einem bestimmten Format sind die Instanz der entsprechenden Formatbeschreibung. Beim modellbasierten Vorgehen kann die Formatbeschreibung automatisch aus dem fehlerfreien konzeptionellen Datenmodell hergeleitet werden.

2.4.6.2 Formatbeschreibung gegenüber Format und Daten

Das konzeptionelle Datenmodell beschreibt die Struktur von Daten system- und formatunabhängig. Diese Datenstruktur kann durch verschiedene Formate als praktische Datei realisiert werden. Jedes dieser Formate ist durch eine entsprechende system- und formatabhängige Formatbeschreibung festgelegt. Gemäß diesem Format sind die Daten in der Transferdatei gegliedert. Formatbeschreibungen können mehr oder weniger detailliert sein. Zwei Beispiele zeigen zwei Extremvarianten: Einerseits ein CSV-Format, andererseits ein XML-Format.

Beispiel für ein CSV-Format (Comma Separated Values) sei das Format ITF (INTERLIS 1 Transfer Format). Abbildung 2.42 zeigt dessen Formatbeschreibung für die Klasse `PunktAllgemein` der DB-Gleisdatenstruktur.

```
TABL PunktAllgemein
OBJE 1 22 3333333333 4 55 6 777777777777.777 88888888 99999999 \
CONT AAAAAAAA BBBBBBBB CCCCCCCCCCCCCCCCCCCC DDDDDDDDDDDDD E
!!!! 1: Objektidentifikation
!!!! 2: Satztyp
!!!! 3: PAD
!!!! 4: Punktart
!!!! 5: Vermarkungsart
!!!! 6: STABIL
!!!! 7: STATION
!!!! 8: ADatum
!!!! 9: ABearbeiter
!!!! A: AAuftrag
!!!! B: AProgramm
!!!! C: AKommentar
!!!! D: BStreckenId
!!!! E: Richtung
ETAB
```

Abb. 2.42: Formatbeschreibung der Klasse PunktAllgemein für das CSV-Format ITF

Diese Formatbeschreibung ist minimal. Sie enthält nach dem Schlüsselwort `TABL` den Namen der Klasse. Nach dem Schlüsselwort `OBJE` folgt die Beschreibung der Attributfelder, und zwar nur deren Ausdehnung durch einen Block von Ziffern oder Buchstaben. Anschließend folgt zu jeder Ziffer bzw. jedem Buchstaben der Name des entsprechenden Attributs. Das genügt, denn diese Formatbeschreibung folgt automatisch aus dem Datenmodell in INTERLIS, welches die nötigen Details enthält (siehe Abb. 2.31). Abbildung 2.43 zeigt die Daten der ersten beiden Objekte von Klasse `PunktAllgemein` im CSV-Format ITF. Dabei gilt als Trennzeichen zwischen den Datenfeldern nicht das Komma "," sondern das Leerzeichen (Blank, " "). Da im Datenfeld "`4000UL 1055`" eine Leerstelle vorkommt, die nicht als Feldtrennzeichen interpretiert werden darf, muss diese Leerstelle in der Transferdatei durch einen Platzhalter ersetzt werden. Als Standardwert gilt der Unterstrich "_".

```
TABL PunktAllgemein
OBJE 4000UL_1055 11 4000UL_1055 1  0 1 136500000.000 19.10.01 Gantner\
CONT 19102001 V6.20 UA________0_S_0.0000 4000 3
OBJE 4000UL_1056 11 4000UL_1056 1  0 1 136550010.094 19.10.01 Gantner\
CONT 19102001 V6.20 UA________0_S_0.0000 4000 3
OBJE ......
......
ETAB
```

Abb. 2.43: Daten der ersten zwei Objekte der Klasse PunktAllgemein im Format ITF

Beispiel für ein XML-Format sei XTF. Die Formatbeschreibung in XML-Schema ist sehr umfangreich und detailliert (Abb. 2.32). So enthält etwa die Formatbeschreibung des Attributs `Punktart` auch alle Werte des Aufzähltyps, die schon im konzeptionellen Datenmodell vorhanden sind (Abb. 2.31). Die dieser Formatbeschreibung entsprechenden Daten sind in Abbildung 2.34 dargestellt.

Zur Bewertung: Wenn ein präzises Datenmodell vorhanden ist, genügt eine knappe Formatbeschreibung. Zu präzise Formatbeschreibungen bieten sogar ein Problem. So wird etwa die Formatbeschreibung XML-Schema wegen ihres großen Detaillierungsgrads oft als konzeptionelle Modellierungssprache bezeichnet. Das ist aus verschiedenen Gründen falsch: (1) formatabhängig, (2) ungeeignet für Menschen, da unübersichtlich, (3) nicht sauber objektorientiert (u. a. betreffend Beziehungen), (4) Konsistenzbedingungspalette zu minimal.

2.4.6.3 XML

XML ist die Abkürzung für eXtensible Markup Language und bezeichnet ein Transferformat (wie das ITF in Abschnitt 2.4.6.2). Die Bezeichnung eXtensible Markup Format wäre daher passender als Language. Die Bezeichnung als Sprache kommt daher, dass die Datenfelder bei XML eingerahmt werden durch sog. Bezeichner („Tags"), welche eine Beschreibung der eingerahmten Daten enthalten können. Eine Datei im XML-Format besteht aus XML-Elementen (kurz: Elementen) und aus XML-Objekten (nicht abzukürzen zu Objekten, da sonst Verwechslungsgefahr mit Objekten einer objektorientierten Struktur besteht. Zu einem Objekt können mehrere XML-Objekte gehören!). In Abbildung 2.44 ist als Beispiel ein Ausschnitt aus Abbildung 2.34 im XML-Dialekt XTF. `<Satztyp>11</Satztyp>` ist dabei ein Element mit `<Satztyp>` als Start"tag" und `</Satztyp>` als End"tag" und mit `11` als Elementwert. Für das XML-Format XTF ist der Zusammenhang zum konzeptionellen Datenmodell in UML/INTERLIS formal präzis definiert. Der Vergleich mit dem Datenmodell in Abbildung 2.31 zeigt, dass die „Tag"-Namen dem Attributsnamen des ersten Attributs von `CLASS PunktAllgemein` entsprechen und der Elementwert dem Attributswert. Start- und End"tag" der Klasse `PunktAllgemein` umrahmen die Elemente aller Attributswerte des ersten Datenobjekts der Klasse. Der Zusatz `TID="4000UL 1055"` im Start"tag" der Klasse ist ein XML-Attribut mit Namen `TID` und Wert `"4000UL 1055"`.

```
[..]
<DB.DB_gleisnetz BID="10368">
  [..]
  <PunktAllgemein TID="4000UL 1055">
    <Satztyp>11</Satztyp>
    <PAD>4000UL 1055</PAD>
    [..]
    <Richtung>Kilometrierungslinie</Richtung>
  </PunktAllgemein>
  [..]
</DB.DB_gleisnetz>
```

Abb. 2.44: DB-Gleisdaten im Standard-Format XTF (Teil von Abb. 2.34)

Es gibt unzählige XML-Dialekte, die sich unterscheiden

- in der Gesamtstruktur,
- in den Vorschriften für die Gestaltung der „Tag"s,
- ob ein Zusammenhang besteht zu konzeptionellen Modellen und
- ob dieser Zusammenhang formal präzis definiert ist.

Beispiele für XML-Dialekte sind XTF (Abschn. 2.4.6.5), GML (Abschn. 2.4.6.4), railML (Abschn. 2.4.6.6).

XML-Schema heißt die Sprache zur Beschreibung der Datenfelder einer XML-Datei. XML-Schema ist also eine Formatbeschreibungssprache, d. h. eine physische Datenbeschreibungssprache. Die zu den Daten von Abbildung 2.44 passende Formatbeschreibung in XML-Schema ist in Abschnitt 2.4.4.2 beschrieben (Abb. 2.32).

Die Detailspezifikation von XML findet sich in W3C (2008). Eine kurze Einführung in XML ist auch in Wikipedia zu finden.

2.4.6.4 GML (Geography Markup Language)

GML ist die Abkürzung für Geography Markup Language und ist ein speziell für den Transport von Geodaten durch das Open Geospatial Consortium (OGC) in Zusammenarbeit mit dem Normenkomitee ISO/TC 211 entwickeltes XML-Format. Die allgemeine Definition erfolgt durch zwei verschiedene ISO-Normen, womit es zwei verschiedene Formatbeschreibungen gibt. Diese Normen sind ISO 19136 „GML" (ISO 2007a) und ISO 19139 „Metadata – XML schema implementation" (ISO 2007b). Irrtümlicherweise wurde angenommen, Metadaten seien so grundsätzlich verschieden von Daten, dass Daten und Metadaten nicht nach denselben Regeln für den Transfer kodiert werden können. GML braucht vordefinierte XML-Schema-Elemente für die Definition der Geometrietypen. Im Rahmen der GML-Normung wird eine etwas spezielle objektorientierte (kurz OO) Terminologie verwendet. Die wichtigsten Änderungen von OO-Begriff → GML-Spezialbegriff sind:

- Klasse → Feature Type
- Objekt → Feature
- Attribut → Property
- Attributstyp → Property Type

Die Formatbeschreibung von GML-Daten in XML-Schema heißt Anwendungsschema („Application Schema") und kann automatisch aus einem UML/INTERLIS-Datenmodell hergeleitet werden. Die entsprechenden Kodierungsregeln sind normativ im Standard eCH-0118 (eCH (2016a)) eindeutig festgelegt.

2.4.6.5 XTF (INTERLIS 2 XML)

XTF ist die Abkürzung für INTERLIS 2 XML. XTF ist ebenfalls ein XML-Dialekt und wurde zur Ergänzung der Normen und Werkzeuge für das modellbasierte Vorgehen mit UML/INTERLIS entworfen. XTF ist eindeutig durch Kapitel 3 des Standards eCH-0031 (eCH 2016b) definiert, der auch das INTERLIS-Referenzhandbuch ist. Die Herleitung der Formatbeschreibung in XML-Schema erfolgt automatisch aus einem UML/INTERLIS-Datenmodell mithilfe des INTERLIS-Compilers (KOGIS 2012). Wie in der UML/INTERLIS Literatur wird auch bei XTF konsequent die OO-Terminologie verwendet. Die wichtigsten OO-Elemente sind: Klasse, Objekt, Attribut, Attributstyp, Beziehung und Konsistenzbedingung. XTF wird in der Schweiz intensiv zur Realisierung der Geodateninfrastruktur eingesetzt.

Die „Tag"-Namen der XML-Elemente von XTF sind die Namen der Modelle, Topics, Klassen, Attribute und Beziehungsrollen des konzeptionellen Datenmodells in INTERLIS. Wegen seiner Einfachheit und eindeutigen Definition wurde XTF beim Transfer von Gleisdaten als Beispiel für die Anwendung des modellbasierten Vorgehens für Eisenbahnthemen in Abschnitt 2.4.4 verwendet. Ausgehend vom konzeptionellen Datenmodell als UML-Klassendiagramm (Abb. 2.30) und INTERLIS-Text (Abb. 2.31) kann in der Formatbeschreibung durch XML-Schema (Abb. 2.32) und in den Daten im XTF-Format (Abb. 2.34) verfolgt werden, wie die Namen im konzeptionellen Datenmodell in den „Tag"s der entsprechenden XML-Elemente der XTF-Daten (siehe Abschn. 2.4.6.3) verwendet werden.

2.4.6.6 railML (Railway Markup Language)

Auch railML ist ein XML-Dialekt. Das railML-Format wird durch die Formatbeschreibung in XML-Schema definiert. Das XML-Schema für railML3 kann automatisch aus dem UML-Klassendiagramm hergeleitet werden, das im UML-Editor „Enterprise Architect (EA)“ erstellt wurde. In EA fehlen die Möglichkeiten des UML/INTERLIS-Editors, auch Attributstypen und Details von Beziehungen präzise formulieren zu können. Im Hintergrund des EA entsteht ein „Datenmodell“ in XMI. Sehr viele wesentliche bahntechnische Themen sind bereits durch railML-XML-Schema beschrieben. Ideal wäre, die railML-Formatbeschreibung in XML-Schema automatisch aus UML/INTERLIS herzuleiten und die Modellierung von railML mit UML/INTERLIS konzeptionell präzise und formatunabhängig vorzunehmen. Ideen dazu sind schon in Gnägi & Stahel (2006) dargelegt.

Um railML vollständig in den MDA einbauen zu können, müssen aufgrund der vorhandenen detaillierten XML-Schemata mit dem UML/INTERLIS-Editor UML-Klassendiagramme mit INTERLIS-Details im Hintergrund entwickelt werden. Daraus können neue XML-Schemata für das XTF-Transferformat automatisch hergeleitet werden. Diese neuen XML-Schemata können als railML4 definiert werden. Daten in diesem railML4-Format können automatisch gegen die entsprechenden Datenmodelle (in INTERLIS) durch den vorhandenen „Checker“ geprüft werden, insbesondere auch Geometriekonsistenzen und wesentlich weitergehende andere Konsistenzbedingungen als bei einer Prüfung gegen XML-Schema.

2.4.6.7 CSV-Formate (Comma Separated Values)

CSV-Formate (Beispiel ITF in Abschn. 2.4.6.2) haben im Gegensatz zu Markup- oder Bezeichner-Formaten (Beispiel XML in Abschn. 2.4.6.3) keine beschreibenden „Tag“s vor und nach den Datenwerten. Diese Datenwerte stehen nebeneinander in Feldern, zwischen denen sich Feldtrennzeichen befinden. Als Feldtrennzeichen wird meist ein Komma "," verwendet (daher der Name CSV). Es sind aber auch andere Feldtrennzeichen möglich, etwa Leerstellen " " (wie in ITF in Abschn. 2.4.6.2) oder Ausrufezeichen "!". Wenn jedem Datenfeld eine feste Länge zugeordnet ist, kann auch auf das Feldtrennzeichen verzichtet werden. Ein Beispiel dazu ist das DB-Format (Tabelle 2.3). Auch CSV-Formate können modellbasiert unterstützt werden, wie das Beispiel ITF zeigt. Aus dem konzeptionellen Datenmodell der DB-Gleisdaten (Abb. 2.31) kann die Formatbeschreibung für ein CSV-Format hergeleitet werden (für ITF siehe Abb. 2.42), der dann die Datenzeilen entsprechen (auch für ITF siehe Abb. 2.43). Insbesondere bei den Bahnen sind weitere unterschiedliche CSV-Formate für den Datentransfer im Einsatz, z. B. GND (Gleisnetzdaten) bei der DB, iGleis bei der ÖBB und Toporail bei den SBB.

Die Beschreibung der GND-Daten gemäß Winter et al. (2002) wurde verwendet, um das Datenmodell für die Gleisgeometrie der DB herzuleiten. Tabelle 2.1 enthält die Beschreibung des GND-Formats für die allgemeinen Punktdaten und Abbildung 2.33 einen Ausschnitt der Testdaten im GND-Format mit konkreten allgemeinen Punktdaten. Abbildung 2.30 und Abbildung 2.31 zeigen in der Klasse `PunktAllgemein`, welche der Attribute wir für die weitere Bearbeitung aus Tabelle 2.3 übernommen haben. Weitere technische Informationen zum GND-Format finden sich in Abschnitt 4.5.1 von Wunsch (2007). Dort sind in Abschnitt 4.5.2 auch das iGleis-Format der ÖBB und in Abschnitt 4.5.3 das Toporail-Format der SBB besprochen. Letzteres war mithilfe der Dokumentation von Stuby (2008) auch die Grundlage für die Erstellung des SBB Gleisdatenmodells in Abbildung 2.35.

2.4.7 Schlussfolgerungen

Als Rahmen für Bearbeitung, Nutzung und Sicherung von Daten steht heute das modellbasierte Vorgehen (Model Driven Approach – MDA) zur Verfügung. Bevor man mit Daten arbeitet, werden diese präzis durch ein konzeptionelles Datenmodell beschrieben. Das bietet u. a. folgende Vorteile: System- und formatunabhängig und weitgehend als Freeware und sogar Open Source steht eine ganze Palette von Werkzeugen für

- die Modellierung,
- die Modellprüfung,
- die automatische Herleitung von Beschreibungen verschiedener Formate,
- die automatische Prüfung von Daten im Standardformat gegenüber dem Datenmodell,
- den automatisch unterstützten Datenaustausch mit Strukturumbau, Generierung von Datenbanken und Geoinformationssystemen sowie Quellcode für Schnittstellen-Software etc.

zur Verfügung. Insbesondere ist MDA geeignet für Geodaten und wie hier ausgeführt auch für Bahndaten und deren Nutzung über technische, politische und Grenzen der Bahnen hinweg. Ein positiver Nebeneffekt des MDA ist, dass die präzise Datenbeschreibung dazu zwingt, sich Klarheit über die Details der Struktur und der Bedeutung der Daten zu verschaffen.

Nachteile: Es gibt schmerzhafte Lücken, die die nutzerfreundliche Bedienung einzelner Tools betreffen. Außerdem gibt es umfangreiche physische Datenmodelle (Formatbeschreibungen) wichtiger Datenbereiche, die konzeptionell „geliftet" werden müssen. Besonders schwer wiegt das fehlende Verständnis wegen fehlender Ausbildung für den Schritt vom physischen (Format-)Level auf das konzeptionelle Level.

In der Schweiz (und weltweit) stehen verschiedene Verbesserungen zur Diskussion, u. a. generische und damit automatische 1:1-Prozessoren für die Umformatierung (ohne Strukturumbau) von proprietären Formaten zu Standardformaten (hin und zurück) und 3D-Datentypen. Ferner ist die Abklärung der Beziehungen zwischen Datentypen und Datenstrukturelementen in der hier vorgestellten MDA-Version mit UML/INTERLIS und anderen im Bahnbereich interessierenden Modellierungselementen (z. B. RailSystem Model) von großem Interesse.

2.5 Ordnungsrahmen

Das Wissen über die Infrastrukturanlagen der Eisenbahn ist, historisch bedingt, in unterschiedlichen fachspezifischen Informationssystemen in unterschiedlichen Teilmengen abgelegt. Dabei sind, über alle Informationssysteme betrachtet, auch redundante und inkonsistente Informationen entstanden. Dieser Zustand erschwert eine sichere Kommunikation und kann zu Missverständnissen in den Aussagen führen.

Jeder infrastrukturbezogene Datenbestand verwendet primär seinen eigenen Schlüssel, z. B. Streckennummer und Kilometerangabe, Kennwert eines technischen Platzes, Objekttyp und Koordinaten. Um diesen Zustand einer Lösung zuzuführen, werden übergreifend standardisierte Objektdefinitionen mit identifizierenden Schlüsselattributen (ID's) vorgehalten, die dann einen grundlegenden Ordnungsrahmen über alle bzw. die wichtigsten Infrastrukturdatenbestände legen. Ein sehr wichtiger, gleichwohl sehr natürlicher und unmittelbar verständlicher Ordnungsrahmen ist der Raumbezug der jeweiligen Information.

Die Lösung der meisten bahninternen Fragestellungen erfordert grundsätzlich einen räumlichen Bezug, der die Antwort auf die Frage nach dem Wo? liefert. Entscheidend ist diese grundlegende Information beispielsweise in der Instandhaltung ortsfester Anlagen, auch in der Betriebsführung und ebenso in der Logistik (Verfolgung und Ortung von Zügen und Gütern).

Eine entscheidende Voraussetzung für den Einsatz moderner Verfahren zur Herstellung und Analyse des Raumbezugs ist das Vorhandensein einheitlicher, widerspruchsfreier, räumlicher Referenzsysteme. Benötigt wird der absolute Raumbezug in Form von zwei- oder dreidimensionalen Koordinaten (Abb. 2.45) und der relative, eindimensionale Bezug zu den Strecken bzw. Gleisen des Eisenbahnnetzes (Abb. 2.46).

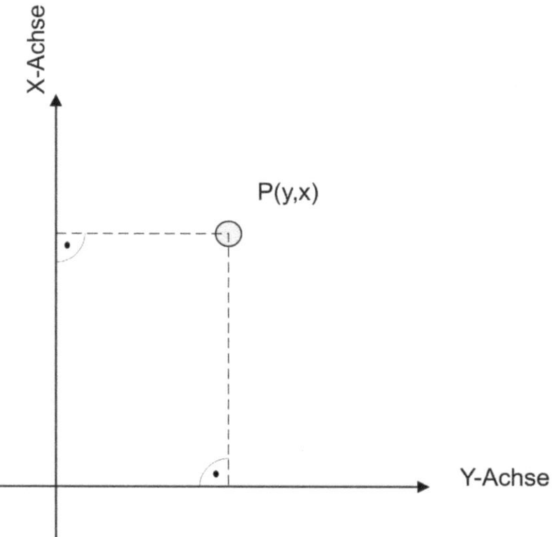

Abb. 2.45: Zweidimensionales Koordinatensystem

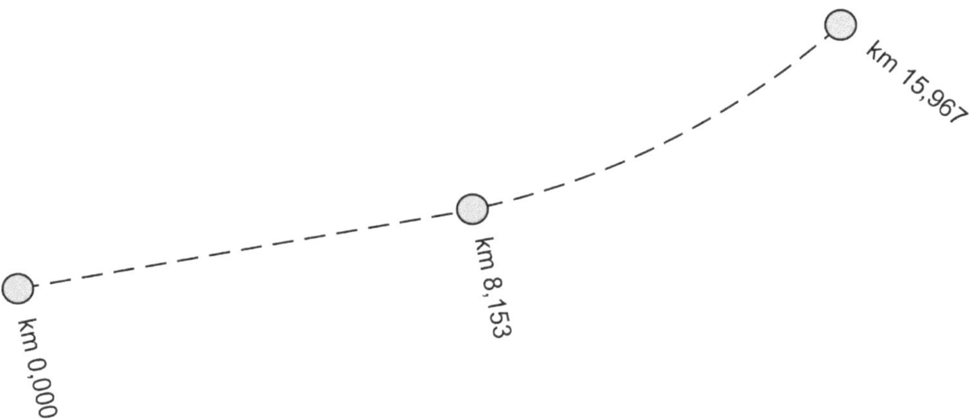

Abb. 2.46: Eindimensionales, lineares Referenzsystem

Eine entscheidende Eigenschaft der räumlichen Referenzsysteme ist, dass sie ineinander umgerechnet werden können. Zum Beispiel müssen die (zweidimensionalen) Orte für die weitere Verwertbarkeit dem (eindimensionalen) Gleisnetz hinzugefügt werden und umgekehrt. Möglich ist dies immer dann, wenn entweder der geografische Ort im Raumbezugssystem des Basismodells bekannt ist oder wenn eine verwertbare Kilometer- bzw. Stationierungsangabe existiert (Abb. 2.47 und 2.51).

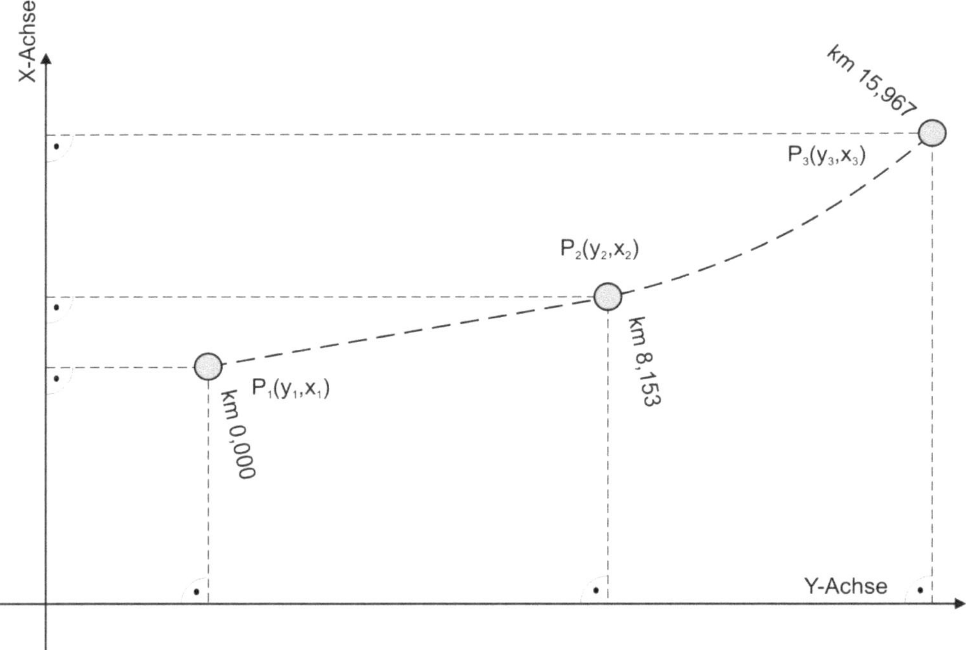

Abb. 2.47: Übergang vom linearen Referenzsystem auf ein zweidimensionales Koordinatensystem oder umgekehrt durch Verknüpfung beider Systeme

Gibt es keine der beiden Angaben, sondern nur beschreibende Angaben, dann müssen die jeweiligen Objekte (Anlagen) im Gleisnetz gesucht oder hinzugefügt werden. Wichtig ist hierbei aus Gründen der Normierung, dass jede Objektart einen oder mehrere fest definierte Bezugspunkte hat, für die diese Werte ermittelt werden (Abb. 2.48).

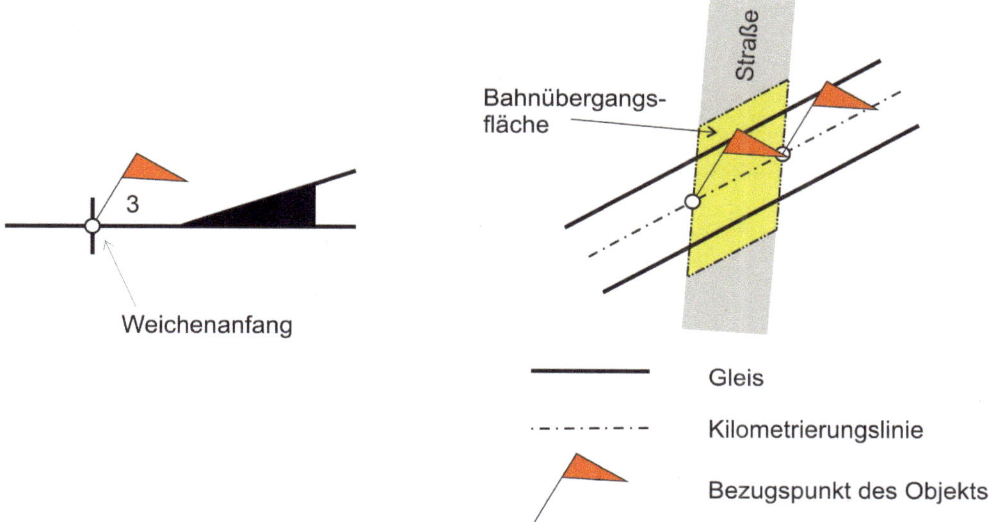

Abb. 2.48: Beispiele für Bezugspunkte bei Weichen und Bahnübergangsflächen (Deutsche Bahn)

Die Integration der Punkte, die das Gleis in fachlicher Sicht definieren, in das Gleisnetz erlaubt den systemübergreifenden und bidirektionalen Datenaustausch von Objekten oder einer Teilmenge von Eigenschaften der Objekte.

Auf die gleiche Weise können auch weitere Interessenspunkte (engl. Points of Interest – POI), eingefügt werden, wie von Navigationssystemen und Routenplanern im Straßenverkehr bekannt.

Um das Basismodell für die Integration aller Fachmodelle offenzuhalten, ist die im Basismodell enthaltene eindeutige Bezeichnung der Gleisknoten geeignet – einer Kombination aus Bahnstellennummer und der vom Objekt abgeleiteten Knotennummer (Abb. 2.49).

Die zur koordinatenbasierten Beschreibung der Bahnanlagen erforderlichen Daten sind:

- Die geodätische Koordinatenreferenz: siehe Gleisvermarkungspunkte (Kap. 3.2)
- Daten des koordinatenbasierten Gleisnetzes: siehe absolute und relative Gleisgeometrie (Abschn. 2.1.3)
- Daten des koordinatenbasierten Streckennetzes: siehe Kilometrierung (Abschn. 2.5.4)

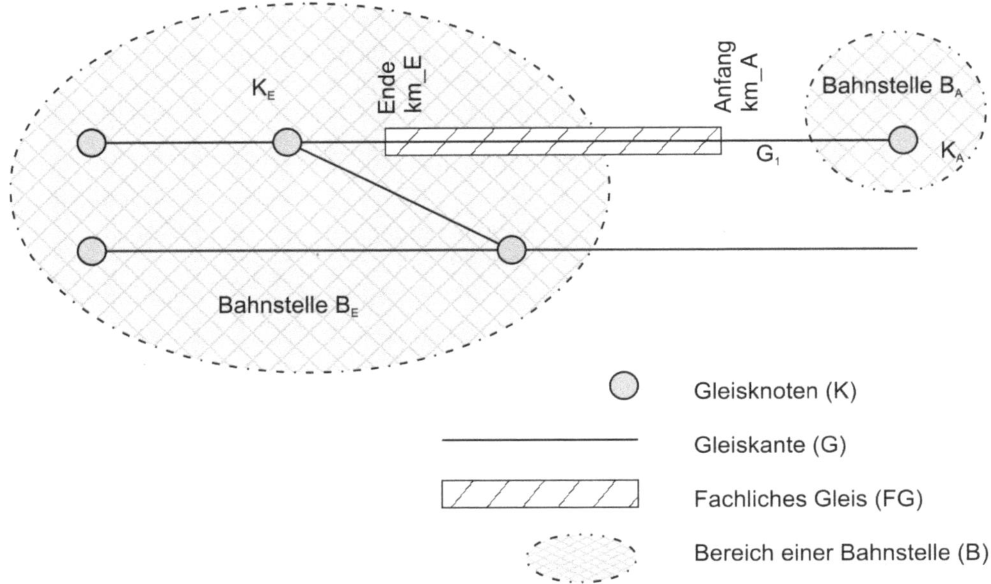

Abb. 2.49: Abbildung eines fachlichen Gleises im Basismodell (Deutsche Bahn)

2.5.1 Gleisnetz

Für die Aufgaben des Netzzugangs, der Produktion und der Unterhaltung des Gleisnetzes werden verschiedene Kenntnisse über die Anlagen der Bahninfrastruktur und insbesondere das Gleisnetz benötigt, um einen sicheren und wirtschaftlichen Eisenbahnverkehr zu ermöglichen.

Als wichtigster Ordnungsrahmen für diese Tätigkeiten wird ein einheitliches Bezugssystem für die Gleise benötigt, nämlich das Gleisnetz als lineares Referenzsystem (LRS), auf das alle vorhandenen Gleis- und Infrastrukturdaten bezogen werden können und woraus auch der Ordnungsrahmen Strecke abzuleiten ist.

Das LRS hat nachstehende wichtige Eigenschaften:

- Es bildet die vorhandenen Gleisdaten und Eigenschaften des Gleisnetzes entsprechend ihrer Ausdehnungsform, linear oder punktuell, als Knoten-Kanten-Modell ab. Weichen und Gleisabschlüsse sind als Knoten und die dazwischenliegenden Gleise als Kanten definiert.
- Es muss den Raumbezug für die Infrastrukturobjekte durch eine Verknüpfung mit ihren Identifikatoren herstellen können und so eine eindeutige Umrechnung zwischen den verschiedenen Ordnungsrahmen gewährleisten.
- Es muss zukünftig in der Lage sein, sowohl die Historie als auch die Planungen des Gleisnetzes nachzuweisen.

2.5.2 Streckennetz

Das Streckennetz stellt gesamtheitlich die physisch vorhandenen Gleisanlagen in abstrahierter Form grafisch dar.

Historisch dient das Streckennetz der netzweiten Verortung von Bahnanlagen mit Streckennummern und Kilometerangaben. Die Kilometerangabe einer Anlage – Kilometrierung genannt – ist die Distanz in Metern zum Anfangspunkt der Linie. Das Streckennetz hat in seiner ursprünglichen Ausprägung keinen Bezug zu Koordinaten.

Bei der Deutschen Bahn ist für das Streckennetz der Ordnungsrahmen Strecke definiert. Dabei handelt es sich um ein Lineares Referenzsystem (LRS). Die im Ordnungsrahmen nachgewiesenen Linien sind generalisiert dargestellt, z. B. erscheint eine zweigleisige Strecke als eine Linie. Bahnhofsgleise sind nicht dargestellt.

2.5.3 Geodätische Referenzsysteme

Bei der Deutschen Bahn ist das DB_REF als das gemeinsame geodätische Referenzsystem definiert. Mit seiner Hilfe können z. B. verschiedene Referenzsysteme spannungsfrei ineinander überführt werden. Informationen, die sich auf ein anderes geodätisches Referenzsystem beziehen, können in das DB_REF transformiert werden und umgekehrt. (Kap. 2.3)

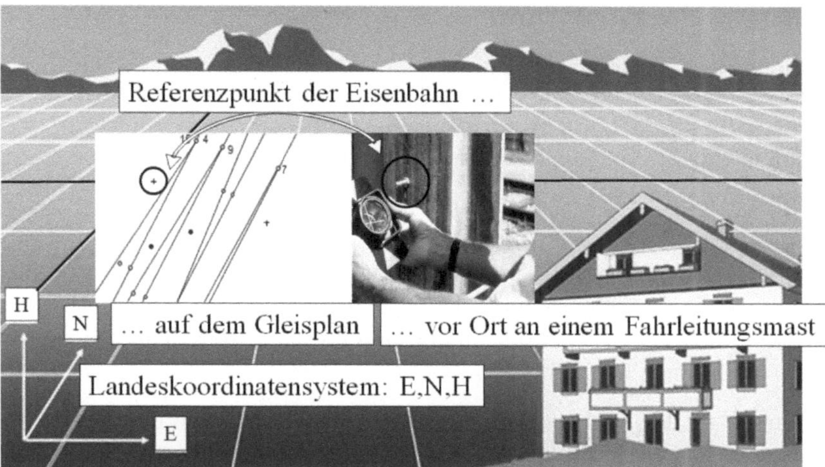

Abb. 2.50: Einheitliche Koordinaten von Eisenbahn und Landesvermessung (SBB). E: Easting/Rechtswert, N: Northing/Hochwert, H: Height/Höhe.

Der Zusammenhang von Bahn- und Landesvermessung ist in Abbildung 2.50 schematisch dargestellt. Speziell im Gleisplan und mit Foto hervorgehoben ist ein Gleisvermarkungspunkt der SBB. In Abbildung 2.51 wird ein Oberleitungsmast mit (Kilo)Metertafel und Referenzpunkt abgebildet. Bei den SBB wird ein Gleisvermarkungspunkt als Gleisversicherungspunkt bezeichnet.

Abb. 2.51: Metertafel (oben) und Referenzpunkt mit Koordinaten (unten) (SBB)

2.5.4 Kilometrierung der Bahnanlagen

Zweck der Kilometrierung

Unter der Kilometrierung, auch Stationierung genannt, versteht man die auf die Horizontale bezogene Längenentwicklung entlang der Kilometrierungslinie einer Bahnstrecke. Sie ermöglicht eindeutige Ortsangaben und dient der Orientierung der im Betriebsdienst, beim Bau und bei der Überwachung und Erhaltung der Bahnanlagen Tätigen.

Jede Strecke ist im Streckenverzeichnis mit Streckennummer und -name aufgeführt und hat eine eigene Kilometrierung. Der Streckenname definiert die Richtung der Kilometrierung. Die Kilometrierung der Strecke Leipzig – Dresden beginnt demnach in Leipzig und endet in Dresden. Streckennummer und -name sind Ordnungsgrundlage für die Informationssysteme der Bahnen (Kap. 3.1).

Die eindeutige Zuordnung der Kilometrierung zu einer Strecke ist wichtig, damit z. B. bei einem Fahrzeugschaden die Havariestelle zur Heranführung von Hilfskräften genau angegeben werden kann.

Die Kilometerangabe von Anlagen entlang der Strecke ist quasi der Name des betreffenden Objekts (Brücke, Fahrleitungsmast, kreuzende Leitung usw.). Da diese Angaben in den verschiedensten Bestandsunterlagen der Bahn und in Verträgen mit deren Anliegern verwendet werden, sollte nur in Ausnahmefällen eine Veränderung der einmal festgelegten Kilometrierung vorgenommen werden.

Bezugspunkte der Kilometrierung

Anfangs- und Endpunkt der Kilometrierungslinie liegen im Bereich einer Bahnstelle, eines Bahnhofs oder einer Abzweigstelle. Sie fallen in der Regel auf Weichenanfänge, Gleisanfänge oder -enden.

Bezugspunkte der Kilometrierung sind entlang der Strecke befindliche Anhaltspunkte:

- Mitte Empfangsgebäude;
- Mitte Verwaltungsgebäude bei Güter-, Umschlag- und Rangierbahnhöfen;
- Schnittpunkte von Bauwerksachsen mit der Kilometrierungslinie bei Brücken und (Personen-)Tunneln;
- Mittelpunkt der Bahnsteigmitten bei Haltepunkten ohne Empfangsgebäude;
- Grenzpunkte zu Nachbarbahnen, nichtbundeseigenen Bahnen, Gleisanschlüssen.

Festlegung der Kilometrierungslinie

Die Kilometrierungslinie ist die mathematisch-geometrisch festgelegte Linie, auf die sich die Kilometerangaben beziehen. Sie fällt

- bei eingleisigen Strecken mit der Gleisachse,
- bei zweigleisigen Strecken mit der Streckenachse (Bahnachse) zusammen und
- verläuft bei mehrgleisigen Strecken parallel zu einer Gleisachse.

Diese mathematische Linie erlaubt es, die Kilometerangaben für jedes Infrastrukturobjekt als Ordnungsmerkmal zu bestimmen, welches über absolute Koordinaten verfügt.

Die Kilometrierungslinie ist außerdem neben der Höhe eine der Koordinatenachsen für die Berechnung des Höhenverlaufs (Gradiente) einer Trasse.

Für die rechnerische Festlegung der Kilometrierungslinie können alle geometrischen Parameter verwendet werden, die auch für die Gleisgeometrie zugelassen sind (Kap. 2.6). Ein seitlicher Sprung (Versatz) in der Kilometrierungslinie ist nicht zulässig.

Beim Übergang von einer eingleisigen auf eine zweigleisige Strecke ist mit frei wählbaren Trassierungselementen für den Übergangsbereich eine Kilometrierungslinie zu berechnen, die etwa in der Mitte zwischen den auseinanderstrebenden Gleisen verläuft.

Eine Kilometerangabe ist die rechtwinklige Projektion eines Punkts auf die Kilometrierungslinie. Entfernungen, die aus Kilometerangaben selbst bei Berücksichtigung der Kilometrierungssprünge berechnet werden, sind daher nicht unbedingt wahre Längen.

Die Schreibweise einer Kilometerangabe, z. B. 56,4 + 23,62, besteht aus der Kilometerangabe mit einer Nachkommastelle (Hektometerangabe) plus der Meterangabe mit Nachkommastellen. Diese besondere Schreibweise wird wegen der besseren Übersicht gegenüber der mathematischen Schreibweise 56423,62 m gewählt.

Es können auch negative Kilometerangaben auftreten, z. B. -1,6 + -78,90 (entspricht –1678,90 m). Diese entstanden dadurch, dass in der Vergangenheit Streckenanfang und Streckenende vorwiegend auf die Mitte des Empfangsgebäudes gelegt wurden. Heute beginnen die meisten Strecken an geometrisch eindeutigen Punkten, z. B. Weichenanfang oder Gleisabschluss, wodurch am Streckenanfang eine negative Kilometerangabe entstehen kann.

Weicht bei zweigleisigen Strecken ein Gleis wesentlich von der Kilometrierungslinie ab, z. B. bei kreuzungsfreier Einmündung einer Strecke in eine andere, kann für das abweichende Gleis eine eigene Kilometrierungslinie festgelegt werden (Abb. 2.52).

Weitere Details zur Festlegung der Kilometrierung können dem geltenden Regelwerk entnommen werden.

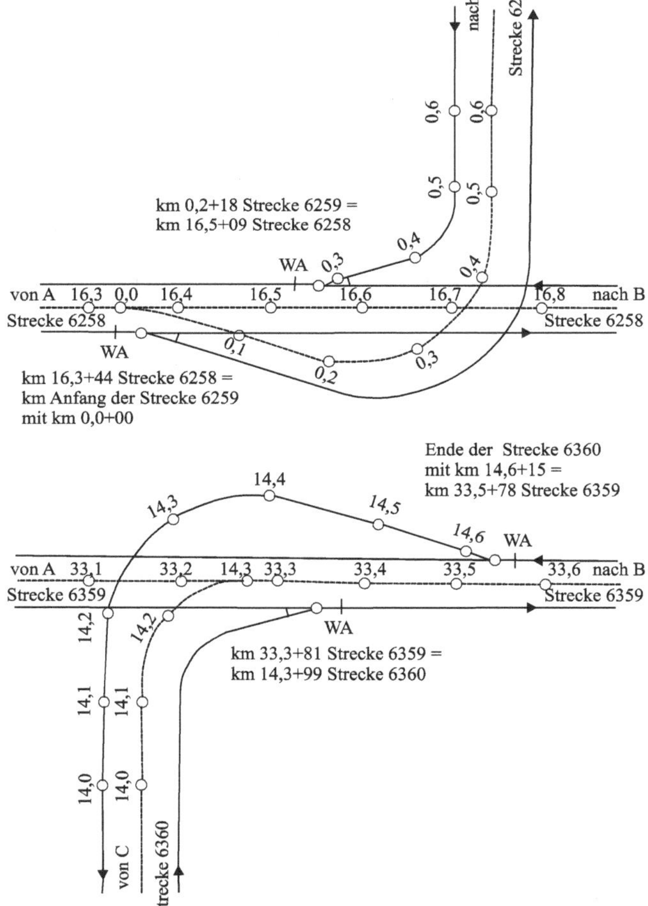

Abb. 2.52: Kilometrierung räumlich getrennter Gleise (DB-Ril 883.1000)

Festlegung der Kilometrierungssprünge

Eine Unterbrechung in der Stetigkeit der Kilometrierungslinie wird als Kilometrierungssprung bezeichnet.

Große Kilometrierungssprünge entstehen z. B. durch Streckenverlegungen, kleinere Kilometrierungssprünge durch Änderung der ursprünglich vorhandenen Trassierungsparameter zwecks Geschwindigkeitserhöhung. Die Trasse wird durch diese Maßnahmen länger oder kürzer.

Als Kilometrierungssprung wird der Punkt festgelegt, der eine ankommende und eine abgehende Kilometerangabe hat. Dieser Punkt sollte nicht mit Trassenpunkten oder Punkten von Bauwerken und Anlagen zusammenfallen, weil deren Kilometerangaben dann zweideutig wären. Als Kilometerangabe für den Kilometrierungssprung gilt immer der abgehende Kilometer.

Die größeren Kilometrierungssprünge werden in der Örtlichkeit kenntlich gemacht. Dazu ist eine zusätzliche Hektometertafel erforderlich. Diese kann gespart werden, wenn der Kilometrierungssprung nahe einer vorhandenen Tafel angeordnet wird.

Kilometrierungssprünge sollten möglichst in geraden Gleisabschnitten platziert werden. Aus Gründen der Betriebssicherheit sollte ein Kilometrierungssprung nicht zwischen Vor- und Hauptsignal liegen. Ebenso sollten Kilometrierungssprünge nicht in Bahnhöfen liegen.

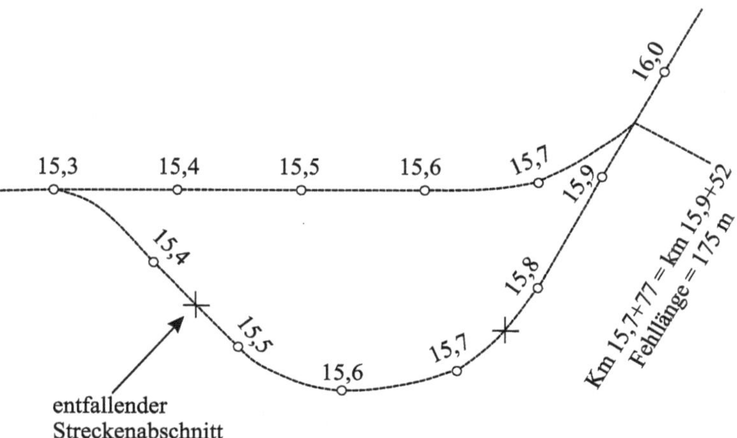

Abb. 2.53: Kilometrierungssprung mit Fehllänge (DB-Ril 883.1000)

Entsteht am Kilometrierungssprung zwischen dem ankommenden und dem abgehenden Kilometer eine Lücke, so spricht man von einer Fehllänge (Abb. 2.53). Kilometerangaben, die in der Fehllänge liegen, sind unzulässig.

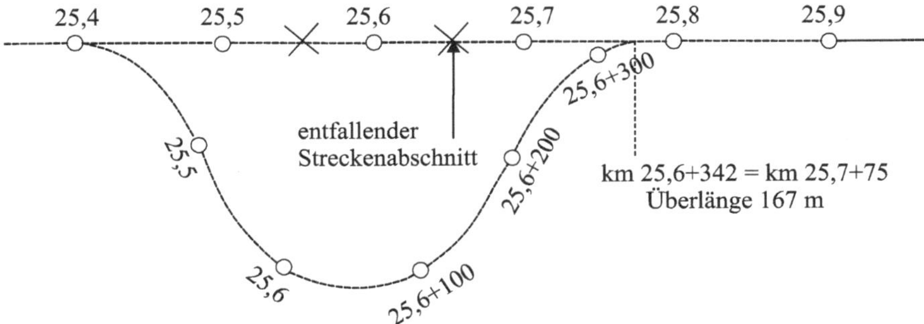

Abb. 2.54: Kilometrierungssprung mit Überlänge (DB-Ril 883.1000)

Überlappen sich am Kilometrierungssprung ankommender und abgehender Kilometer, spricht man von einer Überlänge. Kilometerangaben, die in der Überlänge liegen, sind zweideutig. Daher wird im Überlängenbereich eine besondere Schreibweise erforderlich. Der Ursprungspunkt für die Angaben der Überlänge ist in dieser Schreibweise der nächstniedrige gerade Hektometer vor dem abgehenden Hektometerwert des Kilometrierungssprungs. Ab dem Ursprungspunkt bleibt der gerade Hektometer unverändert, die Meter werden auch über 100 m hinaus weitergezählt bis zum Kilometrierungssprung (Abb. 2.54).

Dokumentation der Kilometrierung

Die Geometrie der Kilometrierungslinie wird im Bezugssystem der einzelnen Bahnverwaltungen festgelegt. Die Hektometerpunkte werden im Bestand lagerichtig dargestellt. Die Bezugspunkte der Kilometrierung und die Kilometrierungslinie werden in der Regel im Trassenplan nachgewiesen.

Abb. 2.55: Klebeziffern auf Kilometertafeln (DB-Ril 800.0104)

Die Kilometrierung wird in der Örtlichkeit durch Kilometer- und Hektometertafeln kenntlich gemacht. Auf den Hauptstrecken werden alle geraden Hektometer gekennzeichnet, auf Nebenstrecken alle 500 m. Die Tafeln werden auf nicht elektrifizierten Strecken auf zuvor festgelegten Hektometerpunkten an Betonpfählen befestigt, auf elektrifizierten Strecken an den nächstgelegenen Oberleitungsmasten (Abb. 2.55).

Um an den Oberleitungsmasten den metergenauen Standort erkennen zu können, werden rechts unten auf den Tafeln dreistellige Zahlen mit der Meterangabe aufgeklebt. Steht die Tafel 49,2 bei der Station 49,1+68, werden die Ziffern 168 aufgeklebt. Steht die Tafel -6,2 bei der Station -6,1+ -82, werden die Ziffern -182 aufgeklebt.

Am genauen Punkt eines Kilometrierungssprungs ist eine Tafel mit Angabe des abgehenden Kilometers anzubringen. Rechts unten wird auf dieser Tafel der ankommende Kilometer mit kleinen Ziffern angegeben.

2.6 Gleisgeometrische Grundlagen

Erforderliche Rechengenauigkeit

Die örtlichen Daten der Istsituation sind für gleisgeometrische Bearbeitungen geeignet, wenn sie mit der in Abschnitt 2.1.3.5 beschriebenen Genauigkeit aufgenommen werden.

Zur Vermeidung von Rechenungenauigkeiten muss mit genügend vielen Nachkommastellen (NKS) in den Berechnungsunterlagen, -skizzen und -programmen gearbeitet werden (Tabelle 2.8).

Tabelle 2.8: Nachkommastellen für Größen (DB-Ril 883.5000)

Größe	NKS	Einheit
Koordinaten	5	m
Längen	5	m
Radien	3	m
Kilometer/Stationen	3	m
Winkel	6	gon
Höhen	3	m
Längsneigungen	3	‰
Rampenneigungen	0	

Bei Folgeberechnungen müssen die Koordinaten und Höhen der Anschlüsse mit einer Rechengenauigkeit von ±0,5 mm erreicht werden.

2.6.1 Fahrbahnen einrechnen

2.6.1.1 Grundsätze

In diesem Abschnitt werden nur die wesentlichen Gesichtspunkte dargestellt. Umfangreiche Einzelheiten für das Einrechnen können den jeweiligen Modulen des Handbuchs Gleis- und Bauvermessung (88301) der Deutschen Bahn entnommen werden.

Die Berechnungen sollen in den Lage- und Höhenbezugssystemen der jeweiligen Bahn erfolgen. Zu berechnen sind die Koordinaten von allen Hauptpunkten der Trassen sowie die Höhen aller Gradientenhauptpunkte. Für die Nummerierung der Punkte und für ergänzende Erläuterungen zu den Datensätzen sind die entsprechenden Festlegungen zu beachten.

Die Bezeichnungen der geometrischen Elemente und der Geometriehauptpunkte müssen der zutreffenden Richtlinie bzw. Norm (z. B. DIN 18709-2) folgen. Für Weichen werden keine Maßangaben für Gesamt- oder Teillängen ausgewiesen. Diese sind im Allgemeinen Tabellen zu entnehmen bzw. durch Restwertbildung zu ermitteln.

Für die Trassierung sind folgende Geometrieelemente zugelassen:

- Gerade;
- Richtungsknick (am Ende einer Geraden), wenn $\eth \leq 0{,}063662$ gon;
- Kreisbogen;
- Klotoide;
- S-förmig geschwungener Übergangsbogen nach Schramm (siehe Anmerkung);
- Einfach geschwungener Übergangsbogen nach Schramm (nur bei Gegenbogen);
- S-förmig geschwungener Übergangsbogen nach Bloss;
- Einfach geschwungener Übergangsbogen nach Bloss (nur bei Gegenbogen);
- „Gleis mit Übergangsbogen und kräfteminimaler Überhöhungsrampe“ (sog. „Wiener Bogen“).

Der Richtungsknick (am Ende einer Geraden) ist nicht für Neutrassierungen zugelassen. Seine Verwendung ist z. B. angebracht, wenn Trassen für vorhandene Gleise einzurechnen sind, die sich möglichst eng an die Ist-Gleislage anschmiegen sollen oder die durch Zwangspunkte stark eingeengt sind.

Einfach geschwungene Übergangsbögen nach Schramm bzw. Bloss sind nur in Ausnahmefällen und ausschließlich bei Gegenbogen zugelassen.

Geschwungene Übergangsbögen/Überhöhungsrampen nach Schramm sollen bei umfassenden Umbauten und Neutrassierungen nicht mehr zur Anwendung kommen.

Unter Beachtung der Zwangspunkte und fahrdynamischer Grundsätze wird für jedes Gleis eine Elementfolge festgelegt. Richtungsknicke bei vorhandener Gleisvermarkung sind dabei möglichst gegenüber von Vermarkungspunkten festzulegen. Die Berechnungen sind an vorhandene Trassen oder Berechnungen und Koordinaten anzuschließen. Abschließend werden die Geometrieelemente zu Trassen zusammengefasst.

Bei zweigleisigen Strecken werden auch für parallele Abschnitte eigene Trassen für jedes Richtungsgleis berechnet. Die Kilometrierungslinie wird nach den jeweils geltenden Regeln festgelegt. Auf diese Kilometrierungslinie werden alle Kilometrierungsangaben bezogen.

Die berechneten Gleisgeometrien beinhalten Berechnungsprotokolle und Berechnungsskizzen. Damit können insbesondere für Bahnhofsgleise geometriebestimmende Zusammenhänge besser dargestellt werden.

Geometriebestimmende Einflüsse und Abhängigkeiten können u. a. sein:

- das Einhalten von Planungsvorgaben,
- Zwangspunkte (z. B. Abstände zu Signalen aus Lichtraumgründen),
- Zwangslagen (z. B. nicht zu verändernde Brücken ohne Bettung) und
- Anschlüsse an vorhandene Gleis- und Weichenlagen.

Abstandsmaße und Höhenunterschiede zu Zwangspunkten sind stets nachzuweisen. Falls gefordert, sind Gleisveränderungen in Lage und Höhe zu berechnen.

Für jedes Gleis ist eine durchgehende Gradientenfolge zu bilden, bei zweigleisigen Strecken also auch für jedes Gleis eine eigene Gradiente.

Bei Streckengleisen sind, entsprechend den geltenden Regeln, die Neigungswechsel auf die Kilometrierungslinie oder für Bahnhofsgleise auf die Stationierung zwischen den Gleisknoten zu beziehen. Die Kilometerangaben sind durch Projektion auf die Kilometrierungslinie zu errechnen, während Ausrundungs- und Zwischenlängen sowie Neigungsangaben mit den wahren Längen in dem jeweiligen Gleis zu berechnen sind.

Bei vorhandener Gleisvermarkung sollen die Neigungswechsel möglichst in die Schnittpunkte, gebildet aus der Gleisachse und der Verbindungslinie gegenüberliegender Vermarkungspunkte, gelegt werden.

2.6.1.2 Weicheneinrechnungen

Weichenfestwerte

Weichen sind Bestandteile der Gleise. Sie werden im weiteren Text als Sammelbegriff für Weichen, Kreuzungsweichen und Kreuzungen verwendet. In Verbindung mit den vorgenannten allgemeinen Grundsätzen für die Trassen- und Gradienteneinrechnungen sind deshalb für Weicheneinrechnungen die folgenden Grundsätze anzuwenden.

Weichen sind genormte Konstruktionseinheiten mit festgelegten geometrischen Maßen. In den Berechnungen sind ausschließlich diese Festwerte zu verwenden; sie gelten, außer der Weichenlänge, auch für Bogenweichen. Die Weichenmaße der einzelnen Bahnen sind in den entsprechenden Richtlinien zusammengestellt.

Bogenweichen in Überhöhung, die im Schotterbett verlegt werden, sind in jedem Falle mit dem Weichenwinkel der Grundform zu berechnen.

Weichen im Übergangsbogen

Sie sind so einzurechnen, dass die Summe der beiden Tangenten an Weichenanfang und an Weichenende (WE bzw. WEZ) mit ausreichender Genauigkeit der Weichenlänge des geraden Strangs in der Grundform entspricht.

Liegt die Weiche in einer Klotoide, ergibt sich für den Abzweig als Element ein Klotoidenabschnitt (sog. Eilinie). Hierfür ist die zugehörige Übergangsbogenlänge zwischen dem Zweiggleisradius am Anfang und am Ende der Weiche zu ermitteln.

Gleisverbindungen

Gleisverbindungen durch zwei Weichen stellen weichenbautechnisch eine Einheit dar. Für gerade und für gebogene Verbindungen in parallelen bzw. konzentrischen Gleisen mit Regelabständen haben die jeweiligen Passstücke zwischen den Abzweigenden festgelegte Längen und Schwellenteilungen.

Bei Gleisverbindungen zwischen nichtparallelen Gleisen sind möglichst, durch Längsverschieben der Gleisverbindung, die (Regel-)Passstücklängen anzuhalten.

Für überhöhte Gleisverbindungen in konzentrischen Gleisen, die im Schotterbett verlegt werden, sind die unveränderten Weichenwinkel der Grundform für die Einrechnung anzuhalten. Die somit horizontal eingerechneten Gleisverbindungen müssen aber in geneigte Ebenen eingebaut werden, die der Überhöhung entsprechen. Der daraus resultierende verkleinerte horizontale Gleisabstand hat keine Auswirkungen mehr auf die Einrechnung; er muss auch nicht durch Verziehungen in den Gleistrassen berücksichtigt werden.

Für eine projektionstreue Berechnung der Weichen und der Gleisverbindungen müssten die Weichenwinkel reduziert werden. Die Auswirkungen sind aber ohne Bedeutung, liegen sie doch für die Querrichtung im Bereich der Absteckungs- und Verlegegenauigkeit und auch die Längenverfälschung ist akzeptabel. Zudem würde jede spätere Änderung der Überhöhung die Neuberechnung der Verbindung zur Folge haben.

Bei Verbindungen mit überhöhten Bogenweichen in konzentrischen Gleisen würde durch Anpassen der Trassen eine Anhäufung kurzer, ähnlicher Bogenelemente entstehen. Dies ist nicht im Sinn einer optimalen Trassierung.

Die Auswirkungen des „reduzierten" Gleisabstands müssen jedoch beim Abstecken und bei der Dokumentation durch Absetzen entsprechender Querverschiebungen berücksichtigt werden. Es wird bewusst eine geometrisch unreine Methode praktiziert, um nicht die Wirtschaftlichkeit jahrelanger Fertigungstechniken des Weichenwerks in Frage zu stellen. Eine Vernachlässigung der Winkelreduktion entspricht der gängigen Praxis.

Gleisverbindungen in Übergangsbögen

Für die spätere Übergabe an die Gleisnetzdatenbank muss auch für das Verbindungsstück einer Gleisverbindung im Übergangsbogen zwischen den durchgehenden Gleisen eine Trasse definiert werden.

Bogenweichen in Fester Fahrbahn

Bogenweichen in Überhöhung, die in Feste Fahrbahnen eingebaut werden, müssen mit reduziertem Weichenwinkel berechnet werden. Die Winkelverkleinerung kann nur dann vernachlässigt werden, wenn die errechnete Veränderung innerhalb der zulässigen Absteckungsgenauigkeit für Feste Fahrbahnen liegen würde.

Bei Festen Fahrbahnen muss exakt in der Projektion gerechnet werden, weil die Gleisachsen für jedes Stützpunktpaar der Schienenbefestigung berechnet und abgesteckt werden. Fehlertheoretische Betrachtungen lassen nur geringen Spielraum für Vereinfachungen der Weichenberechnung.

Die Projektion des in der geneigten Ebene liegenden Winkels auf die horizontale Berechnungsebene kann folgendermaßen bestimmt werden:

$$\alpha' = \arctan(\tan\alpha \cdot \cos\varphi) \tag{2.43}$$

$$\varphi = \arcsin\left(\frac{u}{1{,}5}\right) \tag{2.44}$$

α = Weichenwinkel in der Ebene (= Grundform)
α' = reduzierter Weichenwinkel
φ = Neigungswinkel des überhöhten Gleises
1,5 = Abstand der Schienenkopfmitten bei Normalspur

Die Weichenradien r_s und r_z errechnen sich dann folgerichtig über den reduzierten Weichenwinkel α'.

In der Weichenskizze und im Verlegeplan werden die überhöhten Weichen mit ihrer Bemaßung auf der geneigten Ebene dargestellt, weshalb in diesem Falle abweichende Angaben der Weichenradien vorkommen.

Für die Einrechnung überhöhter Gleisverbindungen in parallelen Gleisen muss der geplante (Regel-)Gleisabstand in der geneigten Ebene angehalten werden. Deshalb ist der durch die Projektion reduzierte horizontale Gleisabstand über eine entsprechende Trassierung der Gleise einzurechnen.

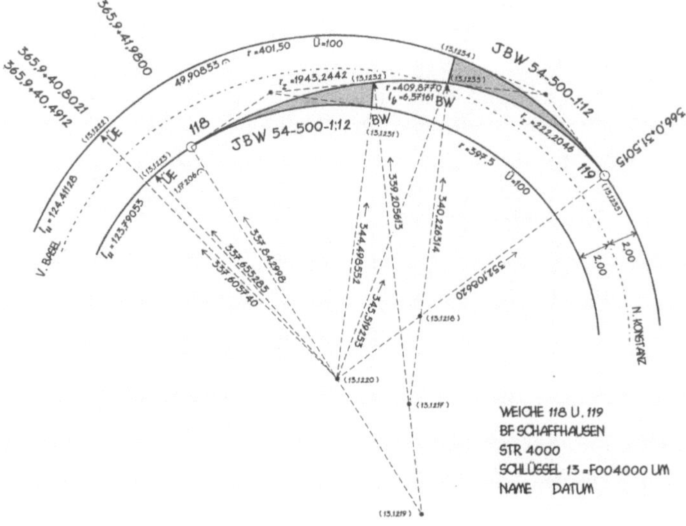

Abb. 2.56: Berechnungsskizze für Weichen (Muster) (DB-Ril 883.5000A02)

Für die berechneten Weichengeometrien sind Berechnungsskizzen zu erstellen, ein Beispiel zeigt Abbildung 2.56.

Bei umfangreichen Gleisanlagen sollte zur besseren Übersicht eine maßstäbliche Darstellung in Einrechnungsplänen gewählt werden. Die Folge der einzelnen Elemente durch den Abzweig von Gleisverbindungen ist zu Trassen zusammenzufassen.

2.6.1.3 Geometriedaten vorhandener Gleise und Weichen

Geometrie errechnen

Gleistrassen sind einzurechnen, wenn erstmalig Geometrieangaben und Koordinaten von bestehenden Anlagen benötigt werden. Die Trassen für vorhandene Gleise werden aus den örtlichen Daten der vorhandenen Situation und mithilfe alter Unterlagen berechnet.

Dabei sollten die Möglichkeiten von Optimierungsberechnungen genutzt werden, um die Trasse zu finden, die sich am besten an die Istgleislage anschmiegt. Zwangspunkte und die fahrdynamischen Regeln sind zu beachten. Für die Radien sind möglichst volle Meterangaben festzulegen.

Zwischen benachbarten Gleisen muss Parallelität bzw. Konzentrizität hergestellt werden. Dabei sind Regelgleisabstände anzustreben. Wenn das nicht möglich ist, können für die Gleisabstände auch Zwischenmaße in Sprüngen von 5 cm festgelegt werden. Der Mindestgleisabstand darf jedoch nicht unterschritten werden.

Im Bereich von Gleisverbindungen sind unbedingt die vorhandenen Gleisabstände in den Mitten der Verbindungen beizubehalten, damit sich für die Passstücke keine Längenänderungen ergeben.

Gradiente entwerfen

Zur Gradientenbearbeitung wird ein Längsprofil der Isthöhen des Gleises mit Eintrag der Zwangspunkte und mit Darstellung der bisherigen Gradiente, soweit sie bekannt ist, benutzt. Unter Beachtung oberbautechnischer Vorgaben bezüglich Schotterstärke oder Untergrund und des Grundsatzes, möglichst wenig Neigungswechsel anzuordnen, wird die neue Gradiente entworfen und berechnet.

Bei überhöhten Weichen müssen die höhenmäßigen Abhängigkeiten zwischen den durchgehenden und abzweigenden Gleisen beachtet werden. Zum Nachweis für die Gradienten- und Rampenfestlegung sind Weichenhöhenpläne aufzustellen.

2.6.1.4 Geometriedaten für neue oder zu ändernde Gleise und Weichen

Neue Trassen und Weichen sind einzurechnen für Strecken- oder Bahnhofsneubauten oder für Veränderungen des bisherigen Zustands.

Entwurfsplan als Vorlage

Als Vorlage dient in der Regel ein Entwurfsplan der für die Infrastrukturplanung zuständigen Stelle. Aus dem Entwurfsplan sollen die beabsichtigten Veränderungen für die Linienführung der Streckengleise oder für den Spurplan in Bahnhöfen zweifelsfrei erkannt werden können. Fachtechnische Hinweise und Zustimmungen für den Entwurfsplan sind zu beachten. Wenn bereits für den Entwurfsplan die vorgeschriebene fahrdynamische und oberbautechnische Prüfung erfolgt ist, muss diese ebenfalls Grundlage für die Einrechnung werden.

Trassierung einrechnen

Für jedes Gleis wird eine geometrisch eingerechnete Elementfolge, die unter Beachtung der Zwangspunkte und der fahrdynamischen Grundsätze der Linienführung des Entwurfes folgt, erarbeitet.

Für Streckengleise muss ggf. eine neue oder veränderte Kilometrierungslinie entworfen und eingerechnet werden. Unvermeidbare Längenänderungen in der Kilometrierungslinie müssen in vorhandenen oder neuen Kilometrierungssprüngen richtlinienkonform berücksichtigt werden (Abschn. 2.5.4).

Gradiente einrechnen

Nach der Vorgabe des Entwurfsplans, aber unter Beachtung der Zwangspunkte und der fahrdynamischen Grundsätze, ist die Höhenlage zu gestalten. Bei Bogenweichen in Überhöhung ist ein Weichenhöhenplan zu erstellen. Seine Angaben sind für die durchgehenden Gleise zu berücksichtigen.

2.6.2 Trassierungsentwurf und Weichenskizze

Wenn nach einem Entwurf der für die Planung zuständigen Fachleute Gleise oder Weichen in ihrer Lage oder Höhe verändert werden sollen, dann ist das Ergebnis der geometrischen Einrechnung in einem Trassierungsentwurf darzustellen. Das Projekt muss klar erkennbar, zusammen mit dem Bestand aller Bahnanlagen, dargestellt werden.

Der Trassierungsentwurf ist durch einen Erläuterungsbericht zu ergänzen. Auf alle genehmigungspflichtigen Einschränkungen, besonders hinsichtlich des einzuhaltenden Sicherheitsraums, entsprechend der jeweils geltenden Sicherheitshinweise für Arbeiten im Gefahrenbereich der Gleise seitens des Trägers der zuständigen gesetzlichen Unfallversicherung, ist hinzuweisen. Abweichungen gegenüber der Aufgabenstellung sind zu begründen, ebenso die Wahl von Parametern der Linienführung bei Werten zwischen dem Regelwert und dem Ermessensgrenzwert.

Andere beteiligte Fachsparten, z. B. für Oberleitung oder Leit- und Sicherungstechnik, richten ihre Planungen daran aus oder müssen die Auswirkungen auf ihre Anlagen erkennen können. Der Trassierungsentwurf ist für die fachlich Beteiligten u. a. Grundlage ihrer Kostenrechnungen.

2.6.2.1 Grundplan

Die projektierten und eingerechneten Veränderungen werden gegenüber dem Bestand schwarz-grau oder rot-grau dargestellt. Alle Pläne werden aus den Geobasisdaten generiert.

Im Hinblick auf das Geoinformationssystem der jeweiligen Bahn (vgl. Kap. 3.1) (und auch aus wirtschaftlichen Gründen) soll eine softwareunterstützte Bearbeitung des Trassierungsentwurfs gewählt werden. Als Folgeprodukt kann ohne nennenswerten Aufwand die digitale Weichenskizze erstellt und eine Grafikdatei für die spätere Planfortführung angelegt werden.

Die Wahl des Grundplans richtet sich nach dem darzustellenden Projekt.

Streckengleise

Für Neubauprojekte sind Lagepläne (Ivl, M. 1:1.000) zu verwenden (vgl. DB-Handbuch 88501).

Für Linienverbesserungen sind grundsätzlich Trassenpläne oder ähnliche ältere Schemapläne zu verwenden (vgl. Musterplan in der DB-Richtlinie 883.5000A05). Wenn diese Art der Darstellung nicht genügend aussagekräftig ist, können ergänzend auch Bahnhofs- und Streckenpläne (M. 1:1.000) als Grundlage dienen. Mit dem eingezeichneten Projekt werden sie dann „Lageplan zum Trassierungsentwurf ...“.

Spurplanänderungen und Weichen

Auch hier wird der entsprechende Entwurfsplan aus den Geobasisdaten erzeugt, vorzugsweise im Maßstab 1:500. Bei einfachen Verhältnissen kann der Maßstab 1:1.000 ausreichend sein.

Planinhalt

Die Darstellung des bisherigen Bestands wird überzeichnet mit dem neuen Projekt und seinen Angaben und Einträgen

- der Krümmungen, Überhöhungen und Neigungen,
- der Kilometer für die Bogen- und Rampenhauptpunkte, für die Neigungswechsel und für die Weichenanfänge,
- der seitlichen und höhenmäßigen Änderungen der Gleise, wo es noch sinnvoll ist; oder einer grafischen Darstellung in Form eines Verschiebebands; für umfangreiche Darstellungen ist ein besonderes Verschiebeband zu erstellen,
- der Gleisabstände,
- der Weichen mit ihren Nummern und Bezeichnungen,
- der Längsverschiebung von Weichen,
- der Abstände und Höhendifferenzen zu Zwangspunkten, bezogen auf die Schienenoberkante und auf die Lichtraumachse, die ggf. geneigt ist,
- der Einbauhöhen der neuen Bahnsteige und Nennhöhen (Sollhöhen) der vorhandenen Bahnsteige,
- der Abschnitte mit eingeschränkter Hebungsreserve,

- der Geschwindigkeiten
  - v_e: Entwurfsgeschwindigkeit,
  - max v: geometriebedingte Maximalgeschwindigkeit,
  - max v_N: geometriebedingte Maximalgeschwindigkeit für bogenschnellen Verkehr, früher: „NeiTech“,
  - *Hg*: Streckenhöchstgeschwindigkeit nach dem VzG (Verzeichnis der örtlich zulässigen Geschwindigkeiten), wenn sinnvoll,
  - Hg_N: Geschwindigkeit nach dem VzG für Züge mit aktiver Neigetechnik für bogenschnelles Fahren.

Informationsfelder

Am Ende des Trassierungsentwurfs muss ein Bereich von ca. 19 cm von jeglicher Zeichnung frei bleiben. Dieser Teil ist reserviert für

- das Schriftfeld der Bahn und Schriftfelder Dritter,
- das Unterschriftenfeld „zur Ausführung genehmigt“,
- das Informationsfeld „bauaufsichtlich genehmigt“, mit Aktenzeichen und Datum,
- Hinweise auf Ausnahmegenehmigungen für über- bzw. unterschrittene Grenzwerte,
- Erläuterungen und Legenden.

Planprüfung und -genehmigung

Der Trassierungsentwurf muss von einem zugelassenen Prüfingenieur für Gleisgeometrie geprüft werden. Auf einem Abdruck ist danach die Freigabe zur Ausführung bei dem für die Fachplanung Zuständigen einzuholen. Dieser hat die Abstimmung mit den anderen beteiligten Fachsparten, z. B. für Oberbau, Oberleitung oder Leit- und Sicherheitstechnik (LST), herbeizuführen (vgl. DB-Richtlinie 809). Ggf. wird zuerst die bauaufsichtliche Genehmigung durch das Eisenbahn-Bundesamt (EBA) herbeigeführt und dann der Trassierungsentwurf im Feld „zur Ausführung genehmigt“ unterschrieben.

Auf dem Plan wird danach das Genehmigungs- und Informationsfeld mit den aktuellen Daten ergänzt. Damit ist der Trassierungsentwurf ausführungsreif, ebenso sein eventuell vorhandener ergänzender Lageplan. Abschließend verteilt der zuständige Fachplaner diese Unterlagen.

Weichenskizze

Die Weichenskizze (Wsk) ist die Grundlage für die Beschaffung, den Einbau und die Abrechnung neuer und alter, jedoch aufgearbeiteter Weichen, Kreuzungen, Schienenauszüge und Hemmschuhauswurfvorrichtungen.

Der Trassierungsentwurf im Maßstab 1:500 soll beim Aufstellen der Weichenskizze zugrunde gelegt werden. Sie wird als digitale Weichenskizze (DWS) mit einer speziellen

Software erstellt. Die weiteren Angaben für die Weiche werden direkt im System durch die einzelnen Fachplaner ergänzt.

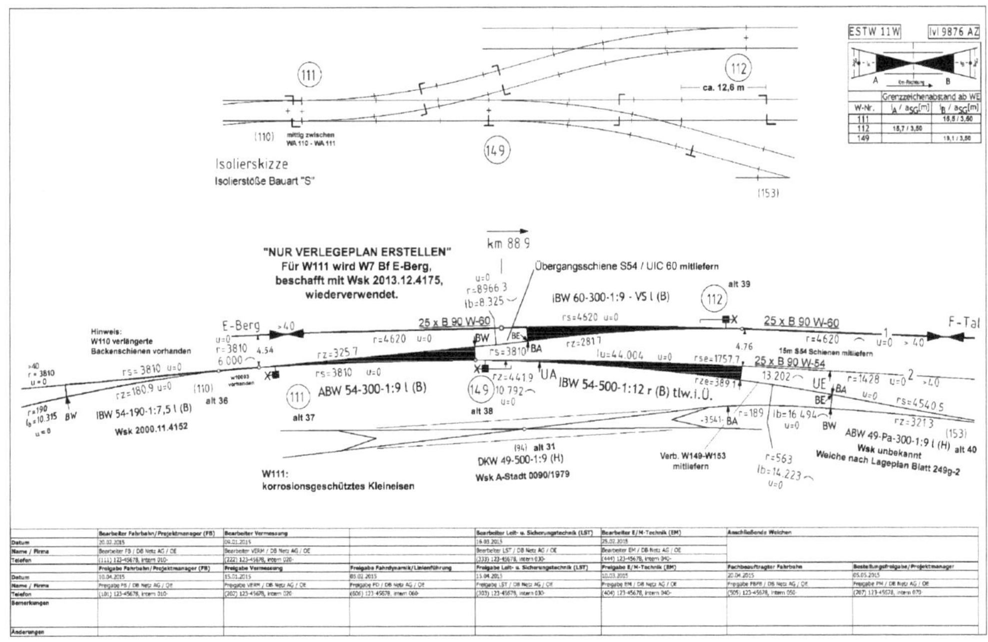

Abb. 2.57: Muster einer Weichenskizze – Lageplanteil (DB-Ril 823.0700)

W-Nr.	11W111	11W112	11W149
Fahrbahn			
Weiche vormontiert liefern	**Nein**	**Nein**	**Nein**
Einbau mit geteilten Langschwellen	**Nein**	**Nein**	**Nein**
Übergang Weiche/Gleis mit B90 - Schwellen (Anzahl)	keine (0)	B 90 W-60 (50)	B 90 W-54 (25)
Zusätzliche Weichenschwellen (Anzahl)	keine (0)	keine (0)	keine (0)
Herzstück mit verbesserter Lastverteilung (HVL)	-----	-----	-----
Verstärkte Gleitstuhlplatten	-----	-----	-----
Elastische Rippenplattenlagerung (ERL)	Nein	Nein	Nein
Stahlsorte Herzstück	R 350 HT	Bainit	R 350 HT
Stahlsorte Weichenfahrbahn (Ril 823.0700 Abs. 5(5))	R 350 HT	---	R 260
Sicherungskappen (Anzahl)	0	0	0
LST			
Isolierung	Ja	Nein (Achszähler)	Ja
Verschlussfachabdeckung	Nein	Nein	Nein
Baustellenbegehung durchgeführt	Ja	Ja	Ja
Auffahrortung bestellen	Nein	Nein	Nein
Stellsystem	*Zunge*	*Zunge*	*Zunge*
Verschlussbauart	Klinke	Klinke	Klinke
Weichenantrieb wiederverwenden	Nein	Nein	Nein
Bauart Weichenantrieb	S700K2	S700K2	S700K2
Weichenantrieb	auffahrbar	auffahrbar	auffahrbar
Anordnung Weichenantrieb	rechts	rechts	rechts
Anordnung Gestänge	-----	rechts	rechts
Regelzeichnung	7314.1 A07	7327.10 A03	7314.22 A07
Bildnummer	1	1	1
Zungenprüfkontakte	0	0	1
Zungenprüfung	-----	-----	-----
Stellsystem	*Herzstück*	*Herzstück*	*Herzstück*
Verschlussbauart	-----	-----	-----
Weichenantrieb wiederverwenden	-----	-----	-----
Bauart Weichenantrieb	-----	-----	-----
Weichenantrieb	-----	-----	-----
Anordnung Weichenantrieb	-----	-----	-----
Anordnung Gestänge	-----	-----	-----
Regelzeichnung	-----	-----	-----
Bildnummer	-----	-----	-----
Zungenprüfkontakte	-----	-----	-----
Zungenprüfung	-----	-----	-----
Weichensignal	*Zunge*	*Zunge*	*Zunge*
Optik	reflektierend	reflektierend	reflektierend
Signalform	Z	links	rechts
Signalanordnung nach Zg.	633.00 A02	7327.31 A 02	633.00 A02
Bildnummer	1	1	1
Weichensignal	*Herzstück*	*Herzstück*	*Herzstück*
Optik	-----	-----	-----
Signalform	-----	-----	-----
Signalanordnung nach Zg.	-----	-----	-----
Bildnummer	-----	-----	-----
Zungenrollvorrichtung	Typ-Austroroll	Fa-Schwihag	Fa-Schwihag
Zeichnungsnummer Iow	54.57.1040	57.1020	54.57.1020
EM			
Weichenheizung	Elektrisch	Elektrisch	Elektrisch
Eih.-Nr.	54.01.02	60.01.02	54.01.03

Zu liefernde Weichen									
W-Nr.	**Bezeichnung**	**Bauart Herzstück**	**Hauptbefahrungs-richtung**	**Weichenfahrbahn**	**Schwellen**	**Technischer Platz**	**Antriebsart Weiche**	**Einzelauswechslung in bestehenden Anlagen**	**UiG**
11W111	ABW 54-300-1:9 l B	starr	-----	alt	alt	XCBF--- / WK / --11111 / OEWL-	el. gest. Normalläufer	Ja	Nein
11W112	IBW 60-300-1:9 (VS) l B	starr	stumpf	neu	neu	XCBF--- / WK / --11112 / OEWL-	el. gest. Normalläufer	Ja	Nein
11W149	IBW 54-500-1:12 r B	starr	-----	neu	neu	XCBF--- / WK / --11149 / OEWR-	el. gest. Normalläufer	Ja	Nein

Streckenparameter					**Geschwindigkeit**		**Geschwindigkeit NeiTech**		**Radien in Bogenweichen**		**Ges. Zuglast [Lt/Tag]**	**Radsatzlast (RSL) [t]**	**Anschließende Gleisbereiche weisen Schienenform der Weiche auf**	**TEN-Netz**	**NeiTech-Netz**	**S-Bahn-Netz**	**Weichen-höhen-entwurf**
W-Nr.	**Strecke Nr. / Bahnhof**	**WA [km]**	**WE [km]**	**KrM [km]**	**Stammgleis zul. v (max v) [km/h]**	**Zweiggleis zul. v (max v) [km/h]**	**Stammgleis zul. v_N (max v_N) [km/h]**	**Zweiggleis zul. v_N (max v_N) [km/h]**	**Stammgleis [m]**	**Zweiggleis [m]**						**Berlin/ Hamburg**	
11W111	Gleis 2 / C-Bahnhof	-----	-----	-----	60(80)	40(40)	-----	-----	3810	326	≥30.000	≤22,5	Ja	Nein	Nein	---	Nein
11W112	2005-0 / C-Bahnhof	88,9 + 37	88,9 + 4	-----	110(140)	40(40)	125(160)	40(40)	4620	282	≥30.000	≤22,5	Ja	Ja	Ja	---	Nein
11W149	Gleis 2 / C-Bahnhof	-----	-----	-----	60(80)	50(60)	-----	-----	1758	389	<30.000	≤22,5	Nein	Nein	Nein	---	Nein

Aufkommende Weichen		
W-Nr.	**Bezeichnung**	**Wsk.-Nr.**
11W111	ABW 49 - 300 - 1:9 - links - H	A-Stadt 0077/1968 (W-Nr. alt 37)
11W112	IBW 54 - 300 - 1:9 - links - H	1994.33.0022 (W-Nr. alt 39)
11W149	IBW 49 - 500 - 1:12 - rechts - H	A-Stadt 0012/1968 (W-Nr. alt 38)

Keine unternehmensinterne Genehmigung (UiG) vorhanden

Kein Hinweis vorhanden

Keine konstruktiven Besonderheiten vorhanden

Abb. 2.58: Muster einer Weichenskizze – Tabellenteil (DB-Ril 823.0700)

Die Inhaltsangaben und die Form der Darstellung sind für die DB in der Richtlinie 820.2040A01 bzw. Richtlinie 823.0700 geregelt.

Die Skizze (Abb. 2.57) enthält Angaben zur Örtlichkeit – Streckenbezeichnung, Kilometrierung, Bezeichnung der Gleise (durchgehende Hauptgleise, Überholungsgleise oder andere), Nummern der Gleise – zudem Angaben zu Gleisabschnitten, Gleisverbindungen und Weichenanschlüssen sowie Angaben für Bogenweichen.

Längen sind entsprechend DB-Richtlinie 883.9010 zu kennzeichnen.

Sind überhöhte Weichen und Gleisverbindungen mit reduzierten Weichenwinkeln eingerechnet, muss beachtet werden, dass dann die Radien und Abstände für die geneigte Ebene einzutragen sind.

Bei Weichenskizzen für Weichen in durchgehenden Hauptgleisen ist

- die örtlich zulässige Geschwindigkeit (zul v), ggf. getrennt für Richtung und Gegenrichtung,
- die betrieblich zulässige Abzweiggeschwindigkeit und
- die Überhöhung u

anzugeben.

Für alle Weichenbeschaffungen müssen die erforderlichen vermessungstechnischen Angaben ergänzt werden und die Prüfberichte der zuständigen Fachbereiche vorliegen.

2.6.2.2 Weichenhöhenplan

Allgemeines

Die Höhenlage von überhöhten Weichen ist in Verbindung mit der Grundrisstrassierung zu gestalten. In der Regel gibt es keine Vorgaben der für die Planung Zuständigen. Die Elemente der Gradienten und Rampen werden unter Einhaltung der fahrdynamischen Regeln und unter Beachtung etwaiger Zwangspunkte festgelegt. Unter Umständen können durch die Rampen noch Zwänge entstehen, die eine Änderung des Grundrisses zur Folge haben könnten.

Hauptpunkte der Gradienten und der Rampen sind möglichst mit Punkten der Grundrissgeometrie zusammenzulegen. Dabei können die Ausrundungsradien auch unrund geplant werden, um den Ausrundungsanfang (AA) oder das Ausrundungsende (AE) mit bestimmten Grundrisspunkten zusammenzulegen. Weniger Punkte machen den Plan übersichtlicher und erleichtern auch die örtliche Darstellung.

Planinhalt

Im Weichenhöhenplan ist u. a. der Höhenverlauf der Gleise für beide Schienen darzustellen. Der Bezug zur Kilometrierung wird durch eine unten angrenzende Darstellung von Kilometerbändern optisch verdeutlicht. Ebenso wird durch einen wiederum unterhalb angesetzten Ausschnitt des Trassierungsentwurfs der Zusammenhang mit dem Grundriss (Krümmungsband) hergestellt.

Für die Längendarstellung soll der Maßstab 1:500 und für die Höhendarstellung 1:5 gewählt werden. Weitere Details des erforderlichen Inhalts und der Form sind dem Musterplan (vgl. DB-Handbuch 88501) zu entnehmen.

Bei unübersichtlichen Verhältnissen sollte durch entsprechende Farbgebungen auf den Kopien die Darstellung lesbarer gestaltet werden.

Planprüfung und -genehmigung

Damit der Weichenhöhenplan ausführungsreif wird, ist die gleiche Prozedur der Planprüfung und Genehmigung wie beim Trassierungsentwurf durchzuführen.

2.6.3 Trassierungsnachweis

Die Dokumentation der Trassen beinhaltet den beschreibenden Teil (Gleisnetzdaten) und den bildlichen Teil (Trassenplan und Weichenhöhenplan). Bei der Dokumentation sind die aktuellen Vorgaben für Gleisnetzdaten zu beachten. Die vollständig dokumentierten Gleisnetzdaten sind Grundlage für die Erstellung der Trassenpläne und Weichenhöhenpläne. Sie werden in der Gleisnetzdatenbank als Bestandteil des Geoinformationssystems abgelegt.

2.6.3.1 Trassenplan

Der Trassenplan ist ein Schemaplan. Hierin wird die Trasse und die Gradiente der Streckengleise bildlich nachgewiesen und ggf. auch die Gleisvermarkung dargestellt.

Der Trassenplan ist als Bestandsplan zu führen, d. h., die Aktualität seines Inhalts muss fortwährend sichergestellt sein. Er gehört auch zu den Bauausführungsunterlagen, wenn er auf der Grundlage eines zur Ausführung genehmigten Trassierungsentwurfs entstanden ist.

Für eine räumlich getrennte Linienführung der beiden Streckengleise sind ggf. getrennte Trassenpläne aufzustellen.

Der Zeicheninhalt umfasst in der Regel einen vollen Streckenkilometer. Der Längenmaßstab beträgt 1:1.000. Zur Einhaltung des Planformats können durch entsprechende Maßstabsänderung Überlängen bis 100 m dargestellt werden. Bei größeren Überlängen sind zwei getrennte Pläne anzufertigen. Bei Fehllängen werden die Pläne um das Maß der Fehllänge gekürzt. Die Berücksichtigung von Überlänge und Fehllänge erfolgt wie in Abschnitt 2.5.4 beschrieben. Die Planhöhe ist auf DIN A4 festgelegt.

Der Musterplan im DB-Handbuch 88501 zeigt die Art der Darstellung und einen Teil der vielfältigen Inhalte. Trassenpläne werden aus den Bestandsdaten automatisch generiert.

Der Trassenplan weist nach

- die Sollgleislage und -höhe,
- die Kilometrierung,

- die Bauwerke und Betriebsstellen,
- die geometriebedingten Maximalgeschwindigkeiten.

Der Plan enthält im Einzelnen:

Über dem Schriftfeld

- Zeichenerklärung der Vermarkungsarten,
- Angabe des Höhensystems,
- Angaben über die Lage der Kilometrierungslinie,
- Anmerkung zu den Längenangaben der Gradiente,
- Streckenhöchstgeschwindigkeit *Hg* nach dem VzG,
- Hinweise auf Rutschstellen und Senkungsgebiete.

Im Bereich der Bauwerkslinie

- Schnittdarstellungen der Bauwerke, z. B. Brücken, Tunnel, Durchlässe,
- Betriebsstellen (Bahnhöfe, Haltepunkte) mit ihren Namen,
- Bahnübergänge,
- Abschnitte ohne Bettung, z. B. Feste Fahrbahn, schotterlose Brücken.
- Abschnitte eingeschränkter Hebungsreserve (kleiner als 10 cm) mit Maßangaben der zulässigen Hebung.

Entlang der Bahnsteige beträgt die eingeschränkte Hebungsreserve generell 5 cm. Deshalb entfällt die besondere Darstellung. Gilt die Hebungsreserve nur für eines von zwei Streckengleisen, ist dies besonders zu vermerken.

Im Bereich der Höhenlinie

- Längsneigungen der Gleise mit Längenangaben [m], bezogen auf die Gleisachsen,
- Höhen der Neigungswechsel mit Angabe des Höhenbezugssystems,
- Ausrundungsradien [m], Tangentenlängen [m], Scheitelabstände [m],
- bildliche Darstellung der Ausrundungen mit Angabe der Abstände zwischen Tangenten und Ausrundungsbogen in der 5-m-Einteilung [mm].

Im Bereich der Kilometrierungslinie

- Kilometerangaben der Betriebsstellen, Bauwerke, Bahnübergänge und Festen Fahrbahnen [m],
- Kilometrierungssprünge (Fehl- bzw. Überlängen).

Im Bereich der Überhöhungslinie

- Hebewerte für die tiefe Schiene bei Gleisscheren in der 5-m-Einteilung [mm],
- bildliche Darstellung der Gleisüberhöhungen (Maßstab ca. 1:10) mit Überhöhungsrampen und Überhöhungswerten in der 5-m-Einteilung [mm],
- Neigungen 1:m der Überhöhungsrampen mit Angabe ihrer Länge in der Gleisachse [m],
- Bezeichnung für Rampenanfänge und -enden mit Angabe der Rampenform durch entsprechende Indizes (vgl. DB-Richtlinie 883.9010),
- geometriebedingte max *v*, soweit sie geringer ist als die Streckenhöchstgeschwindigkeit *Hg* nach VzG (auf volle 5 km/h abrunden), und Hinweise auf Ausnahmegenehmigungen.

Im Bereich der Krümmungslinie

- bildliche Darstellung der Krümmung in anschaulichen Ordinatenmaßen, z. B. 1000 / *r* [cm],
- Radienangaben [m],
- Bezeichnungen für Geometriehauptpunkte mit Angabe der Übergangsbogenformen (vgl. DB-Richtlinie 883.9010),
- Längen der Übergangsbögen in den Gleisachsen [m],
- Sollpfeilhöhen [mm] für die Gleisachsen im Bereich der Übergangsbögen und bei den Bogenhauptpunkten in der 5-m-Einteilung, bezogen auf die Mitte einer 20-m-Sehne, deren exakte Länge sich aus der projizierten 5-m-Einteilung in die Gleisachsen ergibt,
- Richtpunkte (RP) mit Angabe des Brechungswinkels [gon],
- Kilometerangaben für alle Geometriepunkte [m].

Im Bereich des (Grundriss-)Pfeilhöhenbandes

Siehe Abschnitt 2.6.3.2.

Im Bereich der Lageskizze

- Gleisabstände [m],
- bildliche Darstellung der Bahnsteigkanten, Brücken, Tunnel und Festen Fahrbahnen,
- längengetreue Abbildung der Weichen und Kreuzungen mit Nummer und Bezeichnung. Das durchgehende Gleis wird auf der geraden Linie der Lageskizze mit seitenrichtigem Abzweig dargestellt.
- Schienenauszüge,

- Hinweise auf
  - vorhandene Weichenhöhenpläne und Weichenbeiblätter,
  - Verringerung des Grundriss-Gleisabstands im Bereich überhöhter Gleisverbindungen, wenn die Weichenwinkel reduziert wurden,
  - kreuzende, abzweigende oder einmündende Strecken,
  - Parallelität zu anderen Strecken,
  - die Kilometerangaben der Bahnsteiganfänge und -enden, WA und KrM bei eingleisigen Strecken [m].

2.6.3.2 Dokumentation der Gleisvermarkung

Die Vermarkung der Streckengleise wird in Trassenplänen nachgewiesen. Diese Pläne und ggf. auch die Trassierungslisten sind Ausführungsunterlagen für Messarbeiten der Oberbauinstandhaltung und für Gleisumbauten.

Es werden Trassenpläne mit den Einträgen der Gleisvermarkung erstellt. Dadurch erweitert sich der im Abschnitt 2.6.3.1 beschriebene Planinhalt um die Darstellung der Vermarkungspunkte und um Maßangaben für die Sollgleislage und -höhe.

Im Einzelnen betrifft die Inhaltserweiterung folgende Einträge:

Im Bereich des (Grundriss-)Pfeilhöhenbands

- auf Langsehnen bezogene Pfeilhöhen für die Punkte der 5-m-Einteilung, projiziert in die Gleisachsen [mm],
- wahre Längen der 5-m-Einteilung in den Gleisachsen [m],
- wenn zweigleisig, Kilometerangaben für die Langsehnenendpunkte [m],
- wenn zweigleisig, Erläuterungen (z. B. Mast-Nummer) zu den Vermarkungspunkten.

Im Bereich der Lageskizze

- Symbole als Vermarkungspunkte,
- Höhenabsetzmaße an den Vermarkungspunkten [mm],
- Festlegungen der Gleisachsen in den Verbindungslinien gegenüberliegender Vermarkungspunkte, bzw. radiale/rechtwinklige Festlegungen bei größerem Längenversatz der Punkte und bei einseitiger Vermarkung [m],
- für eingleisige Strecken davon abweichend
  - Kilometerangaben der Langsehnenendpunkte [m],
  - Erläuterungen (z. B. Mast-Nummer) zu den Vermarkungspunkten.

Wenn bei Gleisverbindungen in Überhöhung nicht mit reduzierten Weichenwinkeln gerechnet wurde, müssen jetzt Korrekturen an den Maßangaben für die Gleisachsen angebracht werden. Dabei ist für den Bereich der Verbindung der genaue Gleisabstand in der Projektion auf die Horizontale zu berechnen. Die Differenz zu dem (Regel-)Gleisabstand in der schrägen Ebene wird je zur Hälfte auf beide Gleise aufgeteilt, indem die Absetzmaße auf den betroffenen Querspannen abgeändert werden (Abb. 2.59).

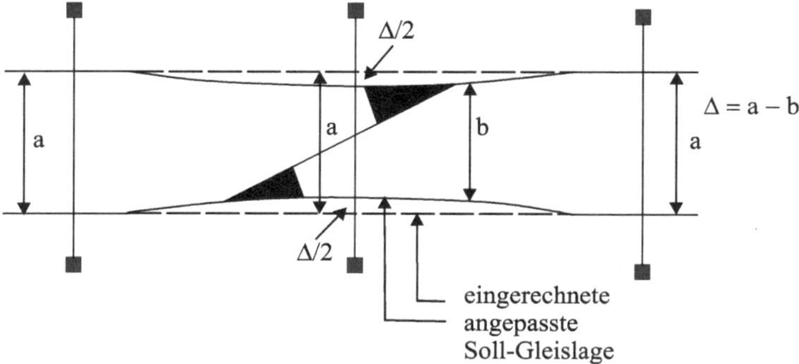

Abb. 2.59: Schnittmaße bei überhöhten Weichenverbindungen korrigieren (DB-Ril 885.0120)

Ferner werden zusätzlich Grundriss-Pfeilhöhen für den Anschluss an den abzweigenden Strang der Weichen, die in vermarkten Gleisen liegen, auf die örtlichen Verhältnisse abgestimmt. Der Nachweis erfolgt für nicht überhöhte Weichen im Weichenbeiblatt, für überhöhte Weichen im Weichenhöhenplan. Für nicht überhöhte Weichen kann dazu

- der Abdruck der Weichenskizze,
- eine besondere Absteckskizze oder
- der Abdruck des Trassierungsentwurfs

Verwendung finden.

2.6.3.3 Dokumentation der Bauleistungen

Nach der Zulassung und Freigabe des Oberbaus (vgl. DB-Richtlinie 820.0120) und Mitteilung der Baudurchführung sind folgende Unterlagen aufzubewahren bzw. Daten abzuspeichern:

In der Planung

- Trassenpläne,
- Weichenhöhenpläne,
- Punktnummernübersicht der Bestandsaufnahme mit Koordinaten- und Höhenverzeichnis,
- Einrechnungsskizzen (Abb. 2.56) bzw. -pläne (Abschn. 2.6.1.2),
- Koordinatenverzeichnisse,
- Trassenausdrucke,
- Trassierungsentwürfe mit Genehmigungsvermerk,
- wesentlicher Schriftverkehr und ggf. ergänzende Planunterlagen,
- Abdrucke von Trassentabellen, Weichenbeiblättern und Weichenskizzen.

In der Gleisnetzdatenbank

- Koordinaten (Lage und Höhe) der Gleisvermarkungspunkte,
- Koordinaten der Bogenhaupt- und Weichenpunkte

in der Punktdatei.

Nach Änderung der Trassierung oder der Vermarkung ist die Aktualisierung der Datenbank (auch der Bestandspläne und Unterlagen) zu veranlassen.

2.6.4 Linienführung

2.6.4.1 Allgemeine Festlegungen

Die Gestaltung der Linienführung von Neubaustrecken und bestehenden Bahnanlagen wird durch eine Reihe von Grundsätzen, deren wesentliche Gesichtspunkte im Folgenden erläutert werden, beeinflusst.

Die nachfolgend genannten allgemeinen Regeln gelten für die Planung aller Gleisanlagen mit Entwurfsgeschwindigkeiten $v_e \leq 300$ km/h im Bereich von Bahnhöfen und der freien Strecke für

- Maßnahmen an vorhandenen Strecken,
- Aus- und Neubaustrecken sowie
- S-Bahn-Strecken.

Die Regelungen sind auch für die Ermittlung der zulässigen Höchstgeschwindigkeit max v in Abhängigkeit von der Linienführung anzuwenden.

Im Planungsauftrag zum Bau neuer Gleisanlagen und zu Linienverbesserungen sind folgende Parameter vorzugeben:

- Entwurfsgeschwindigkeit v_e unterschieden nach Reisezügen, Güterzügen, Zügen mit Neigetechnik usw.,
- zulässige Längsneigung s,
- Zugarten (Reisezüge, Güterzüge),
- Zuglängen,
- Reisezug- und Güterzugbelastung (Lt/Tag),
- Art und Lage der Betriebsstellen,
- Maßgaben zur Trassenführung und
- zu berücksichtigende Entwicklungen.

Der Planungsauftrag ist so umzusetzen, dass beim vorgesehenen Betriebsprogramm ein günstiges wirtschaftliches Verhältnis zwischen dem fahrdynamischen Verhalten der Züge, den Instandhaltungskosten und den Baukosten erreicht wird.

Die Wahl der Trassierungselemente ist abhängig von der Art des Planungsauftrags, den vorgegebenen Parametern und den örtlichen Randbedingungen; ggf. sind die Parameter des Planungsauftrags in Abstimmung mit dem Besteller anzupassen.

Bei der Festlegung der Trassenelementenfolge und deren Parameter sind bestimmte Grenzwerte einzuhalten. Die Qualität einer Linie wird durch geschickte Ausnutzung des Spielraums der Parameter bestimmt. Für die Wahl der Werte von Parametern zur Linienführung wird jeweils der Ermessens- und Genehmigungsbereich (Tabelle 2.9) festgelegt. Dabei entspricht die „EBO-Grenze“ den gesetzlichen Bedingungen des Landes.

Tabelle 2.9: Ermessens- und Genehmigungsbereich für die Parameter zur Linienführung (vgl. DB-Ril 800.0110)

Einordnung	Parametersatz
Ermessensbereich	Höchst- bzw. Mindestwert
	Regelwert
	Ermessensgrenze
Genehmigungsbereich	Zustimmungswert
	EBO-Grenze

Bei der Festlegung der Parameter der Linienführung wird ein gewisser Spielraum gewährt. Dieser wird mit dem Begriff Ermessensbereich gekennzeichnet.

Ermessensbereich

Ermessensbereich ist der Spielraum für die Festlegung der Parameter der Linienführung. Die Anwendung der Ermessensgrenze ist technisch-wirtschaftlich zu begründen.

Soweit Werte zwischen dem Regelwert und dem Ermessensgrenzwert gewählt werden, sind diese zu begründen und zu dokumentieren.

Die Höchst- bzw. Mindestwerte sind durch die Erfordernisse für die exakte Herstellbarkeit eines Werts und die Möglichkeiten, diesen im Rahmen der Instandhaltung aufrechtzuerhalten, gegeben.

Bei der Wahl von Werten im Bereich zwischen Regelwert und Höchst- bzw. Mindestwert werden bei üblichen Randbedingungen keine größeren Nachteile hinsichtlich des Fahrkomforts und der Instandhaltung erwartet.

Genehmigungsbereich

Der Genehmigungsbereich ist ein erweiterter Spielraum für die Festlegung der Parameter der Linienführung. Diese Parameter müssen besonders zugelassen werden.

Dieser erstreckt sich zwischen Genehmigungswert und rechtlicher Grenze und darf nur mit Zustimmung der Zentrale (Zustimmungswert) bzw. über die Zulassung einer Ausnahme von den Vorschriften (rechtliche Grenze) in Anspruch genommen werden.

Zustimmungspflichtige und ausnahmegenehmigungspflichtige Werte sind in den Richtlinien und Vorschriften für die einzelnen Parameter ausgewiesen (Tabelle 2.9).

Entsprechend der angestrebten Entwurfsgeschwindigkeit sind die Regelwerte der Trassierungselemente anzuwenden. Neubaustrecken sollen für eine Entwurfsgeschwindigkeit v_e = 300 km/h, mindestens jedoch für 250 km/h geplant werden. Damit soll erreicht werden, dass die erforderliche Gleislagequalität auf Dauer ohne zusätzlichen Erhaltungsaufwand gewährleistet werden kann. In jedem Fall sind Elemente anzustreben, die den Regelwerten möglichst nahekommen.

Bei der Planung neuer und beim Umbau bestehender Gleisanlagen sowie bei Linienverbesserungen sollen die Regelwerte von Parametern nur in Einzelfällen bis zum Ermessensgrenzwert unterschritten werden.

So können wegen zu hoher Kosten Regelwerte nicht angewendet werden. Die Anwendung von Regelwerten kann trassierungstechnisch von Nachteil sein, wenn Bogenweichen eingebaut werden müssten, diese aber durch gerade Weichen bei der Trassierung mit Mindestwerten ersetzt werden können.

Um Sprungkosten oder Geschwindigkeitseinbrüche zu vermeiden, dürfen Werte des Genehmigungsbereichs angewendet werden.

Sprungkosten entstehen, wenn z. B. auf kurzen Streckenabschnitten der zu planenden Trasse bei Anwendung der Parameter des Ermessensbereichs das Erreichen des Planungsziels erheblich teurer wird.

Bei Geschwindigkeitseinbrüchen wird meist punktuell, bedingt durch Zwangslagen (u. a. Weichen, Brücken ohne Bettung), das allgemein erreichbare Geschwindigkeitsniveau wesentlich unterschritten (max $v << v_e$).

Vor der Planung von Linienverbesserungen ist zu prüfen, ob die Entwurfsgeschwindigkeit im Zuge der Ermittlung der zulässigen Höchstgeschwindigkeit abhängig von der Linienführung erreicht werden kann. Bei Linienverbesserungen ist darauf zu achten, dass zusammenhängende, längere Abschnitte entstehen, die mit gleichbleibender, möglichst hoher Geschwindigkeit befahren werden können („30-Sekunden-Regel").

In durchgehenden Hauptgleisen sollen möglichst wenige und nur einfache Weichen eingebaut werden. Die Weichen sind so anzuordnen, dass sich eine fahrdynamisch günstige Linienführung der durchgehenden Hauptgleise ergibt.

Die Anwendung von Mindestwerten soll auf die Fälle beschränkt bleiben, in denen die örtlich zulässige Geschwindigkeit ohne erhebliche Änderung der vorhandenen Anlage angehoben werden kann. Eine Aneinanderreihung von mit Mindestwerten trassierten Abschnitten ist zu vermeiden.

Häufige Wechsel der Trassierungselemente sind zu vermeiden. Die Mindestlänge l der Kreisbogen und Geraden sollte einer Fahrzeit von etwa 1,5 Sekunden entsprechen, näherungsweise:

$$l = 0{,}4 \cdot v \text{ [m]} \qquad (2.45)$$

v = maximale Geschwindigkeit auf dem Trassierungselement [km/h]

2.6.4.2 Gleisbogen

Die Gleisbögen der durchgehenden Hauptgleise sollen mit Übergangsbögen und mit Überhöhungen gestaltet werden.

Die Kreisbögen und Geraden sollen eine Regellänge von reg $l \geq 0{,}4\ v$ [m] haben oder durch Scheitelbögen ersetzt werden.

Der **Scheitelbogen** (z. B. Scheitelklotoide) besteht aus zwei unmittelbar aneinanderstoßenden Übergangsbögen mit gerader oder geschwungener Krümmungslinie und gemeinsamer Krümmung im Scheitelpunkt.

Die Gleisbogenradien sind in Abhängigkeit von der Geschwindigkeit v und der ausgleichenden Überhöhung u_0 mit

$$r = 11{,}8 \cdot \frac{v^2}{u_0} \text{ [m]} \qquad (2.46)$$

v = maximale Geschwindigkeit im Gleisbogen [km/h]
u_0 = ausgleichende Überhöhung [mm]

zu ermitteln.

In Gleisen, die freizügig von allen Schienenfahrzeugen befahren werden sollen, muss der Radius $r \geq 150$ m betragen. Er sollte 25.000 m nicht überschreiten.

Bei Gleisen mit Bahnsteigen an der Bogeninnenseite soll der Gleisbogenradius nicht unter 500 m gewählt werden. Müssen Bahnsteige an der Bogenaußenseite angeordnet werden, so ist ein möglichst großer Radius zu wählen.

2.6.4.3 Überhöhung

Die Überhöhung wird mit Überhöhungsrampen in Deutschland nur durch Anheben der bogenäußeren Schiene bzw. in der Schweiz durch Anheben der bogenäußeren und gleichzeitiges Absenken der bogeninneren Schiene hergestellt.

In Korbbögen soll eine gleichmäßige Überhöhung angewendet werden, wenn die Regelüberhöhungen in den einzelnen Korbbogenteilen nicht wesentlich voneinander abweichen.

Die Überhöhung soll auf eine durch fünf teilbare Zahl gerundet werden. Die Mindestüberhöhung darf nicht unterschritten werden.

Bei mehrgleisigen Bahnübergängen im überhöhten Gleisbogen sollen alle Schienen in einer (geneigten) Ebene liegen.

Die Überhöhung u ist nach Tabelle 2.10 zu wählen. Die Überhöhung an Bahnsteigen ist mit den zuständigen Stellen abzustimmen und entsprechende Richtlinien zur Planung von Personenbahnhöfen, speziell zur Bemessung und Konstruktion von Bahnsteigen, zu beachten.

Tabelle 2.10: Planungswerte für die Überhöhung u (vgl. DB-Ril 800.0110)

	Gleis	**Weiche, Kreuzung, Kreuzungsweiche und Schienenauszug**
Mindestwert	$\min u = \frac{11{,}8 \cdot v^2}{r} - \text{zul}\, u_f$ [mm]	
Regelwert	$\text{reg}\, u = \frac{6{,}5 \cdot v^2}{r}$ [mm]	–
Ermessensgrenze	Schotteroberbau: $u = 160$ mm Feste Fahrbahn: $u = 170$ mm an Bahnsteigen: $u = 110$ mm	$u = 120$ mm bei Neuplanungen: $u = 100$ mm
Zustimmungswert	Schotteroberbau: $u > 160$ mm Feste Fahrbahn: $u > 170$ mm	
EBO-Grenze	$u = 80$ mm (vgl. § 6 Abs. 3 EBO)	

Bei Bögen mit Radien $r < 300$ m darf bei neuen Gleisanlagen und soll bei Änderung bestehender Gleisanlagen auf einer Bogenlänge von ca. $0{,}4 \cdot v$ vor einem Rampenende (RE) die zulässige Überhöhung (zul u):

$$\text{zul}\, u = \frac{r - 50}{1{,}5} \text{ [mm]} \tag{2.47}$$

r = Bogenradius [m]

nicht überschritten werden.

Die **Regelüberhöhung** wird angewandt, wenn Züge die Strecke mit unterschiedlichen Geschwindigkeiten befahren und die Schienenstränge möglichst gleichmäßig belastet werden sollen.

Die **ausgleichende Überhöhung** u_0, auch theoretische Überhöhung genannt, ist die Überhöhung, die bei Einhaltung der Geschwindigkeit v die auf Ladung und Reisende wirkende Seitenbeschleunigung (s. auch Überhöhungsfehlbetrag) vollständig eliminiert.

In Streckenabschnitten, in denen alle Züge mit annähernd gleicher Geschwindigkeit fahren (z. B. S-Bahnen), soll die Überhöhung größer als die Regelüberhöhung reg u gewählt werden, jedoch kleiner als die ausgleichende Überhöhung u_0:

$$\text{reg}\, u = 6{,}5 \cdot \frac{v^2}{r} \text{ [mm]} \tag{2.48}$$

$$u_0 = 11{,}8 \cdot \frac{v^2}{r} \text{ [mm]} \tag{2.49}$$

v = maximale Geschwindigkeit im Gleisbogen [km/h]
r = Bogenradius [m]

Der **Überhöhungsfehlbetrag** u_f ergibt sich aus der Differenz zwischen der ausgleichenden u_0 und der tatsächlichen (bzw. geplanten) Überhöhung u.

$$u_f = u_0 - u \text{ [mm]} \tag{2.50}$$

u = tatsächliche (bzw. geplante) Überhöhung [mm]
u_0 = ausgleichende Überhöhung [mm]

Die **Mindestüberhöhung min** u erhält man durch Subtraktion des zulässigen Überhöhungsfehlbetrags zul u_f von der ausgleichenden Überhöhung u_0.

$$\min u = u_0 - \text{zul}\, u_f = 11{,}8 \cdot \frac{v^2}{r} - \text{zul}\, u_f \text{ [mm]} \tag{2.51}$$

v = maximale Geschwindigkeit im Gleisbogen [km/h]
r = Bogenradius [m]
u_0 = ausgleichende Überhöhung [mm]
zul u_f = zulässiger Überhöhungsfehlbetrag [mm]

Tabelle 2.11: Werte für den Überhöhungsfehlbetrag u_f (vgl. DB-Ril 800.0110)

	Gleis	**Weiche, Kreuzung, Kreuzungsweiche und Schienenauszug**
Ermessensgrenze	zul u_f = 130 mm	zul u_f nach Tabelle 2.12
	bei $r \geq 650$ m zul u_f = 150 mm	bei Rangiergeschwindigkeit: zul $u_f \leq 130$ mm
Zustimmungswert	bei 250 m $\leq r <$ 650 m 130 mm < zul $u_f \leq$ 150 mm	zul u_f nach Tabelle 2.12 + 20 %

Die Planungswerte für Überhöhungsfehlbeträge u_f in Gleisen, Kreuzungen, Kreuzungsweichen und Schienenauszügen sind in Tabelle 2.11 und Tabelle 2.12 festgelegt. Ein Überhöhungsfehlbetrag u_f in Gleisen größer 130 mm gilt für Schienenfahrzeuge mit entsprechender Zulassung und außerhalb von Brücken ohne Schotterbettung (nicht Feste Fahrbahn) sowie befestigten Bahnübergängen. Einzelfälle sind mit der Zentrale zu klären.

Tabelle 2.12: Ermessensgrenzen für den Überhöhungsfehlbetrag u_f [mm] in Weichen, Kreuzungen, Kreuzungsweichen und Schienenauszügen (vgl. DB-Ril 800.0110)

<table>
<tr><th rowspan="2">Konstruktion</th><th colspan="5">Geschwindigkeit v [km/h]</th></tr>
<tr><th>$v \leq 160$</th><th>$160 < v \leq 200$</th><th>$200 < v \leq 230$</th><th>$230 < v \leq 250$</th><th>$250 < v \leq 300$</th></tr>
<tr><td>Weichenbogen mit starrer Herzstückspitze im Innenstrang [1)]</td><td colspan="2">≤ 110</td><td>(Einzelfall)</td><td>–</td><td>–</td></tr>
<tr><td>Weichenbogen mit starrer Herzstückspitze im Außenstrang</td><td>≤ 110</td><td>≤ 90</td><td>(Einzelfall)</td><td>–</td><td>–</td></tr>
<tr><td>Bogenkreuzung und Bogenkreuzungsweiche [2)]</td><td>≤ 110</td><td colspan="4">–</td></tr>
<tr><td>Weichenbogen mit beweglicher Herzstückspitze</td><td colspan="2">≤ 130</td><td colspan="2">≤ 100</td><td>(Einzelfall)</td></tr>
<tr><td>Schienenauszug im Bogen</td><td colspan="2">≤ 100</td><td colspan="3">(Einzelfall)</td></tr>
</table>

[1)] IBW – großer Radius (r_S)
[2)] IBW – kleiner Radius (r_Z) und ABW

In Bögen, die nur mit Rangierfahrten befahren werden, darf allgemein zul $u_f \leq 130$ mm angewendet werden. Negative Überhöhungen sind zulässig.

2.6.4.4 Übergangsbogen und Bogenwechsel

Freie Seitenbeschleunigung und Seitenruck

Die bei der Kurvenfahrt auftretenden Zentrifugalkräfte können durch Überhöhung der Schienenstränge nur dann voll kompensiert werden, wenn alle Fahrzeuge mit der gleichen der Berechnung zugrunde liegenden Geschwindigkeit den Bogen durchfahren würden. Da dies in den meisten Fällen nicht zutrifft, treten die sogenannten freien Seitenkräfte auf, die in Kauf genommen werden, wenn sie bestimmte Grenzwerte nicht übersteigen. Die Größe der freien Seitenbeschleunigung wird durch die Rampenneigung bestimmt, ihr Verlauf, abhängig von der Zeit, durch die Rampenform.

Die Änderung der freien Seitenbeschleunigung pro Zeiteinheit wird als Seitenruck bezeichnet. Der Verlauf des Seitenrucks ist eines der wesentlichen Kriterien für die Beurteilung der fahrdynamischen Qualität der Kurve.

Überhöhungsfehlbeträge

In durchgehenden Hauptgleisen sollen Übergangsbögen angeordnet werden, wenn der Unterschied der Überhöhungsfehlbeträge Δu_f bei

- $v \leq 200$ km/h $\Delta u_f \geq 40$ mm,
- $v > 200$ km/h $\Delta u_f \geq 20$ mm

beträgt.

Der Unterschied der Überhöhungsfehlbeträge Δu_f wird in Abbildung 2.60 dargestellt und ergibt sich wie folgt:

$$\Delta u_f = u_{f1} \mp u_{f2} = \left(11{,}8 \cdot \frac{v^2}{r_1} - u_1\right) \mp \left(11{,}8 \cdot \frac{v^2}{r_2} - u_2\right) \text{ [mm]} \qquad (2.52)$$

– = bei Korbbogen
+ = bei Gegenbogen

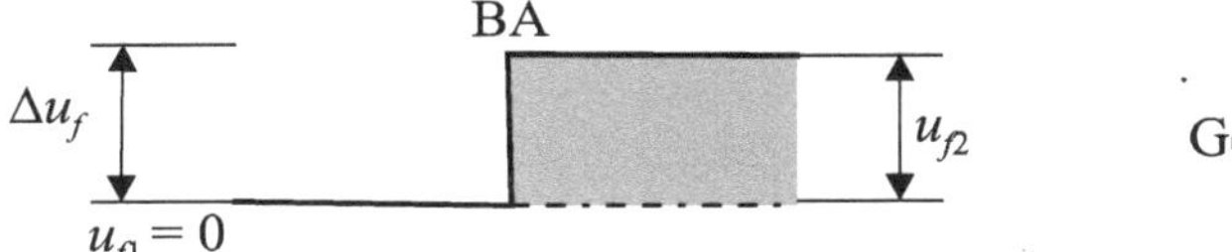

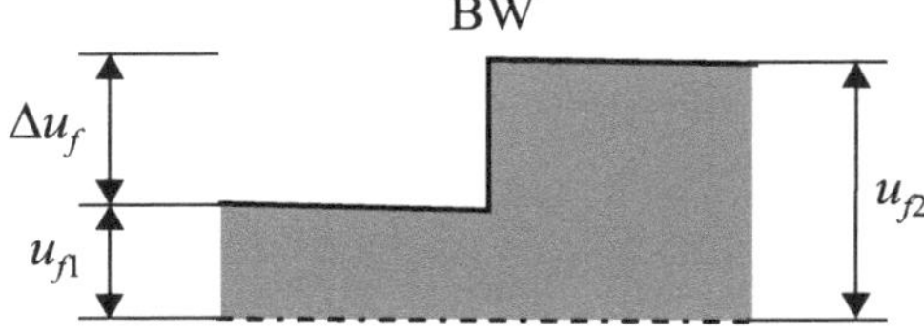

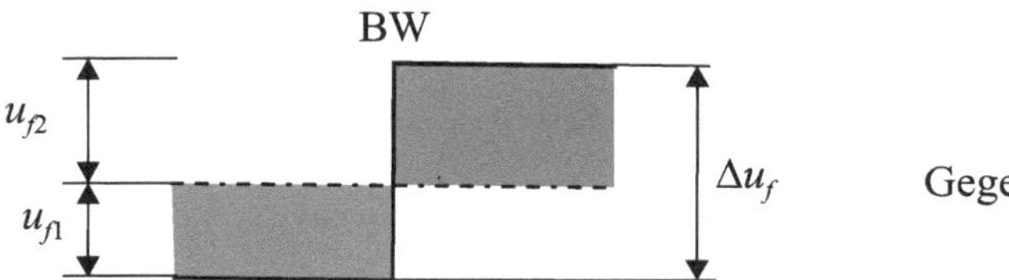

Abb. 2.60: Unterschied der Überhöhungsfehlbeträge bei Gerade/Bogen, Korbbogen und Gegenbogen

Der Übergangsbogen soll so gestaltet werden, dass er mit der Überhöhungsrampe zusammenfällt. Die Krümmung muss in gleicher Weise zunehmen wie die Überhöhung.

Übergangsbogen sollen in der Regel mit gerader Krümmungslinie (Klotoide) gestaltet werden.

S-förmige Übergangsbogen oder Übergangsbogen nach Bloss sind zugelassen, wenn Übergangsbogen mit gerader Krümmungslinie nicht mit dem Regelwert nach Tabelle 2.13 und Tabelle 2.14 hergestellt werden können.

Bei der Festlegung der Übergangsbogenlänge l_U sind Geschwindigkeiten für spätere Ausbaustufen zu berücksichtigen.

Abhängig vom Verlauf der Krümmung sollen folgende Mindestlängen min l_U nicht unterschritten werden:

Übergangsbogen mit …

gerader Krümmungslinie (Klotoide)

$$\min l_U = \frac{4 \cdot v \cdot \Delta u_f}{1000} \text{ [m]} \tag{2.53}$$

geschwungener Krümmungslinie (nach Bloss)

$$\min l_{UB} = \frac{4{,}5 \cdot v \cdot \Delta u_f}{1000} \text{ [m]} \tag{2.54}$$

geschwungener Krümmungslinie (s-förmig)

$$\min l_{US} = \frac{6 \cdot v \cdot \Delta u_f}{1000} \text{ [m]} \tag{2.55}$$

v = maximale Geschwindigkeit im Gleisbogen [km/h]
Δu_f = Differenz der Überhöhungsfehlbeträge [mm]

Die Länge der Übergangsbögen ist so zu wählen, dass das Tangentenabrückmaß $f \geq 15$ mm wird. Abhängig von der Übergangsbogenart beträgt das Tangentenabrückmaß f:

bei gerader Krümmungslinie (Klotoide)

$$f = \frac{l_U^2}{24 \cdot r} \text{ [m]} \tag{2.56}$$

bei geschwungener Krümmungslinie (nach Bloss)

$$f_B = \frac{l_{UB}^2}{40 \cdot r} \text{ [m]} \tag{2.57}$$

bei geschwungener Krümmungslinie (s-förmig)

$$f_S = \frac{l_{US}^2}{48 \cdot r} \text{ [m]} \tag{2.58}$$

l_U = Länge des Übergangsbogens [m]
r = Bogenradius am Ende des Übergangsbogens (*UE*) [m]

Bei Gegenbögen sollen zwei getrennte Übergangsbögen mit gerader Krümmungslinie hergestellt werden, wenn zwischen den beiden Übergangsbogen eine Zwischengerade von

$$\text{reg}\, l_g \geq 0{,}4 \cdot v \ [\text{m}] \tag{2.59}$$

angeordnet werden kann.

Folgen Gegenbögen so dicht aufeinander, dass diese Lösung nicht möglich ist,

- ist die Überhöhung u_1 geradlinig in die Überhöhung u_2 des Gegenbogens zu überführen (Gleisschere). Die Übergangsbögen sind dabei mit gerader Krümmungslinie zu planen oder
- sind zwei getrennte Übergangsbögen mit geschwungener Krümmungslinie und entsprechenden Überhöhungsrampen anzuordnen. Die Übergangsbogenanfänge dürfen dabei unmittelbar aneinanderstoßen (Abb. 2.61).

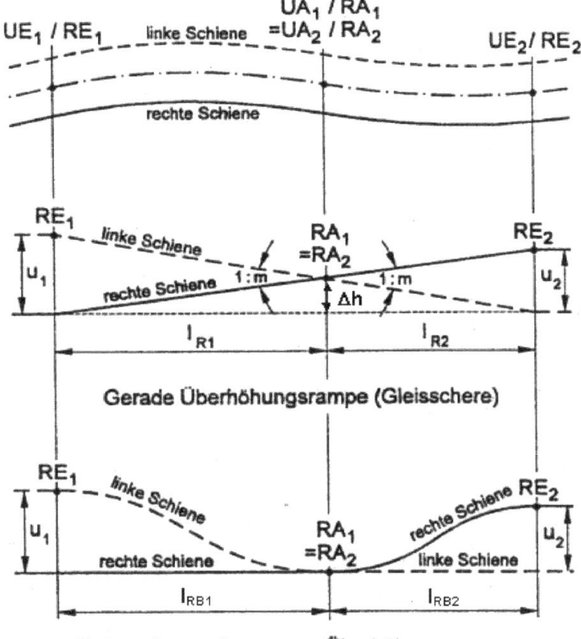

Abb. 2.61: Übergangsbögen bei Gegenbogen ohne Zwischengerade (DB-Ril 800.0110)

Wenn unvermittelte Krümmungswechsel angeordnet werden müssen, soll der Unterschied der Überhöhungsfehlbeträge Δu_f durch die Anordnung geeigneter Zwischengeraden oder Zwischenbogen klein gehalten werden. Die Zwischengeraden bzw. Zwischenbogen sollen mit min $l_g \geq 0{,}2 \cdot v$ [m] geplant werden.

Die Mindestlänge min l für Gleisbögen und Geraden

bei $v \leq 70$ km/h $\min l \geq 0{,}10 \cdot v$ [m] (2.60)

bei 70 km/h < $v \leq 100$ km/h $\min l \geq 0{,}15 \cdot v$ [m] (2.61)

bei $v > 100$ km/h $\min l \geq 0{,}20 \cdot v$ [m] (2.62)

v = maximale Geschwindigkeit im Gleisbogen [km/h]

darf nicht unterschritten werden. Kleiner als min l = 6,00 m ist nicht zu planen.

Übergangsbogenformen

Als Trassierungselemente werden die Übergangsbogenformen

- Klotoide,
- Parabel 4. Grades (biquadratische Parabel bzw. s-förmig geschwungener Übergangsbogen),
- Parabel 5. Grades (kubische Parabel bzw. Bloss-Kurve),
- Sinusoide und
- „Wiener Bogen" (geschwungene Krümmungslinie als Polynom 7. Grades)

verwendet.

Die Anordnung dieser Übergangsbogenarten ist im Normalfall möglich zwischen

- Gerade und Kreisbogen,
- zwei gleichsinnig gekrümmten Gleisen (Korbbogen),
- zwischen Gegenbogen.

Klotoide

Die Klotoide ist eine ebene Spiralkurve, deren Krümmung k proportional ihrer vom Koordinatenursprung gemessenen Bogenlänge l_U wächst.

Da die Krümmung k und die Überhöhung u in einem linearen Zusammenhang stehen, haben Krümmungsbild und die Überhöhungsrampe einen linearen Verlauf. Diese Übergangsbogenform lässt sich am einfachsten herstellen und instandhalten. (vgl. auch Handbuch Ingenieurgeodäsie, Band Grundlagen, Kap. 8)

Parabel 4. Grades (s-förmig geschwungen, biquadratisch)

Die Parabel 4. Grades hat einen parabelförmig geschwungenen Krümmungsverlauf und dadurch auch eine parabelförmige Überhöhungsrampe. Das bedeutet eine Verbesserung der fahrdynamischen Eigenschaften gegenüber der Klotoide. Außerdem ist bei der Parabel 4. Grades das Tangentenabrückmaß f kleiner als bei der Klotoide. Deshalb lassen sich bei gleicher Tangentenabrückung längere Übergangsbogen anordnen.

Die Parabel 4. Grades setzt sich aus zwei Parabeln zusammen, deren 1. Hälfte sich auf die Tangente und die 2. Hälfte auf den verlängerten Kreisbogen bezieht.

Grundriss auf die Tangente bezogen (1. Hälfte)

$$y_I = \frac{x^4}{6 \cdot r \cdot l_U^2} \text{ [m]} \tag{2.63}$$

Grundriss auf den Kreisbogen bezogen (2. Hälfte)

$$y_{II} = \frac{x'^4}{6 \cdot r \cdot l_U^2} \text{ [m]} \tag{2.64}$$

Krümmungsgleichung (1. Hälfte)

$$k_{Ix} = \frac{2 \cdot x^2}{r \cdot l_U^2} \left[\frac{1}{\text{m}}\right] \tag{2.65}$$

Überhöhungsgleichung (1. Hälfte)

$$u_{Ix} = \frac{2 \cdot u \cdot x^2}{l_U^2} \text{ [mm]} \tag{2.66}$$

Tangentenabrückmaß

$$f = \frac{l_U^2}{48 \cdot r} \text{ [m]} \tag{2.67}$$

l_U = Länge des Übergangsbogens [m]
r = Bogenradius am Übergangsbogenende (*UE*) [m]
u = Überhöhung am Übergangsbogenende (*UE*) [mm]

Der x'-Wert der 2. Hälfte bezieht sich auf das Übergangsbogenende *UE*.

Die Länge der biquadratischen Parabel beträgt bei gleichem Tangentenabrückmaß im Vergleich zur Klotoide das 1,41-Fache.

Parabel 5. Grades (Bloss-Kurve, kubische Parabel)

Bei der Parabel 5. Grades entspricht der Krümmungsverlauf und auch die Überhöhungsrampe einer Parabel 3. Grades. Die Parabel 5. Grades wurde von Bloss vorgeschlagen.

Hier ist die parabelförmig gestaltete Überhöhungsrampe mit einer durchgehend anzuwendenden Gleichung berechenbar. Sie setzt sich nicht, wie bei dem Übergangsbogen mit der Parabel 4. Grades, aus zwei getrennten, in Rampenmitte aneinanderstoßenden Parabeln 2. Grades zusammen. Dies ist mit einer Parabel 3. Grades möglich. Damit stellt sich die Grundrisskurve als eine Parabel 5. Grades dar.

Grundriss

$$y = \frac{x^4}{4 \cdot r \cdot l_U^{\;2}} - \frac{x^5}{10 \cdot r \cdot l_U^{\;3}} \;[\mathrm{m}] \tag{2.68}$$

Krümmungsgleichung

$$k_x = \frac{3 \cdot x^2}{r \cdot l_U^{\;2}} - \frac{2 \cdot x^3}{r \cdot l_U^{\;3}} \left[\frac{1}{\mathrm{m}}\right] \tag{2.69}$$

Überhöhungsgleichung

$$u_x = u \cdot \left(\frac{3 \cdot x^2}{l_U^{\;2}} - \frac{3 \cdot x^3}{l_U^{\;3}} \right) [\mathrm{mm}] \tag{2.70}$$

Tangentenabrückmaß

$$f = \frac{l_U^{\;2}}{40 \cdot r} \;[\mathrm{m}] \tag{2.71}$$

l_U = Länge des Übergangsbogens [m]
r = Bogenradius am Übergangsbogenende (*UE*) [m]
u = Überhöhung am Übergangsbogenende (*UE*) [mm]

Die Länge des Übergangsbogens nach Bloss kann gegenüber der Klotoide bei gleichem Tangentenabrückmaß um den Faktor 1,29 vergrößert werden.

Weigend (1987) hat die Vorteile des Übergangsbogens nach Bloss gegenüber der Klotoide zusammengefasst.

Sinusoide

Um einen stetigen Verlauf des Seitenrucks (im übertragenen Sinn auch Zu- bzw. Abnahme des Unterschieds der Überhöhungsfehlbeträge Δu_f pro Zeiteinheit) auch am Übergangsbogenanfang *UA* und Übergangsbogenende *UE* zu erzielen, müssen die Funktionskurven der Überhöhungsrampe, der Krümmungslinie und der Seitenbeschleunigung an diesen Punkten außer einem tangentialen Anschluss auch eine Berührung 2. Ordnung mit den anschließenden Trassenelementen Gerade und Kreisbogen haben.

Das wird erreicht, wenn nach Vorschlag von Klein (1937) die geraden Rampen der Klotoide mit einer negativen Sinusschwingung 2π überlagert werden, deren Amplituden

- $\frac{k}{2\pi}$ für die Krümmungslinie,
- $\frac{u}{2\pi}$ für die Überhöhungsrampe und
- $\frac{a}{2\pi}$ für die Seitenbeschleunigung

betragen.

Danach ergeben sich folgende Gleichungen:

Krümmungsgleichung

$$k_x = k \cdot \left[\frac{l_x}{l_U} - \frac{1}{2\pi} \cdot \sin\left(2\pi \cdot \frac{l_x}{l_U} \right) \right] \left[\frac{1}{\mathrm{m}} \right] \tag{2.72}$$

Überhöhungsgleichung

$$u_x = u \cdot \left[\frac{l_x}{l_U} - \frac{1}{2\pi} \cdot \sin\left(2\pi \cdot \frac{l_x}{l_U} \right) \right] [\mathrm{mm}] \tag{2.73}$$

Gleichung für die freie Seitenbeschleunigung

$$a_{sx} = a_s \cdot \left[\frac{l_x}{l_U} - \frac{1}{2\pi} \cdot \sin\left(2\pi \cdot \frac{l_x}{l_U} \right) \right] \left[\frac{\mathrm{m}}{\mathrm{s}^2} \right] \tag{2.74}$$

Gleichung für den Seitenruck

$$j_{sx} = \frac{a_s \cdot v}{l_U} \cdot \left[1 - \cos\left(2\pi \cdot \frac{l_x}{l_U} \right) \right] \left[\frac{\mathrm{m}}{\mathrm{s}^3} \right] \tag{2.75}$$

Tangentenabrückmaß

$$f \approx \frac{l_U^{\,2}}{60{,}21 \cdot r} \; [\mathrm{m}] \tag{2.76}$$

l_U = Länge des Übergangsbogens [m]
k = Krümmung am Übergangsbogenende (*UE*) [1/m]
u = Überhöhung am Übergangsbogenende (*UE*) [mm]
r = Bogenradius am Übergangsbogenende (*UE*) [m]
a_s = freie Seitenbeschleunigung am Übergangsbogenende (*UE*) [m/s^2]
v = Geschwindigkeit auf dem Trassierungselement [m/s]

Diese stetige Funktion hat auch am Übergangsbogenanfang *UA* und am Übergangsbogenende *UE* tangentiale Anschlüsse.

Damit beträgt die Länge der Sinusoide bei gleichem Tangentenabrückmaß gegenüber der Klotoide das 1,6-Fache, ohne dass im Übergangsbogenbereich eine nennenswerte Seitenverschiebung auftritt. Die Überhöhung kann dadurch im Vergleich zur Klotoide um den Faktor 1,3 erhöht werden.

„Wiener Bogen"

Als „Wiener Bogen" wird ein Gleis mit Übergangsbogen und kräfteminimaler Überhöhungsrampe bezeichnet. Er besteht aus einer geschwungenen Krümmungslinie als Polynom 7. Ordnung. Der Einbau ist patentrechtlich geschützt.

Hier besteht eine dynamische Betrachtung, da Wank(Roll-)bewegungen des Fahrzeugs zusätzlich berücksichtigt werden. Die durchschnittliche Höhe des geplanten Fahrzeugschwerpunkts über der Schienenoberkante geht hierbei in die Berechnungen ein.

Der Grundrissverlauf wird aus der Überhöhungsrampe abgeleitet. Wie in Abbildung 2.62 erkennbar, schwingt die Leitlinie des Gleisstreifens gegenüber der Klotoide aus, höhere Ableitungen der Krümmung bleiben stetig.

Da kein Ruck am Übergangsbogenanfang bzw. -ende im geplanten Fahrzeugschwerpunkt auftritt, wirken an diesen Punkten im Gleis geringere Querkräfte, die in einem geringeren Unterhaltungsaufwand resultieren.

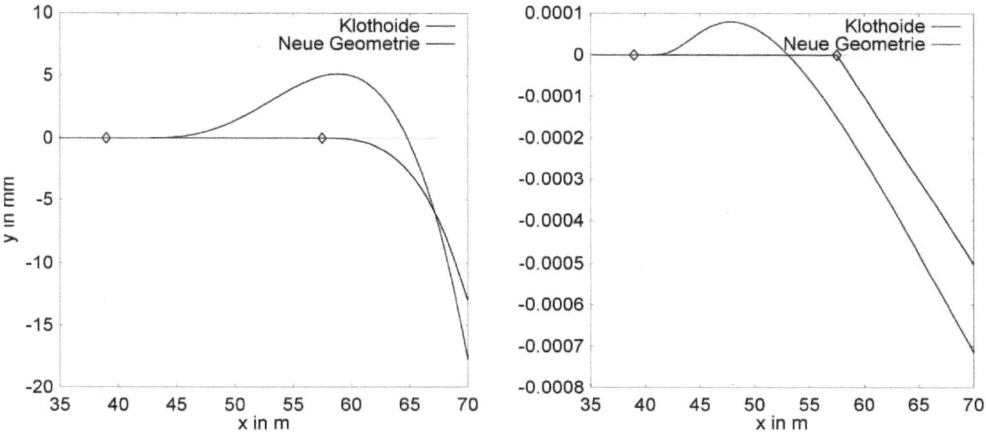

Abb. 2.62: Lageplandarstellung und Krümmungsverlauf des „Wiener Bogens" (H. L. Hasslinger)

Vergleich der Übergangsbogenformen

Die Form der Überhöhungsrampe hat einen entscheidenden Einfluss auf die fahrdynamische Qualität des Verkehrswegs. Dies trifft vor allem auf die spurgebundenen Verkehrswege zu.

Im Folgenden werden die Übergangsformen hinsichtlich ihrer fahrdynamischen Eigenschaften miteinander verglichen. Dabei werden die Kriterien nur bei hohen Geschwindigkeiten und bei außerordentlich exakter Gleislage wirksam.

Abbildung 2.63 zeigt den Verlauf des Seitenrucks, der beim Durchfahren der einzelnen Kurven auftritt.

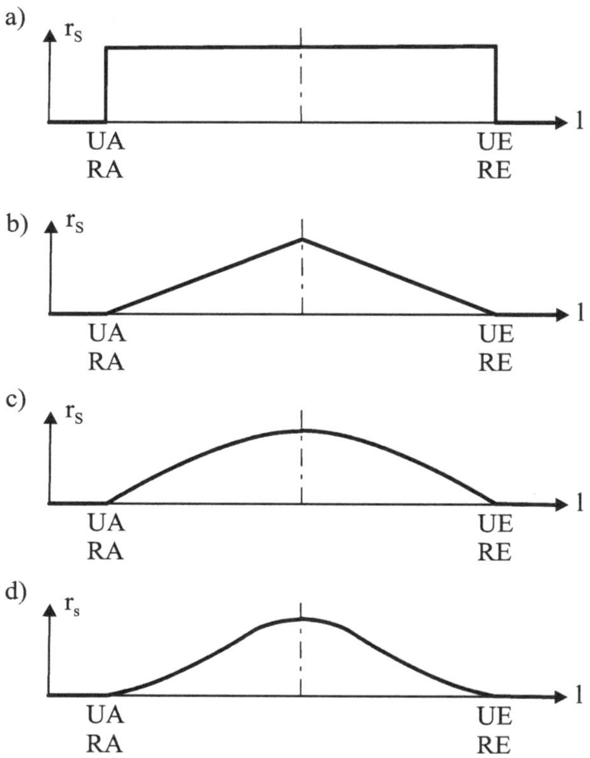

Abb. 2.63: Seitenrucklinie: a) Klotoide, b) Parabel 4. Grades (nach Schramm), c) Parabel 5. Grades (nach Bloss), d) Sinusoide

- Klotoide:

  Der Seitenruck tritt am *UA* ohne Übergang auf, ist im gesamten Kurvenverlauf konstant und wird am *UE* ohne Übergang wieder Null. Der Fahrverlauf ist unruhig.

- Parabel 4. Grades (nach Schramm):

  Der Seitenruck wächst vom *UA* bis *UM* linear an und fällt dann wieder bis *UE* linear ab – gegenüber der Klotoide ein bedeutend besserer Verlauf, jedoch durch die Knicke am *UA* und *UE*, vor allem aber in *UM*, noch keine Ideallösung.

- Parabel 5. Grades (nach Bloss):

  Am *UA* und *UE* wie bei der Parabel 4. Grades Unstetigkeiten, aber gegenüber der biquadratischen Parabel Ausrundung des Knicks in *UM*.

- Sinusoide:

  Der Verlauf des Seitenrucks pro Zeiteinheit zeigt einen stetigen Verlauf, sodass die Sinusoide als die beste fahrdynamische Lösung anzusehen ist.

2.6.4.5 Überhöhungsrampen

Bei Übergangsbögen mit gerader Krümmungslinie sind gerade Überhöhungsrampen (Abb. 2.64), bei Übergangsbogen mit geschwungener Krümmungslinie entsprechend geschwungene Überhöhungsrampen anzuordnen (Abb. 2.65).

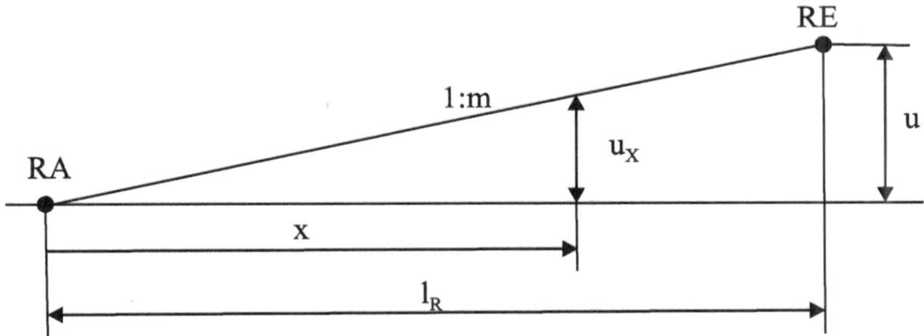

Abb. 2.64: Gerade Überhöhungsrampe (DB-Ril 800.0110)

Für die gerade Überhöhungsrampe gelten folgende Zusammenhänge für die Neigung m und die Überhöhung u_x an einem beliebigen Punkt x:

$$m = \frac{l_R}{u} \cdot 1000 \text{ [-]} \qquad (2.77)$$

$$u_x = u \cdot \frac{x}{l_R} \text{ [mm]} \qquad (2.78)$$

l_R = Länge der Überhöhungsrampe [m]
u = Überhöhung am Überhöhungsrampenende RE [mm]
x = beliebiger Abstand vom Überhöhungsrampenanfang RA [m]

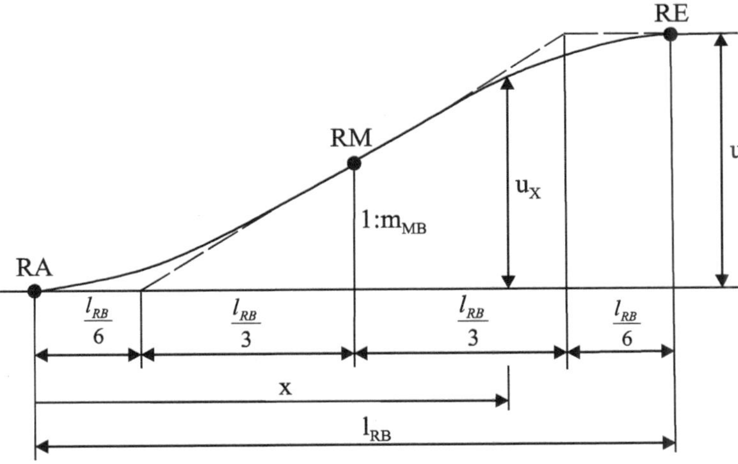

Abb. 2.65: Geschwungene Überhöhungsrampe nach Bloss (DB-Ril 800.0110)

Für die geschwungene Überhöhungsrampe gelten folgende Zusammenhänge für die Neigung m_{MB} (nach Bloss) bzw. m_{Ms} (s-förmig) und die Überhöhung u_x an einem beliebigen Punkt x:

$$m_{MB} = \frac{2}{3} \cdot \frac{l_{RB}}{u} \cdot 1000 \; [-] \tag{2.79}$$

$$m_{Ms} = \frac{1}{2} \cdot \frac{l_{Rs}}{u} \cdot 1000 \; [-] \tag{2.80}$$

l_{RB} = Länge der Überhöhungsrampe nach Bloss [m]
l_{Rs} = Länge der s-förmigen Überhöhungsrampe [m]
u = Überhöhung am Überhöhungsrampenende RE [mm]

Da die Krümmungslinie und der Verlauf der Überhöhungsrampe in einem linearen Zusammenhang stehen, sind die Überhöhungsrampen dem Krümmungsverlauf, wie bei der Behandlung der Übergangsbogenformen bereits ausgeführt, anzupassen.

Die Länge l_R und die Neigung $1{:}m$ der Überhöhungsrampen sind in Tabelle 2.13 und Tabelle 2.14 festgelegt, dabei sind die Geschwindigkeiten für spätere Ausbaustufen zu berücksichtigen. Hierbei ist Δu [mm] der Unterschied der Überhöhungen. Für die geschwungene Rampe nach Bloss soll $\Delta u \geq 40$ mm trassiert werden, s-förmig geschwungene Rampen sind nur nach Zustimmung zulässig. Einzelfälle sind mit der Zentrale zu klären. Für gerade Rampen in Fester Fahrbahn ist eine flachere Neigung zulässig.

Tabelle 2.13: Planungswerte für die Länge der Überhöhungsrampen (vgl. DB-Ril 800.0110)

	Gerade Rampe	**Geschwungene Rampe**	
		nach Bloss	**s-förmig**
Regelwert	$l_R = \frac{10 \cdot v \cdot \Delta u}{1000}$	$l_{RB} = \frac{7{,}5 \cdot v \cdot \Delta u}{1000}$	$l_{Rs} = \frac{10 \cdot v \cdot \Delta u}{1000}$
Ermessensgrenze	$l_R = \frac{8 \cdot v \cdot \Delta u}{1000}$	$l_{RB} = \frac{6 \cdot v \cdot \Delta u}{1000}$	$l_{Rs} = \frac{8 \cdot v \cdot \Delta u}{1000}$
Zustimmungswert	$l_R = \frac{6 \cdot v \cdot \Delta u}{1000}$	$l_{RB} = \frac{5{,}5 \cdot v \cdot \Delta u}{1000}$	(Einzelfall)

Tabelle 2.14: Planungswerte für die Neigung von Überhöhungsrampen (vgl. DB-Ril 800.0110)

	Gerade Rampe	**Geschwungene Rampe**
Mindestwert	$1{:}m = 1{:}3000$	$1{:}m_M = 1{:}1.500$
Regelwert	$1{:}m$ flacher/gleich 1:600	$1{:}m_M$ flacher/gleich 1:600
Ermessensgrenze	$1{:}m = 1{:}400$	$1{:}m_M = 1{:}400$
EBO-Grenze	bei Hauptbahn 1:400 (vgl. § 6 Abs. 4 EBO)	

2.6.4.6 Gleisverziehungen

Unter einer Gleisverziehung versteht man den Übergang von einem Gleisabstand e_1 auf einen Gleisabstand e_2 ohne Verwendung von Weichen. In der Geraden geschieht das durch Anordnung von Gegenbogen (s-förmige Gleisverziehung), in der Bogenlage (konzentrische Kreisbogen) durch die Anordnung eines Korbbogens.

Gleisverziehungen sollen, soweit es die Linienführung zulässt, im Bereich von Gleisbogen hergestellt werden. Gleisverziehungen bei geraden, parallelen Gleisen mit Verziehungsmaßen bis ca. 1,5 m sind ohne Übergangsbogen mit Radien

$$r \geq \frac{v^2}{2} \text{ [m]} \qquad (2.81)$$

v = Geschwindigkeit auf dem Trassierungselement [km/h]

zu planen.

2.6.4.7 Längsneigung und Neigungswechsel

Die Längsneigung s der freien Strecke soll bei Neubauten auf

- Hauptbahnen 12,5 ‰ und
- S-Bahnen und Nebenbahnen 40,0 ‰

nicht überschreiten.

Als Ausnahmegrenzwert gilt allgemein s = 40 ‰. Die Längsneigung von Bahnhofsgleisen soll bei Neubauten 2,5 ‰ nicht überschreiten.

Die Längsneigung in Tunneln soll

- bei Längen bis 1.000 m mindestens 2 ‰ und
- bei Längen über 1.000 m mindestens 4 ‰

betragen.

Die Gradiente in Tunneln soll aus Gründen der Entwässerung und Entlüftung rampenförmig mit einseitiger Längsneigung geplant werden.

Wechsel in der Längsneigung der Gleise von $\Delta s \geq 1$ ‰ sind auszurunden. Bei Neigungsunterschieden von weniger als 1 ‰ ist in den Plänen die Kurzbezeichnung „o. A." („ohne Ausrundung") zu vermerken.

Neigungswechsel in Überhöhungsrampen sollen vermieden werden; ist dies nicht zu umgehen, soll der Ausrundungsradius r_a nicht kleiner als der Regelwert sein.

Die Ausrundungsradien sind nach Tabelle 2.15 zu wählen.

Tabelle 2.15: Planungswerte für den Ausrundungsradius (vgl. DB-Ril 800.0110)

	$v \leq 230$ km/h	$v > 230$ km/h
Höchstwert	max $r_a = 25.000$ m	
Regelwert	reg $r_a = 0{,}4 \cdot v^2$	reg $r_a = 22.500$ m
Ermessensgrenze	$r_a = 0{,}25 \cdot v^2$ $r_a \geq 2.000$ m	bei Kuppen: $r_a = 16.000$ m bei Wannen: $r_a = 14.000$ m
Zustimmungswert	$r_a < 2.000$ m bei Kuppen ($r_a \geq 2.000$ m): $r_a = 0{,}16 \cdot v^2$ bei Wannen ($r_a \geq 2.000$ m): $r_a = 0{,}13 \cdot v^2$	

Die Länge des Ausrundungsbogens soll $l_a \geq 20$ m betragen.

Für die Ausrundungsradien in Ablaufanlagen gelten spezielle Richtlinien.

2.6.4.8 Zulässige Höchstgeschwindigkeit

Die nachfolgenden Regelungen ergänzen die Festlegungen für die Planung im aktuellen Kapitel hinsichtlich der Ermittlung der zulässigen Geschwindigkeit bei bestehenden Anlagen.

Zu den Maßnahmen zur Erhöhung der zulässigen Höchstgeschwindigkeit sind zu rechnen:

- Anheben der Geschwindigkeit durch Nutzen des angegebenen Genehmigungsbereichs ohne Änderung der Linienführung,
- Anheben der Geschwindigkeit für Schienenfahrzeuge mit besonderer Zulassung,
- Unterschreitung der Mindestlänge der Übergangsbögen,
- Anpassen der Überhöhung und Überhöhungsrampen,
- Anpassen der Übergangsbögen und Änderungen der Gleislage auf dem bestehenden Bahnkörper.

Die Ermessensgrenzwerte für die zulässige Höchstgeschwindigkeit sind durch die Grenzwerte der Eisenbahnbau- und Betriebsordnungen und durch technische Grenzen der Zulassung von Fahrzeug und Fahrweg gegeben.

Abweichend von den in diesem Kapitel genannten Regelungen gilt:

- Die zulässige Höchstgeschwindigkeit (abhängig vom Überhöhungsfehlbetrag) darf mit Zustimmung der Zentrale um ca. 1 % aufgerundet werden, wenn eine Geschwindigkeit bis 280 km/h und ein Überhöhungsfehlbetrag nicht größer als 150 mm angestrebt ist.
- Die Mindestlängen der Übergangsbögen dürfen mit Zustimmung um bis zu 20 % unterschritten werden.

- Gerade Überhöhungsrampen sind mit bis zu
  $l_R = 6 \cdot v_e$ oder $1{:}m = 1{:}400$
  zulässig.
- Mit Zustimmung dürfen die Grenzwerte für Δu_f um bis zu 20 % angehoben werden.

Planungsparameter für den bogenschnellen Betrieb

Für Schienenfahrzeuge mit Neigetechnik, die Gleisbögen mit höheren Geschwindigkeiten durchfahren, ist die Zulassung einer Ausnahme von den Vorschriften erforderlich.

Ein Überhöhungsfehlbetrag von $u_{fN} \leq 300$ mm darf bei Gleisbögen ohne Zwangspunkte und von $u_{fN} \leq 150$ mm bei Gleisbögen mit Weichen oder Zwangspunkten zugrunde gelegt werden.

Gerade Überhöhungsrampen sind bis zu

$$\min l_{RG} = 6 \cdot v_N \cdot \frac{\Delta u}{1000} \text{ [m]} \tag{2.82}$$

v_N = Geschwindigkeit im bogenschnellen Betrieb auf dem Trassierungselement [km/h]

Δu = Unterschied der Überhöhungen [mm]

zu planen.

Geschwungene Überhöhungsrampen (nach Bloss und s-förmig) bis zu

$$\min l_{RB} = 6 \cdot v_N \cdot \frac{\Delta u}{1000} \text{ [m]} \tag{2.83}$$

$$\min l_{Rs} = 8 \cdot v_N \cdot \frac{\Delta u}{1000} \text{ [m]} \tag{2.84}$$

v_N = Geschwindigkeit im bogenschnellen Betrieb auf dem Trassierungselement [km/h]

Δu = Unterschied der Überhöhungen [mm]

zulässig.

Für die Gestaltung der Linienführung hinsichtlich Überhöhung, Übergangsbogen und Bogenwechsel sind die Geschwindigkeiten der Schienenfahrzeuge ohne Neigetechnik maßgebend.

Tabelle 2.16: Zulässige Höchstgeschwindigkeit max v

Kriterium		Zulässige Höchstgeschwindigkeit max v [km/h]	Querverweis
Überhöhungsfehlbetrag		$\sqrt{\frac{r}{11{,}8} \cdot (u + \text{zul}\, u_f)}$	zul u_f
Unvermittelter Krümmungswechsel		Gerade/Kreis: $\sqrt{\frac{r}{11{,}8} \cdot \text{zul}\, \Delta u_f}$	zul Δu_f
		Korb- und Gegenbogen: $\sqrt{\frac{r_1 \cdot r_2}{11{,}8 \cdot (r_1 \pm r_2)} \cdot \text{zul}\, \Delta u_f}$	
Abstand zwischen geraden Überhöhungsrampen		$10 \cdot l$	min l
Überhöhungsrampe	gerade	$\frac{l_R \cdot 1000}{6 \cdot \Delta u}$	
	Bloss	$\frac{l_{RB} \cdot 1000}{6 \cdot \Delta u}$	
	s-förmig	$\frac{l_{Rs} \cdot 1000}{8 \cdot \Delta u}$	
Ausrundungsradius		$2 \cdot \sqrt{r_a}$	

2.6.5 Weichen und Kreuzungen

2.6.5.1 Wahl von Weichen und Kreuzungen

Weichen in Hauptgleisen

In den durchgehenden Hauptgleisen werden die Weichen entsprechend der betrieblich erforderlichen Zweiggleisgeschwindigkeit gewählt.

Die Zweiggleisgeschwindigkeit wird unter Berücksichtigung der Signalisierung des Fahrwegs festgelegt. Der erforderliche Aufwand muss hinsichtlich des betrieblichen Nutzens vertretbar sein. Dabei ist eine Minimierung der Kosten für Oberbau- und Signalanlagen anzustreben.

Gemäß der geltenden Richtlinie wird die Geschwindigkeit für die Fahrt durch den abzweigenden Strang der Weichen und in Gleisbogen des anschließenden Weichenbereichs vorgegeben.

In durchgehenden Hauptgleisen, die mit Geschwindigkeiten v > 100 km/h befahren werden, dürfen Weichen mit Schienen S-49 und dem Zweiggleisradius der Grundform

r_0 = 190 m wegen der fahrdynamisch ungünstigen Spurerweiterung nicht eingebaut werden. Weichen der Schienenform S-54 und UIC-60 haben keine Spurerweiterung.

In Einzelfällen dürfen Weichen für eine höhere Abzweiggeschwindigkeit ausgelegt werden, wenn diese Weichen im abzweigenden Strang besonders stark belastet sind. Es wird empfohlen, Fahrwege anstelle für v = 40 km/h soweit möglich für v = 50 km/h zu entwerfen. Dies ist begründet durch die bevorzugte Verwendung von Radien $r_0 \geq 300$ m in Zugfahrstraßen, unabhängig von der örtlich zulässigen Geschwindigkeit. Damit wird der Verschleiß, z. B. bei den äußersten Weichen eines größeren Weichenbereichs, herabgesetzt.

Weichen in durchgehenden Hauptgleisen sind mit der Schienenform der durchgehenden Hauptgleise auszurüsten. Die Schienenformen werden nach den Richtlinien für die „Bauarten des Oberbaus für Gleise und Weichen" entsprechend den Vorgaben durch die betriebliche Infrastrukturplanung festgelegt.

Weichen in Nebengleisen

In Nebengleisen beträgt die zulässige Abzweiggeschwindigkeit v = 40 km/h, in Ausnahmefällen mindestens v = 25 km/h. Es sollen Weichen mit Zweiggleisradien der Grundform r_0 = 190 m verwendet werden. Die Schienenform wird durch die für die Planung zuständige Stelle festgelegt.

Bogenweichen

Weichen sollen als einfache Weichen in den Grundformen verwendet werden. In durchgehenden Hauptgleisen dürfen Bogenweichen verwendet werden, wenn damit die Linienführung insgesamt verbessert werden kann.

In den übrigen Gleisen sollten jedoch Bogenweichen verwendet werden, wenn Weichen mit größerer Grundform durch kleinere Außenbogenweichen ersetzt werden können.

Weichen in überhöhten Gleisen, die zur Bogenaußenseite abzweigen und im abzweigenden Strang häufig von Zügen befahren werden, sollten als Innenbogenweichen gestaltet werden. Dabei ist die Biegbarkeit von Weichen gemäß den geltenden Vorgaben zu beachten.

Kreuzungen und Kreuzungsweichen

Sie dürfen nur dort eingebaut werden, wo die erforderlichen Fahrwege mit einfachen Weichen nicht hergestellt werden können.

Bei Neubauten dürfen Kreuzungen und Kreuzungsweichen mit starren Doppelherzstückspitzen (Neigung 1:9 und steiler) nicht in Gleise eingebaut werden, die mit $v > 100$ km/h befahren werden.

Flachkreuzungen mit beweglichen Doppelherzstückspitzen dürfen in durchgehende Hauptgleise eingebaut werden.

Schutzweichen

Schutzweichen zählen zu den Flankenschutzeinrichtungen. Das Erfordernis, Flankenschutzweichen einzubauen, ist in speziellen Richtlinien bzw. Verfügungen geregelt.

Als Schutzweichen sollen nur Weichen mit Zweiggleisradien der Grundform

- r_0 = 190 m bei den Schienenformen S-49 und S-44,
- r_0 = 300 m bei der Schienenform UIC-60

und daraus gestaltete Außenbogenweichen verwendet werden. Dabei ist sicherzustellen, dass für den von Zugfahrten benutzten Weichenstrang die gleiche Geschwindigkeit zulässig ist wie für das Zweiggleis der Gegenweiche.

Die Regelanordnung von Schutzweichen bei Gleisabständen e = 4,50 m und 4,75 m ist im geltenden Regelwerk aufgeführt, ebenfalls die Anordnung für Schutzweichen aus einfachen Weichen der Grundform beim Mindestgleisabstand e = 3,80 m.

Schutzstümpfe

Schutzstümpfe sind in der Regel mit bremsenden Gleisabschlüssen (Bremsprellböcke) zu versehen. Festprellböcke sind nicht zugelassen. Dabei soll vor dem Anfang eines bremsenden Gleisabschlusses auf eine Wagenlänge ein gerader Gleisabschnitt vorgesehen werden.

Im Bereich des Bremswegs sind die Bestimmungen für die Umgrenzung des lichten Raums einzuhalten.

Weichen mit beweglichen Herzstückspitzen

In der Regel sind Weichen mit starrem Herzstück zu verwenden. Weichen, die mit zul $v > 230$ km/h befahren werden, müssen mit beweglichen Herzstückspitzen ausgerüstet sein. In Bogenweichen ist der Einsatz von Herzstücken mit beweglicher Herzstückspitze durch die Richtlinien für den Überhöhungsfehlbetrag bestimmt. Bei Neubau und Erneuerung von Bogenweichen im Geschwindigkeitsbereich 160 km/h < zul $v \leq 200$ km/h und einem Überhöhungsfehlbetrag von $u_f > 50$ mm sollen bewegliche Herzstückspitzen verwendet werden.

Die Verwendung beweglicher Herzstückspitzen kann z. B. notwendig werden, um die Untertiefung (= negative Überhöhung) bei Außenbogenweichen zu vermindern.

Klotoidenweichen

Klotoidenweichen sollen in allen Abzweigungen, Gleisverbindungen mit anderen Strecken und Überleitstellen der Neubaustrecken mit $v > 200$ km/h verwendet werden.

2.6.5.2 Anordnung von Weichen und Kreuzungen

Die Anzahl der Weichen ist auf das betrieblich notwendige Mindestmaß zu beschränken. Weichen sollen so angeordnet werden, dass im Hauptfahrweg, d. h.

- im schneller befahrenen Gleis oder
- bei gleicher Geschwindigkeit in beiden Gleisen im stärker belasteten Gleis

kein Krümmungswechsel vorhanden ist.

Schließt ein gleichgerichteter Bogen an das Zweiggleis an, so sollen Weichen mit Bogenherzstück verwendet werden.

Weichen und Kreuzungen sind nach Möglichkeit so anzuordnen, dass Regel-Schwellensätze verwendet werden können. Unvermeidbare Krümmungswechsel im Weichenbereich sollen nicht zwischen Weichenende und letzter durchgehender Schwelle angeordnet werden (Abb. 2.66).

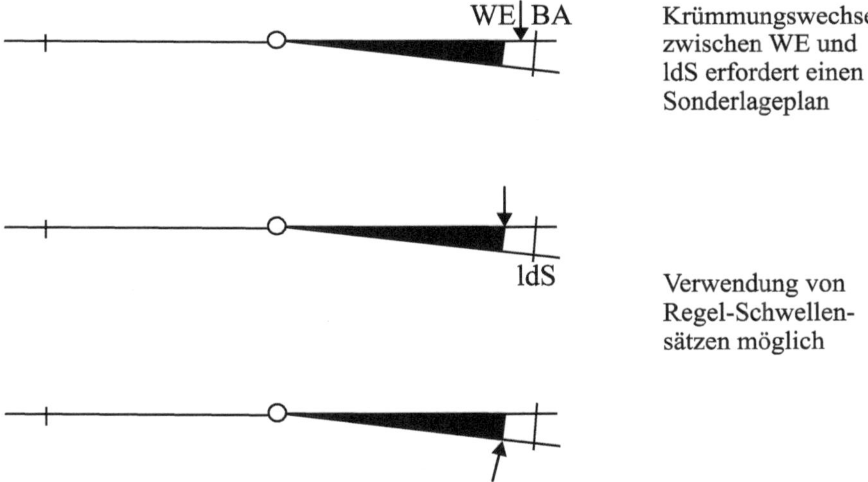

Abb. 2.66: Linienführung im Bereich der durchgehenden Schwellen und Verwendung von Regelschwellensätzen (DB-Ril 800.0120). WE: Weichenende, BA: Bogenanfang, ldS: letzte durchgehende Schwelle.

Verzweigungsweichen

Bei der Verzweigung von Gleisen, die mit gleicher Geschwindigkeit befahren werden, sollte der Krümmungsunterschied am Weichenanfang auf beide Stränge der Weiche etwa gleichmäßig verteilt werden, wenn sich dabei eine günstige Linienführung erzielen lässt (Abb. 2.67).

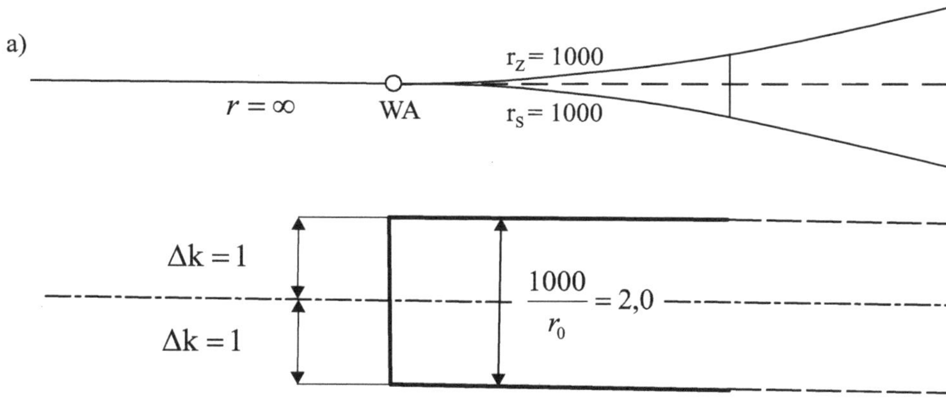

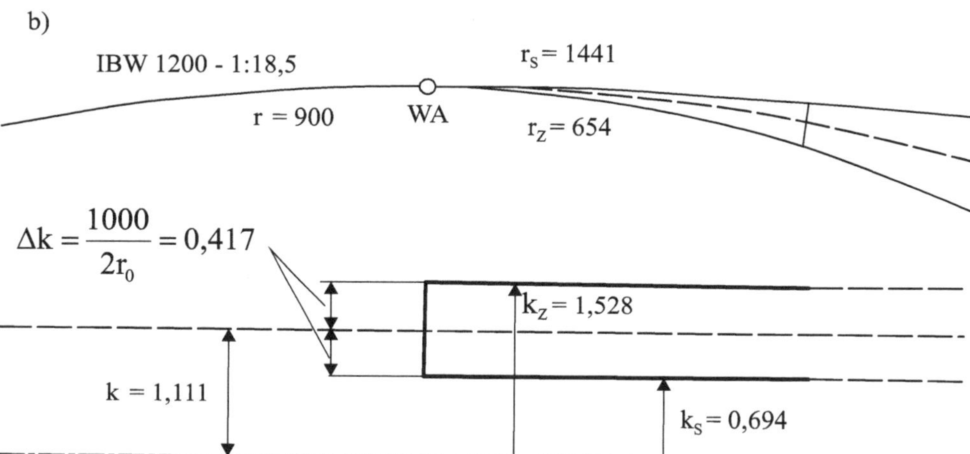

Abb. 2.67: Verzweigungsweichen in Grundriss und Krümmungsbild: a) symmetrische ABW, b) bezogen spiegelgleiche IBW. WA: Weichenanfang, r_0: Radius der Grundform, r_S: Stammgleisradius, r_Z: Zweiggleisradius, k_S: Stammgleiskrümmung, k_Z: Zweiggleiskrümmung.

Bogenweichen

Bogenweichen sind nach Möglichkeit in Kreisbögen zu verlegen. Die Überhöhung soll nicht größer als 100 mm sein.

Müssen Weichen in Übergangsbögen verlegt werden, so sind diese mit gerader Krümmungslinie und gerader Rampe zu gestalten. Dabei sollten Übergangsbögen und Überhöhungsrampen nicht im Bereich der Weiche einschließlich der durchgehenden Schwellen beginnen oder enden.

Zur Bogenaußenseite abzweigende Weichen in Übergangsbögen sollen so angeordnet werden, dass im abzweigenden Strang kein Gegenbogen entsteht (Abb. 2.68). Gegenbögen können im nach außen abzweigenden Strang nur vermieden werden, wenn diese Weichen vor oder hinter der Stelle angeordnet werden, bei welcher der Radius im Übergangsbogen dem Radius der Weichengrundform entspricht.

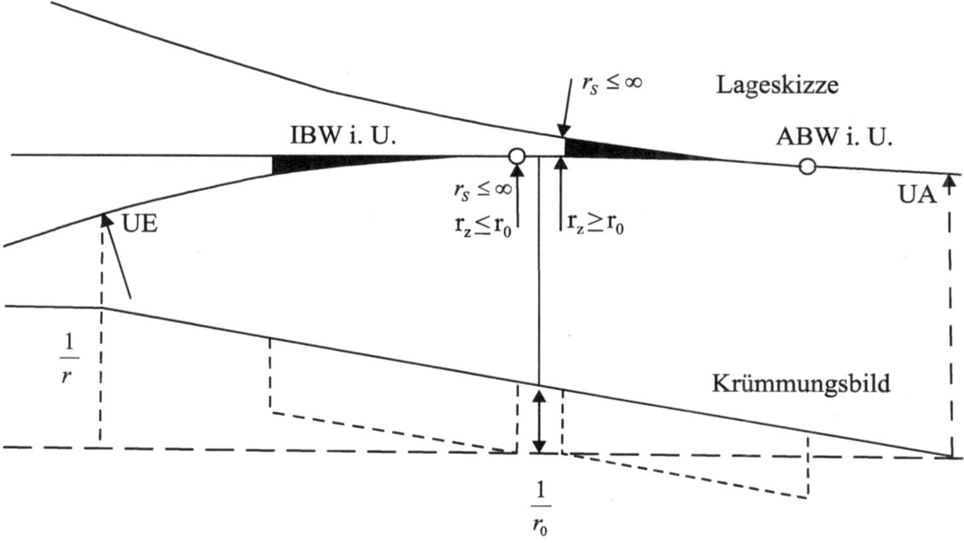

Abb. 2.68: Weichen im Übergangsbogen (DB-Ril 800.0120). IBW: Innenbogenweiche, ABW: Außenbogenweiche, i. U.: im Übergangsbogen, UA: Übergangsbogenanfang, UE: Übergangsbogenende, r_S: Stammgleisradius, r_Z: Zweiggleisradius, r_0: Radius der Grundform, r: Radius des Kreisbogens.

Neigungswechsel im Weichenbereich

Wenn Neigungswechsel im Bereich von Weichen angeordnet werden müssen, sollen möglichst große Ausrundungsradien gewählt werden. Der Ausrundungsradius darf nicht kleiner als r_a = 2000 m sein.

Weichen im Brückenbereich

Über dem beweglichen Tragwerksende von Brücken sollen keine Weichen angeordnet werden.

Weichenanschlüsse WA an WE

Bei Weichenanschlüssen, bei denen Weichen mit der Zungenvorrichtung an das Ende einer anderen Weiche anschließen, soll der Abstand zwischen beiden Weichen so gewählt werden, dass die Zungenvorrichtung nicht auf den durchgehenden Schwellen zu liegen kommt und im Bereich der Zungenvorrichtung nach Möglichkeit ungekürzte Regelschwellen verwendet werden können.

Ungekürzte Regelschwellen können in der anschließenden Weiche verwendet werden, wenn der Gleisabstand am Anfang dieser Weiche (WA) mindestens 2,50 m beträgt (Abb. 2.69).

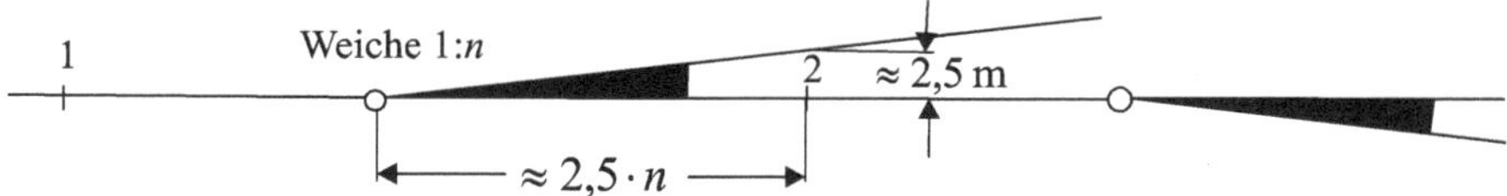

Abb. 2.69: Abstand bei Weichenanschlüssen unter Verwendung von ungekürzten Regelschwellen in der anschließenden Weiche

Regel- und Mindestabstandsmaße (a und min a) für Weichen und Kreuzungen mit Schienen S-54 und UIC-60 sind für die Deutsche Bahn in Richtlinie 800.0120 aufgeführt.

Kann der Mindestabstand min a nicht eingehalten werden oder muss die kürzeste Entwicklungslänge angestrebt werden, ist der Anfang der zweiten Weiche unmittelbar an das Weichenende der ersten Weiche zu legen. Weichen der Grundform 190 – 1:7,5 dürfen soweit ineinandergreifen, dass sich im Zweiggleis ein fortlaufender Bogen mit $r = 190$ m ergibt.

Weichenanschlüsse WA an WA

Bei diesen Weichenanschlüssen sind die Weichen mit den Spitzen zueinander verlegt. Bilden die Zweiggleise dabei einen Gegenbogen, ist eine Zwischengerade bzw. bei Bogenweichen ein Zwischenbogen vorzusehen.

Müssen bei selbsttätigen Gleisfreimeldeanlagen elektrische Trennstöße vorgesehen werden, soll der Abstand zwischen den Weichenanfängen mindestens 7 m betragen (Abb. 2.70).

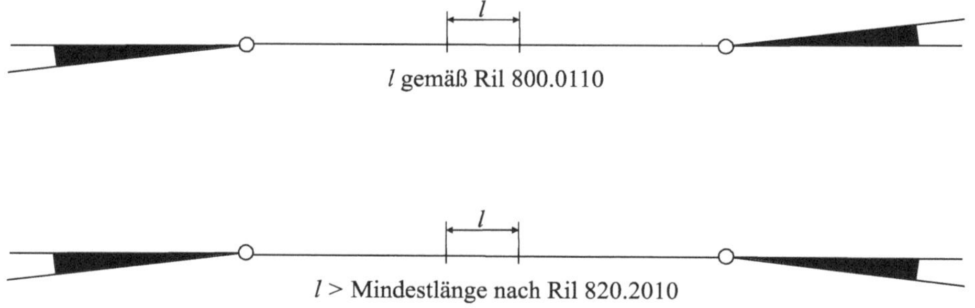

Abb. 2.70: Weichenanschlüsse gerader Weichen, die mit den Weichenanfängen gegeneinander liegen (DB-Ril 800.0120)

Auf Strecken mit Oberleitung der Bauart RE 330 sind die Planungsparameter der Oberleitung zu beachten. Die erforderlichen Abstände zwischen den Weichen sind von den Weichengrundformen und der Abzweigrichtung abhängig.

Gleisverbindungen

Der Gleisabstand in Gleisverbindungen soll mindestens 4,50 m betragen. Hiervon darf abgewichen werden

- bei Weichen zwischen durchgehenden Hauptgleisen, die im Abstand der freien Strecke geführt werden müssen,
- bei kurzen Schutzgleisstümpfen, wenn die Schutzweiche so nah wie möglich an die anschließende Weiche herangerückt werden muss. Dabei darf der Gleisabstand an der engsten Stelle zum Stumpfgleis auf 3,80 m verringert werden.

Doppelte Gleisverbindungen sollen bei Neubauten – insbesondere in durchgehenden Hauptgleisen – nicht eingebaut werden.

Weichen mit unterschiedlichen Schienenformen

Bei Verwendung von Weichen mit unterschiedlichen Schienenformen in Gleisverbindungen und Weichenanschlüssen soll kein Teil einer Weiche auf den durchgehenden Schwellen der benachbarten Weiche zu liegen kommen.

2.6.6 Umgrenzung des lichten Raums und Gleisabstände

2.6.6.1 Lichtraumprofil

Streckenquerschnitte auf Erdkörpern

Abhängig von der jeweiligen Entwurfsgeschwindigkeit v_e, und damit von der Streckenkategorie, sind die in Tabelle 2.17 beschriebenen Streckenquerschnitte bei Ausbau- und Neubaustrecken nach den Regelzeichnungen vorzusehen.

Tabelle 2.17: Streckenquerschnitte je Entwurfsgeschwindigkeit (DB-Ril 800.0130)

<table>
<tr><th>Strecken-kategorie</th><th>Entwurfsgeschwin-digkeit [km/h]</th><th>Gleis-abstand [m]</th><th>Abstand Gleismitte/ Planumskante [m]</th><th>Planumsbreite (bei $u = 0$) [m]</th></tr>
<tr><td rowspan="2">Ausbaustrecken</td><td>$v_e \leq 160$</td><td rowspan="2">4,00</td><td>3,30</td><td>10,60</td></tr>
<tr><td>$160 < v_e \leq 200$</td><td rowspan="2">3,80</td><td>11,60</td></tr>
<tr><td>Neubaustrecken</td><td>$v_e \leq 300$</td><td>4,50</td><td>12,10</td></tr>
</table>

Umgrenzung des lichten Raums

Zu jedem Gleis gehört ein freizuhaltender Raum. Er setzt sich zusammen aus dem von der jeweiligen Grenzlinie umschlossenen Raum sowie zusätzlichen Räumen für bauliche und betriebliche Zwecke.

Die Maße von Lichtraumprofilen und Grenzlinien beziehen sich auf die Verbindungslinie der beiden Schienenoberkanten (*SO*) in Solllage; die Mittellinie steht senkrecht auf der Verbindungslinie.

Lichtraumprofil GC

Bei Neubaustrecken und umfassenden Umbauten an vorhandenen Strecken wird das in Abbildung 2.71 dargestellte Lichtraumprofil GC hergestellt. Bei sonstigen Baumaßnahmen ist das Lichtraumprofil GC anzustreben.

Bahnsteige und Rampen dürfen in das Lichtraumprofil GC bis zur Grenzlinie hineinragen. Die Einbaumaße sind in den entsprechenden Regelzeichnungen enthalten.

Das Lichtraumprofil GC enthält Reserven für die Hebung des Oberbaus durch Instandhaltungsmaßnahmen und einen Zuschlag von 25 mm für die Ausrundung von Neigungswechseln mit einem Ausrundungsradius von r_a = 2.000 m.

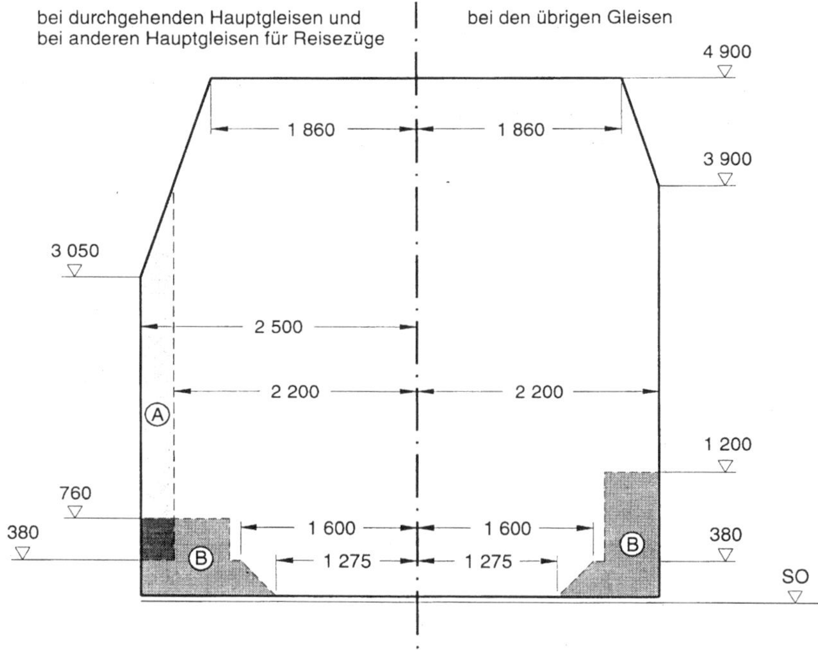

Abb. 2.71: Lichtraumprofil GC bei Radien ≥ 250 m, Maße in [mm] (DB-Ril 800.0130)

A) Raum für die Streckenausrüstung zwischen Streckengleisen und durchgehenden Hauptgleisen.

B) Raum für Bahnsteige, Rampen, Rangiereinrichtungen, Signalanlagen. Die jeweiligen Einbaumaße sind in den entsprechenden Modulen angegeben.
Bei Bauarbeiten dürfen auch andere Gegenstände hineinragen (z. B. Baugerüste, Baugeräte, Baustoffe), wenn die erforderlichen Sicherheitsmaßnahmen (u. a. Geschwindigkeitsherabsetzungen oder Ausschluss von Sendungen mit Lademaßüberschreitungen) getroffen sind.

SO: Schienenoberkante.

Regellichtraum nach EBO

Bei bestehenden Anlagen soll der in Abbildung 2.72 dargestellte Regellichtraum nach EBO freigehalten werden.

Der von der Grenzlinie umschlossene Raum ist freizuhalten; das gilt nicht für Gleise mit Einrichtungen zum Reinigen und Instandsetzen von Fahrzeugen, sofern die Gleise nur für diese Zwecke benutzt werden.

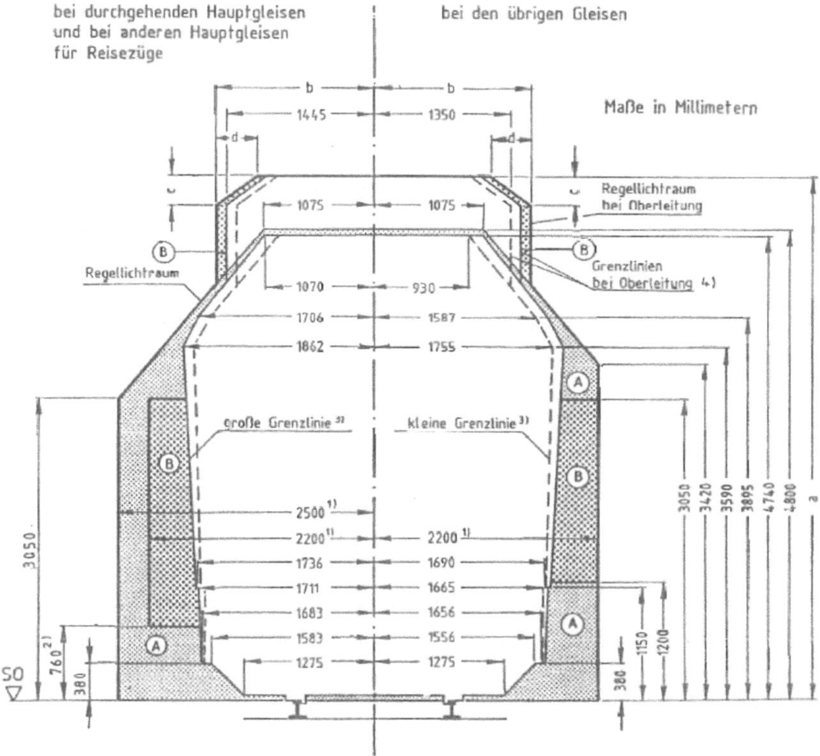

Abb. 2.72: Regellichtraum in der Geraden und in Bogen bei Radien ≥ 250 m (§ 9 EBO)

A) Zulässig sind Einragungen von baulichen Anlagen, wenn es der Bahnbetrieb erfordert (z. B. Bahnsteige, Rampen, Rangiereinrichtungen, Signalanlagen), sowie Einragungen bei Bauarbeiten, wenn die erforderlichen Sicherheitsmaßnahmen getroffen sind.

B) Zulässig sind Einragungen bei Bauarbeiten, wenn die erforderlichen Sicherheitsmaßnahmen getroffen sind.

1) Bei Gleisen, auf denen ausschließlich Stadtschnellbahnfahrzeuge verkehren, dürfen die Maße um 100 mm verringert werden. In Tunneln sowie unmittelbar angrenzenden Einschnittsbereichen ist die Verringerung der halben Breite des Regellichtraums auf 1.900 mm zulässig, sofern besondere Fluchtwege vorhanden sind. Die Neigung der Schrägen ändert sich nicht.

2) Bei Gleisen, auf denen überwiegend Stadtschnellbahnfahrzeuge verkehren, 960 mm.

3), 4) Einflussgrößen für die Grenzlinien entsprechend EBO.

Tabelle 2.18: Maße des Regellichtraums bei Oberleitung in Gleisbogen mit Radien $r \geq 250$ m (EBO)

Stromart	Nennspannung [kV]	Mindesthöhe [mm]	Halbe Mindestbreite im Arbeitshöhenbereich des Stromabnehmers über *SO* [mm]				Abschrägung der Ecken [mm]	
		a	*b* ≤ 5300	5300 < *b* ≤ 5500	5500 < *b* ≤ 5900	5900 < *b* ≤ 6500	*c*	*d*
Wechselstrom	15	5200	1430	1440	1470	1510	300	400
	25	5340	1500	1510	1540	1580	335	447
Gleichstrom	< 1,5	5000	1315	1325	1355	1395	250	350
	3	5030	1330	1340	1370	1410	250	350

Die Oberleitung darf in den von der Grenzlinie umschlossenen Raum hineinragen; dies gilt auch für die Stromschiene. Für den Fahrdraht der Oberleitung gelten die Mindesthöhen nach Tabelle 2.19; Ausnahmen sind zulässig.

Tabelle 2.19: Mindestfahrdrahthöhe über Schienenoberkante (*SO*) (EBO)

Stromart	Nennspannung [kV]	Höhe [mm]
Wechselstrom	15	4950
	25	5020
Gleichstrom	1,5	4850
	3	4865

2.6.6.2 Kinematische Grenzlinien

Bei bestehenden Anlagen, bei denen das Lichtraumprofil GC oder der Regellichtraum nach EBO eingeschränkt sind, muss die kinematische Grenzlinie (= Mindestlichtraum) für die entsprechenden Verkehre in Istlage freigehalten werden (vgl. auch EBO).

Die Grenzlinien sind keine Planungsgrundlage für die Netzinfrastruktur. Sie werden nur für das bestehende Netz (z. B. für Engstellenbetrachtungen) verwendet. Sie können bei Bedarf mit den örtlichen Gegebenheiten (Bezugslinie, Radius, Spurweite, Überhöhung bzw. Überhöhungsfehlbetrag und Gleislagetoleranzen) exakt ermittelt werden. Dabei sind ggf. ergänzende Regelungen für die Instandhaltung des Oberbaus erforderlich.

Der Berechnung der waagerechten Abstände der Grenzlinien liegen die in UIC-Merkblättern festgelegten Gleislage-Toleranzen und den in Tabelle 2.20 aufgeführten Annahmen zugrunde.

Tabelle 2.20: Grundlagen für die Berechnung von Grenzlinien

Bezugslinie		ICE	GC	G2	GB
Radius r	[m]	250	250	250	250
Spurweite s	[mm]	1470	1470	1470	1470
Überhöhung u	[mm]	160	150	160	160
Überhöhungsfehlbetrag u_f	[mm]	150	130	150	150
Neigungskoeffizient	[-]	0,28	0,3	0,4	0,3

Die größte Eckpunkthöhe der jeweiligen Grenzlinie ergibt sich wie in Tabelle 2.21 aufgeführt.

Tabelle 2.21: Größte Eckpunkthöhe der Grenzlinien

Bezugslinie		GC		G2	GB
Höhe der Bezugslinie	[mm]	4700	4700	4680	4110
Zusätzliche Vergrößerungen	[mm]	107 [1)]	92 [2)]	–	–
Zuschlag für Ausrundung bei r_a = 2000 m	[mm]	25	25	25	25
Höhe der Grenzlinien	[m]	4832[1)]	4817[2)]	4705	4136

[1)] an der Bogen-Außenseite
[2)] an der Bogen-Innenseite

- Die **kinematische Grenzlinie G2** gilt für die nach der Bezugslinie G2 gebauten Fahrzeuge (Umgrenzungslinie für Fahrzeuge, die nicht im grenzüberschreitenden Verkehr eingesetzt werden).
- Die **kinematische Grenzlinie GB** bezieht sich auf die Bezugslinie G1 (Umgrenzungslinie für Fahrzeuge, die freizügig im grenzüberschreitenden Verkehr eingesetzt werden).
- Die **kinematische Grenzlinie GC** ist nach der Begrenzungslinie GC ermittelt. Sie gilt für Huckepackverkehr und Ladungen für Container und LKW.
- Die **kinematische Grenzlinie ICE** gilt für Strecken mit ICE-Verkehr.
- Die **Grenzlinie für Fahrzeuge mit Neigetechnik** liegt in allen Fällen innerhalb der angegebenen Grenzlinie.

Unterer Teil der Grenzlinien

Der in Abbildung 2.73 dargestellte untere Teil der Grenzlinie ist freizuhalten.

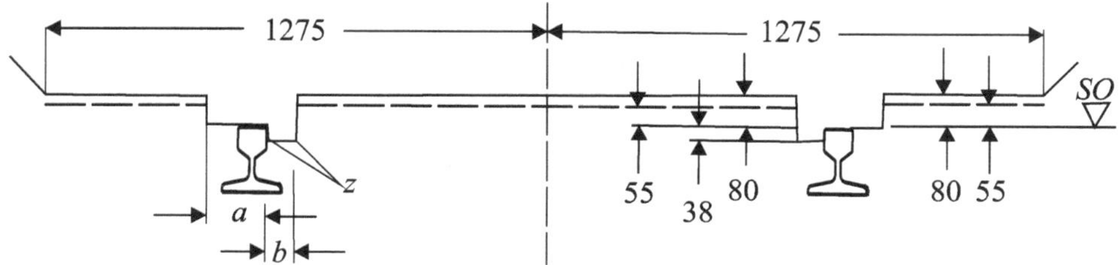

———— Grenzlinie in Gleisen ohne Neigungswechsel und im Abstand von mindestens 20 m vor Neigungsausrundungen

– – – – Grenzlinie in Gleisen mit Neigungswechseln, die mit $r_a \geq 2000$ m ausgerundet sind

Abb. 2.73: Unterer Teil der Grenzlinie, Maße in [mm] (DB-Ril 800.0130)

a ≥ 150 mm für unbewegliche Gegenstände, die nicht fest mit der Fahrschiene verbunden sind

a ≥ 135 mm für unbewegliche Gegenstände, die fest mit der Fahrschiene verbunden sind

b = 41 mm für Einrichtungen, die das Rad an der inneren Stirnfläche führen

b ≥ 45 mm an Bahnübergängen und sonstigen Übergängen bei vorhandenen Einläufen, jedoch:

b ≥ 61 mm + (Spurweite des Gleises minus 1.435 mm) an Bahnübergängen mit massiven Oberflächenbefestigungen und bei allen übrigen Fällen

z: Ecken, die ausgerundet werden dürfen

Die Maße der Grenzlinie müssen auch bei abgenutzten Schienen eingehalten werden.

2.6.6.3 Regellichtraum bei Oberleitungen

Bei allen Neubauten und umfassenden Umbauten auf elektrifizierten und zur Elektrifizierung vorgesehenen Strecken mit Geschwindigkeiten $v \leq 200$ km/h muss der in Abbildung 2.74 dargestellte Regellichtraum bei der Oberleitung freigehalten werden.

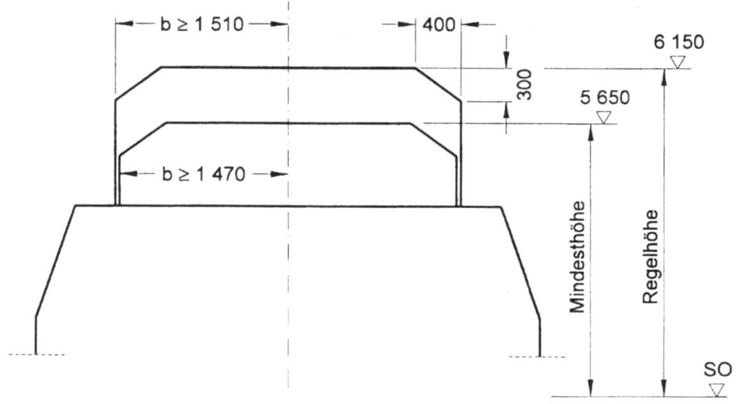

Abb. 2.74: Regellichtraum bei Oberleitung in Radien $r \geq 250$ m bei Strecken mit $v \leq 200$ km/h, Maße in [mm] (*SO*: Schienenoberkante) (DB-Ril 800.0130)

Für den Regellichtraum soll bei Oberleitung mit 15 kV Nennspannung eine Höhe von 6,15 m freigehalten werden. Die Mindesthöhe von 5,65 m darf nicht unterschritten werden. An Bahnübergängen muss die Höhe $h \geq 6{,}50$ m sein.

Mindestens soll die lichte Höhe für Überbauten nach Tabelle 2.22 entsprechend DB-Richtlinie 997.0101 berücksichtigt werden.

Tabelle 2.22: Minimale lichte Höhen für Überbauten (DB-Ril 997.0101)

Freie Strecke im Normalbereich der Kettenwerke[1]		**Freie Strecke im Bereich von Nachspannungen, Streckentrennungen, Streckentrennern und in Bahnhöfen [2]**
$v \leq 160$ km/h	**$v \leq 200$ km/h**	**$v \leq 200$ km/h**
5,70 m	5,90 m	6,20 m

[1] Lichte Bauwerkshöhe unabhängig von der Bauwerksbreite und der Lage des Bauwerks bei Anordnung der Oberleitung an Stützpunkten

[2] Maximale Bauwerksbreite 15 m

Bei überhöhten bzw. geneigten Strecken sind abhängig von der Überhöhung u und der Längsneigung s folgende Zuschläge auf die lichten Mindesthöhen zu machen:

- bei $u > 0$ mm: $+\frac{2}{3}\,u$ [mm]
- bei $s > 0$ ‰: $+\frac{3}{2}\,s$ [mm]

Die halben Breiten b des Regellichtraums bei Oberleitung mit 15 kV Nennspannung betragen für Radien $r \geq 250$ m für den Arbeitshöhenbereich h des Stromabnehmers

- $h \leq 5500$ mm: $b \geq 1440$ mm,
- 5500 mm $< h \leq 5900$ mm: $b \geq 1470$ mm,
- 5900 mm $< h \leq 6500$ mm: $b \geq 1510$ mm.

Im bestehenden Netz darf das Maß b unter Einbeziehung der örtlichen Gegebenheiten (Arbeitshöhe des Stromabnehmers, Radius, Spurweite, Überhöhung bzw. Überhöhungsfehlbetrag und Gleislagetoleranzen) auch exakt ermittelt werden.

Bei Strecken mit einer Geschwindigkeit $v > 200$ km/h muss der in Abbildung 2.75 dargestellte Lichtraum bei Oberleitung freigehalten werden.

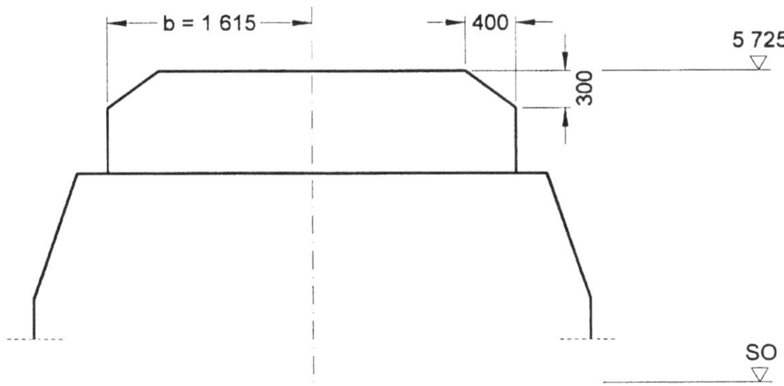

Abb. 2.75: Lichtraum bei Oberleitung in Radien $r \geq 250$ m bei Strecken mit $v > 200$ km/h, Maße in [mm] (*SO*: Schienenoberkante) (DB-Ril 800.0130)

Vergrößerung der halben Breite des Regellichtraums

In Gleisbogen mit $r < 250$ m sind die halben Breitenmaße der Lichtraumprofile und des Regellichtraums bei Oberleitung nach Tabelle 2.23 zu vergrößern. Zwischenwerte dürfen geradlinig interpoliert werden.

Tabelle 2.23: Vergrößerung des Lichtraums in Gleisbögen mit Radien kleiner 250 m (DB-Ril 800.0130A01)

Bogenradius [m]	**Erforderliche Vergrößerung der halben Breitenmaße [mm]**		
	an der Bogeninnenseite	**an der Bogenaußenseite**	**bei Oberleitung**
250	0	0	0
225	25	30	10
200	50	65	20
190	65	80	25
180	80	100	30
150	135	170	50
120	335	365	80
100	530	570	110

Übergänge zwischen verschiedenen Lichtraumbreiten

Verschiedene Lichtraumbreiten können z. B. in Übergangsbereichen zwischen

- festgelegten und nicht festgelegten Gleisabschnitten,
- Radien $r < 250$ m und $r \geq 250$ m,
- reinem S-Bahn-Betrieb und Mischbetrieb

auftreten.

Verschieden große Breiten des Lichtraumprofils von zwei aneinanderstoßenden Gleisabschnitten sind nach den Angaben in Abbildung 2.76 bzw. Abbildung 2.77 zu verbinden.

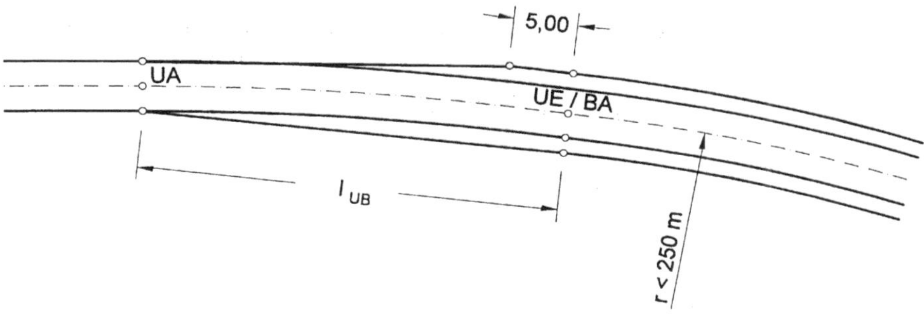

Abb. 2.76: Übergang zwischen verschiedenen Lichtraumbreiten bei vorhandenem Übergangsbogen, Maße in [m] (DB-Ril 800.0130A01). UA: Übergangsbogenanfang, UE: Übergangsbogenende, BA: Bogenanfang, l_{UB}: Länge des Übergangsbogens, *r*: Bogenradius.

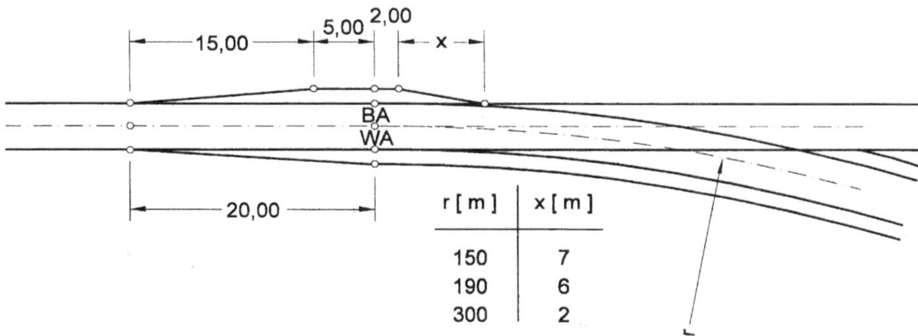

r [m]	x [m]
150	7
190	6
300	2

Abb. 2.77: Übergang zwischen verschiedenen Lichtraumbreiten ohne Übergangsbogen oder bei Weichen, Maße in [m] (DB-Ril 800.0130A01). BA: Bogenanfang, WA: Weichenanfang, *r*: Bogenradius.

2.6.6.4 Gleisabstände

Der Gleisabstand ist horizontal zwischen den Gleismitten zu messen.

Regelgleisabstand der freien Strecke mit $r \geq 250$ m

Auf der freien Strecke sind in Geraden und in Bogen mit $r \geq 250$ m folgende Regelgleisabstände herzustellen:

- für Ausbaustrecken mit $v \leq 200$ km/h 4,00 m,
- für Neubaustrecken mit $v \leq 300$ km/h 4,50 m.

Beim Ausbau vorhandener Strecken kann der Gleisabstand von 4,00 m bis zu einer Geschwindigkeit $v = 230$ km/h beibehalten werden, wenn für die erhöhte Geschwindigkeit nur Züge mit günstigen aerodynamischen Eigenschaften (wie z. B. der ICE) eingesetzt werden.

Bei überhöhten Gleisen kann für die beiden in der Regel vorkommenden Fälle der horizontale Gleisabstand nach Abbildung 2.78 mit Gleichung (2.85) und Abbildung 2.79 mit Gleichung (2.86) ermittelt werden.

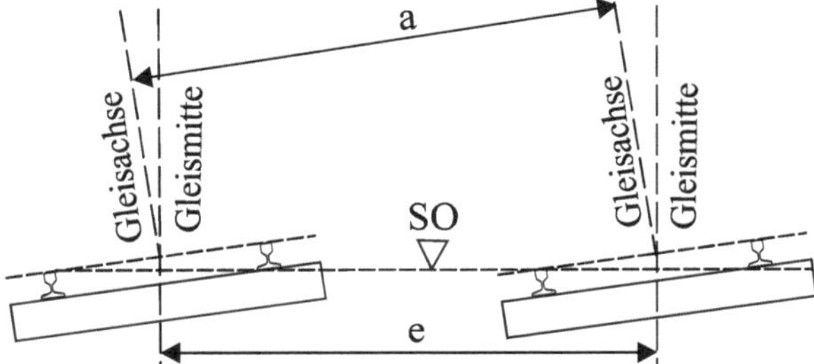

Abb. 2.78: Ermittlung des erforderlichen horizontalen Gleisabstands bei Gleisen mit gleicher Überhöhung (DB-Ril 800.0130A02)

$$e = a \cdot \left(1 + \frac{0{,}005}{150} \cdot u\right) \tag{2.85}$$

$e > a$

a = Abstand der Gleisachsen [m]
e = Abstand der Gleismitten [m]
u = Überhöhung in beiden Gleisen [mm]

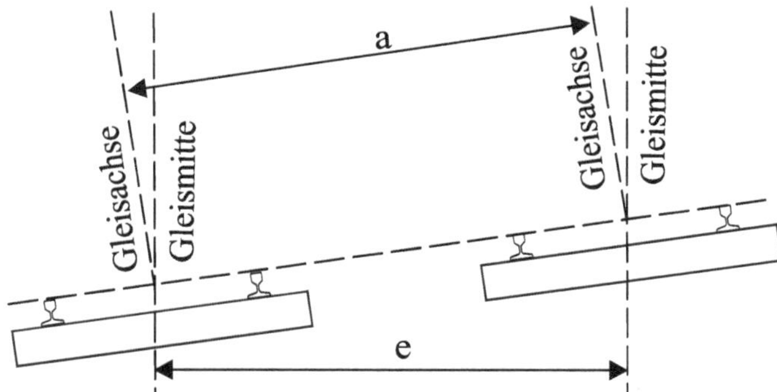

Abb. 2.79: Ermittlung des erforderlichen horizontalen Gleisabstands bei Gleisverbindungen in überhöhten Gleisen mit Schienen in einer Ebene (DB-Ril 800.0130A02)

$$e = a \cdot \left(1 - \frac{0{,}005}{150} \cdot u\right) \tag{2.86}$$

$e < a$

a = Abstand der Gleisachsen [m]
e = Abstand der Gleismitten [m]
u = Überhöhung (in beiden Gleisen gleich) [mm]

Gleisabstand auf der freien Strecke bei Gleiswechselbetrieb

Wenn für den Gleiswechselbetrieb zwischen Streckengleisen Signalmaste aufgestellt werden müssen, soll ein Gleisabstand von 4,60 m eingehalten werden. Dieser Gleisabstand darf bis auf 4,50 m verringert werden, wenn eine genaue Einmessung der Signale gewährleistet ist. In Bögen sind hierbei ggf. Gleisüberhöhungen zu beachten.

Der Gleisabstand von 4,60 m berücksichtigt eine Bautoleranz für den Signalmast von 2 · 0,05 m. 4,50 m setzt sich zusammen aus den halben Breiten des Lichtraumprofiles (2 · 2,20 m) und der Breite des Signalmastes (0,10 m ohne Bautoleranz). Dabei wird in Kauf genommen, dass der für eine ungehinderte maschinelle Oberbauinstandhaltung erforderliche Abstand von 2,20 m zwischen Vorderkante Mastfundament und Gleismitte nicht gewährleistet ist.

Die bei einem Gleisabstand $e < 4{,}50$ m in Gleisverbindungen erforderliche Unterschwellung mit übergreifenden Langschwellen hätte erhebliche Nachteile für die Gleislage und die Gleisinstandhaltung in kurzen Sperrpausen. Infolge der über beide Streckengleise übergreifenden Langschwellen müsste beim Einsatz von Stopfmaschinen jeweils das Nachbargleis gesperrt werden. Außerdem könnten sich die Auswirkungen auf die Höhenlage des Nachbargleises ergeben.

Gleisabstände in Bahnhöfen bei $r \geq 250$ m

In Bahnhöfen soll in der Geraden und in Bogen mit $r \geq 250$ m ein Gleisabstand von mindestens 4,50 m vorgesehen werden. Dieser Gleisabstand ermöglicht in nicht überhöhten Gleisen die Aufstellung von Signalen mit 0,10 m Mastbreite. Des Weiteren können bei Gleisverbindungen Langschwellen vermieden werden.

Soweit die Herstellung eines Gleisabstands von mindestens 4,50 m mit erheblichen Mehrkosten verbunden ist, dürfen durchgehende Hauptgleise im Gleisabstand der freien Strecke durch den Bahnhof geführt werden. Bei kurzen Schutzgleisstümpfen darf der Gleisabstand an der engsten Stelle auf 3,80 m verringert werden.

Gleisabstände in kleinen Bögen mit $r < 250$ m

Bei Radien $r < 250$ m sind die Gleisabstände entsprechend Tabelle 2.24 zu vergrößern. Zwischenwerte werden geradlinig interpoliert.

Tabelle 2.24: Vergrößerung der Gleisabstände bei Radien $r < 250$ m (DB-Ril 800.0130A02)

Radius [m]	Vergrößerung [m]
250	0
225	50
200	120
180	180

Tabelle 2.24 (Fortsetzung)

Radius [m]	Vergrößerung [m]
150	300
120	700
100	1100

Gleisabstände bei Zwischenwegen ohne Mastgasse

Wird zwischen Gleisen ein Zwischen- bzw. Rangierweg erforderlich, sind Gleisabstände vorzusehen, die die jeweiligen Gefahrenbereiche benachbarter Gleise abhängig von der Gleisart (Haupt-, Überholungs- oder Nebengleis) und einen Sicherheitsraum von 0,80 m berücksichtigen.

Gleisabstände bei Mastgassen

Werden parallel und höhengleich zu einer vorhandenen elektrifizierten Strecke neue Gleise geplant, so muss zwischen den vorhandenen und den neuen Gleisen eine Mastgasse berücksichtigt werden.

Hierbei muss unterschieden werden, ob die vorhandene Oberleitung umgebaut oder beibehalten wird:

- Bei Umbau der vorhandenen Oberleitung soll der Gleisabstand 6,40 m betragen. Voraussetzung hierfür ist, dass nur eine der beiden Strecken mit $v > 160$ km/h befahren werden soll. In überhöhten Gleisen darf dieser Gleisabstand beibehalten werden, wenn die Tiefenentwässerung an der Bogeninnenseite vor dem Mastfundament angeordnet wird.
- Ist auf beiden Streckengleisen eine Geschwindigkeit von $v > 160$ km/h vorgesehen, muss der Gleisabstand 6,80 m betragen.
- Bei Verbleib der vorhandenen Oberleitungsanlagen ist der Gleisabstand für den Einzelfall zu ermitteln.

Gleisabstände bei Strecken mit unterschiedlicher Höhenlage

Bei parallel geführten Gleisen mit unterschiedlicher Höhenlage ist der Gleisabstand entsprechend der Ausbildung der Erdbauwerke, der Stützmauern oder sonstiger Einbauten zu bestimmen.

Mindestgleisabstände

Im bestehenden Netz sind bei Gleisen mit Streckengeschwindigkeiten $v < 160$ km/h Gleisabstände 3,50 m $\leq e <$ 4,00 m vorhanden. Für diese Fälle sind Mindestabstände in Tabelle 2.25 angegeben. Zwischenwerte werden geradlinig interpoliert.

Tabelle 2.25: Mindestgleisabstände *e* [m] bei Geschwindigkeiten *v* <160 km/h im bestehenden Netz (DB-Ril 800.0130A02)

u' [mm][1)]		*r* [m]					
		250	**350**	**500**	**650**	**950**	**2000**
0..100	(250)	3,56	3,51	3,50	3,50	3,50	3,50
110	(260)	3,56	3,52	3,50	3,50	3,50	3,50
120	(270)	3,57	3,53	3,50	3,50	3,50	3,50
140	(290)	3,58	3,54	3,52	3,50	3,50	3,50
160	(310)	3,59	3,55	3,53	3,51	3,50	3,50
180	(330)	3,60	3,56	3,55	3,53	3,52	3,51
200	(350)	3,60	3,56	3,56	3,54	3,53	3,52
220	(370)	3,61	3,58	3,58	3,56	3,55	3,54
240	(390)	3,62	3,59	3,59	3,58	3,57	3,56
260	(410)	3,63	3,61	3,61	3,59	3,58	3,57
280	(430)	3,64	3,63	3,63	3,61	3,60	3,59
300	(450)	3,66	3,64	3,64	3,63	3,61	3,60
320	(470)	3,67	3,66	3,65	3,64	3,63	3,62

[1)] Werte in Klammern gelten für bogenschnellen Betrieb

$$u' = u_a + u_{fi} \tag{2.87}$$

u_a = Überhöhung des Außenbogen-Gleises [mm]
u_{fi} = Überhöhungsfehlbetrag des Innenbogen-Gleises [mm]
u = Überhöhung (in beiden Gleisen gleich) [mm]

In Einzelfällen können Mindestwerte unter Einbeziehung der örtlichen Gegebenheiten und ggf. besonderer Toleranzen des Oberbaus, im Benehmen mit der Zentrale festgelegt werden. Die Zentrale regelt deren Überwachung.

Hat das äußere Gleis eine größere Überhöhung als das innere Gleis, so sind die Werte in Tabelle 2.25 um das folgende Maß Δe zu vergrößern, im umgekehrten Fall können diese Werte bei Bedarf entsprechend verkleinert werden:

$$\Delta e = \frac{3{,}53}{1{,}50} \cdot (u_a - u_i) \text{ [mm]} \tag{2.88}$$

u_a = Überhöhung des Außenbogen-Gleises [mm]
u_i = Überhöhung des Innenbogen-Gleises [mm]

Grenzzeichen

Zwischen zusammenlaufenden Gleisen muss ein Grenzzeichen (nach Signalbuch der Deutschen Bahn: Signal Ra12) aufgestellt werden. Am Grenzzeichen muss der Gleisabstand mindestens 3,50 m betragen.

In Weichen mit Zweiggleisradien r_z < 250 m und in Fällen, in denen hinter dem Weichenende ein Gleisbogen mit r < 250 m anschließt, ist der Gleisabstand am Grenzzeichen nach Tabelle 2.24 zu vergrößern.

Die Lage des Grenzzeichens kann nach Abbildung 2.80 ermittelt werden.

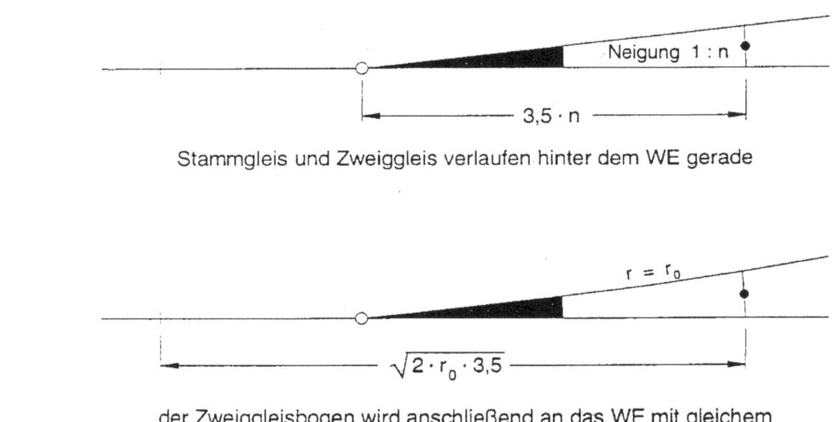

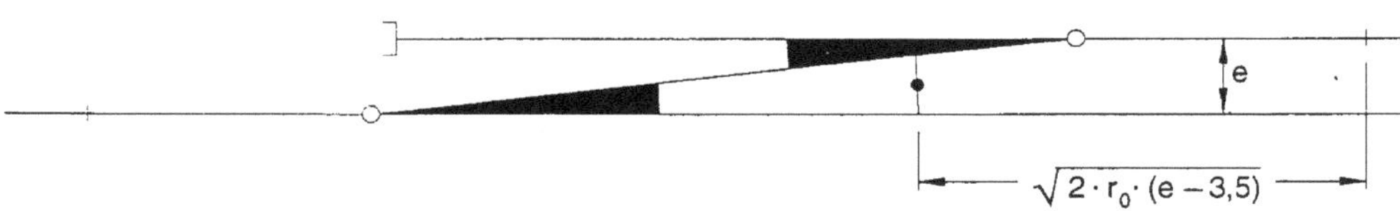

das Grenzzeichen liegt im Bereich des Gegenbogens bei parallelen Gleisen

Abb. 2.80: Ermittlung der Lage des Grenzzeichens (DB-Ril 800.0120)

Nutzbare Gleislänge

Bei der Bemessung der Gleisnutzlänge muss das Fachgebiet Leit- und Sicherungstechnik (LST) mitwirken.

Die betrieblich geforderte Gleisnutzlänge ergibt sich aus der Gleisbruttolänge (GBL) abzüglich 5 m für Signalsicht und 5 m für ungenaues Halten. Die Gleisbruttolänge bemisst sich aus dem Abstand zwischen dem Zielsignal und der Fahrstraßenzugschlussstelle. Die theoretische Fahrstraßenzugschlussstelle befindet sich nach dem letzten befahrenen beweglichen Fahrwegelement, das ist meist die Spitze oder das Grenzzeichen einer Weiche.

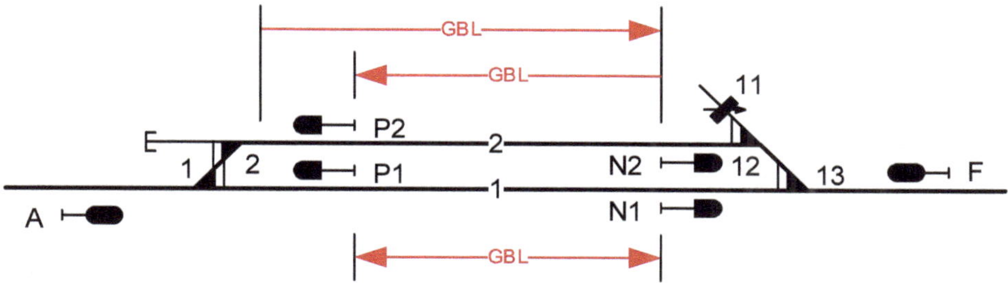

Abb. 2.81: Beispiel für die Bemessung der Gleisbruttolänge (Maschek 2022)

Abbildung 2.81 verdeutlicht die Bemessung der Gleisbruttolänge an einem Beispiel: Fährt ein Zug von Signal A nach Gleis 1 ein, so befindet sich zwar die theoretische Fahrstraßenzugschlussstelle am Grenzzeichen der Weiche 1, dennoch muss der Zugschluss bis hinter Signal P1 fahren, da dieses Signal das Flankenschutz bietende Element für Fahrten von und nach Gleis 2 darstellt. Stünde ein Teil des auf Gleis 1 eingefahrenen Zugs zwischen Weiche 1 und Signal P1, wäre der Flankenschutzraum nicht frei und eine Zugstraße von und nach Gleis 2 über Weiche 1 nicht einstellbar.

Anders verhält es sich, wenn der Zug von Signal A nach Gleis 2 einfährt. Hier stellt die theoretische Fahrstraßenzugschlussstelle an der Spitze von Weiche 2 auch die tatsächliche dar. Mit Weiche 2 ist ein Element vorhanden, das Fahrten nach Gleis 1 Flankenschutz bietet.

Für die Fahrten von Signal F in die Gleise 1 und 2 verhält es sich so wie im ersten Beispiel; auch hier entspricht die theoretische Fahrstraßenzugschlussstelle nicht der tatsächlichen.

Bahnsteige und Bahnsteighöhen

Bahnsteige mit Höhen von 380 mm, 550 mm und 760 mm sind an den durchgehenden Hauptgleisen, die mit Geschwindigkeiten bis 200 km/h befahren werden, zugelassen.

Bei Neubauten oder umfassenden Umbauten sollen in der Regel die Bahnsteigkanten auf eine Höhe von 550 mm oder 760 mm über Schienenoberkante (SO) gelegt werden.

Höhen unter 380 mm und über 960 mm sind unzulässig.

Bahnsteige, an denen ausschließlich Stadtschnellbahnen halten, sollen auf eine Höhe von 960 mm über SO gelegt werden.

Den Einbaumaßen für Bahnsteigkanten liegt die Grenzlinie (abhängig von Gleisbogenradius und Überhöhung) für feste Anlagen zugrunde, um den Spalt zwischen Bahnsteig- und Einstiegskante gemäß EBO möglichst gering zu halten.

2.7 Messverfahren

2.7.1 Einführung

Die Grundsätze für die Aufmessung von Bahnanlagen beinhalten die einschlägigen Richtlinien der Bahnen. Gegenstand der Aufmessung sind neben den Gleisen und Weichen vor allem gleisnahe Zwangspunkte, die die Lage und/oder Höhe von Gleisen einschränken (können). Die Anforderungen an die Messung von Festpunkten sind im Kapitel 3.2 näher erläutert.

Grundlage für alle Messungen bilden die verschiedenen Festpunktnetze entlang der Bahnanlagen, das sind bei der Deutschen Bahn z. B. Festpunkte mit Punktstatus 0 bzw. Gleisvermarkungspunkte mit Punktstatus 4. Weitere Netzkategorien sind in den jeweiligen Richtlinien näher erläutert.

Gegenstand sind neben allgemeinen Hinweisen für die tachymetrische Aufmessung schwerpunktmäßig manuell bewegte Aufnahmesysteme für Gleise. Die maschinengestützten Messsysteme werden hier nicht behandelt.

Die Einzelpunktaufmessung (z. B. durch Tachymetrie) unterscheidet sich nicht von der allgemeinen Aufmessung von Bauwerken (vgl. Handbuch Ingenieurgeodäsie, Band Grundlagen, Kap. 6.1). Deshalb wird nur auf die Besonderheiten bei der Gleis- und Weichenaufnahme sowie bei der Aufnahme von Zwangspunkten eingegangen.

2.7.2 Statische Verfahren für die Gleisaufmessung

2.7.2.1 Spezielle Hinweise zur Tachymetrie

Die Tachymetrie ist das Standardverfahren bei der Einzelpunktaufmessung. Folgendes muss bei der Aufmessung von Bahnanlagen beachtet werden.

Eine ausreichende Anzahl von Anschlusspunkten (mindestens drei Anschlusspunkte) ist erforderlich, um bei der freien Stationierung eine Kontrolle über die Qualität des Festpunktnetzes zu erhalten. Im Regelfall werden die Gleisvermarkungspunkte (auch als Gleisversicherungspunkte bezeichnet) als Anschlusspunkte verwendet. Diese sind in genügender Anzahl und Dichte entlang der Streckengleise vorhanden.

Im Überlappungsbereich benachbarter Standpunkte sind mindestens drei identische Punkte aufzumessen, um bei der Auswertung eine ausreichende Verknüpfung der Standpunkte zu gewährleisten.

Es ist weiterhin darauf zu achten, dass die verwendeten Anschlusspunkte den Aufmessungsbereich so umhüllen, dass keine ungünstige Fehlerfortpflanzung entsteht. Die Messkonfiguration muss eine eindeutige und überbestimmte Reproduzierbarkeit des Bezugssystems für alle weiteren Messungen in der geforderten Genauigkeit ermöglichen.

Alle Abstände zu den Lichtraum beeinflussenden Objekten sind unabhängig z. B. durch direkte Messung zu kontrollieren.

Die Aufmessung wird in einem Feldriss dokumentiert. Gleisabstände und Weichenmaße werden direkt gemessen. Zusätzlich erfolgt der Nachweis von direkt gemessenen Abständen und Maßen zu Zwangspunkten. Das betrifft insbesondere die Abstände zu den Objekten, die den Lichtraum beeinflussen können.

Eine dreidimensionale Aufmessung wird derzeit noch nicht konsequent praktiziert. Die Höhenbestimmung erfolgt meist noch durch geometrisches Nivellement. Bei getrennter Aufmessung von Lage und Höhe ist auf eine eindeutige Zuordnung der Messwerte zu achten.

Bei Aufmessungen im Bereich von Bahnanlagen ist eine erschütterungsfreie Messung oft nicht möglich. Deshalb muss nach jeder Zugvorbeifahrt die Orientierung und Horizontierung des Tachymeters überprüft und ggf. korrigiert werden. Im Zweifelsfall ist eine erneute Stationierung durchzuführen.

2.7.2.2 Laserscanning

Laserscanning wird überwiegend im Zusammenhang mit Mobile Mapping eingesetzt. Dabei wird der 2D-Laserscanner mittels Messwagen oder Messfahrzeug bewegt. Durch die Bewegung des Messsystems im Gleis wird die dritte Dimension erhalten. Mit den aktuellen fahrzeuggestützten Systemen ist die Datenerfassung bei Geschwindigkeiten von bis zu 100 km/h möglich.

2.7.2.3 Weitere Verfahren

Als weitere Verfahren für die Datenerfassung kommen Multikopter zum Einsatz, die auch als UAS (Unmanned Aircraft System) bzw. UAV (Unmanned Aircraft Vehicle) bezeichnet werden. Sensoren können Laserscanner oder Kameras sein. Diese Verfahren dienen vorrangig der Aktualisierung von Bahngeodaten für Geoinformationssysteme.

2.7.3 Dynamische Verfahren für die Gleisaufmessung

2.7.3.1 Gleisaufnahmesysteme mit Messwagen

Ein effizientes Verfahren für die Gleisaufmessung ist der Einsatz von Gleismesswagen, auch als Gleistrolleys bezeichnet. Damit ist eine schnelle und simultane Erfassung der Gleislage und -höhe und von gleisnahen Zwangspunkten möglich. Die Messwagen können mit verschiedenen Messmitteln und/oder Sensoren ausgestattet werden. Dazu zählen u. a.

- Prismen (auch 360°-Prismen),
- Laserscanner,
- GNSS-Antenne,
- Inertialmesseinheit (IMU),
- Tachymeter.

Bei Bedarf kommen weitere Sensoren für den Oberbau, z. B. für die Spurweitenmessung und die Messung der Querneigung (Überhöhung) zum Einsatz.

Dabei werden die Sensoren einzeln oder in Kombination eingesetzt. Mit Gleismesswagen kann so bei der Aufmessung eine hohe Punktdichte im Stop-and-Go-Verfahren oder durch eine kontinuierliche Messung erreicht werden. Grenzen sind nur durch die maximal mögliche Geschwindigkeit des manuell bewegten Messwagens gesetzt.

Aufbau und Funktionsweise

Der Aufbau manuell zu bewegender gleisgeführter Messsysteme ist bei den einzelnen Herstellern ähnlich. Grundsätzlich befindet sich der Sensor entweder auf dem Messwagen oder der Messwagen (z. B. mit einem 360°-Prisma) wird mittels Zielverfolgungsverfahren „getrackt“.

Grundlage für die Messung bilden die Daten der Sollgleisgeometrie. Erfolgt die Messung unter Einbeziehung des umgebenden Festpunktfelds, handelt es sich um eine absolute Messung. Wird die Messung hingegen ohne Einbeziehung eines Festpunktfelds durchgeführt, wird sie als relative Messung bezeichnet. Während des Messvorgangs wird die komplette Geometrie des Gleises aufgenommen. Dazu gehören neben der 3D-Position auch Spurweite und Überhöhung.

Ausgewählte Gleisaufnahmesysteme

Komplettlösungen für die Gleisaufnahme, bestehend aus einem modular aufgebauten Messsystem und einer speziellen Software, bieten verschiedene Hersteller an. Details können den jeweiligen Webseiten entnommen werden.

2.7.3.2 Vormesssysteme

Definition Vormessen

Mit Gleisbaumaschinen kann die projektgerechte Lage eines Gleises durch Richten und die entsprechende Höhenlage durch Heben mit hoher Genauigkeit hergestellt werden. Diese Technik ermöglicht es schon seit Langem, eine relative Gleislage mit hoher Präzision herzustellen. Dazu gehören neben der Krümmung die Längsneigung (Gradiente) und die Überhöhung. Soll das Gleis jedoch in absoluter Lage maschinell hergestellt werden, ist dies mit den relativen Messsystemen nicht möglich. Die für die absolute Gleislage notwendigen Korrekturwerte können mit den auf der Gleisbaumaschine installierten Messsystemen nicht bestimmt werden.

Mit dem Vormessen steht eine Technologie zur Verfügung, die es ermöglicht, die notwendigen Korrekturwerte für die Herstellung der absoluten Gleislage bereitzustellen. Das festpunktbezogene Messen dieser Korrekturwerte wird als Vormessen bezeichnet. Als Bezug dafür dienen gleisnahe Festpunkte, z. B. Gleisvermarkungspunkte. Diese und die Sollgleislage müssen in einem einheitlichen Bezugssystem vorliegen.

Grundsätzlich kann das Vormessen wie folgt unterschieden werden:

- Manuelles Vormessen (mit optischem Pfeilhöhen-Absetzgerät),
- Vormessen mit Tachymeter und einem Messwagen,
- Vormessen im Langsehnenverfahren (ein oder zwei Messwagen),
- Vormessen mit Inertialmesssystem.

Verschiedene Anbieter haben für das Vormessen spezielle Systeme entwickelt.

Planung von Vormessarbeiten

Gemäß den geltenden Richtlinien werden turnusmäßig Oberbauarbeiten zur Gewährleistung der Verfügbarkeit von Gleisen und Weichen durchgeführt. Dazu müssen im Vorfeld entsprechende Inspektionen zur Begutachtung des Zustands erfolgen. Die Kontrolle des Istzustands kann z. B. durch Messfahrzeuge, Befahrungen oder Begehungen durchgeführt werden. Im Ergebnis liegen belastbare Aussagen vor, in welchen Abschnitten Durcharbeitungen zur Optimierung der Lage des liegenden Gleises durchzuführen sind. Damit wird das Gleis durch Richten und Heben in eine optimale Lage gebracht.

Systeme zum Vormessen

Gleismesssysteme mit entsprechender zusätzlicher Ausstattung sind auch für das Vormessen einsetzbar. Grundsätzlich werden Messsysteme mit einem Messwagen und Systeme, die aus zwei Messwagen bestehen, unterschieden. Auch hier sind weitere Details zum Aufbau und zur Funktionsweise den einschlägigen Webseiten der Hersteller bzw. den jeweiligen Systembeschreibungen zu entnehmen.

2.7.3.3 Fahrzeuggebundene Multisensorsysteme

Bei den manuell zu bewegenden gleisgeführten Messsystemen ist derzeit ein hoher technischer Stand erreicht. Eine neue Qualität kann mit fahrzeuggebundenen Systemen für das Mobile Mapping erreicht werden. Gegenwärtig ist Folgendes bereits im Einsatz oder in der Entwicklung:

- spezielle Messtriebwagen mit entsprechenden Sensoren,
- auf Flachwagen verladene Straßenfahrzeuge mit entsprechender Sensorik,
- Messsysteme, die an Schienenfahrzeugen, die im Regelbetrieb verkehren, direkt befestigt werden können (keine separaten Messfahrten notwendig).

Als Sensoren kommen hierbei neben Laserscannern und Inertialmesseinheiten auch Kameras zum Teil als komplexe Mobile-Mapping-Systeme zum Einsatz; mit Letzteren sind für verschiedene Zwecke z. B. virtuelle Streckenbefahrungen oder -begehungen bzw. die Erfassung der Gleisgeometrie mit hoher Genauigkeit möglich.

2.8 Literatur

Autorenkollektiv (1981): Lexikon Eisenbahn. 6. Auflage. transpress Verlag für Verkehrswesen, Berlin.

DB-Ril 883.4500: Geodätische Fahrbahnvermessung; Feste Fahrbahn abstecken, überwachen, abnehmen und dokumentieren.

DIN 18709-2 (2020): Begriffe, Kurzzeichen und Formelzeichen in der Geodäsie – Teil 2: Ingenieurgeodäsie. Beuth, Berlin.

Dorfschmid, J. & Brawer, S. (2009): Modellieren raumbezogener Daten (INTERLIS 2 Benutzerhandbuch). Bundesamt für Landestopografie swisstopo, Wabern. www.interlis.ch.

eCH (2016a): eCH-0118 V2.0 GML-Kodierungsregeln für INTERLIS. Zürich. www.ech.ch.

eCH (2016b): eCH-0031 V2.0 INTERLIS 2-Referenzhandbuch. Zürich. www.ech.ch.

Engel, T., Barbu, G., Gnägi, H. R., Lahr, B., Müller, S., Robert, D., Stahel, N. & Winter, P. (2005): Gleisbau und Gleisunterhalt auf der Basis absoluter Koordinaten. Bericht, UIC-Projekt Georail, SBB. Bern.

Fowler, M. & Kendall, S. (2003): UML konzentriert. 3. Auflage. Addison-Wesley, München.

Fowly, M. & Kutzner, T. (2013): UMLT Editor Handbook. Professur für Geoinformatik, TU München.

Gnägi, H. R. (2017): Datenaustausch zwischen GIS mit modellbasierter Transfernorm. Kapitel 3 der Vorlesung „Datenaustausch modellbasiert“, CAS RIS, GIS. ETH Zürich.

Gnägi, H. R. (2022): SumSuG, Funktionen Test (Systemunabhängiger, modellbasierter Strukturumbau von Geodaten, Funktionen Test). Projektbericht, swisstopo/KOGIS. Bundesamt für Landestopografie swisstopo, Wabern.

Gnägi, H. R. & Stahel, N. (2006): System-independent and quality-tested availability of railway data across country and system borders by the model driven approach. Proceedings Comprail X, Prag.

ISO (2007a): ISO 19136 – GML.

ISO (2007b): ISO 19139 – Geographic information – Metadata – XML schema implementation.

ISO (2019): ISO TS 19139-1 – GI – XML schema implementation – Part 1: Encoding rules.

ISO (2020a): ISO 19136-1 – GI (= Geographic Information) – Geography Markup Language (GML) – Part 1: Fundamentals.

ISO (2020b): ISO 20524-1 – ITS (Intelligent Transport Systems) – GDF5.1 (Geographic Data Files) – Part 1: Application independent map data shared between multiple sources.

Klein, R.: Beitrag zur Gestaltung der Übergangsbogen. In: Gleistechnik und Fahrbahn, 1937, S. 101 ff.

KOGIS – Koordination, Geo-Information und Services (2006): INTERLIS 2 – Referenzhandbuch. Bundesamt für Landestopografie swisstopo, Wabern. www.interlis.ch.

KOGIS – Koordination, Geo-Information und Services (2018): UML-INTERLIS Editor V3.7.0 (Freeware und Open Source). Bundesamt für Landestopografie swisstopo, Wabern. www.interlis.ch.

KOGIS – Koordination, Geo-Information und Services (2019a): INTERLIS Compiler V5.0.0 (Freeware und Open Source). Bundesamt für Landestopografie swisstopo, Wabern. www.interlis.ch.

KOGIS – Koordination, Geo-Information und Services (2019b): ilivalidator V1.11.0 (Freeware und Open Source). Bundesamt für Landestopografie swisstopo, Wabern. www.interlis.ch.

Maschek, U. (2022): Sicherung des Schienenverkehrs, Grundlagen und Planung der Leit- und Sicherungstechnik. 5. Auflage. Springer Vieweg, Wiesbaden.

OMG – Open Management Group (2017): Unified Modelling Language V 2.5.1 (UML). www.omg.org.

Stange, L. (1984): Genauigkeitsmaß zur Beurteilung von Bogenabsteckungen. In: Wissenschaftliche Zeitschrift der Technischen Universität Dresden, 12 (1984).

Strösslin, T., Gnägi, H. R., Kutzner, T., Loidold, M. & Stahl, M. (2017): SumSuG: System-unabhängiger, modellbasierter Strukturumbau von Geodaten. SOGI.

Stuby, J.-J. (2008): Description du fichier d'échange GS (Gleisschnittstelle). CFF Centre Technique, Lausanne.

UIC-Kodex 728 E, 1. Ausgabe (Januar 2009): Glossar. International Union of Railways, Paris.

W3C – World Wide Web Consortium (2008): Extensible Markup Language XML 1.0 (5th Edition). www.w3.org/XML (27.09.2022).

Weigend, M. (1987): Gestaltung und Anwendung von Übergangsbögen nach Bloss. In: Der Eisenbahningenieur, 38 (9), S. 448-454.

Winter, W., Leckenbusch, L. & Colle, J. (2002): Spezifikation Bearbeiten und Prüfen Gleisnetzdaten, Entwurf. DB Netz AG, Infrastrukturmanagement.

Wunsch, S. (2007): Datenaustausch von Gleisgeometriedaten für Eisenbahnsimulations- und Projektierungstools. Studienarbeit, TU Dresden.

3 Anwendungen

3.1 Informationssysteme der Bahnen

Die Bahnen benötigen

- für den Betrieb und die Instandhaltung ihrer Strecken,
- für den Ausbau bestehender Anlagen und
- für die Planung und den Bau neuer Strecken

einen aktuellen Nachweis der ortsfesten Anlagen in einem einheitlichen Ordnungsrahmen.

Zur schnellen Bereitstellung dieser Informationen werden fachübergreifende Informationssysteme verwendet. Bahngeodaten bilden die Grundlage in den Geoinformationssystemen (GIS) der Bahnen. Dazu gehören Informationen zum Streckennetz, zum Gleisnetz, zu den ortsfesten Anlagen, zu den Liegenschaften mit den angrenzenden Flurstücken und zur Topographie. Digitale Pläne dienen als grafische Oberfläche und ermöglichen den Zugriff auf die mit dem GIS verknüpften Sachdaten (Fachschalen). Die einzelnen Fachschalen enthalten weitere Sachdaten, wie z. B. zum Oberbau oder zur Leit- und Sicherungstechnik. Bezug für alle Sachdaten sind stets Geoinformationen (Koordinaten und Referenzsystem). Damit ist eine einheitliche und eindeutige Grundlage gegeben.

3.1.1 Geoinformationssystem der DB Netz

Die DB Netz AG ist das Schieneninfrastrukturunternehmen der Deutschen Bahn AG. Die über 50.000 Mitarbeiter der DB Netz AG sind für den Betrieb und die Instandhaltung des größten Schienennetzes Europas mit knapp 33.400 Kilometer Streckennetz inklusive aller betriebsnotwendigen Anlagen verantwortlich (Deutsche Bahn 2021).

Bereits zu Beginn der 1990er-Jahre hat die DB Netz AG damit begonnen, ihre Bestandsdaten georeferenziert zu erfassen und vorzuhalten. Hierbei sind eine Vielzahl von Systemumgebungen für die Datenhaltung von Infrastrukturbasisdaten entstanden, welche durch ein gesamthaftes neues innovatives System abgelöst werden mussten. Im Jahr 2020 wurden die fünf bisher eingesetzten Geosysteme der DB Netz AG (STREDA, DB-GIS, SGIS/KGIS und LIRA) und deren raumbezogene Infrastrukturdaten (Geodaten) in der neuen GIS-Anwendung AVANI zusammengeführt.

AVANI

Das neue Geoinformationssystem AVANI (Analyse, Verwaltung und Abgabe der DB Netz Geo-Informationen) basiert auf einer GIS-Basissoftware. Für die Pflege der Streckendaten, der Gleistechnik und der Lichtraumdaten wurden zusätzlich bahnspezifische Funktionen in sogenannten Fachschalen implementiert. Ferner wurde ein übergreifendes, einheitliches Datenmodell für die Geodaten erarbeitet. In dieses neue Datenmodell wurden die Daten der fünf Altsysteme in eine Datenbank migriert. In AVANI können Daten über das sogenannte „Job-Konzept" an externe Ingenieurbüros als Arbeitskopie übergeben werden, im Job bearbeitet und anschließend zur Fortführung des Hauptdatenbestands nach einer Qualitätssicherung zurückgeschrieben werden.

Im Folgenden werden die einzelnen Module in AVANI kurz dargestellt.

Das Modul Streckendaten stellt die technische Unterstützung für eine einheitliche Darstellung von Streckendaten unter Verwendung des Ordnungsrahmens Strecke bereit. Der Ordnungsrahmen ermöglicht, alle ortsbezogenen Daten eindeutig zu identifizieren und zuzuordnen. Hier sind allgemeingültige und fachübergreifende Angaben über DB-Organisationen und politische Verwaltungen sowie die Ausprägungen von Strecken enthalten.

Der geographische Datenanteil wird als Streckennetz in verschiedenen Maßstäben generalisiert bzw. schematisiert abgebildet. Die Grundlage bilden der bei den Streckendaten geführte Ordnungsrahmen Streckennummer/Kilometer mit den entsprechenden Streckenmerkmalen.

Auf dieser Basis lassen sich unterschiedlichste Thematiken in den verschiedenen Karten als Produkte erzeugen (Abb. 3.1).

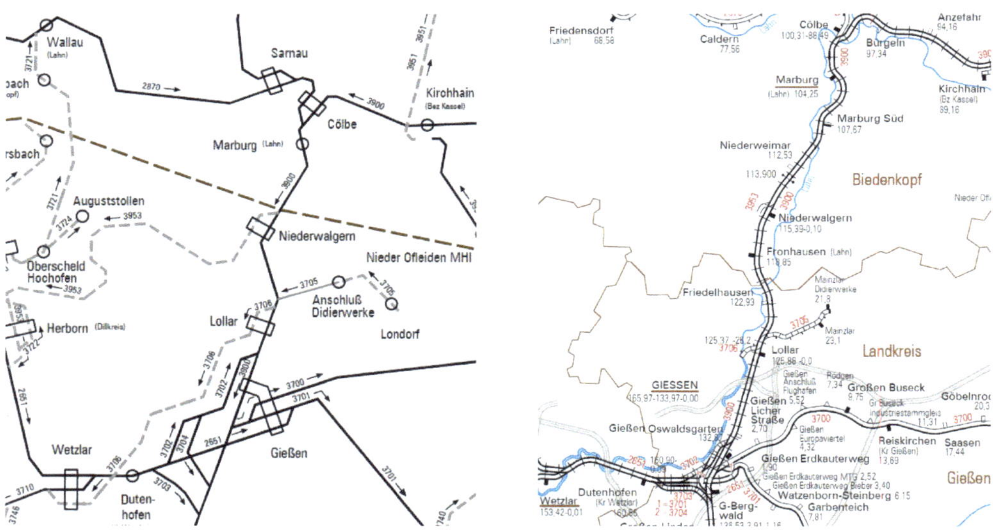

Abb. 3.1: Ausschnitt Streckennummernkarte (links) und Strecken- und Betriebsstellenkarte (rechts) (Deutsche Bahn)

Hierzu genügt es, dass Objektdaten, z. B. Brücken, Tunnel oder weitere Merkmale, aus einer Datei hinzugeladen werden. Anhand der zum Objekt oder Merkmal gehörigen Streckennummer und Kilometerangabe wird die entsprechende Grafik in das Streckennetz

„hineininterpoliert“ und damit positioniert (1:25.000 bis 1:300.000). Ferner werden die bekannten Eisenbahnkarten im Maßstab 1:300.000 bis 1:1.000.000 in AVANI gefertigt. Die Karten enthalten das Streckennetz, das teilweise stark generalisiert ist, sowie die wichtigen Bahnhöfe und sonstige Topographie. Ein bekanntes Produkt ist die in den Zügen aushängende Reisezugkarte. Ferner ist u. a. das Streckennetz für die Allgemeinheit frei zugänglich, da die DB Netz AG seit 2015 als „geodatenhaltende Stelle des Bundes“ auf Grundlage des Geodatenzugangsgesetz (Gesetz über den Zugang zu digitalen Geodaten – GeoZG 2009) eingestuft worden ist und dieses als Open Data bereitstellen muss (Kontakt: geodaten.dbnetz@deutschebahn.com).

In AVANI werden auch die großmaßstäbigen Basisdaten vorgehalten. Diese Basisdaten beinhalten u. a. Daten aus der Leit- und Sicherungstechnik (z. B. Signale, Bahnübergänge), dem konstruktiven Ingenieurbau (z. B. Brücken, Tunnel) wie auch die Gleise. Aus dem Hauptdatenbestand lassen sich eine Reihe von Produkten ableiten, z. B. Bahnhofs- und Streckenplan (Abb. 3.2) sowie Sachdaten und Statistiken. Alle diese Produkte werden aus einem redundanzfreien Datenbestand abgeleitet, d. h. bei einer Fortschreibung des Bestands werden die Daten im System geändert und die entsprechenden Produkte neu erzeugt.

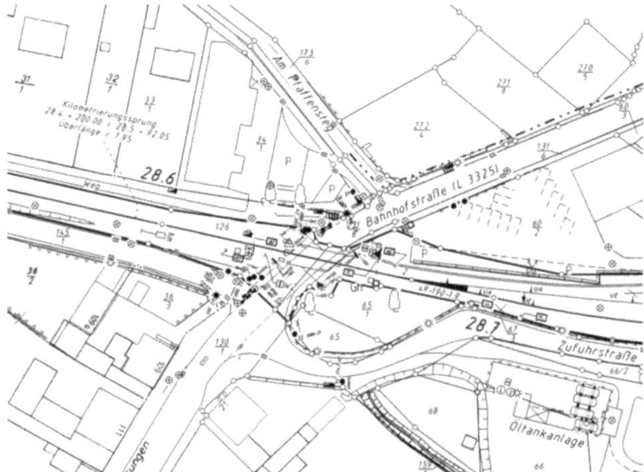

Abb. 3.2: Bahnhofs- und Streckenplan 1:1.000 (Deutsche Bahn)

Der Datenbestand Lichtraum führt alle Engstellen in Form von Profilen und teilweise auch Bildern entlang einer Trasse. Die Lichtraumengstellen beziehen sich auf punktuelle Objekte, wie z. B. Signalmasten oder Tafeln, bzw. auf lang gezogene Objekte, wie z. B. Bahnsteige (Abb. 3.3). Die Lage der Engstellen wird über den einheitlichen Ordnungsrahmen der Kilometrierung entlang der Gleistrasse von Strecken hergestellt. Die Koordinaten beziehen sich auf die Gleisachse.

Abb. 3.3: Lichtraumengstelle durch eine Bahnsteigkante (Deutsche Bahn)

Für die Durchführung von außergewöhnlichen Transporten ist es deshalb erforderlich, die örtlich vorhandenen Bedingungen des Mindestlichtraums zu bestimmen sowie mögliche Begegnungsfälle zweier überbreiter Fahrzeuge und Transporte zu berücksichtigen. Daher ist es entscheidend, die aktuellen und zuverlässigen Informationen über vorhandene Gleisabstände zu erfassen und bereitzuhalten, um jederzeit Auskunft über die technische Befahrbarkeit des Gleisnetzes geben zu können.

Videoinformationssystem DB-VIS

Im DB-VIS wird die gleisnahe Infrastruktur im Bild dargestellt. Die Strecken werden als Folge von Einzelbildern im Abstand von 5 m in einem Viewer visualisiert, in dem die Verortung des jeweiligen Bilds in Form von Strecke und Kilometer angezeigt wird (Abb. 3.4). Mithilfe eines eingeblendeten Messgitters können die Kilometrierung und der seitliche Abstand von Infrastrukturobjekten ermittelt werden. Das System wird hauptsächlich benutzt, um zusätzliche visuelle Informationen über bestimmte Infrastrukturobjekte zu erhalten, so zum Beispiel im Rahmen eines „häuslichen Feldvergleichs“.

Abb. 3.4: Viewer DB-VIS (Deutsche Bahn)

3.1.2 Informationssysteme der SBB

Die Informationssysteme für Anlagendaten sind bei den SBB der IT-Domäne Anlagenmanagement zugewiesen. Darin werden neben den Anlagenobjekten auch die Geschäftsdaten (Anforderung, Zustand, Maßnahme, Projekt, Unterhaltsauftrag und Störung) bewirtschaftet. Diese sind von zentraler Bedeutung, denn sie werden als Stammdaten für die Business-Prozesssysteme verwendet.

Die Pflege der Anlagenobjekte wird durch die zwei Systeme „Datenbank feste Anlagen" (DfA) und „Datenmanagement mit integralem Inventar" (DINAR) ermöglicht. Die DfA dokumentiert alle Außenanlagen und DINAR mehrheitlich die Innenanlagen von Kommunikations- und Elektroanlagen (Abb. 3.5).

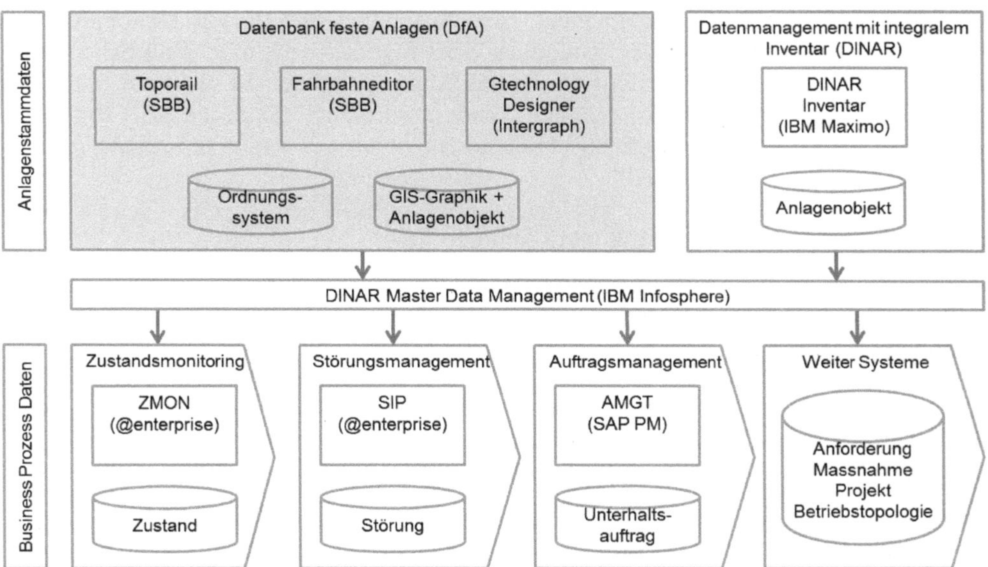

Abb. 3.5: Informationssysteme der IT-Domäne Anlagenmanagement mit Applikationen (Rechtecke) und den zugehörigen Geschäftsdatentypen (Datenbanksymbol) (SBB)

Ordnungssystem in der Datenbank feste Anlagen (DfA)

Ein einheitliches Ordnungssystem ist die Grundlage für den Aufbau eines unternehmensweiten Informationssystems. Es garantiert die gleiche Basis für Anlagendaten und gilt auch als Referenz für weitere Informationssysteme. Das Herz des Ordnungssystems der SBB-Infrastruktur befindet sich in der Datenbank feste Anlagen (DfA) als eines der größten Geoinformationssysteme (GIS) der Schweiz.

Die physisch vorhandenen Gleisanlagen werden in der DfA in abstrahierter Form im Streckennetz (Kilometerlinien) dargestellt. Das Gleisnetz besteht aus der Geometrie der Gleise und der Weichen inklusive deren Nummerierung. Das Strecken- und Gleisnetz sowie sämtliche Weichen werden mit der SBB-Trassierungssoftware TOPORAIL berechnet und in der DfA im Landeskoordinatensystem LV03 bzw. ab dem Jahr 2016 im neuen Landeskoordinatensystem LV95 verwaltet. Voraussetzung für die Herstellung des Lage- und Höhenbezugs zum Landesnetz ist das dichte, hochgenaue Gleisversicherungsnetz (Abschn. 3.2.2).

Anlagenobjekte in der Datenbank feste Anlagen (DfA)

Der Inhalt der DfA besteht aus der GIS-Grafik sowie dem technischen Anlageninventar als alphanumerische Attribute der Anlagenobjekte. Die Daten der DfA werden von verschiedenen Fachdiensten (Fahrbahn, Geomatik, Ingenieurbau, Fahrstrom, Signalanlagen, Kabelanlagen, Bahnzugang etc.) erarbeitet und gepflegt.

Mit wenigen Ausnahmen werden alle Außenanlagen durch die GIS-Applikation „Intergraph GTechnology Designer" gepflegt. Eine Ausnahme sind die Anlagenobjekte der Fahrbahnanlagen; diese werden mit einer SBB-Eigenentwicklung „Fahrbahneditor" größtenteils linear erfasst. Der Zugang zu den Anlagenobjekten ist nicht nur durch die beschriebenen Expertensysteme möglich, sondern wird auch durch die SBB-Eigenentwicklung „DfA-Reports" geographisch als auch tabellarisch durch verschiedene Sichten, Suchen und Filter ermöglicht.

Projektphasen in der Datenbank feste Anlagen (DfA)

In der DfA wird unterschieden zwischen bestehenden und projektierten Anlagen. Auf diese Weise können beliebige Abfolgen von Gleis- und Weichenumbauten in der Datenbank abgebildet und bei Bedarf abgerufen werden. Sowohl die Trassierung in TOPORAIL als auch die Bahnpläne und Anlagenobjekte in „Intergraph GTechnology Designer", können die Projektstände in entsprechenden Bauphasen abbilden. Die Anlagenobjekte werden pro Bauphase in den Status *bleibt*, *abbruch*, *neu*, *modifiziert* und *provisorisch* gesetzt und können nach Inbetriebnahme per Knopfdruck in den Bestand überführt werden.

Diese „bauphasentemporale" Speicherung der Anlagendaten bringt den SBB-Fachdiensten mehrere Vorteile. Erstens gibt sie mehr Projektierungsgenauigkeit, indem sie zentral eine fachdienstübergreifende Bauphasensicht zur Verfügung stellt und so überschneidende Anlagenplanungen früh erkannt werden. Zweitens erhöht sie die Datenqualität, indem kurz nach Inbetriebnahme der Anlagen mit wenig Aufwand die Bauphase in den Bestand überführt werden kann. Seit 2014 werden die „DfA-Bauphasen" mit Baumaßnahmen von maximal drei Monaten Zeitspanne erstellt, was zu einer verbesserten Datenaktualität geführt hat, sobald die älteren Projekte mit größeren Bauphasen umgesetzt waren.

Anlagendaten als Stammdaten für Business-Prozess-Systeme

DINAR steht für Datenmanagement mit integralem Inventar und besteht aus einem Master Data Management als zentrales Register für die Anlagenstammdaten der Infrastruktur. Dabei werden sowohl die Anlagendaten der DfA als auch jene von DINAR Inventar über einen Datenbus (Message Broker) den Business-Prozess-Systemen zur Verfügung gestellt. Diese Abnehmersysteme nutzen die Anlagenobjekte zum Beispiel, um eine Zustandsnote oder einen Unterhaltsauftrag darauf zu referenzieren. Nachfolgend sind einige Business-Prozess-Systeme beschrieben, die Anlagenobjekte als Stammdaten verwenden.

- ZMON steht für Zustandsmonitoring Infrastruktur. Die Applikation ist ein zentrales System zur Erfassung, Analyse und Auswertung von Anlagenzustandsdaten der SBB Infrastruktur. Die Überwacher erfassen mittels Inspektionen und Messfahrzeugen in periodischen Abständen den Zustand, basierend auf aktuellen Anlagenstammdaten. Die Überwachungsresultate führen über die Soll-Ist-Analyse zu Maßnahmevorschlägen. Diese wiederum dienen als Basis zur nachfolgenden Planung und Beauftragung von Erhaltungsmaßnahmen.
- SIP stellt ein standardisiertes Störungs- und Eingriffsmanagement sicher. Es dient vor allem einer effizienteren Zusammenarbeit der Leitstellen, zur Erfassung, Behandlung und Koordination von Störungen als auch zur Koordination von Eingriffen. Die Störungs- und Eingriffsdaten werden auch hier auf Anlagenobjekte referenziert.
- AMGT ermöglicht einen einheitlichen Beauftragungs- und Auftragsabwicklungsprozess von Unterhaltsmaßnahmen für alle Fachbereiche. Sowohl die präventiven, als auch die kurativen Instandhaltungsaufträge werden auf Anlagenstammdaten referenziert.
- Neben den Informationssystemen der IT-Domäne Anlagenmanagement bezieht auch das System UNO der „IT-Domäne Produktion Trasse" Anlagenobjekte und Ordnungssystemdaten aus der DfA. UNO steht für Unified Network Objects und ist die zentrale Topologiedatenbank für Bahnbetriebssysteme, wie zum Beispiel das Netzweite Trassensystem (NeTS) zur Fahrplanplanung.

Datenaustausch von Trassierungsdaten mit Gleisbaufirmen

Die Gleisbaufirmen beziehen mit TOPORAIL alle für den beauftragten Arbeitseinsatz benötigten Daten direkt über eine Datenbankkopie oder als RG-Datei (Rail-Geometrie) über einen FTP-Server (Abb. 3.6). Dokumente wie Maschinendateien oder Stopfprotokolle werden durch die Gleisbaufirmen erstellt. Messresultate und Protokolle werden den SBB-Trassierern zur Beurteilung oder Bearbeitung zugestellt.

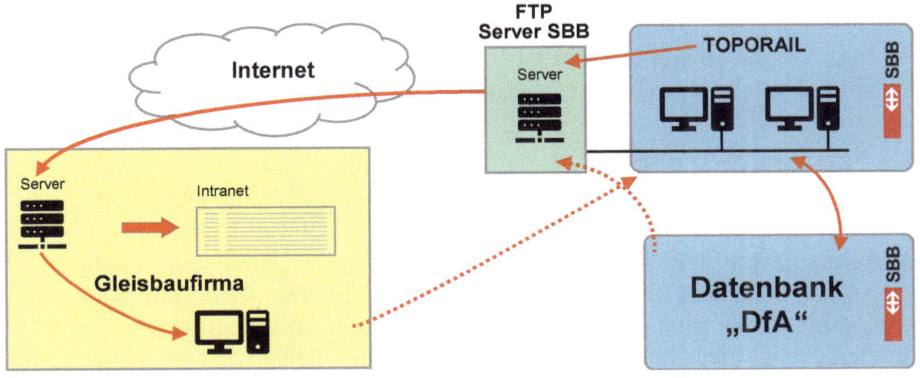

Abb. 3.6: Schematischer Datenfluss (SBB)

Zur Steuerung der Gleisstopfmaschinen werden in der Schweiz die beiden Systeme PALAS (von SERSA-Group, Matisa) und WIN-ALC (von Plasser & Theurer) eingesetzt. PALAS steht bei den SBB schon seit 1989/90 im praktischen Einsatz, das ALC-System seit 2002. Die Systeme basieren zwar auf unterschiedlichen Technologien, aber beiden liegt die Idee zugrunde, das relative Messsystem der Stopfmaschinen mit absoluten Korrekturdaten zu ergänzen. Das ermöglicht, die gerechnete, absolute 3D-Gleisgeometrie direkt in die Realität zu übertragen. Aus den gespeicherten Gleisgeometrien und den Gleisversicherungspunkten der DfA wird pro Gleis eine RG-Datei erstellt und auf einem FTP-Server abgelegt. Die Gleisbaufirmen konvertieren die RG-Dateien mit TOPORAIL entsprechend den Formatanforderungen ihrer eingesetzten Systeme. Für Weichenumbauten besitzen die Gleisbaufirmen Lesezugriff auf eine Datenbankkopie, um die benötigten Daten (Streckennetz, Gleise und Weichen, Gleisversicherung) zu beziehen und die Stopfdateien zu erstellen.

3.2 Geodätische Festpunktfelder

Die in Kapitel 3.1 beschriebenen Geoinformationssysteme der Bahnen benötigen als Grundlage einen einheitlichen Koordinatenbezug, z. B. Landesnetz oder besondere bahneigene Referenzsysteme. Dazu werden entlang des Streckennetzes spezielle geodätische Festpunktfelder angelegt. Die Anforderungen an die Genauigkeit und Zuverlässigkeit sind im Regelwerk festgelegt. Die Festpunkte sind in der Örtlichkeit vermarkt und dienen vor allem der Erfassung des Ist-Zustands der ortsfesten Anlagen, für die Übertragung von Projektdaten in die Örtlichkeit (Absteckung) oder auch für Überwachungsmessungen (Monitoring). Die Qualität eines Festpunkts wird durch seinen Punktstatus beschrieben.

Geodätische Festpunktfelder stellen die örtliche Realisierung aller raumbezogenen Anwendungen sicher. Bei der Eisenbahnvermessung werden besonders hohe Anforderungen an die Trassierungsanwendungen gestellt, da diese unmittelbar die örtliche Gleislage definieren. Da die Trassierungen eines Bahnbetreibers für das gesamte Gleisnetz benötigt werden, müssen auch die Festpunktfelder über das gesamte Netz vorliegen. Weiterhin werden die Festpunkte für Instandhaltungen und Havariebeseitigungen für den gesamten Lebenszyklus einer Gleisanlage benötigt, sie müssen demnach auch dauerhaft vorliegen. Im Sinne der Ingenieurgeodäsie handelt es sich hier also um übergreifende (bundesweite) und dauerhafte (Lebensdauer der Anlage) Baulagenetze, womit der besonders hohe Anspruch an die Festpunktfelder deutlich wird.

3.2.1 Festpunktfeld der DB

Das Festpunktfeld der DB ist hierarchisch aufgebaut (Abb. 3.7).

Das übergeordnete DB_REF-Referenznetz ist grundsätzlich immer zu erstellen und dauerhaft vorzuhalten. Die Erstellung und Vorhaltung des DB_REF-Verdichtungsnetzes erfolgt optional nach anwendungsspezifischen Vorgaben. Trassierungen im DB_REF dürfen nur auf Basis eines vollständig erstellten DB_REF-Referenznetzes erfolgen. Das DB_REF-Referenznetz muss daher vor Beginn der örtlichen Gleisvermessungen vollständig erstellt sein.

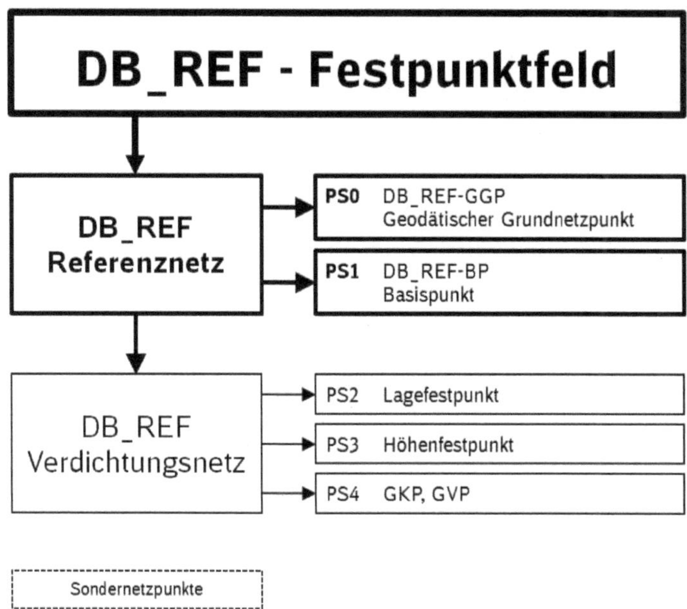

Abb. 3.7: Festpunktfeld der DB (DB-Ril 883.2000)

3.2.1.1 Punktstatus

PS0-Punkte (Geodätische Grundnetzpunkte)

Die *geodätischen Grundnetzpunkte* (Punktstatus 0 entspricht PS0) realisieren den dreidimensionalen, geodätischen Bezugsrahmen und sind in erster Linie Ausgangspunkte für GNSS-Messungen. Sie müssen daher zwingend für die Referenzstationen tauglich sein. Die Vermarkung erfolgt im Abstand von 3 bis 5 km entlang der DB-Strecken möglichst trassennah. Das PS0-Urnetz wurde deutschlandweit in einer gemeinsamen Messkampagne im Zuge des Projekts NXO in den Jahren 2001 bis 2004 vermarkt und gemessen. PS0-Punkte müssen daher nur bei Punktverlusten bzw. bei Streckenerweiterungen (Neubaustrecken) erstellt werden.

PS1-Punkte (Basispunkte)

Die *Basispunkte* (PS1) sind die streckennahe, dreidimensionale Verdichtung der PS0-Punkte und als Ausgangspunkte für GNSS- und vor allem terrestrische Vermessungen zwingend trassennah zu vermarken. Der Punktabstand soll maximal 1.000 m zu den nächsten PS0- bzw. PS1-Punkten betragen. PS1-Punkte werden ausschließlich projektspezifisch erstellt und müssen für alle geodätischen Vermessungen immer vollständig im Vermessungsbereich vorhanden sein. Fehlende PS1-Punkte müssen ersetzt werden.

PS2-Punkte (Lagefestpunkte)

Lagefestpunkte (PS2) werden als weitere Verdichtung nach Bedarf erstellt. Sie dienen in erster Linie als Anschlusspunkte für terrestrische Messungen und hier vor allem in Bereichen, in denen (noch) keine *Gleisvermarkungspunkte* (GVP) bzw. *Gleiskontrollpunkte* (GKP) vorhanden sind. Zusammen mit den PS1- und ggf. PS0-Punkten sollen sie einen hinreichend genauen und redundanten Anschluss terrestrischer Messungen ermöglichen. PS2-Punkte dienen in erster Linie als Lageverdichtung, können bei entsprechender Eignung (Ausführung und Höhenstabilität der Vermarkung) aber auch dreidimensional ausgeführt werden.

PS3-Punkte (Höhenfestpunkte)

Als besonders stabile Träger des Höhendatums können *Höhenfestpunkte* (PS3) nach Bedarf vermarkt werden. Sie sind die eindimensionale Verdichtung der PS0- und PS1-Punkte und werden i. d. R. als Höhenbolzen an besonders stabilen Bauwerken vermarkt (z. B. Brückenwiderlager).

PS4-Punkte (Gleisvermarkungspunkte und Gleiskontrollpunkte)

Die letzte und höchste Verdichtungsstufe des DB_REF-Festpunktfelds sind die dreidimensionalen *Gleisvermarkungspunkte* und *Gleiskontrollpunkte* (PS4). PS4-Punkte sind Ausgangspunkte für terrestrische Vermessungen und dienen zur Instandhaltung der Fahrbahn. Die PS4-Punkte werden zusammen mit den horizontalen und vertikalen Absetzmaßen zur Soll-Trasse in den Trassenplänen dargestellt. Auf elektrifizierten Strecken erfolgt die Vermarkung an den Oberleitungsmasten, auf anderen Strecken werden Gleisvermarkungspfosten eingebracht.

Tabelle 3.1: Übersicht Punktstatus der Festpunkte (*R:* Nivellementweg [km] für die gemessene Normalhöhendifferenz zwischen benachbarten Punkten gleichen Punktstatus)

Punktstatus	Abstand	Genauigkeit absolut	Genauigkeit relativ	Dimension	Definition
PS0	3 … 5 km	10 mm	5 mm	3D	Geodätischer Grundnetzpunkt
PS1	≤ 1000 m	15 mm	10 mm $2+4\cdot\sqrt{R}$ [mm]	3D 1D terr.	Basispunkt (terrestr. Höhe, *R* [km])
PS2	nach Aufgabenstellung	k. A.	10 mm $2+4\cdot\sqrt{R}$ [mm]	2D (1D)	Lagefestpunkt (terrestr. Höhe, *R* [km])
PS3	nach Aufgabenstellung	k. A.	(100 mm) $2+4\cdot\sqrt{R}$ [mm]	(2D) 1D	Höhenfestpunkt (terrestr. Höhe, *R* [km])
PS4	50 … 100 m (nach Ril 883.3000)	k. A.	10 mm 5 mm	2D 1D	Gleisvermarkungspunkte (GKP), Gleiskontrollpunkte (GVP), (terrestr. Höhe)

Die erwarteten Punktgenauigkeiten sind in Tabelle 3.1 dargestellt. Die absolute Genauigkeit beschreibt dabei die erwartete absolute Reproduzierbarkeit im amtlichen Referenzrahmen ETRF89 und hat innerhalb des Bezugsrahmens DB_REF nur informativen Charakter. Die relativen Genauigkeiten beschreiben die Genauigkeiten zwischen benachbarten Punkten bei direkter (theoretisch fehlerfreier) Messung. Die Höhenkomponente der relativen dreidimensionalen Genauigkeiten (3D) der PS0- und PS1-Punkte bezieht sich auf die Höhen aus GNSS-Messungen, die eindimensionale Höhenkomponente (1D) der PS1-, PS2- und PS3-Punkte dagegen auf die Höhen aus terrestrischen Messungen, wie sie für alle weiterführenden geodätischen Vermessungen erforderlich sind. Die Lagekoordinaten für PS3-Punkte sind nur ergänzend für die Abbildung in Informationssystemen zu ermitteln.

3.2.1.2 Erkundung und Vermarkung

PS0- und PS1-Punkte

PS0- und PS1-Punkte müssen GNSS-tauglich sein. Als Kriterien gelten:

- Weitgehende Horizontfreiheit, partielle Abschattungen mit > 20 ° Elevation sollen sich auf vereinzelte Objekte mit geringen Abmessungen (Fahrleitungsmaste, Signale usw.) reduzieren.
- Weitestgehender Ausschluss von Mehrwegeffekten, d. h., im unmittelbaren Umfeld des Punkts (auch unter dem Antennenhorizont) sollen sich keine baulichen Anlagen befinden, die zu Signalreflexionen führen können (z. B. Schaltschränke, Verkehrsschilder).
- Mindestabstand von 30 m zu Gebäuden und parkenden Fahrzeugen.

Der Abstand zwischen Punkten des DB_REF-Referenznetzes muss entlang der Strecke kleiner 1.000 m sein. Sind GNSS-Messungen aufgrund von Topographie, Vegetation oder baulicher Situation nicht möglich, können PS1-Punkte im Ausnahmefall auch ausschließlich terrestrisch eingeschaltet werden. PS0-Punkte sind zwingend dauerhaft referenzstationstauglich anzulegen (Standsicherheit, Horizontfreiheit) und sollen mit einem Kraftfahrzeug anfahrbar sein. Müssen PS0-Punkte in o. g. Fällen abseits der Strecke vermarkt werden (terrestrisch nicht messbar), sind streckennah entsprechend PS1-Punkte zu vermarken. PS1-Punkte müssen grundsätzlich gut in terrestrische Vermessungen einbindbar sein.

Die PS0- und PS1-Punkte zeichnen sich durch eine besonders hohe, dreidimensionale Stabilität aus. Sie sollen daher in erster Linie in massive und stabile, örtlich bereits vorhandene Vermarkungsträger (Betonflächen) eingebracht werden, wie z. B. nicht bewegliche Brückenflügel oder sonstige massive Fundamente. Unsichere Vermarkungsträger, wie Bordsteine, Gehwegpflaster, Asphaltflächen etc., genügen diesen Anforderungen nicht.

Sind in den geforderten Punktabständen keine geeigneten Vermarkungsträger vorhanden, sind diese frostsicher als mindestens 80 cm tief gegründete Ortbetonpfeiler bzw. gleichwertige Ausführungen (z. B. einbetonierte Granitpfeiler) neu zu erstellen. Der seitliche Abstand zur nächsten Gleisachse soll größer 3,0 m sein. In jedem Fall muss ein über dem Punkt aufgebautes Stativ außerhalb des Gefährdungsbereichs des Eisenbahnverkehrs liegen. Die Verwendbarkeit des Punkts für Vermessungsarbeiten muss darüber hinaus grundsätzlich den Anforderungen des Arbeitsschutzes genügen (z. B. Absturzgefahr). PS0- und PS1-Punkte sollen leicht auffindbar und dauerhaft verwendbar sein (Beachtung anstehender Baumaßnahmen etc.) sowie das Aufstellen und Verwenden von Messinstrumenten auf Dreibeinstativen ermöglichen. Das senkrechte Aufhalten einer 3 m langen Nivellierlatte muss möglich sein.

Als Messmarken sind Vermarkungsbolzen aus Messing oder Aluminium gemäß Abbildung 3.8 zu verwenden. Für PS0-Punkte muss die eindeutige Punkt-ID dauerhaft eingraviert sein, diese Vermarkungsbolzen werden i. d. R. durch die DB zur Verfügung gestellt. Die örtliche Vermarkung muss mit dauerhaft kraftschlüssiger Verbindung zwischen Vermarkungsbolzen und Vermarkungsträger realisiert werden, z. B. mittels bautechnisch zugelassenem Kleber oder durch Einbringung in Ortbeton; die Verwendung gedübelter oder geschlagener Verbindungen ist unzulässig.

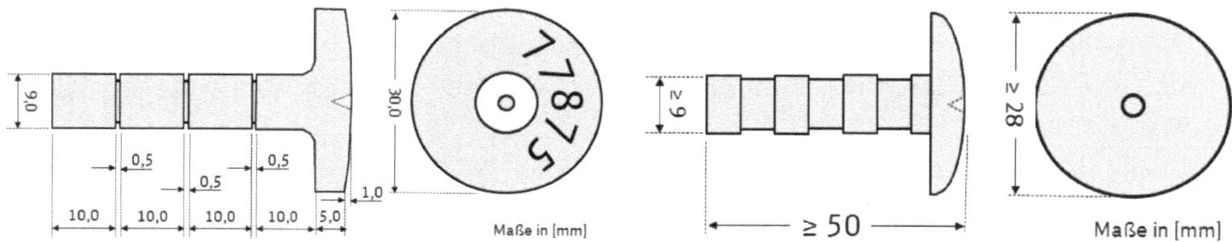

Abb. 3.8: Vermarkungsbolzen für PS0- und PS1-Punkte (DB-Ril 883.2000)

Für Arbeiten am DB_REF-Referenznetz (Neuerstellung, Verdichtung, Überprüfung) ist ein Netzentwurf zur Prüfung und Freigabe vorzulegen. Im Entwurf müssen alle Neu- und Anschlusspunkte sowie die geplanten simultanen GNSS-Messungen (Basislinien), Nivellementslinien und tachymetrischen Beobachtungen enthalten sein. Zeigt sich bei der Messung bzw. Auswertung, dass die Anforderungen unterschritten werden, sind zusätzliche Messungen auszuführen.

PS2- und PS3-Punkte

Lagefestpunkte (PS2) und Höhenfestpunkte (PS3) werden nach Bedarf bzw. gesonderter Aufgabenstellung (z. B. projektspezifisch) vermarkt. Die Vermarkung muss dabei standsicher und dauerhaft sein und soll auch mittels dauerhaft stoff- bzw. kraftschlüssiger Verbindung zwischen Vermarkungsbolzen und Vermarkungsträger realisiert werden. Die Vermarkungsart soll sich nach den Festlegungen der DIN 18710 „Ingenieurvermessung" richten und kann in den einzelnen Regionen der Deutschen Bahn in den sogenannten regionalen Merkblättern spezifisch festgelegt sein.

PS4-Punkte

Die Streckengleise der DB sind grundsätzlich mit *Gleisvermarkungspunkten (sog. Permanente Vermarkung)* zu vermarken. Auf zweigleisigen Strecken soll die Vermarkung beidseitig ausgeführt werden. Zur Bildung von Querspannen darf die Stationsdifferenz gegenüberliegender Punkte in Längsrichtung der Gleise maximal 1 m betragen. Auf eingleisigen Strecken genügt eine einseitige Vermarkung. Bei nichtelektrifizierten Strecken soll der Punktabstand zwischen 50 m im Bogen und 100 m in der Geraden betragen. Auf elektrifizierten Strecken erfolgt die Vermarkung an den Oberleitungsmasten. Der Punktabstand ist daher durch die Maststandorte vorgegeben. Die zuvor genannten Abstände sollen aber bei fehlenden Möglichkeiten der Mastvermarkung durch die zusätzliche Anordnung von Zwischenpunkten eingehalten werden. Das Netz der Gleisvermarkungspunkte muss in jedem Fall einen hinreichend genauen und kontrollierten Anschluss geodätischer Fahrbahnvermessungen ermöglichen (z. B. gegenseitige Sichtbarkeiten).

Zum 1. September 2018 wurde mit Einführung der DB-Richtlinie 883.3250 (Dua) für das Vormessen für Stopf- und Richtarbeiten das Verfahren der geodätischen Gleisvermessung verpflichtend eingeführt. Pfeilhöhenbezogene Messverfahren sind damit nur noch in Ausnahmefällen zulässig, die bisher spurweitenbezogenen Punktabstände für Gleisvermarkungspunkte im Bogen müssen somit nicht mehr berücksichtigt werden.

Die horizontale Vermarkung von *Gleisvermarkungspunkten* an Oberleitungsmasten bzw. deren Fundamenten sowie Tunnelwänden, Stützwänden und ähnlicher Objekte erfolgt mit Bolzen (Abb. 3.9). Die Vermarkungshöhe soll 0,2 bis 0,5 m über Schienenoberkante betragen und bei zweiseitiger Vermarkung möglichst höhengleich sein. Die Bolzen müssen in ihrer Anordnung die Adaption von Prismen für geodätische Vermessungen ermöglichen. Horizontal eingebrachte Bolzen dürfen zu keinerlei zusätzlichen Einschränkungen hinsichtlich der Regelungen zur Freihaltung des lichten Raums führen.

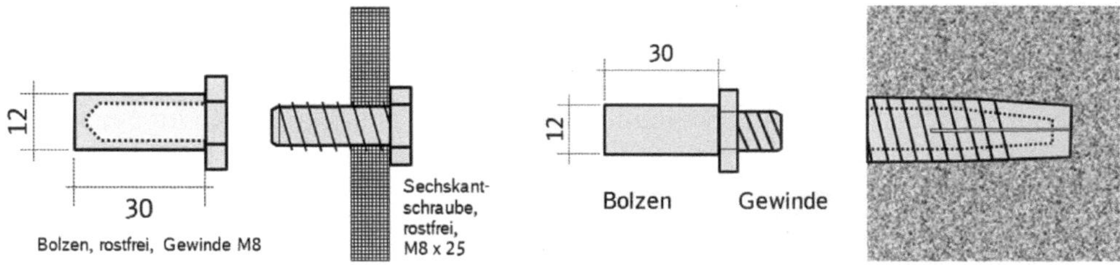

Abb. 3.9: Vermarkungsbolzen horizontale Vermarkung für PS4-Punkte (DB-Ril 883.3000A02)

Auf nichtelektrifizierten Strecken erfolgte bei der DB lange Zeit die Vermarkung mittels gerammter Schienenstücke. Seit Ende 2017 ist diese Vermarkungsart aus Sicherheitsgründen als Neuvermarkung nicht mehr zulässig. Vorhandene Schienenstücke können zunächst örtlich verbleiben, sind aber spätestens mit dem nächsten Gleisumbau zu entfernen und durch spezielle Gleisvermarkungspfosten (Abb. 3.10) oder bodengleiche Punkte (Abb. 3.11) zu ersetzen.

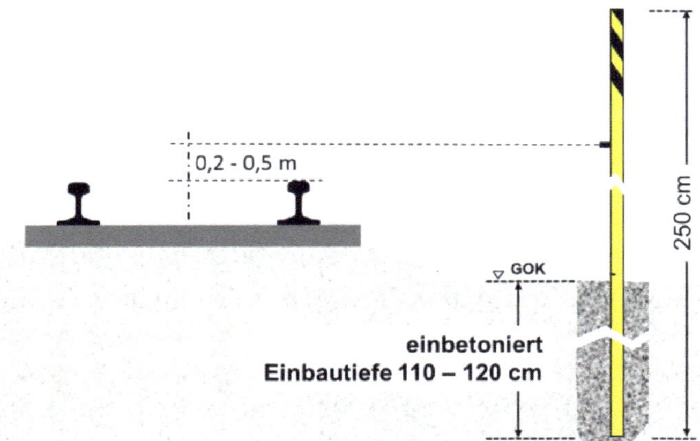

Abb. 3.10: Gleisvermarkungspfosten (DB-Ril 883.3000A02)

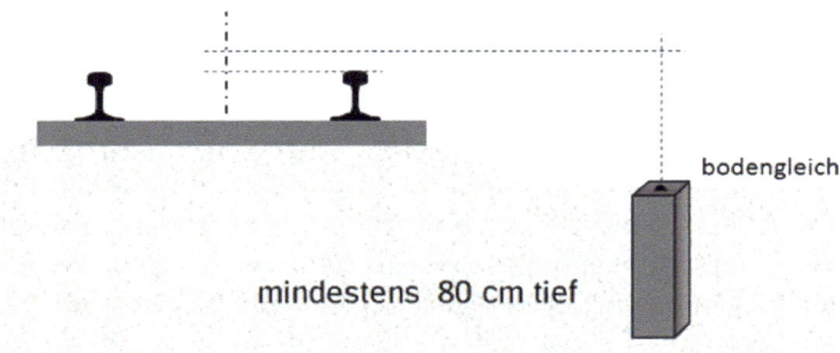

Abb. 3.11: Bodengleiche Vermarkung mit Granit- oder Ortbetonpfeiler mit Messmarke (DB-Ril 883.3000A02)

Bodengleiche Punkte sind gemäß den Vorgaben für PS1-Punkte frostsicher als stoffschlüssig eingebrachte Messmarke in mindestens 80 cm tief gegründete Ortbetonpfeiler bzw. gleichwertige Ausführungen (z. B. einbetonierte Granitpfeiler) zu erstellen. Die Ausführung muss zur Vermeidung von Unfallgefahren bodengleich erfolgen, der Abstand zur Gleisachse soll mindestens 2,8 m betragen.

Vom Grundsatz der Anordnung von *Gleisvermarkungspunkten* an den Streckengleisen im Abstand von 50 bis 100 m kann auf nichtelektrifizierten Strecken in Abstimmung mit dem Anlagenverantwortlichen (Betreiber) abgewichen werden. In diesen Fällen sind *Gleiskontrollpunkte* in einem Abstand von maximal 200 m entlang der Strecken zu vermarken. Sie sollen außerdem in Bahnhöfen im Bereich von Nebengleisen (Abstellanlagen usw.) zur Sicherstellung geodätischer Anschlussmessungen flächenhaft vermarkt werden. *Gleiskontrollpunkte* entsprechen im vermessungstechnischen Sinn (Vermarkung, Vermessung, Auswertung) den *Gleisvermarkungspunkten.*

3.2.1.3 Messausrüstung und Messmethoden

Die Anforderungen an Messgeräte und -instrumente sind in der DB-Richtlinie 883.6000 geregelt. Um Kontakt oder eine Gefährdung durch die Oberleitung zu vermeiden, dürfen geodätische Messinstrumente sowie Gleisführungssysteme eine maximale Gesamthöhe von 3,0 m über Schienenoberkante haben (z. B. maximale Länge von Nivellierlatten). Sie dürfen keinen Einfluss auf Bahnanlagen ausüben und insbesondere keine elektrisch leitfähige Verbindung an Isolierstößen oder zwischen den Schienen herstellen (z. B. Einsatz isolierter Messbänder).

Geodätische Messinstrumente müssen durch eine zugelassene Stelle geprüft sein. Die letzte Prüfung darf nicht älter als zwölf Monate sein, für GNSS-Antennen nicht älter als sieben Jahre. Die Prüfzertifikate sind nachzuweisen. Die Deutsche Bahn kann der Prüfung geodätischer Messinstrumente durch weitere Stellen (z. B. Hochschulinstitute) zustimmen, wenn der Bedarf besteht und die Stelle den Nachweis der Eignung gemäß DIN 17025 führt. Unabhängig von der herstellerseitigen Prüfung muss vor jedem Einsatz eine Prüfung nach Augenschein und nach den üblichen geodätischen Feldprüfverfahren erfolgen.

Anforderungen an Messinstrumente und Messmittel

Erforderliche Standardabweichungen der eingesetzten Tachymeter (ISO 17123-3):

- Horizontalrichtung: ≤ 0,6 mgon (2“),
- Vertikalwinkel (Zenitdistanz): ≤ 0,6 mgon (2“),
- Distanzmessung auf Prisma: ≤ 2 mm + 2 ppm.

Erforderliche Standardabweichungen der eingesetzten Nivelliere (ISO 17123-2):

- Höhenmessung je 1 km Doppelnivellement (Codelatte): ≤ 1,2 mm,
- Einsatz starrer Nivellierlatten für Nivellements im DB_REF-Referenznetz.

Einfache Messmittel (z. B. Gliedermaßstäbe oder Messbänder) sind mindestens mit einer höherwertigen Referenzmessung vom Anwender vor Gebrauch zu prüfen. Der Einsatz einfacher Messmittel für Messungen mit hohen Präzisionsanforderungen oder für komplexe Aufgabenstellungen ist unzulässig.

Es dürfen ingenieurgeodätisch übliche GNSS-Antennen mit Typkalibrierung sowie Tachymeter und Nivelliere geringerer Messgenauigkeit eingesetzt werden. Das Einhalten der Genauigkeitsanforderungen gemäß DB-Richtlinie 883.7100 ist nachzuweisen.

Seitens der Deutschen Bahn werden folgende Prüfstellen anerkannt:

- Hersteller des Prüflings,
- deren autorisierte Servicestellen,
- von der Deutschen Akkreditierungsstelle (DAkks) als Prüfinstitut für alle erforderlichen Prüfungen am Prüfling akkreditierte Stellen.

Besondere Anforderungen für präzise GNSS-Messungen

An die Ausrüstung für GNSS-Messungen von DB_REF-Festpunkten sowie Gleisen, Weichen und Zwangspunkten der Trassierung gelten zusätzlich folgende Anforderungen:

- Einsatz geodätischer GNSS-Zweifrequenzantennen,
- Mindestdurchmesser der Antennengrundplatte 28 cm,
- individuelle absolute Antennenkalibrierung für GPS und GLONASS,
- GNSS-Antenne und GNSS-Empfänger getrennt (keine integrierten Systeme),
- ausreichende Anzahl von Kanälen zur Aufzeichnung der Zweifrequenzmessungen aller sichtbaren Satelliten,
- Verwendung der GNSS-Antennen im herstellerseitigen Auslieferungszustand (keine Veränderungen, Anbauten etc.),
- der Empfängertyp muss unter https://files.igs.org/pub/station/general/rcvr_ant.tab ausgewiesen sein.

Von der DB sind die auf der Internetseite des International GNSS Service (IGS) zugelassenen Prüfstellen anerkannt: https://files.igs.org/pub/station/general/antenna_README.pdf. Aus Gründen der Homogenität zur Urmessung des DB_REF-Referenznetzes werden ausschließlich Roboterkalibrierungen zugelassen.

PS0-Punkte

PS0-Punkte sind ausschließlich durch statische GNSS-Messungen und durch Anschluss an mindestens vier bereits bekannte PS0-Punkte zu bestimmen, wobei der Neupunktbereich vollständig von bekannten Punkten umschlossen sein muss. Jeder Neupunkt ist mindestens einmal mit jedem seiner unmittelbar benachbarten PS0-Punkte simultan zu messen. Als verändert festgestellte Punkte sind bei weiterer Eignung (vgl. Kriterien für PS0-Punkte) als Neupunkte zu berechnen, in diesem Fall müssen weitere Anschlusspunkte einbezogen werden. Gemäß dem Prinzip vom Großen ins Kleine erfolgt kein Anschluss an bereits vorhandene PS1-Punkte. Sind im Messgebiet bereits PS1-Punkte vorhanden, müssen zum Nachweis der Netzhomogenität Messungen zu den bis maximal 2 km entfernten, unmittelbar anschließenden PS1-Punkten erfolgen. Werden die relativen Genauigkeitskriterien für PS1-Punkte nicht mehr eingehalten, muss über eine Neubestimmung der betroffenen PS1-Punkte entschieden werden.

PS1-Punkte

PS1-Punkte sind grundsätzlich mittels statischer GNSS-Messungen zu bestimmen. Unmittelbar benachbarte Punkte sind jeweils mindestens einmal simultan zu beobachten, je Anschlussbereich muss die Messung zu mindestens zwei DB_REF-Referenznetzpunkten erfolgen, davon mindestens ein PS0-Punkt. Dies können z. B. der nächstliegende PS1- und PS0-Punkt sein oder bei noch nicht vorhandenen PS1-Punkten die nächsten beiden PS0-Punkte. In Bereichen von Streckenkreuzungen können z. B. Messungen an bis zu vier Anschlussbereiche erforderlich werden.

Zeitgleich durchgeführte tachymetrische Messungen sollen mit in die Auswertung einfließen, wobei die PS1-Punkte als Standpunkte besetzt werden müssen. Sind für PS1-Punkte aufgrund der Standpunktbedingungen keine GNSS-Messungen möglich, können diese im Ausnahmefall auch ausschließlich durch tachymetrische Netzmessung eingebunden werden. Die Messausrüstung und Messanordnung sind dabei so zu wählen, dass die relativen Genauigkeitsforderungen eingehalten werden, ggf. ist zuvor eine Simulationsausgleichung durchzuführen.

Höhen bzw. Höhenunterschiede aus GNSS-Messungen richten sich nicht nach dem Erdschwerefeld und werden daher mittels Höhenanomalien aus einem Quasigeoidmodell in die Gebrauchshöhen DB_REF2016 bzw. DB_REF(2003) überführt. Da diese Gebrauchshöhenunterschiede eine Modellkomponente enthalten, sind bei der Bestimmung von PS1-Punkten zur Kontrolle und Steigerung der Nachbarschaftsgenauigkeit zusätzlich terrestrische Höhenmessungen als geometrische Doppelnivellements vorzunehmen. Für in Richtung der Streckenausdehnung direkt benachbarte PS1-Punkte bzw. PS1- und PS0-Punkte muss der Höhenunterschied mindestens einmal gemessen werden. Daraus ergibt sich, dass der zu bearbeitende Streckenabschnitt auch mindestens einmal vollständig zu nivellieren ist. Je Anschlussbereich muss an mindestens einen bekannten DB_REF-Referenznetzpunkt angeschlossen werden. Weitere Punkte innerhalb des Messbereichs (z. B. PS0-Punkte) sind in die Nivellements einzubeziehen. Die zulässige Differenz im nivellierten Höhenunterschied zwischen Hin- und Rückmessung beträgt $\leq 4 \cdot \sqrt{R}$ [mm] mit R = Nivellementsweg [km]. Der Einsatz von starren Nivellierlatten ist obligatorisch.

Stehen besondere Erschwernisse der Ausführung eines Nivellements zwischen PS1-Punkt und einem benachbarten PS0-Punkt entgegen (z. B. seitliche Entfernung des PS0-Punkts größer 500 m, stark verlängerte Nivellementswege aufgrund der Topographie usw.), kann im Ausnahmefall der Höhenübertrag vom PS0-Punkt zum trassennahen PS1-Punkt durch eine erweiterte statische GNSS-Messung mit zwei unabhängigen simultanen Messungen über jeweils mindestens 45 Minuten erfolgen.

GNSS-Messbedingungen für PS0- und PS1-Punkte

PS0- und PS1-Punkte sind mittels statischer GNSS-Messungen zu bestimmen. Folgende Beobachtungsbedingungen sind dabei einzuhalten:

- Jeder Punkt (Neu- und Anschlusspunkt) ist mindestens zweimal mittels GNSS zu besetzen. Für eine neue Besetzung muss das Stativ neu aufgebaut werden, wobei sich die Antennenhöhen zwischen mindestens zwei Punktbesetzungen um ≥ 5 cm unterscheiden müssen, sofern beide Messungen am selben Tag erfolgen.
- GNSS-Besetzungen desselben Punkts bei gleicher Satellitengeometrie an Folgetagen (siderisch gleiche Zeitbereiche) sind unzulässig. Relevant sind Zeiten mit simultanen Messungen zu anderen Punkten.
- Die Messung erfolgt zu GPS- und GLONASS-Satelliten.
- Die simultane Messdauer zwischen DB_REF-Referenznetzpunkten beträgt mindestens 30 min.

- Es sind durchgängig die vollständigen Zweifrequenzmessungen (L1- und L2-Frequenz) mit einer Epochenrate von 5 sec aufzuzeichnen.
- Die Anzahl der mit Elevation ≥ 10 ° aufgezeichneten Satelliten beträgt: ≥ (7 + Anzahl der GNSS-Systeme).
- Die Datenaufzeichnung erfolgt mit einer Elevationsmaske von 5 ° ≤ Elevation ≤ 90 ° (Werte < 5 ° sind zulässig).
- Die Anzahl der Cycleslips bezogen auf die aufgezeichneten Phasenmessungen bei Messungen zwischen PS0-Punkten beträgt maximal 1 %.
- Die Antennenausrichtung nach geographisch Nord erfolgt mit einer Abweichung von ≤ 10 °.
- Es sind keine Antennenträgerverlängerungen zu verwenden, Ausnahme: Bei der Messung auf Beobachtungspfeilern sind Verlängerungen bis max. 100 mm Länge zulässig, mindestens eine Besetzung muss dabei ohne Antennenverlängerung durchgeführt werden.
- Die Messung erfolgt unter dem Einsatz von stabilen geodätischen Dreibeinstativen (keine Lotstäbe o. Ä.).
- Die Zentrierung des Dreifußes wird mittels geprüftem und drehbarem Nadirlot durchgeführt (keine Verwendung integrierter optischer Lote).
- Am Ende einer Punktbesetzung ist die Zentrierung zu überprüfen, bei Lageabweichung > 2 mm muss die Besetzung wiederholt werden.

Die Antennenhöhenbestimmung muss zu Beginn und am Ende der GNSS-Messung jeweils nach zwei verschiedenen Verfahren erfolgen:

- einmal vertikal zum Antennenreferenzpunkt,
- zweimal schräg zur Antennenunterkante an gegenüberliegenden Punkten der Antenne (Abb. 3.12).

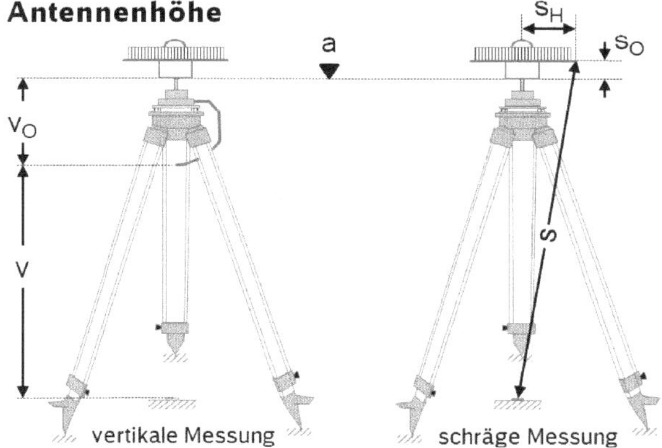

Abb. 3.12: Antennenhöhenmessung (DB-Ril 883.2000). *a*: Höhe Antennenreferenzpunkt, *v*: vertikale Messung; Messwert, v_0: vertikale Messung; Höhenoffset, *s*: schräge Messung; Messwert, s_0: schräge Messung; Höhenoffset, s_H: schräge Messung; horizontaler Offset.

Die Messungen beziehen sich auf den Antennenreferenzpunkt. Die Einzelwerte der jeweiligen Messung zu Beginn und am Ende der Punktbesetzung dürfen maximal 2 mm voneinander abweichen, anderenfalls ist die Horizontierung zu wiederholen und ggf. das Messequipment zu justieren. Die gemittelten Antennenhöhen der zu Beginn und am Ende durchgeführten Messungen dürfen maximal 2 mm vom Mittelwert abweichen. Bei Überschreitung sind die GNSS-Messungen zu wiederholen.

Für GNSS-Messungen ist ein Beobachtungsprotokoll gemäß DB-Richtlinie 883.2000V02 zu führen.

DB_REF-Verdichtungsnetz

Für alle Vermessungen gelten die allgemein anerkannten Regeln der Ingenieurgeodäsie. Darüber hinaus sind die nachfolgend benannten Anforderungen einzuhalten.

Messungen zur Bestimmung von PS2- und PS3-Punkten schließen immer nachbarschaftlich an das zuvor vollständig hergestellte und kontrollierte DB_REF-Referenznetz (PS1- und PS0-Punkte) an und müssen von bekannten Punkten umgeben sein. Die Lagebestimmung der PS2-Punkte erfolgt mittels vernetzter Messungen oder Polygonzüge mit beidseitigem Lage- und Richtungsanschluss, wobei auch die Neupunkte immer als Standpunkte zu besetzen sind. Die Besetzung der Neu- und Anschlusspunkte muss mit Stativen erfolgen. Für die Höhenbestimmung der PS3- und ggf. PS2-Punkte sind geometrische Doppelnivellements vorgeschrieben. Gleisvermarkungs- und Gleiskontrollpunkte können auch an Punkte des DB_REF-Verdichtungsnetzes anschließen. Zur Kontrolle und Wahrung des Nachbarschaftsprinzips sind grundsätzlich alle im Vermessungsbereich befindlichen DB_REF-Festpunkte in die Vermessung einzubeziehen. PS4-Punkte sind durch mindestens zwei voneinander unabhängige tachymetrische Messungen und zusätzlich mindestens einer nivellitischen Höhenbestimmung zu vermessen.

Gleisführungssysteme

Gleisgeführte Messsysteme müssen den besonderen Anforderungen des Einsatzes unter den Bedingungen des laufenden Eisenbahnbetriebs genügen. Eine Prüfung zur Netzverträglichkeit bei der zuständigen Stelle (z. B. DB Systemtechnik GmbH) wird empfohlen. Im Bereich von Gleisschaltmitteln oder Isolierstößen ist der Einsatz von Gleisführungssystemen unzulässig. Dies gilt für das Gleisschaltmittel oder den Isolierstoß selbst sowie einen Bereich von 1 m Abstand. Beim Übersetzen solcher Bereiche muss ein vertikaler Mindestabstand von 10 cm eingehalten werden. Auf Gleisführungssystemen eingesetzte geodätische Multisensorsysteme bedürfen mit Bezug auf das angestrebte Messergebnis einer entsprechenden systemischen Prüfung. Die Erreichung der angestrebten Genauigkeiten in den Bezugssystemen und die Zuverlässigkeit sind durch entsprechende Herstellernachweise sowie Mess- und Anwendungskonzepte nachzuweisen.

Multisensorsysteme auf Schienenfahrzeugen

Fahrzeuggebundene Multisensorsysteme für geodätische Messungen mit Schienenfahrzeugen als Trägersystem benötigen eine gültige Einsatzgenehmigung für den Betrieb im gesamten Streckennetz. Weiterhin muss für die konkrete Messaufgabe eine Anwenderfreigabe beantragt werden. Die Freigabe erfolgt in Anlehnung an die Prüfmerkmale für geodätische Messinstrumente, Gleisführungssysteme und Messeinrichtungen für Oberbaufahrzeuge.

3.2.1.4 Auswertung

DB-eigene Auswertesoftware NXO-Net

Für die einheitliche und qualitätsgesicherte Auswertung von Messungen im DB_REF-Festpunktfeld hat die DB Netz AG die Anwendung NXO-Net entwickeln lassen. Für Messungen im DB_REF-Referenznetz ist die Auswertung mit NXO-Net verbindlich vorgeschrieben, für Messungen im DB_REF-Verdichtungsnetz wird die Anwendung von NXO-Net empfohlen. NXO-Net ist eine serverbasierte, wissenschaftliche und von Geräteherstellern unabhängige Auswerte-Software. Verarbeitet werden GNSS-Daten, terrestrische Richtungs- und Streckenmessungen, Normalhöhenunterschiede sowie Horizontalstrecken aus Spannmaßmessungen. Die finale Berechnung erfolgt mittels hybrider Ausgleichung aller Eingangsdaten. Die Anschlusspunkte des DB_REF-Referenznetzes sind bereits in der NXO-Net-Datenbank gespeichert und werden durch den Rechen-Algorithmus automatisch verwendet, die Zuordnung erfolgt über die Punktnummer. Die Mess- und Ergebnisdaten werden gemäß den Richtlinienkriterien der Deutschen Bahn validiert und es erfolgt eine Prozessunterstützung für die Auswertung, Qualitätssicherung (Prüfung) und Dokumentation.

GNSS-Daten werden als RINEX-Daten (Receiver Independent Exchange Format) verarbeitet, die Prozessierung erfolgt dabei in NXO-Net. Neben den vollständigen RINEX-Daten müssen die Antennenparameter als ANTEX-Daten (Antenna Exchange Format) vorliegen, diese werden anwenderspezifisch auf den NXO-Net-Server hochgeladen. Tachymeterdaten werden als standpunktbezogene, dreidimensionale Koordinaten erwartet, die Umwandlung erfolgt nicht innerhalb von NXO-Net. Bei der Formatumwandlung sind die Stand- und Zielpunkthöhe, Stehachs- und Ziellinienfehler, Streckenkorrekturen aus der Gerätekalibrierung, meteorologische Streckenkorrekturen sowie der Einfluss der Erdkrümmung und der Refraktion zu berücksichtigen. Es dürfen keine Abbildungs- bzw. Höhenreduktionen erfolgen. Für Nivellements sind die Einzelhöhenunterschiede aus Hin- und Rückmessung ohne Zwischenpunkte zu übergeben. Die Standardabweichungen sind unter Berücksichtigung von der Länge des Nivellementwegs, der eingesetzten Messgeräte und der Messbedingungen nach den anerkannten Regeln der Ingenieurgeodäsie zu ermitteln. Horizontalstrecken müssen korrigiert übergeben werden (z. B. Spannung Messband, Temperatur). Die Formatdefinitionen für die Datenübergabe nach NXO-Net sind in der DB-Richtlinie 883.2000A01 beschrieben. Die serverbasierte Auswertung von NXO-Net ist nicht für die Suche nach groben Fehlern (z. B. Punktverwechslungen, Netzdefekte, fehlende Überstimmungen) geeignet. Vor allem komplexe

Tachymeterdaten sollten deshalb dahingehend in einer Vorausgleichung außerhalb von NXO-Net überprüft und bereinigt werden. An NXO-Net sind ausschließlich die noch unausgeglichenen (aber bereinigten) Messdaten zu übergeben. Für die Vorausgleichung mit anschließender Formatumwandlung existieren bereits integrierte Anwendungen am Markt, genannt seien hier gl-survey von der ARC-GREENLAB GmbH und CAPLAN von der Cremer Programmentwicklung GmbH.

Der Zugriff auf NXO-Net erfolgt über einen Internetbrowser unter http://www.db-vermessung.de/. Im zugehörigen Wiki http://www.db-vermessung.de/nxowiki stehen auch die Formatbeschreibungen, das Anwenderhandbuch sowie die Nutzungsbedingungen zur Verfügung.

Auswerte- und Freigabeprozess in NXO-Net

Der Auswerter lädt alle bereinigten Vermessungsdaten auf den NXO-Server und startet die Auswertung (Abb. 3.13). Hier werden die Mess- und Kalibrierdaten kontrolliert, die GNSS-Daten prozessiert und alle Daten in einer gemeinsamen Ausgleichung ausgewertet. Die Bewertung der Anschlusspunkte erfolgt anhand einer Gegenüberstellung der vorhandenen zu den aktuell bestimmten Koordinaten. Grenzwerte für die Koordinatenabweichungen sind die doppelten Beträge der absoluten 3D-Genauigkeit. Für die Einführung neuer Koordinaten bekannter Punkte bedarf es der Freigabe des Prüfingenieurs der Deutschen Bahn. Die Auswerteergebnisse werden an den Auswerter übergeben, welcher sie zusammen mit den weiteren nachzuweisenden Protokollen per E-Mail an den Prüfingenieur weiterleitet. Nach Freigabe der Ergebnisse vergibt der Prüfingenieur die Punktnummern der Bahn und informiert den Auswerter. Dieser lädt nun die Punktbeschreibungen der Neupunkte auf den Server hoch und der Prüfingenieur gibt sie innerhalb der Anwendung frei. Nach dieser Freigabe erhalten der Auswerter und der Prüfingenieur eine E-Mail mit den endgültigen Koordinaten und Punktbeschreibungen. An dieser Stelle werden die Koordinaten für den Auswerter erstmals mit Nachkommastellen ausgewiesen, d. h., erst nach einer vollständig positiv abgeschlossenen NXO-Net-Auswertung können alle weiteren Berechnungen erfolgen.

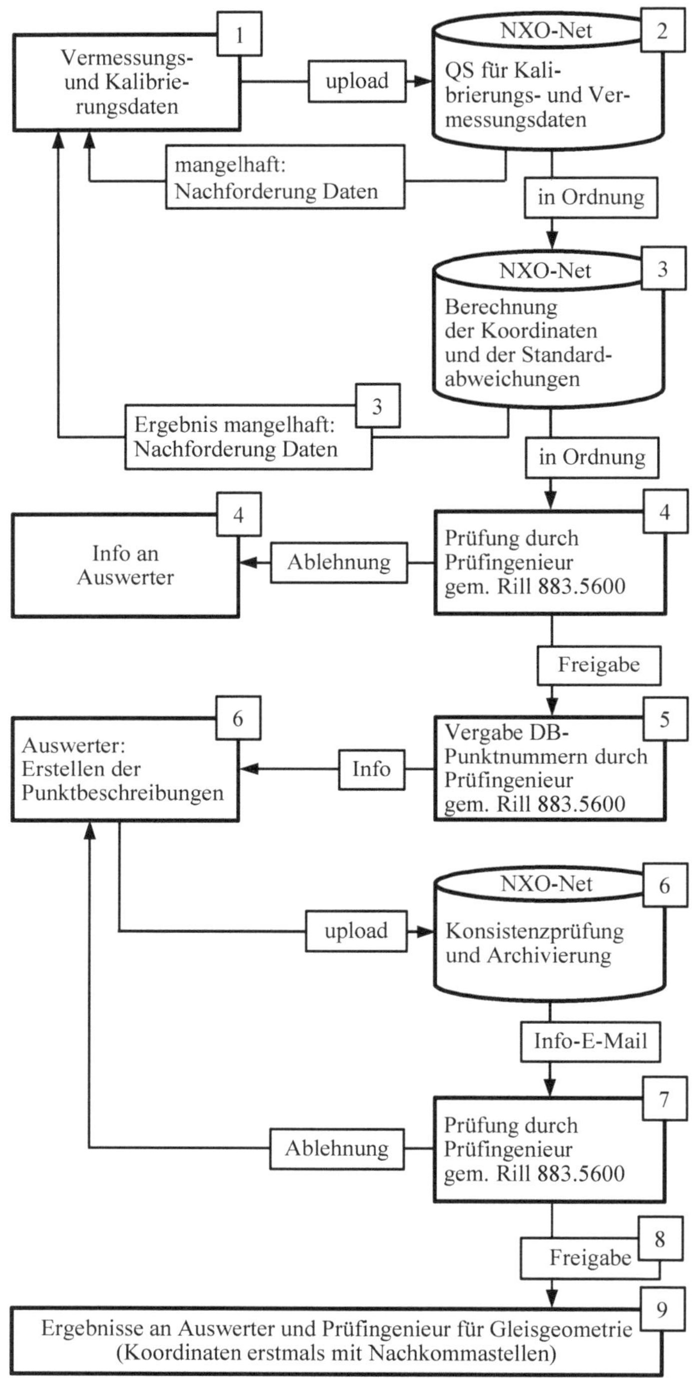

Abb. 3.13: Prüflauf NXO-Net (DB-Ril 883.2000A01)

Auswertung mittels klassischer Ausgleichungsrechnung

Für Festpunkte, die nicht der Auswertepflicht über NXO-Net unterliegen, also die Punkte des DB_REF-Verdichtungsnetzes, werden die Koordinaten mittels klassischer Netzausgleichung berechnet. Die eingesetzte Software muss alle Vermessungsdaten auswerten können und die funktionalen und stochastischen Modelle der Ingenieurgeodäsie berücksichtigen. Die Ausgleichung erfolgt mehrstufig als freie Ausgleichung, dynamisch gelagerte Ausgleichung und Ausgleichung unter Zwang. Für alle Eingangsparameter sind realistische Werte anzusetzen, die Redundanzanteile der von groben Fehlern bereinigten Messelemente müssen im Mittel 0,25, für die Einzelwerte 0,15 betragen.

Die freie Ausgleichung soll grobe Fehler in den Messdaten aufdecken, dafür erfolgt die Auswertung zunächst getrennt nach den Messverfahren (GNSS, Tachymeter, Nivellement) und anschließend gemeinsam. In der dynamischen Ausgleichung werden die Festpunkte eingeführt und auf Fehler untersucht. Die in der freien Ausgleichung als fehlerfrei erkannten Messwerte und deren Gewichtungen werden nicht mehr verändert, erkannte grobe Fehler müssen daher aus den eingeführten Festpunktkoordinaten resultieren und entsprechend bewertet und behandelt werden. Als Anhaltspunkt gelten die a priori Genauigkeiten der Festpunkte gemäß der DB-Richtlinie 883.2000. Die Messungen sind auf einen eventuellen Maßstabsfaktor hin zu untersuchen. Da das übergeordnete DB_REF-Referenznetz dahingehend invariabel ist, ist ein signifikanter (aber plausibler) Maßstabsfaktor in die Berechnung einzuführen. Das dynamisch gelagerte Netz ist unter Wahrung des Nachbarschaftsprinzips final unter Zwang an die Anschlusspunkte anzuschließen. Im Ergebnis der Ausgleichung müssen die mittleren Punktlagefehler und die Punkthöhenfehler die Anforderungen an die relativen Genauigkeiten für den jeweiligen Punktstatus im Sinne dieser Richtlinie erfüllen. Sind Spannmaßmessungen in die Ausgleichung eingeflossen, darf die Differenz zwischen gemessenem Spannmaß (Mittelwert) und aus Koordinaten berechnetem Spannmaß maximal ±5 mm betragen.

Die Berechnungsdokumentation ist übersichtlich strukturiert in digitaler Form zur Freigabe an den Prüfingenieur zu übergeben. Sie muss mit Standard-Software gelesen und digital durchsucht werden können. Eine Freigabe durch den Prüfingenieur ist Voraussetzung für die weitere Verwendung.

Dokumentation

Die geprüften Koordinaten der Festpunkte werden in der Gleisnetzdatenbank des DB-GIS/AVANI vor- und laufendgehalten und sind im entsprechenden Format zu übergeben (Abschn. 3.1.1). Die PS0- und PS1-Punkte bleiben aus dem Berechnungsprozess NXO-Net heraus auch dauerhaft in der NXO-Net-Datenbank gespeichert, diese wird jedoch nicht als Primärdatenbestand verwendet.

Für die Vorhaltung in der Datenbank erhalten die Festpunkte eine eindeutige elfstellige alphanumerische Punktadresse gemäß des DB-GIS-Ordnungsrahmens. Zusätzlich können bis zu siebenstellige Punkt-ID's vergeben werden, diese werden in einem separaten Datenbankfeld gespeichert. Für PS0-Punkte entspricht die Punkt-ID zwingend der fünfstelligen Nummer des Vermarkungsbolzens, für Gleisvermarkungspunkte an Fahrleitungsmasten werden die örtlichen Mastnummern als Punkt-ID geführt. Für alle anderen Punkte kann die Punkt-ID gemäß regionaler Festlegungen geführt werden.

5300 XY 00301

Punkt-ID / regionale Kennung: 1063297

Vermarkungsart: Bolzen in Abspannfundament	Strecken-Nr.: 5300 Strecke: Augsburg - Nördlingen
Punktstatus nach Ril 883: PS1	[km] + [m]: 63,2 + 97 seitliche Lage [m]: rechts 3,6
Lagesystem: DB_REF2016 Höhensystem: DB_REF2016	Betriebsstelle:
Punkt vermarkt: DB Netz AG, 05/2010	Beschreibung bestätigt / aktualisiert: Musterfirma, 09/2020

Anmerkung: Zugang über BÜ km 63,368 (Bundesstraße B99); Abspannfundament Mast 63/8; alte reg. Kennung = 630020

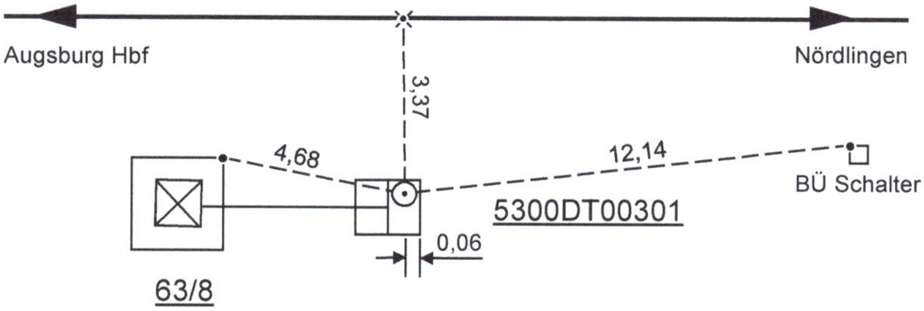

Augsburg Hbf
Nördlingen
3,37
4,68
12,14
BÜ Schalter
5300DT00301
0,06
63/8

Abb. 3.14: Punktbeschreibung für DB-Festpunkte (DB-Ril 883.2000V02)

Für alle Festpunkte mit Ausnahme der PS4-Punkte sind Punktbeschreibungen auf Basis des DB-Vordrucks 883.2000V02 (Abb. 3.14) anzufertigen, das Dateiformat ist Microsoft-PowerPoint. Die Punktbeschreibung enthält im Kopfteil

- Punktadresse und Punkt-ID,
- Angaben zu Vermarkungsart, Punktstatus, Bezugs-, Lage- und Höhensystem,
- Angaben zum Streckenbezug des Punkts: Streckennummer, Streckenname, Kilometerstation und seitliche Lage sowie bei Bedarf der Bahnhofsname,
- Angaben zum Vermarkungsdatum und dem Ersteller sowie das Datum der letzten Punktverwendung (Aktualität).

Streckenangaben beziehen sich dabei auf die nächstgelegene Strecke, Abstandsangaben werden in Kilometrierungsrichtung angegeben. Die Punktverwendung ist nach jedem Aufsuchen des Punkts zu dokumentieren. Nach dem Kopfteil folgen zwei Fotos, auf dem ersten soll detailliert die Punktvermarkung zu erkennen sein, auf dem zweiten der signalisierte Punkt (z. B. Fluchtstab, Stativ) mit seiner näheren Umgebung. Zusätzlich ist zum besseren Auffinden eine Einmessungsskizze mit mindestens drei Maßen zu festen Objekten der näheren Umgebung einzufügen, die von links nach rechts in aufsteigender Kilometrierungsrichtung orientiert werden. Maßangaben zum nächstgelegenen Gleis beziehen sich auf die Gleisachse. Die Punktdokumentationen werden auf zentralen Netzlaufwerken vorgehalten und können mit der Punktdatenbank verknüpft werden. Für PS0- und PS1-Punkte gehören die Punktdokumentationen zum Prüfprozess in NXO-Net und werden hier auch dauerhaft gespeichert.

3.2.1.5 Verdichtung, Erhalt und Erweiterung

Die Verdichtung, der Erhalt und die Erweiterung des DB_REF-Festpunktfelds erfolgt grundsätzlich nur maßnahmenbezogen und hier im Zusammenhang mit Oberbauprojekten. Das bedeutet, dass jedes Bauprojekt die Vollständigkeit und hinreichende Homogenität des Festpunktfelds vor dem Beginn von Baumaßnahmen zur Planung und baulichen Durchführung und nach Abschluss der Baumaßnahme für die Gewährleistung künftiger Oberbauinstandhaltungen sicherstellen muss. Durch den bewussten Verzicht von administrativen Arbeiten am Festpunktfeld wird vorausgesetzt, dass für das einzelne Projekt ggf. höhere Aufwände am Festpunktfeld entstehen können, was aber wiederum Folgemaßnahmen zugutekommt. Die DB_REF-Festpunkte sind örtlich nicht gesondert markiert bzw. gesichert, dennoch gilt grundsätzlich das Prinzip des Erhalts. Für den Verlust von Festpunkten gilt das Verursacherprinzip, d. h., wer einen Festpunkt zerstört oder beschädigt, muss diesen ersetzen. Aufgrund des großen Streckennetzes und der vielfältigen Bau- und Instandhaltungstätigkeiten ist der Verursacher aber häufig nicht zu ermitteln bzw. ist es diesem gar nicht bewusst (z. B. Punktbeschädigungen bei Grünschnittarbeiten). Letztendlich muss daher auch in diesem Fall der Bedarfsträger, der ein Festpunktfeld zur Durchführung seiner Maßnahme benötigt, dieses vollständig wiederherstellen. Die fachlich zuständige Stelle für das Festpunktfeld ist die regionale Datenmanagementabteilung der jeweiligen Bahn.

Anforderungen für Fahrbahnen mit Schotteroberbau und im Bereich von Festen Fahrbahnen

Bei Fahrbahnen mit Schotteroberbau und im Bereich der Festen Fahrbahn gelten zunächst die grundsätzlichen Regelungen für das DB_REF-Festpunktfeld. Über die DB-Richtlinie 883.2000 hinaus werden aufgrund der höheren Genauigkeitsanforderungen an die Erstellung und Instandhaltung der Fahrbahnen mit Geschwindigkeiten größer 230 km/h und der Festen Fahrbahn in den DB-Richtlinien 883.4000 und 883.4500 weitergehende Anforderungen definiert. Die Genauigkeitsanforderungen sind in Tabelle 3.2 zusammengestellt.

Tabelle 3.2: Genauigkeitsanforderungen für Oberbauarten (*R:* Nivellementweg [km] für die gemessene Normalhöhendifferenz zwischen benachbarten Punkten gleichen Punktstatus)

Punktstatus	**Schotteroberbau bis $v \leq 230$ km/h**		**Schotteroberbau $v > 230$ km/h**		**Feste Fahrbahn**	
	absolut	**relativ**	**absolut**	**relativ**	**absolut**	**relativ**
PS0	10 mm	5 mm	10 mm	5 mm	10 mm	5 mm
PS1	15 mm	10 mm $2+4 \cdot \sqrt{R}$ [mm]	10 mm	5 mm $2+2 \cdot \sqrt{R}$ [mm]	10 mm	10 mm $2 \cdot \sqrt{R}$ [mm]
PS2	k. A.	10 mm $2+4 \cdot \sqrt{R}$ [mm]	10 mm	5 mm nur 2D	?	?
PS3	k. A.	$2+4 \cdot \sqrt{R}$ [mm]	k. A.	$2+2 \cdot \sqrt{R}$ [mm]	k. A.	$2 \cdot \sqrt{R}$ [mm]
PS4	k. A.	10 mm 5 mm	k. A.	5 mm 5 mm	k. A.	3 mm 1 mm

Sind aus den Projektanforderungen heraus DB_REF-Referenznetzpunkte als Vermessungspfeiler zu erstellen, sind die Festlegungen der DIN 18710-1:2010-09 einzuhalten. Anstelle der Bolzenvermarkung ist eine Zwangszentrierung für geodätische Instrumente zu realisieren. PS2- und PS3-Punkte werden nur bei Bedarf erstellt, dabei dürfen PS2-Punkte nur als Lagefestpunkte verwendet werden. PS4-Punkte sind grundsätzlich als beidseitige Vermarkung auszuführen und im Bereich von Tunneln und Fester Fahrbahn auf jeden Fall zu erstellen. In anderen Bereichen ist die Vermarkung nicht grundsätzlich verpflichtend und die Entscheidung zusammen mit den Anlagen- und Projektverantwortlichen herbeizuführen. Im Bereich der Festen Fahrbahn ist die Vermarkung der PS4-Punkte als Vermessungsbolzen gemäß DB-Richtlinie 883.3000 auszuführen. Darüber hinaus muss der Punktabstand in Streckenrichtung ≤ 80 m sein und die Vermarkung das Aufhalten einer 2 m langen Nivellierlatte ermöglichen.

Die Auswertung muss grundsätzlich auch für die DB_REF-Verdichtungspunkte mit der Anwendung NXO-Net erfolgen. Ergänzende Berechnungen sind nur für Sonderfälle zulässig und bedürfen der Zustimmung der DB.

3.2.2 Festpunktfeld der SBB

3.2.2.1 Gleisversicherung und Vermarkungsarten

Im System SBB dient jeder Versicherungspunkt sowohl als Lage- als auch als Höhenreferenz. Der koordinatenmäßig erfasste Gleisversicherungspunkt wird durch das Zentrum eines Standard-Rundprismas realisiert, das auf einen normierten Bolzen aufgesteckt wird (Abb. 3.15).

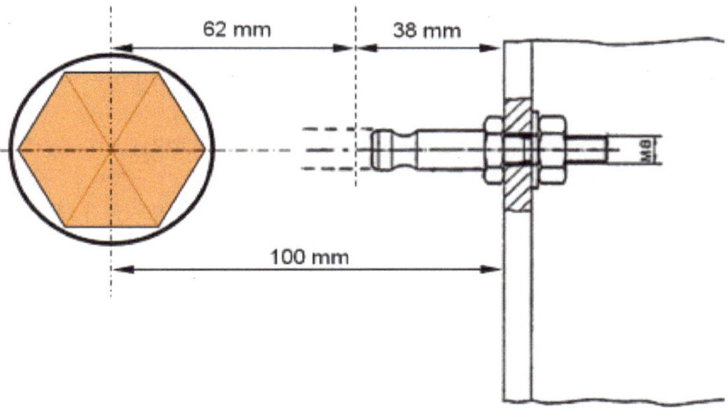

Abb. 3.15: SBB Bolzen mit Leica Rundprisma GPR1 (SBB)

Die Gleisversicherungspunkte werden vorzugsweise an den Fahrleitungsmasten schienenseitig angebracht (Anteil von 73 %). Etwa 20 % der Versicherungspunkte sind an anderen „stabilen" Bauteilen vermarkt, typischerweise Stützmauern oder Bahnsteigkanten. In alten Tunnels ohne glatte Innenwände wurden Tunnelplatten als Versicherungspunkte verwendet (6 %). Gemessen werden diese Platten mit einem speziellen Tunneladapter, auf dem ein Bolzen montiert ist (Abb. 3.16).

Mast | Bahnsteigkante | Tunnelplatte mit Adapter | Schiene

Abb. 3.16: Varianten der Fixpunkte für die Gleisversicherung (SBB)

Falls kein stabiles Bauteil zur Verfügung stand, wurden als Behelf „Versicherungsschienen“ verwendet. Sie bestehen aus einbetonierten Eisenträgern, an denen ein Bolzen angebracht ist. Seit der Einführung lasergestützter Messmethoden sind die „Schienen“ nicht mehr erforderlich (Anteil derzeit noch 1 %).

Lage- und Höhenbestimmung

Die Aufnahme der Gleisversicherungspunkte erfolgt terrestrisch durch die Freie Stationierung einer Totalstation. Für die Neubestimmung muss jeder Versicherungspunkt von mindestens zwei verschiedenen Instrumentenstandpunkten aus eingemessen werden. Die Doppelbestimmung ermöglicht das Aufdecken von groben Messfehlern, wie beispielsweise eine Verdrehung der Orientierung oder fehlerhafte Anzielung. Ferner können aufgrund der Überbestimmung fehlerhafte Gleisversicherungspunkte sofort entdeckt und noch im Feld, zusammen mit einer weiteren Freien Stationierung, provisorisch mittels Doppelaufnahme neu bestimmt und gegebenenfalls direkt verwendet werden. Um eine innere Genauigkeit der Netzmessung von 1 bis 2 mm zu erreichen, dürfen Zielweiten über 130 m gemäß Messkonzept nicht berücksichtigt werden. Zeitgleich zur Messung der Versicherungspunkte werden am selben Instrumentenstandpunkt die Weichen-, Gleis- und Detailpunkte erfasst. Bei der Ersterfassung von Versicherungspunkten wird die Höhe für ca. 30 bis 40 % der Punkte mit einem einfachen, technischen Nivellement bestimmt. Die definitive Koordinatenberechnung von Gleisversicherungspunkten erfolgt nachträglich mittels Netzausgleichung. Die Netzausgleichung wird in der Regel mit einer weichen Lagerung unter Einführung einer A-priori-Standardabweichung aller Netzpunkte von 1 bis 2 mm in Lage und Höhe durchgeführt.

Nachführung der Gleisversicherung

Das Gleisversicherungsnetz der SBB umfasst ca. 147.000 Punkte bei einem Streckennetz von 3.100 km. Auf freier Strecke ist im Abstand von 40 bis 50 m ein Versicherungspunkt vermarkt, was dem üblichen Abstand der Fahrleitungsmasten entspricht.

Ohne konsequente Datenpflege würde sich aufgrund von Punktverschiebungen die Qualität des Netzes in wenigen Jahren bis zur Unbrauchbarkeit verschlechtern. Verschiebungen der Versicherungspunkte wirken sich bei Gleisstopfungen direkt auf die Gleislage aus, was sich bei Querverschiebungen kritisch für die Sicherheit und den Fahrkomfort auswirken kann. Daher hat die SBB ein Nachführungskonzept erstellt, nach dem vorgängig zu allen Vermessungsarbeiten fehlerhafte Gleisversicherungspunkte gemeldet werden. Bei der Projektierung von Fahrbahnerneuerungen werden alle Punkte durch Einmessung konsequent überprüft, neu berechnet und in der DfA (Datenbank feste Anlagen, entspricht „SBB-GIS“) nachgeführt. Im Zusammenhang mit Gleisprojekten und Fahrbahnerneuerungen werden dadurch jährlich ca. 10 % der Punkte überprüft.

3.2.2.2 Bezugsrahmen

Einbindung der Gleisversicherung in den Schweizer Bezugsrahmen

Bis 1987 verwendete die SBB das auf Pfeilhöhen basierende, relative Rückversicherungssystem Hallade, das ohne Koordinaten auskam. In den Jahren 1987 bis 2000 wurde unter Einbezug benachbarter Lage- und Höhenfixpunkte aus der Landesvermessung das absolute Gleisversicherungsnetz der SBB aufgebaut. Seit dem Jahr 2000 sind alle Versicherungspunkte in das Landesnetz eingebunden und stehen auf dem DfA-Server für verschiedene Anwendungen zur Verfügung. Parallel zum Aufbau des Versicherungsnetzes wurde das gesamte Gleisnetz (inkl. Abstell- und Rangieranlagen) in Lage, Höhe und Überhöhung berechnet und in der DfA gespeichert. Neben den Gleisanlagen sind auch alle Weichen inklusive ihrer Geometrie sowie das Streckennetz in der DfA im Landeskoordinatensystem abgebildet. Bei der Speicherung wird zwischen bestehenden und projektierten Anlagen unterschieden. Auf diese Weise können beliebige Abfolgen von Gleis- und Weichenumbauten in der Datenbank abgebildet und bei Bedarf abgerufen werden. Das Ordnungssystem Gleisversicherung, Gleis- und Streckennetz bildet heute die Basis der Datenstruktur der DfA.

Die Führung dieser Daten im gleichen Bezugsrahmen (Landeskoordinatensystem) ermöglicht sowohl eine automatisierte Steuerung von Gleisbaumaschinen als auch den Einsatz von einfachen Hilfsmitteln zur Absteckung und Überprüfung der Infrastruktur- und Gleisanlagen.

Schweizerischer Bezugsrahmen bis 2016

Die schweizerische Kartenprojektion ist eine schiefachsige, winkeltreue Zylinderprojektion (Mercatorprojektion) des Bessel-Ellipsoids. Ausgangspunkt ist der Fundamentalpunkt bei der ehemaligen Sternwarte Bern.

Ein geodätischer Bezugsrahmen wird durch Koordinatensätze geodätischer Fixpunktnetze oder Permanentnetze gebildet. Der alte, 2016 abgelöste Bezugsrahmen stützte sich auf die eidgenössische Landesvermessung von 1903 (LV03), bei dem die Projektionskoordinaten des Fundamentalpunkts Y = 600.000 m und X = 200.000 m betrugen. Die Landestriangulation LV03 wurde ab ca. 1900 aufgebaut und war bis 2016 die offizielle Grundlage für Vermessungen in der Schweiz. Sie besteht aus einem Netz 1. Ordnung mit ca. 70 Fixpunkten im Abstand von 30 bis 50 km, verteilt über die ganze Schweiz. Durch Punktverdichtung entstand die Triangulation 2. und 3. Ordnung. Durch weitere Verdichtung auf kantonaler Ebene entstand das Lagefixpunktnetz 4. Ordnung mit einer relativen Nachbargenauigkeit von ca. 30 bis 100 mm. Die Gleisversicherung der SBB wurde an das Netz 4. Ordnung angeschlossen.

Trotz aller Sorgfalt der damals ausgeführten Triangulationen sowie der Bestimmung von drei Basisstrecken verblieben im Netz inhomogene, systematische Verzerrungen von bis zu 1,5 m zum Fundamentalpunkt (Abb. 3.17).

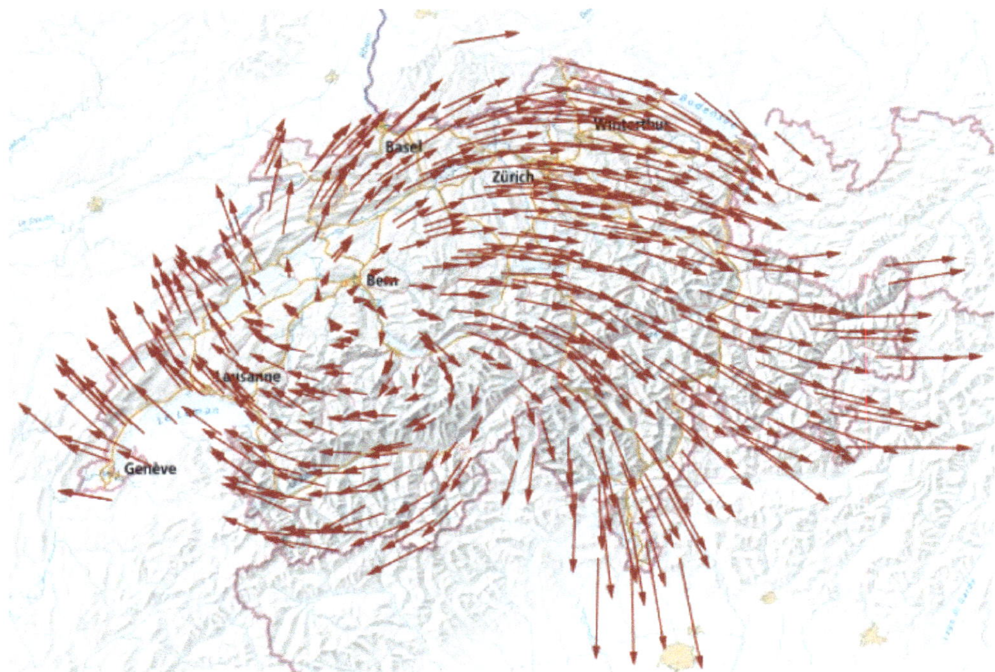

Abb. 3.17: Verschiebungsvektoren LV03/LV95 (https://swisstopo/geo.admin.ch 2006)

Neuer Schweizerischer Bezugsrahmen

Das Bundesamt für Landestopografie (swisstopo) verfolgt seit dem Jahr 1985 ein neues Konzept für eine zeitgerechte Landesvermessung. Im Jahr 1988 wurde damit begonnen, ein neues hochgenaues und spannungsfreies Grundlagennetz mit Messungen durch Globale Navigationssatellitensysteme (GNSS) zu bestimmen, um damit die über 100-jährige Landestriangulation abzulösen und dem Bedürfnis der Vermessung nach einem spannungsfreien Grundlagennetz nachzukommen. Das Netz besteht aus ca. 210 sorgfältig ausgewählten geodätischen Punkten auf Landesebene sowie einer weiteren Verdichtung auf kantonaler Ebene. Der neue Bezugsrahmen LV95 ist durch diese Fixpunkte bzw. permanent betriebenen Satellitenmessstationen realisiert. Die absolute Genauigkeit der Koordinaten liegt landesweit bei 5 bis 10 mm.

Das bisherige Projektionssystem und der Fundamentalpunkt bei der ehemaligen Sternwarte Bern bleiben erhalten. Neu werden die Koordinatenachsen mit E (East) und N (North) bezeichnet und zur eindeutigen Unterscheidung der Bezugsrahmen sind die neuen Koordinaten 7-stellig aufgebaut. Durch Addition von 2 Millionen für East und 1 Million für North ergeben sich im LV95 die Koordinaten des Fundamentalpunkts zu E = 2.600.000 m und N = 1.200.000 m. Der Höhenbezug, der sich auf das Landesnivellement von 1902 bezieht, bleibt bestehen, d. h. auf die Einführung eines neuen Höhensystems wurde verzichtet.

Gründe für den Bezugsrahmenwechsel

Gestützt auf das Geoinformationsgesetz (GeoIG) und die dazugehörenden Ausführungsverordnungen vom 1. Juli 2008 führte der Bund die neuen Landeskoordinaten, basierend auf den neuen Lagebezugsrahmen LV95, für die ganze Schweiz ein. Neben dem Bund waren auch die Kantone und Gemeinden dazu verpflichtet, alle Daten der Amtlichen Vermessung bis Ende 2016 in den Bezugsrahmen LV95 zu überführen. Für die übrigen Geobasisdaten wurde eine Frist bis Ende 2020 gewährt.

Die SBB waren in die Vernehmlassung dieses Gesetzes involviert und haben dazu ihre Zustimmung gegeben. Aufgrund einer firmeninternen Studie haben sich die SBB dafür ausgesprochen, das Bezugssystem für ihre raumbezogenen Daten ebenfalls dem neuen Standard anzupassen. Ausschlaggebend für diesen Entscheid waren mehrere Gründe. Ohne die Umstellung wäre der Datenaustausch nach dem Jahr 2016 bei der Projektkoordination zwischen den SBB und der Amtlichen Vermessung oder Unternehmern erschwert und mit finanziellem Aufwand verbunden.

Da die Stützpunkte des neuen Bezugsrahmens LV95 ein auf Satellitenvermessung basierendes Grundlagennetz bilden, gilt der neue Bezugsrahmen als spannungsfrei, d. h., es existieren nicht mehr die historisch bedingten Netzverzerrungen des alten Bezugsrahmens LV03.

Ferner kann nach Umstellung des Bezugsrahmens auf LV95 der Positionierungsdienst swipos für zentimetergenaue Anwendungen mit GNSS genutzt werden, ohne dass vorgängig eine lokale Einpassung erforderlich ist. Darüber hinaus gewährt der neue Bezugsrahmen durch die Einbindung in das europäische Bezugssystem European Terrestrial Reference System 1989 (ETRS89) einen spannungsfreien Anschluss an die Nachbarländer der Schweiz.

Gründe für eine SBB-eigene Transformation

Je höher die Ansprüche an die Genauigkeit der Daten sind, desto gravierender sind die Auswirkungen des Bezugsrahmenwechsels und umso größer ist der zu betreibende Aufwand bei der Umstellung. Das oben beschriebene, auf Landeskoordinaten basierende Versicherungsnetz der SBB erstreckt sich entlang aller Gleise auf einer Präzisionsstufe von 1 bis 2 mm Nachbargenauigkeit. Um diese Präzision des SBB-Versicherungspunktnetzes zu erreichen, wurden bereits bei der Einbindung in das LV03 gewisse Spannungen dieses Netzes verteilt, sodass ein verbessertes, sogenanntes SBB03-System entstand. Nach der einmaligen Einbindung in LV03 durften keine Landeskoordinaten mehr einbezogen werden, um die Qualität von SBB03 nicht zu beeinträchtigen. Für den Bezugsrahmenwechsel war diese Tatsache insofern gravierend, als dass eine Transformation mit dem sonst üblichen Datensatz FINELTRA (Finite Elemente Transformation) eine Überparametrisierung für die Überführung des SBB-Netzes bedeutet hätte.

Weiterhin wurde untersucht, ob die FINELTRA mit Basis der Nationalen Dreiecksvermaschung CHENyx06 verwendet werden kann, um die Gleisanlagen von SBB03 nach LV95 zu überführen. Die Analyse dieser Transformation ergab, dass die daraus resultierenden Deformationen des Gleisnetzes außerhalb der SBB-Toleranzen liegen. Diese einzuhaltenden Toleranzen sind in Tabelle 3.3 aufgeführt.

Tabelle 3.3: Toleranzen der SBB für die Transformation des Gleisnetzes

Abweichung	Wert	Begründung
Absolutlage	< 20 mm	Entspricht GNSS-RTK-Genauigkeit und ist Projektziel.
Gleis in Querrichtung	< 1,5 mm/100 m	Entspricht der im Feld mit Totalstation erreichten Genauigkeit; bei größeren Abweichungen müsste die Trassierung neu berechnet werden.
Gleis in Längsrichtung	~ 4 mm/100 m	Entlang der Strecke ist der Einfluss auf die Trassierung geringer als in Querrichtung. Dieser Wert ist allerdings nicht als Toleranz zu betrachten, da auf freier Strecke ohne Nachteil größere Maßstäbe verwendet werden können.
Große Bahnhöfe, Längsrichtung	< 0,2 mm/100 m	Größere Maßstäbe würden hier eine Neutrassierung auslösen.
Weichenanlagen	0 mm/100 m	Weichen sind Bauteile mit fester Länge.

Eine Transformation mit FINELTRA-LV (Stufe Landesvermessung) kam für die SBB ebenfalls nicht infrage. Die durch die Transformation entstehenden Verzerrungen wären zwar bedeutend geringer gewesen als bei CHENyx06, aber wegen der geringen Transformationsgenauigkeit wären Abweichungen zu LV95 in der Absolutlage von bis zu 3 dm entstanden. Diese konnten nicht toleriert werden.

Durchführung des Bezugsrahmenwechsels

Aus den genannten Gründen entwickelten die SBB eine neue Transformationslösung namens SwissRailTra95, die die Millimeter-Genauigkeit der Gleisgeometrie bewahrt, ohne dass die Trassierung neu berechnet werden musste. Die Transformation der Gleisanlagen konnte damit automatisiert erfolgen. Die spezielle Lösung berücksichtigte, dass die Transformation lediglich entlang des SBB-Streckennetzes, aber nicht flächendeckend erfolgen musste.

Diese Lösung erforderte allerdings, dass entlang des gesamten SBB-Streckennetzes in Abständen von 700 m neue Passpunkte definiert und bestimmt wurden. Ein größerer Abstand der Passpunkte hätte es nicht gewährleistet, dass die lokalen Verzerrungen im Bereich zwischen zwei Passpunkten hinreichend aufgefangen wurden, um die Toleranz von 20 mm gegenüber LV95 global einzuhalten. Die Bestimmung der insgesamt 4.000 Passpunkte erfolgte in den neuen Landeskoordinaten LV95 durch GNSS-Messungen mit einer Standardabweichung in der Lage von $\sigma_{xy} \leq 10$ mm. Zur Steigerung der Zuverlässigkeit erfolgten die GNSS-Messungen in zwei unabhängigen Sessionen bei einer Lagedifferenz von maximal 20 mm.

Parallel dazu wurden die Koordinaten jedes Passpunkts mit $\sigma_{xy} \leq 10$ mm im SBB03-Netz bestimmt. Für jeden Passpunkt wurde diese Vorgabe mithilfe der Freien Stationierung einer Totalstation unter Anzielung von 4 bis 6 benachbarten SBB-Versicherungspunkten erreicht. Auf dem Feld konnten die Passpunktmessungen durch eine einzige Person mithilfe einer robotisierten Totalstation durchgeführt werden, deren Bedienung ferngesteuert erfolgte.

Anhand der beiden aus der Messung resultierenden Koordinatensätze für die Passpunkte (LV95 und SBB03) ließen sich die lokalen Verzerrungen des SBB03-Netzes empirisch quantifizieren, z. B. durch eine Helmert-Transformation.

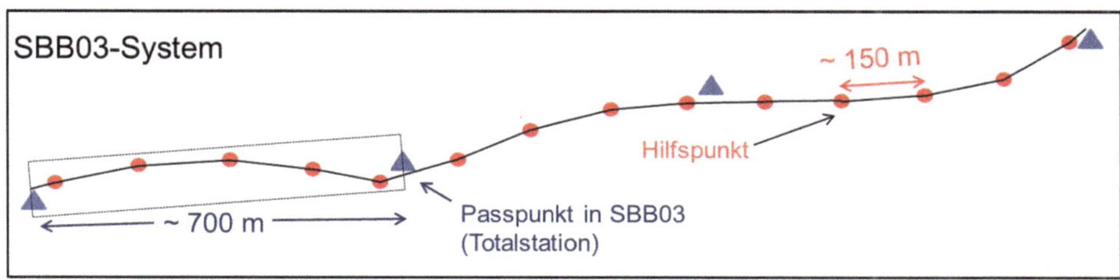

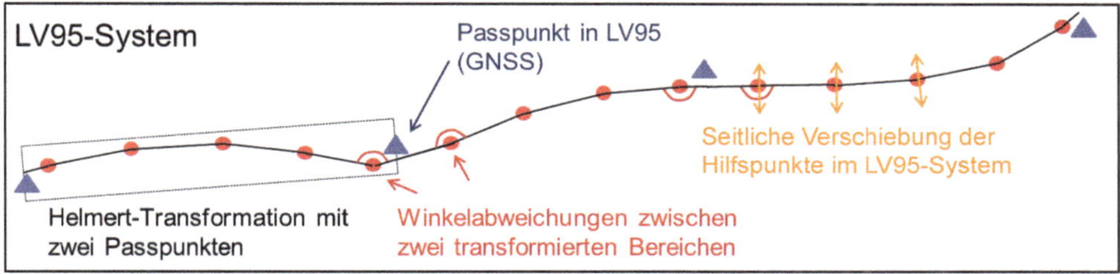

Abb. 3.18: Schematische Darstellung für die Transformation der Gleise mit SwissRailTra95 (SBB)

Zur Definition der Transformationsparameter von SwissRailTra95 wurden rein rechnerisch Hilfspunkte im Abstand von 150 m entlang aller Strecken- bzw. Kilometerachsen im SBB03-System erzeugt. Die Berechnung der LV95-Koordinaten dieser Punkte erfolgte linear zwischen zwei benachbarten Passpunkten mit einer Helmert-Transformation (XY-Translation, 1 Rotation, 1 Maßstab). Auf der so entstandenen polygonalen Linie ergeben sich Winkelabweichungen an den Passpunkten zwischen zwei Helmert-Transformationen (Abb. 3.18).

Diese Winkelabweichungen überschritten in der Regel die Toleranzen von Tabelle 3.3. Jedoch ließen sich die Abweichungen mithilfe einer seitlichen Verschiebung der Hilfspunkte in der Größenordnung von wenigen Millimetern im LV95-System korrigieren. Bei diesen Verschiebungen handelte es sich also um eine Optimierungsaufgabe, bei der es darum geht, alle Toleranzen gemäß Tabelle 3.3 einzuhalten. Dank einer Softwarelösung der SBB-Geomatik, die auf der Methode der kleinsten Quadrate basiert, lässt sich diese Optimierung weitgehend automatisiert durchführen.

Die Abweichungen in Längsrichtung können nur sehr bedingt und lokal korrigiert werden. Ihr Einfluss auf die Qualität des Gleisnetzes ist von geringerer Bedeutung.

Die Differenzen zwischen den modifizierten LV95-Koordinaten der Hilfspunkte und den SBB03-Koordinaten bilden die Parameter der Transformation. Alle anderen Punkte in der Umgebung entlang und seitlich der Kilometerachse werden linear zwischen den Hilfspunkten interpoliert. Eine Ausnahme bilden Weichen und Weichenanlagen, die als „Block" mit dem Maßstab 1 transformiert werden, d. h., sie bleiben nach der XY-Translation mit einer Rotation unverzerrt. Eine unverzerrte Überführung von Weichen ist notwendig, da diese als feste Bauteile rechnerisch nicht verändert werden dürfen. Bereiche zwischen Weichenanlagen innerhalb von großen Bahnhöfen werden mit einem Maßstab von maximal 0,2 mm/100 m überführt, um eine Neuberechnung der Weichenanlagen zu vermeiden. An den Grenzen dieser Bereiche treten größere Zwänge auf, die aber nach einer Verteilung alle Toleranzen gemäß Tabelle 3.3 einhalten. Tunnel wurden ausnahmslos als Block transformiert.

Mithilfe dieser Transformationsmethode konnten die Gleisgeometrie, die Gleisversicherungspunkte sowie die gesamten grafischen und numerischen Daten der DfA und der Anwendungen automatisiert nach LV95 überführt und migriert werden. Die Trassierungselemente wurden dabei in ihrer Länge angepasst, die Radien von Kreisbögen und die Endradien von Klotoiden blieben jedoch unverändert. Der Bezugsrahmenwechsel wirkte sich nicht auf das Lichtraumprofil aus, da sowohl die Versicherungspunkte und die Gleise als auch die gleisnahen Objekte im gleichen System SBB03 geführt werden, und können folglich mit der gleichen Transformation überführt werden. Der Bezugsrahmenwechsel wurde im Oktober 2016 innerhalb einer Wochenendsperre für die gesamte DfA sowie für alle direkt oder indirekt darauf zugreifenden Anwendungen durchgeführt. Trotz komplexer Logistik wurde diese Vorgehensweise gegenüber einer mehrstufigen Einführung bevorzugt, da auf eine Übergangsphase mit doppelter Datenbankführung verzichtet werden konnte.

Durch die Transformationsmethode SwissRailTra95 konnte die hohe relative Genauigkeit des SBB Netzes (im Millimeterbereich) beibehalten werden. Gleichzeitig wird garantiert, dass eine Integration in LV95 erreicht wird, die maximal 2 bis 3 cm vom Landesnetz abweicht. Die Sprünge und Verzerrungen des alten SBB03-Netzes gehören der Vergangenheit an.

Mit dem Wechsel wird der nationale und internationale Datenaustausch vereinfacht. Ferner sind Anwendungen wie Aufnahmen oder Absteckung mit GNSS ohne lokale Transformation im Genauigkeitsbereich von 2 cm möglich. Die vielen Schweizer Privatbahnen haben die Vorgehensweise für den Bezugsrahmenwechsel inklusive der Transformationslösung übernommen.

3.3 Entwurfsvermessung von Bahnanlagen

Bei der Entwurfsvermessung von Bahnanlagen gilt es, eine Unterscheidung zwischen vermessungstechnischen Aufgaben bei Neu- bzw. Ausbauvorhaben und Umbau- bzw. Sanierungsarbeiten in den Bestandsanlagen der Deutschen Bahn zu treffen. In den folgenden Kapiteln sollen Gemeinsamkeiten bzw. Unterschiede für die erforderlichen Vermessungsleistungen aufgeführt und näher beschrieben werden.

Grundlage für die Entwurfsvermessung von Bahnanlagen, unabhängig davon, ob es sich um Neubauten oder Bestandsanlagen handelt, ist ein vollständiges und homogenes Lage- und Höhenfestpunktfeld. Bei Neubauvorhaben gibt es im Allgemeinen keine Bestandsfestpunkte die integriert werden müssen, allerdings sind die Erkundung und Standortfestlegung der neuen Festpunkte unter Beachtung eines entsprechend großen Baukorridors sehr sorgfältig und vorausschauend auszuführen, um das Vorhalten des

Festpunktfelds möglichst über die komplette Bauzeit zu gewährleisten. Auf Anforderungen an die Festpunktfelder wird in diesem Kapitel nicht weiter eingegangen, sondern auf Kapitel 3.2 verwiesen.

Die Entwurfsvermessung von Bestandsanlagen ist durch das Regelwerk der Bahn bzw. zusätzliche Arbeitsanweisungen der jeweiligen Vermessungsstelle der Betreiber streng geregelt.

Die Erfassung des Bestands als Grundlage für die Planung von Neu- bzw. Ausbaustrecken ermöglicht mehr Freiraum und wird meist projektbezogen durch den Auftraggeber bzw. durch das beauftragte Planungsbüro anhand von speziellen Leistungsbeschreibungen definiert. Diese Vorgehensweise ist auch beim Neubau von Einzelobjekten, wie Ingenieurbauwerken oder Bahnsteiganlagen, im bestehenden Bahnnetz üblich.

Der Umfang und die Detailtiefe der Aufmessung von Bahnanlagen richtet sich nach den Anforderungen der entsprechenden Fachplaner. Die Aufnahme von Gleisen, Weichen und trassennahen Zwangspunkten ist für Trassierungen bzw. Oberbauplanungen erforderlich, Geländeaufnahmen in Formen von Querprofilen bzw. Digitalen Geländemodellen sind Grundlage für die Planung von Tiefbau, Kabeltiefbau oder Oberleitungsanlagen.

Bei der Planung von Ingenieurbauwerken wie Eisenbahn- bzw. Straßenüberführungen, Durchlässen, Tunneln, Bahnsteiganlagen oder Hochbauten müssen alle im Planungsbereich befindlichen Anlagen und Objekte einschließlich der zughörigen Topographie erfasst und dokumentiert werden. Der Aufnahmeumfang ist so zu definieren, dass auch die Übergangsbereiche zum verbleibenden Bestand hinreichend beplant werden können.

3.3.1 Aufmessung

Zur Aufmessung von Bahnanlagen können je nach Anforderung, Objekt und Genauigkeitsanforderungen verschiedene Verfahren zum Einsatz kommen. Während bei Neubautrassen sehr häufig photogrammetrische oder Scan-Befliegungsdaten die Grundlage bilden, werden bei der Erfassung von Bestandsstrecken meist terrestrische Aufnahmeverfahren genutzt.

Gleise, Weichen und lichtraumrelevante Zwangspunkte sollten aufgrund der erforderlichen Genauigkeiten (Abschn. 3.3.4) tachymetrisch erfasst werden. Für Gelände- und Bauwerksaufmaße bieten sich kombinierte Aufnahmen aus tachymetrischen und RTK-GNSS-Messungen sowie terrestrischen Laserscans an.

In den letzten Jahren wurden wegen höherer Geschwindigkeiten und dichterer Taktfolgen der Züge die Sicherheitsbestimmungen bei Arbeiten im Gleisbereich ständig angepasst und verschärft. Die sich daraus ergebenden Folgen sind für die örtlichen Vermessungen gravierend, da klassische, tachymetrische Verfahren wirtschaftlich kaum noch umsetzbar sind.

Deshalb nimmt die Bedeutung von auf Gleiswagen installierten terrestrischen Laserscannern für die Erfassung von Bestandsgleisanlagen zu. Mit diesen Systemen können innerhalb von kurzen Zugsperrpausen große Streckenabschnitte gescannt werden. Dabei erfolgt die Aufnahme des Gleises und der trassenbegleitenden Zwangspunkte in einem Arbeitsgang. Die Orientierung und Georeferenzierung der Scans erfolgt über vorher im jeweiligen Gebrauchskoordinatensystem bestimmte Passpunkte (z. B. Gleisvermarkungspunkte), die während der Scanaufnahmen entsprechend signalisiert werden (Abb. 3.19).

Abb. 3.19: Scankugel

3.3.2 Neubauvorhaben und Neubaustrecken

Die europäischen Bahnen orientieren sich neu. Sie erweitern ihr Angebot. Ihr Ziel ist es, marktgerechte und umweltfreundliche Alternativen zum Straßen- und Luftverkehr zur Verfügung zu stellen, vor allem durch den Ausbau bestehender und den Bau neuer Eisenbahnstrecken, auf denen die Züge schneller als 200 km/h fahren können.

Die Liniengestaltung von Neu- und Ausbaustrecken folgt nicht streng der Trasse einer Bestandsstrecke. Die zu realisierenden Geschwindigkeiten, die geplante Taktfolge der Züge und die Trassennutzung (Personen-, Güter- oder Mischverkehr) bedingen eine bestimmte Gleisgeometrie. Diese gilt es, unter Beachtung topographischer Gegebenheiten sowie bestehender Nutzungsverhältnisse in der Örtlichkeit umzusetzen. Hierbei sind zunehmend auch Umweltaspekte (z. B. schonender Umgang mit Flächen durch Trassenbündelungen mit anderen Verkehrswegen) sowie Lärmschutzvorgaben zu beachten. Deshalb müssen planerische Variantenuntersuchungen in einem hinreichend breiten Trassenkorridor erfolgen, welcher zuvor vom Geodäten erfasst und modelliert werden.

Diese Bestandserfassung und -dokumentation wird nicht selten als unbeliebte Tätigkeit betrachtet. Man stellt ihre Notwendigkeit in der nicht zutreffenden Annahme, dass alles schon vermessen sei, infrage und beauftragt das notwendige Aufnahmeverfahren oft viel zu spät. Dabei wird übersehen, bewusst oder unbewusst, dass eventuell vorhandene Pläne nicht unbedingt für den konkret anstehenden Zweck erstellt wurden, dass Pläne veralten und dass eine Planung auf fehlerhafter und/oder unvollständiger Bestandsgrundlage selbst fehlerhaft und/oder unvollständig ist.

Während der Entwurfsphase wird dies nicht unbedingt bemerkt. Bei der Verwirklichung der Planung aber, d. h. beim konkreten Bauen im Maßstab 1:1, stößt man unweigerlich auf alle Merkmale und Objekte, auf die man hätte Rücksicht nehmen müssen. Das wurde bei der Planung nicht beachtet, weil die Bestandsgrundlage unvollständig oder fehlerhaft war, dann aber mit gravierenden Folgen.

Innerhalb der zu untersuchenden Flächen sind meist viele topographische Merkmale, technische Objekte, die sowohl über als auch unter der Erde liegen, vorhanden. Es gibt weiterhin bauliche Anlagen, viele Eigentumsgrenzen, verschiedenartige Nutzungsflächen und zahlreiche zu beachtende und nicht veränderbare Zwangspunkte.

Alle Objekte, Merkmale und Rechtsgrenzen, die von der zu planenden Neu- und Ausbaustrecke betroffen sind, sind zu erfassen und abzubilden bzw. in der Planung zu berücksichtigen. Dazu gehören:

- topographische Merkmale der Geländeoberfläche,
- Gebäude aller Art,
- Mauern,
- Verlauf der Verkehrswege mit den dazugehörenden Flächen und Bauwerken, Ausrüstungsgegenständen,
- Bäume,
- Nutzungsgrenzen,
- Lage der Objekte und
- der Verlauf der Leitungen des Versorgungsnetzes.

Die Bestandserfassung wird auf die jeweilige Planungsphase abgestimmt. In der Genehmigungsphase kann der erforderliche Detaillierungsgrad der Geländeaufnahme und Objekterfassung geringer sein als zum Zeitpunkt der Entwurfsplanung. Für die Ausführungsplanung ist dann wiederum ein noch höherer Detaillierungsgrad erforderlich.

Nach diesem Grundsatz können die entsprechenden Datenerfassungsverfahren gewählt und in Abstimmung mit dem Bauherrn bzw. dem Planer definiert werden.

Für die Genehmigungsplanung sind Befliegungsdaten in kleineren Maßstäben bzw. die Nutzung und Aufbereitung der vorliegenden Daten der jeweiligen Landesvermessungsbehörden ausreichend. Im Zuge der Entwurfsplanung sind detailliertere Pläne und Modelle erforderlich. Die weiteren Verdichtungsmessungen können z. B. mittels Airborne-Laserscanning oder RTK-GNSS-Geländeaufnahmen realisiert werden. In der Phase der Ausführungsplanung ist der geforderte Detaillierungsgrad am höchsten und bedingt, speziell im Bereich von Zwangspunkten bzw. an den Übergängen zum Bestand oder zu bereits fertiggestellten, benachbarten Bauabschnitten, häufig terrestrische Ergänzungsmessungen. Dabei können tachymetrische Aufnahmen oder auch terrestrisches Laserscanning zum Einsatz kommen.

Unabhängig von der Methode ist das Gelände im Trassenkorridor so aufzunehmen, dass sowohl für die Entwurfsplanung als auch für die spätere Bauabrechnung ein Digitales Geländemodell (DGM) zur Verfügung steht.

Da sich die Planungsprozesse von Neubau- bzw. Ausbaustrecken meist über mehrere Jahre, ggf. Jahrzehnte erstrecken, sind auch unter dem Aspekt der Datenaktualität immer wieder Ergänzungsmessungen erforderlich. Somit ist eine einmalige, hochauflösende Datenerfassung zu Projektbeginn, auf deren Basis der gesamte Planungsprozess begleitet werden kann, zwar wünschenswert, aber nicht praktikabel und wirtschaftlich umsetzbar.

3.3.3 Bestandsgleisanlagen

Generell sind die Vorgaben zur Aufmessung von Bestandsgleisanlagen der Deutschen Bahn im Handbuch 88301 sowie in der DIN 18710-2 definiert. Besonderheiten einzelner Regionen werden zusätzlich in Arbeitsanweisungen bzw. Merkblättern der „Regionalen Fachstelle Gleis- und Bauvermessung“ vorgegeben.

Die Messungen und Berechnungen sind auf das für die weitere Planung festgelegte Gebrauchskoordinatensystem zu beziehen.

Gegenstand der Aufmessung sind alle Punkte, die die Gesamtsituation des aufgemessenen Teils der Bahnanlagen charakterisieren, d. h. zu erfassen sind, die Gleise, einschließlich deren Sonderkonstruktionen wie Weichen, Kreuzungen oder Schienenauszüge, sowie trassenbegleitende Anlagen und Objekte. Hierzu zählen:

- Oberleitungsmaste,
- Signale,
- ausrüstungstechnische Anlagen, wie Kabelkanäle, Drahtzüge,
- Gleisschaltmittel,
- Bahnsteige,
- trassennahe Bauwerkspunkte, wie Schottermauern, Geländer,
- Lärmschutzwände,
- Kabel- und Entwässerungsschächte sowie
- Begrenzungen von Straßenüberführungen und Tunnel.

Ziel der Aufmesssung ist das Bereitstellen von hinreichenden Informationen, die später die Grundlage für eine gleisgeometrische Bearbeitung der Bestandsanlage bilden, um eindeutige Trassen- und Gradientenparameter unter Beachtung aller lichtraumbeeinflussenden Zwänge zu definieren.

Wichtig ist es, vor allem solche Punkte von baulichen Anlagen zu erfassen, die den Umbau der Bahnanlagen beeinflussen können. Die Messung hat so zu erfolgen, dass der Nachweis der Einhaltung des Lichtraums jederzeit möglich ist. Dies bedeutet: Nicht unbedingt der Standort eines Objektes ist von entscheidender Bedeutung, sondern der gleisnächste Punkt. Bereits bei der Aufmessung ist daran zu denken, dass es beim Umbau bestehender Anlagen durchaus zu größeren, seitlichen Veränderungen der Gleislage kommen kann, für die dann ebenfalls der Nachweis der Einhaltung des Lichtraums lückenlos möglich sein muss. Als Richtwert kann hier ein Abstand von 3,5 m aus der Achse des aufzunehmenden Bestandsgleises angesetzt werden.

Alle aufgemessenen Punkte werden in einem Feldriss (Abb. 3.20) skizziert und mit eindeutiger Nummerierung versehen. Zusätzlich zum Feldriss wird die Gleis- und Zwangspunktaufnahme durch Fotos, die ca. aller 100 m in Richtung der Streckenkilometrierung aufgenommen werden, dokumentiert. Besondere Zwangspunkte sind ebenfalls fotografisch zu erfassen.

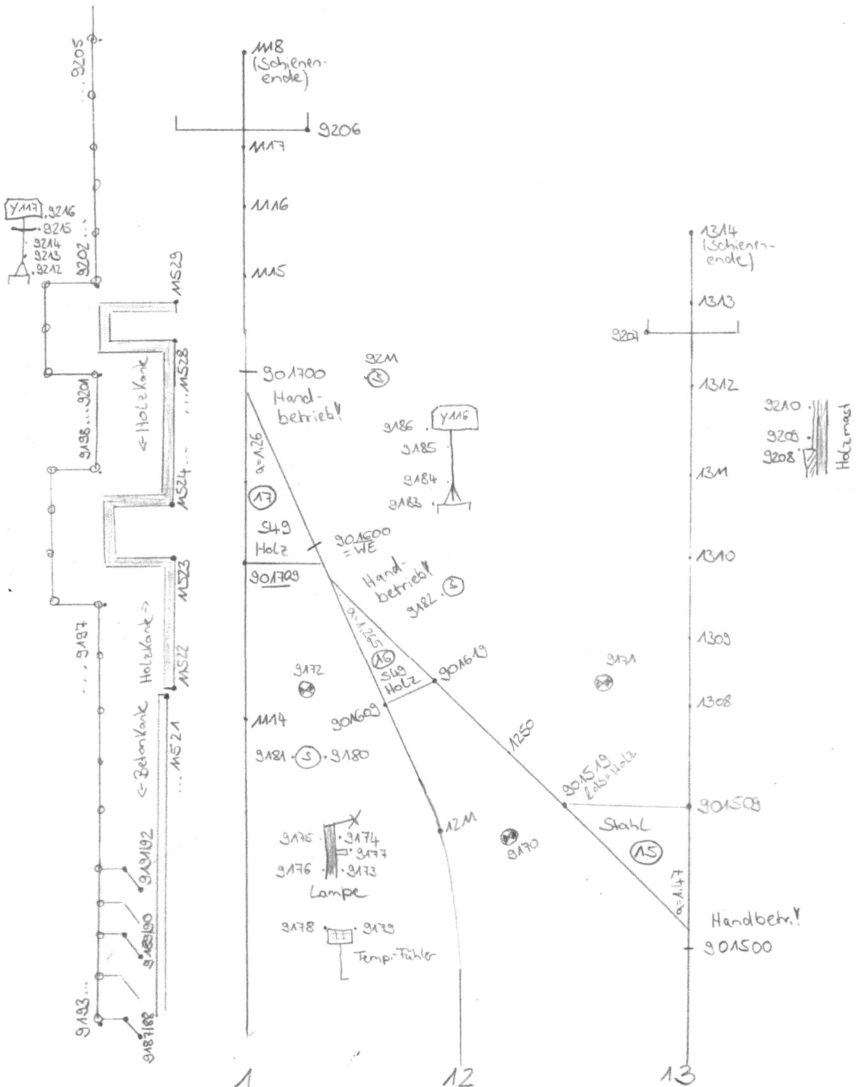

Abb. 3.20: Beispiel eines Feldrisses (intermetric GmbH)

Als äußere Genauigkeit für die dreidimensionale ETRS89-Koordinate eines Einzelpunktes gilt: $\sigma_{a,3D} = 20$ mm.

Folgende empirische Standardabweichungen der aus den Beobachtungen berechneten Koordinaten, bezogen auf die Lage- und Höhenfestpunkte des Grundlagennetzes, müssen eingehalten werden:

- für die Lage
  - 50 mm bei Gleisen in Längsrichtung,
  - 5 mm bei Weichen in Längsrichtung,
  - 5 mm bei Gleisen und Weichen in Querrichtung,
  - 5 mm bei Zwangspunkten;
- für die Höhen
  - jeweils 5 mm;
- für Überhöhungen und Gleisabstände
  - jeweils 5 mm für den Messwert.

Die Gleislage wird durch punktweises Aufmessen der Gleisachse (Abschn. 2.1.4.1) erfasst. Da die Gleisachse in der Örtlichkeit nicht sichtbar ist, wird bei der Aufmessung eine Lehre verwendet, bei der die Zielmarke (Prisma) exakt im Abstand der halben Spurweite von einem Begrenzungswinkel positioniert ist und somit die Lage der Gleisachse angibt.

Die Gleislehre (Abb. 3.21) wird über beide Schienen gelegt und danach mit dem an der Unterseite der Lehre angebrachten Winkel an der Schienenkopfinnenfläche angelegt. In Gleisbögen ist die Lehre stets an die Schienenkopfinnenfläche der äußeren Schiene anzulegen, damit eine eventuell vorhandene Spurerweiterung die Aufmessung der Gleisachse nicht verfälscht. Eine numerische Ableitung der Gleisachse aus der Aufnahme und Mittelung der Einzelschienen ist nur in Ausnahmefällen (z. B. bei ausgeplatteten Bahnübergängen oder im Bereich mit Führungsschienen) zu empfehlen, da hier Spurerweiterungsmaße die Ergebnisse verfälschen können.

Abb. 3.21: Hilfsmittel zum Erfassen der Gleisachse (intermetric GmbH)

Neben der Lage ist auch der Höhenverlauf der Gleise zu erfassen. Höhenbezug des Gleises ist die Oberkante der nicht überhöhten Schiene. Die Höhenbestimmung erfolgt in der Regel gleichzeitig mit der Lage (trigonometrisch, nur in Ausnahmefällen wird eine separate nivellitische Höhenaufnahme angewendet) unter Verwendung der genannten Gleislehre. Da die tachymetrisch bestimmte Höhe bei beschriebenem Messvorgang in der Gleisachse liegt, muss diese noch um die halbe Überhöhung reduziert werden, indem die Zielhöhe um diesen Betrag vergrößert wird. Zur Ermittlung der Überhöhung verfügt die Gleislehre über einen Überhöhungsmesser. Die Überhöhung ist neben der Lage und der Höhe die dritte, bestimmende Komponente des Gleises. Es empfiehlt sich, diese neben der Dokumentation im Feldriss, zusätzlich bei der Tachymeteraufnahme, beispielweise als Infozeile zu registrieren.

Der Längsabstand der Aufnahmepunkte richtet sich nach den Krümmungsverhältnissen des aufzumessenden Gleisabschnitts, d. h., je kleiner der Halbmesser, desto enger ist das Gleis aufzunehmen. Um aus den Aufnahmekoordinaten die Istgleislage zu bestimmen, sollten auf jedem Krümmungselement mindestens drei Aufnahmepunkte vorhanden sein. Der größte Längsabstand sollte in Bögen 25 m und in der Geraden 30 m nicht übersteigen. Bei Bögen mit Radien größer 500 m, in Übergangsbögen, Rampen sowie Abschnitten von langgestreckten Zwangspunkten darf das Gleispunktaufnahmeraster nicht über 10 m liegen. Zusätzlich ist das Gleis an den Stellen aufzumessen, an denen sich Zwangspunkte im oder neben dem Gleis befinden. Gleispunkte werden nur einfach bestimmt.

Weichen sind Bestandteile der Gleise, somit gelten für die Aufmessung ähnliche Grundsätze. Bei Weichen ist es wichtig, die vorhandene Weichenform (Abschn. 2.1.4.2 und Abschn. 3.4.2.2) direkt in der Örtlichkeit durch Nachmessen der Konstruktionsmaße und der Herzstückneigungen zu identifizieren.

Im Einzelnen werden zur Aufmessung der Weichen folgende Punkte benötigt:

- Weichenanfang (*WA*) und Weichenende (*WE*) im Stammgleis,
- Weichenende im Zweiggleis (*WEZ*),
- Zungenspitze,
- letzte durchgehende Schwelle (*ldS*) jeweils im Stamm- und Zweiggleis,
- zusätzlich mindestens zwei zwischen Weichenanfang und -ende längengleich verteilte Punkte in beiden Strängen.

Analog zur bereits beschriebenen Vorgehensweise beim Gleisaufmaß sind bei allen Aufnahmepunkten Höhe und Überhöhung mit aufzunehmen.

Außerdem sind vor Ort die Weichennummer, die Schienenform und die Schwellenart (Beton, Holz, Stahl) zu identifizieren.

Da die Konstruktionslängen von Weichen und Kreuzungen durch verlängerte und gekürzte Backenschienen bzw. verschachtelte Weichenenden verändert und somit die Schweißnähte in der Örtlichkeit nicht unbedingt mit den Weichenenden bzw. -anfängen identisch sein müssen, ist es notwendig, WA und WE anhand der Konstruktionsmaße und der Bohrungen bzw. der Markierungen (Körnerschlag) an den Schienen bzw. Radlenkern zu rekonstruieren.

Eine Zusammenstellung der Maßangaben für die Längen zwischen den Bohrungen und WA ist in der DB-Richtlinie 883.9020 zu finden. Hingegen enthält die DB-Richtlinie 800.0120A01 die Zusammenstellung der Konstruktionsmaße der Weichen und Kreuzungen.

Neben den beschriebenen Gleis- und Weichenpunkten sind alle Zwangspunkte, die die Linienführung beeinflussen können, aufzumessen. Dabei differenziert man zwischen Zwangspunkten im Gleis, wie Bahnübergänge, Eisenbahnbrücken mit fester Gleisauflage (ohne Bettung) und Schienenauszügen, sowie Zwangspunkten neben bzw. über dem Gleis.

Bei Zwangspunkten neben oder über dem Gleis unterscheidet man zwischen langgestreckten Objekten (Lärmschutzwänden, Tunneln, Rampen, Stützmauern, Geländern, Gebäuden, Bahnsteigen einschließlich Dachkonstruktionen) und punktuellen Objekten (Signalen, Lichtmasten, Oberleitungsmasten, Signalbrücken usw.). Diese Unterscheidung ist deshalb zu treffen, da bei der späteren Betrachtung der Objekte im Zuge der Trassierung nicht nur freizuhaltende Lichträume für Zugfahrten, sondern auch Aufstell- bzw. Sicherheitsräume für Personen neben dem Gleis zu untersuchen sind.

Zwangspunkte werden dreidimensional durch zwei voneinander unabhängige Messungen so bestimmt, dass ein eindeutiger Nachweis der Lichtraumprüfung (Abschn. 2.1.4.1) bei der Einrechnung der Gleislage sichergestellt ist. Das bedeutet, es ist neben den Standortmitten auch immer der gleisnächste Punkt zu messen bzw. sind die Konturen der Objekte so zu erfassen, dass auch bei geneigten Lichtraumprofilen die geringsten Abstände zum Lichtraumprofil (Abb. 3.22) nachgewiesen werden können. Der fachgerechten Auswahl der im Außendienst zu erfassenden Punkte kommt also eine große Bedeutung zu.

Die Dichte der Aufmessung von langgestreckten Objekten folgt dem Raster der Gleisaufnahme. Die Konturen von Straßenüberführungen bzw. Tunnelportalen sind so dicht aufzunehmen, dass zum Lichtraumnachweis komplette Querprofile erstellt werden können. An Bahnübergängen ist der weitere Straßenverlauf beidseitig vom Gleis in Straßenachse hinreichend weit zu erfassen und ebenfalls als Querprofil zu dokumentieren.

Im Allgemeinen sind Zwangspunkte (Abb. 3.23) erst ab Höhe Schienenoberkante (SO) zu erfassen. Allerdings müssen feste Einbauten wie Schächte, Schottermauern o. Ä. mit einem Abstand kleiner 2,20 m auch unter SO bestimmt werden, da hier Arbeitsräume für Großmaschinen, wie Bettungsreinigungsketten, freigehalten werden müssen.

Punkte (Engstellenpunkte und Linieneinragungen):

Abstand	Höhe	Einragung in [mm]
3.614	0.330	
3.513	3.063	
3.306	3.245	
2.509	3.220	
2.408	3.412	
2.404	3.435	
2.547	3.549	
2.537	3.898	
2.340	3.845	
2.308	4.409	
2.228	4.414	
2.170	5.763	
2.804	5.789	

Lichtraumprüfung:

Profil: GC und EBO Hauptgleis (mit OLA 15 kV bis 200 kmh)
Grenzlinie: berechnet mit Bezugslinie G2
max v = 160 km/h, Linienauflösung = 0.0100 m

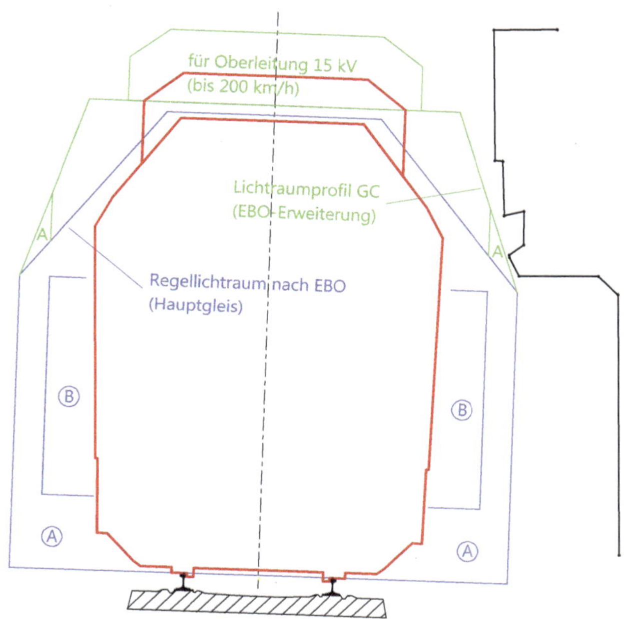


```
Überhöhung:  50 mm  (uf=57 mm)
Radius:      2813.000 m
Strecke:     6362
RiKz:        2
Gleis:       rechtes Gleis (2)
Km:          12.2 + 44.62
Aufnahme:    149
```

	Tag	Name	Strecke 6362 Leipzig - Hof BV Markkleeberg-Gaschwitz-Großdeuben Lichtraumengstellenmessung Lichtraumprofil Km 12.2 + 44.62 Sig 6233
gemessen	27.09.2018	Jeremias	
gezeichnet	28.09.2018	Jeremias	
geprüft	28.09.2018	Kretzschmar	
Änderung			
Koord.syst.	DB_REF		
Höhensyst.	DHHN92		

Abb. 3.22: Lichtraumprofil in überhöhten Gleisabschnitten (intermetric GmbH)

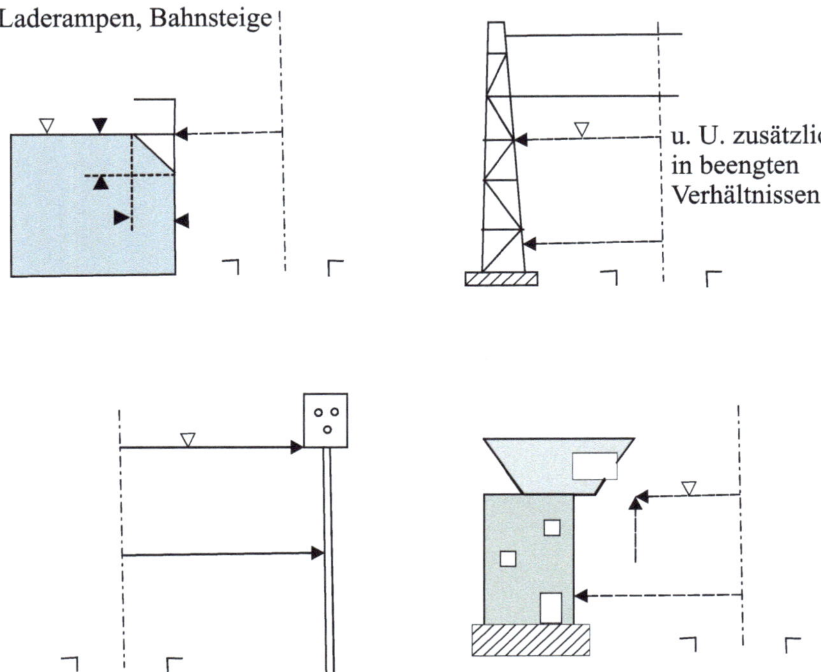

Abb. 3.23: Beispiele für das Aufmessen von Zwangspunkten

Für alle aufgemessenen Objekte und Anlagen ist der Bezug zur Streckenkilometrierung (Abschn. 3.5.4) herzustellen. Deshalb sind Objekte, für die in alten Unterlagen bereits Kilometrierungsangaben ausgewiesen wurden, wie Hektometerzeichen, Mitten von Empfangsgebäuden, Bauwerke bzw. alte Gleisvermarkungspunkte, mit zu erfassen.

Als Dokumentationsnachweis der Gleis-, Weichen- und Zwangspunktaufnahme sind folgende Unterlagen zu übergeben:

- Verwendete Festpunktunterlagen mit Zustandsbeschreibung,
- Kalibrierungsprotokolle aller verwendeten Messgeräte,
- Koordinaten- und Höhenberechnungsnachweis mit Qualitätsanalyse der Fest- und Neupunkte,
- Koordinaten- und Höhenverzeichnis,
- Feldrisse mit eindeutig zuordenbaren Punktnummern sowie
- Fotodokumentation.

Zum Zeitpunkt der gleisgeometrischen Bearbeitung darf die Aufmessung der Bestandsanlagen nicht älter als drei Jahre sein bzw. dürfen keine zwischenzeitlichen Veränderungen, wie z. B. weitere Stopfgänge, vorgenommen worden sein. Anderenfalls muss eine Neuaufnahme bzw. partielle Überprüfung von Einzelobjekten erfolgen.

Die bisher beschriebene Aufmessung von Bestandsanlagen sollte zusätzlich als Grundlage für einen Abgleich bzw. die Aktualisierung aller sichtbaren Veränderungen von Anlagen und Objekten in den Bahngeodaten im Aufmaßbereich dienen. Diese aktualisierten Bahngeodaten bilden die grafische Basis für die Dokumentation der gleisgeometrischen Bearbeitung in Form von Trassierungsentwürfen.

3.3.4 Bauwerke und technische Anlagen

Im Zuge der Rekonstruktion bestehender Gleisanlagen und bei Neubauten in dicht besiedelten Räumen tritt meist eine Vielzahl von Bauwerken und Anlagen auf, die die Linienführung beeinflussen. Die Aufmessungsverfahren werden als bekannt vorausgesetzt (Kap. 2.7 und Abschn. 3.3.1)

Bei der Aufmessung von Ingenieurbauwerken, Tunneln, Hochspannungsfreileitungen und Bahnsteiganlagen bzw. Bahnübergängen ist sicherzustellen, dass das für die Aufmessung verwendete Koordinaten- und Höhensystem dem der Gleisnetzdaten entspricht, um deren Passfähigkeit zu gewährleisten.

3.3.4.1 Brücken

Brücken können in verschiedene Kategorien unterteilt werden, bei Eisenbahnüberführungen (EÜ) werden andere Verkehrswege (wie Straßen, Wege oder Gewässer) von der Bahn überquert und bei Straßenüberführungen (SÜ) kreuzt die Bahn unterhalb eines Verkehrswegs (Straße oder Weg). Kreuzen sich zwei Bahntrassen auf zwei Ebenen, spricht man von Kreuzungsbauwerken (Krbw).

Brücken unterscheidet man:

- nach dem Material und der Konstruktion
  - stählerne Überbauten,
  - Trogbrücken, Deckbrücken, Fachwerkbrücken, Stabbogenbrücken, Walzträger in Beton,
  - massive Brücken,
  - Betonbrücken, Plattenbrücken, Plattenbalkenbrücken, Hohlkastenbrücken, Bogenbrücken (Steinbrücken, Gewölbebrücken);
- nach der Fahrbahn
  - offene Fahrbahn (nur bei Stahlbrücken),
  - geschlossene Fahrbahn mit Bettung,
  - geschlossene Fahrbahn ohne Bettung,
  - elastische Schienenbefestigung Feste Fahrbahn;

- nach der Geometrie im Grundriß
  - gerade Überbauten,
  - schiefe Überbauten (rechts- oder linksschief),
  - Brücken im Bogen;
- nach der Einbauart
  - feste Brücken,
  - bewegliche Brücken (Klappbrücken, Hubbrücken, Drehbrücken).

Die einzelnen Brückentypen werden in den Bestandsplänen der Bahn nicht durch unterschiedliche Signaturen dargestellt. Da in den Plänen die Bauwerksnummer angegeben wird, kann der Nutzer über diese nähere Details zu jedem einzelnen Bauwerk erhalten. Lediglich die Oberbauform auf den Bauwerken (mit oder ohne Bettung) ist anhand der Signatur in Plänen zur Unterhaltung der Gleisanlagen erkennbar.

Für die Rekonstruktion von Brücken werden in der Regel umfangreiche Messungen zum Erfassen des gesamten Bauwerks erforderlich. Welche Details mit welcher Genauigkeit aufzumessen sind, wird vom zuständigen Fachbeauftragten bzw. Planer vorgegeben. Vor Beginn der Aufmessung sollte unbedingt eine Begehung des Objekts zur Absprache der Einzelheiten erfolgen.

Bei einer Brückenaufnahme sind in der Regel folgende Details zu erfassen:

- Widerlager, einschließlich der Auflagerbänke mit den Lagerpunkten oder Lagerplatten, soweit zugänglich (Die Lagerart, fest oder beweglich, ist entsprechend zu kennzeichnen),
- Flügelmauern, Kammermauern,
- Abdeckplatten,
- Pfeiler,
- Träger, Stützweiten und Überbaulängen, Trägerbauhöhen, Längsträgerabstände, Querträgerabstände und Trägerbreiten,
- Brückengeländer,
- lichte Höhe und Weite,
- Lage, Höhe und Ausdehnung der kreuzenden Verkehrswege oder Gewässer.

Aufgrund der Vielfalt der Brückenkonstruktionen lassen sich nicht alle Gesichtspunkte angeben. Bei den vielen Details, die bei einer Brückenaufnahme geodätisch zu erfassen sind, empfiehlt es sich, einen übersichtlichen Feldriss sowie eine aussagekräftige Fotodokumentation anzufertigen. Terrestrische Laserscans erlangen auch bei der Erfassung von Bauwerken zunehmend an Bedeutung, da aus dem generierten Datenbestand eine wesentlich höhere Detailtiefe abbildbar ist. Ggf. ist dies auch erst in einer späteren Planungsphase erforderlich, dann liegen aber ohne zusätzlich erforderliche örtliche Messungen hinreichende Datengrundlagen vor, die nur detailliert aufgearbeitet werden müssen.

Dokumentiert werden Brückenaufnahmen in Form von Lage- und Höhenplänen, Längs- und Querschnitten, Ansichten bzw. Bestandsmodellen.

Die Aufmessung und Dokumentation von Brücken ohne Bettung, bei denen im Zuge der Sanierung die Brückenbalken getauscht werden, stellen an den Geodäten besondere Anforderungen. Hier gilt es, die Bauwerksgeometrie so genau zu erfassen, dass auf Grundlage der vom Vermessungsingenieur gelieferten Berechnungsunterlagen eine millimetergenaue Fertigung der neuen Brückenbalken realisiert werden kann (Abb. 3.24).

Aufzunehmen sind hierbei neben dem Istgleis die Balkenstationen, die exakte Lage und Höhe der Brückenlängsträger sowie ggf. vorhandene Zentrierleisten, die Lage und Dimension der Balkenbefestigungen und alle Zwangspunkte wie Kammermauern, Gangstege, Windverbände und Querträger. Die Lage, Höhe und Geometrie dieser Bauteile werden mit der Sollachse und -gradiente in Beziehung gebracht und daraus Abmessungen sowie die Positionierung der Befestigungspunkte der neuen Brückenbalken berechnet und zur Fertigung übergeben.

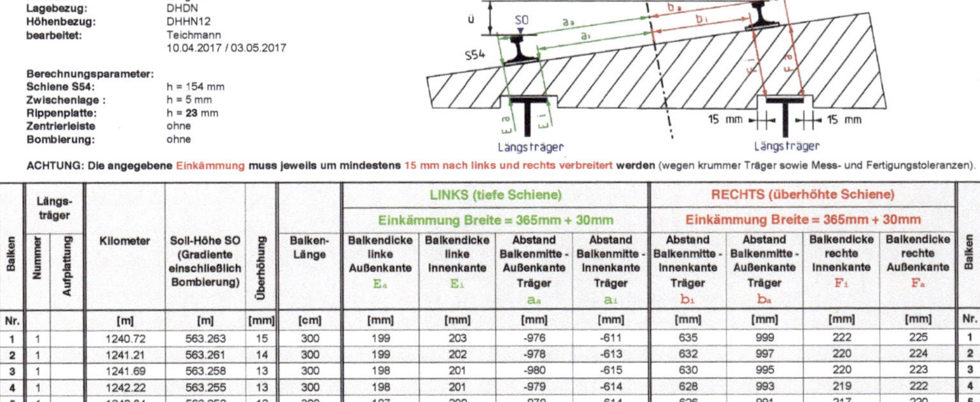

Projekt: Strecke 5821 Zwiesel - Grafenau
Erneuerung EÜs km 1.285 und 1.436

Schiene: S 54
Rohbalken: Länge 230 cm
Lagebezug: DHDN
Höhenbezug: DHHN12
bearbeitet: Teichmann
10.04.2017 / 03.05.2017

Berechnungsparameter:
Schiene S54: h = 154 mm
Zwischenlage : h = 5 mm
Rippenplatte: h = **23** mm
Zentrierleiste ohne
Bombierung: ohne

ACHTUNG: Die angegebene Einkämmung muss jeweils um mindestens 15 mm nach links und rechts verbreitert werden (wegen krummer Träger sowie Mess- und Fertigungstoleranzen).

Balken	Längsträger		Kilometer	Soll-Höhe SO (Gradiente einschließlich Bombierung)	Überhöhung	Balken-Länge	LINKS (tiefe Schiene) Einkämmung Breite = 365mm + 30mm				RECHTS (überhöhte Schiene) Einkämmung Breite = 365mm + 30mm				Balken
	Nummer	Aufplattung					Balkendicke linke Außenkante E_a	Balkendicke linke Innenkante E_i	Abstand Balkenmitte - Außenkante Träger a_a	Abstand Balkenmitte - Innenkante Träger a_i	Abstand Balkenmitte - Innenkante Träger b_i	Abstand Balkenmitte - Außenkante Träger b_a	Balkendicke rechte Innenkante F_i	Balkendicke rechte Außenkante F_a	
Nr.			[m]	[m]	[mm]	[cm]	[mm]	[mm]	[mm]	[mm]	[mm]	[mm]	[mm]	[mm]	Nr.
1	1		1240.72	563.263	15	300	199	203	-976	-611	635	999	222	225	1
2	1		1241.21	563.261	14	300	199	202	-978	-613	632	997	220	224	2
3	1		1241.69	563.258	13	300	198	201	-980	-615	630	995	220	223	3
4	1		1242.22	563.255	13	300	198	201	-979	-614	628	993	219	222	4
5	1		1242.84	563.252	12	300	197	200	-979	-614	626	991	217	220	5
6	1		1243.42	563.249	11	300	197	200	-980	-615	624	989	216	219	6
7	1		1244.06	563.246	10	300	197	199	-980	-615	623	988	215	218	7

Abb. 3.24: Brückenschwellenverzeichnis (intermetric GmbH)

3.3.4.2 Tunnel

In der Regel handelt es sich bei Tunnelmessungen um das Erfassen des Tunnelquerschnitts zum Nachweis der Gewährleistung des in dem Streckenabschnitt geforderten Lichtraums. Dazu werden an ausgewählten Stellen im Tunnel Querschnitte des Bauwerks gemessen (Abb. 3.25). Diese Querschnitte werden vorzugsweise mit speziellen, meist fahrzeuggestützten Messsystemen erfasst. Sie sind bei den einzelnen Bahnen unterschiedlich ausgerüstet.

Wesentlich effizienter ist die Aufnahme der Tunnelinnenhülle sowie aller sonstigen lichtraumbeeinflussenden Objekte, wie Schilder, Signale, Einbauten, mittels georeferenziertem Laserscanning. Am besten eignet sich ein Gleiswagen mit installiertem Scanner, der radial zum Gleis den kompletten Tunnelquerschnitt aufnimmt und dabei über das Lage- und Höhenfestpunktfeld der betreffenden Strecke absolut orientiert wird. Mit diesem Verfahren werden nicht nur repräsentative Querschnitte erfasst, sondern es können an beliebiger Station Aussagen zur Tunnelgeometrie mit Bezug zur Ist- oder Sollgleisachse getroffen werden.

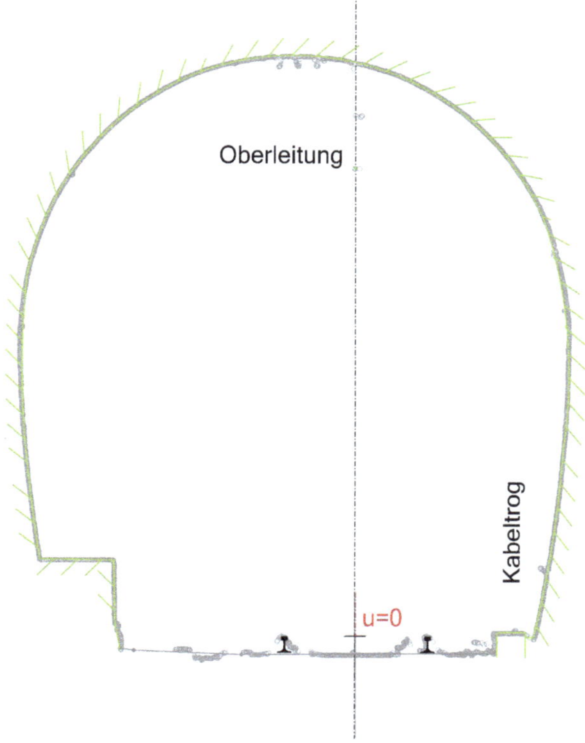

Abb. 3.25: Querprofil mit hinterlegter Punktwolke (intermetric GmbH)

Die erforderliche Genauigkeit entspricht der für Zwangspunkte (Abschn. 3.3.3).

3.3.4.3 Hochspannungsfreileitungen

Kreuzende Hochspannungsfreileitungen schränken die Veränderung der Gleislage in horizontaler und vertikaler Richtung ein. Speziell bei Elektrifizierungen oder Umplanungen elektrifizierter Strecken sind geometrische Bezüge und Gegebenheiten dieser Leitungen zu beachten. Zur Ermittlung der Verschiebegrenzen sind folgende Messungen auszuführen:

- Lage der benachbarten Maste,
- Höhe der Leiter-Aufhängepunkte,
- Durchhang der Leiter mit Angabe der Temperatur bei der Messung,

- Höhe des tiefsten Leiters über SO,
- Kreuzungswinkel zwischen der Bahn- und der Freileitungsachse,
- Abstände des Schnittpunkts Bahnachse – Freileitungsachse von den Masten,
- Abstand des tiefsten über SO liegenden Leiterpunkts vom nächstgelegenen Mast,
- Abstand der beiden äußeren Leiterseile von der Achse der Freileitung,
- Angabe der Mastnummern und die Anzahl der Leiter.

3.3.4.4 Oberleitungsprojektierung

Die Projektierung der Oberleitungsanlagen erfolgt in der Regel auf der Grundlage vorhandener Bestandspläne (Ivl-Pläne). Dabei entsteht der Entwurf des Bespannungsplans (Begehungsplan). Mit diesem werden in der Örtlichkeit die endgültigen Maststandorte vom Planer festgelegt und durch Anschriebe gekennzeichnet. Da die Ivl-Pläne außer dem Gradientenverlauf der Gleise in der Regel keine Höhenangaben enthalten, müssen an den Stationen der geplanten und nun in der Örtlichkeit gekennzeichneten Maststandorte Querprofile gemessen werden.

Zusätzlich sind alle zwischen den Querprofilen vorhandenen Bauwerke und topographischen Gegenstände, die die Fahrdrahtlage beeinflussen können oder von der Fahrdrahtlage beeinflusst werden können, lage- und höhenmäßig zu erfassen. Der Auftraggeber legt gemeinsam mit dem Planer den Umfang der benötigten Informationen und die Art der Dokumentation (z. B. das Datenformat, in dem die Ergebnisse zu übergeben ist) fest.

Im Allgemeinen sind folgende topographische Informationen zu erfassen:

- bei Querprofilen

  Gleisabstände, SO-Höhen (bei überhöhten Gleisen für jede Schiene), Geländehöhen mit allen Brechpunkten (Randwege, Gräben, Böschungen mit anschließendem Geländeverlauf), Kabelkanäle, Tiefenentwässerungsschächte, Stützmauern (Vorder- und Hinterkante, Höhe), Bahnsteige einschließlich der Dächer und Gebäude;
- bei topographischen Objekten zwischen den Profilen

  Signale, Krane, Maste aller Art, Schranken, metallene Zäune, Fernsprecher, Laderampen, Bahnsteige und Bahnsteigdächer, kreuzende Leitungen, Brücken (Höhen der Konstruktionsunterkanten, Überdeckungsbreiten, Kreuzungswinkel zwischen Bauwerk und Gleisachsen, Neigung der Gradienten, Überhöhung der Gleise).

Alternativ und für die Planung wesentlich komfortabler und flexibler, ist die Erstellung eines trassenbezogenen Digitalen Geländemodells (DGM). In diesem Modell kann der Planer an jeder beliebigen Stelle Querprofile erstellen und die entsprechenden statischen Nachweise der Standsicherheit der neuen Oberleitungsmaste fertigen. Allerdings ist ein DGM der reinen Geländeoberfläche nicht hinreichend, es müssen auch die genannten Objekte, wie Kabelkanäle, Stützmauern, Bahnsteige, abgebildet werden.

Bei vorhandenen Digitalen Geländemodellen können Querprofile aus dem Datenmodell generiert und durch terrestrische Ergänzungsmessungen komplettiert werden.

3.3.4.5 Bahnübergänge und Bahnsteiganlagen

Geodätische Aufmaße von Bahnübergängen (BÜ) und Bahnsteiganlagen dienen als Planungsgrundlage für den Neubau bzw. die Sanierung dieser Bahnanlagen.

Bei Bahnübergängen kann als Richtwert für den Aufnahmebereich ein Radius von jeweils 50 m beidseitig in Richtung Straße und Richtung Gleis ausgehend vom Kreuzungspunkt angenommen werden. Zu erfassen sind neben der Geländetopographie die Gleise mit der jeweiligen Oberbauform, alle signaltechnischen Anlagen und Gleisschaltmittel, Kabelschächte, Kabelkanäle, Entwässerungsanlagen, Straßen bzw. Wege mit Fahrbahnrändern, Kreuzungen, Einmündungen, Grundstückseinfriedungen, Beschilderungen mit deren Bezeichnung sowie Fahrbahnmarkierungen und die Vegetation. Außerhalb des Vermessungsbereichs sind ggf. vorhandene Beschilderungen zur BÜ-Ankündigung zu erfassen und darzustellen.

Zusätzlich ist bei Bahnübergängen häufig eine Kuppen- und Wannenuntersuchung erforderlich. Hierbei sind für jede Fahrspur drei Querprofile jeweils in der Fahrbahnachse und an den Fahrbahnrändern zu fertigen. Aufgrund der hohen Punktaufnahmedichte bietet sich auch hier terrestrisches Laserscanning an. Daraus lassen sich die im Abschnitt 3.3.4.4 beschriebenen Querprofile für die einzelnen Fahrspuren gegenüber einer terrestrischen Einzelpunktaufnahme wesentlich effizienter generieren. Die hohe Aufnahmepunktdichte bringt qualitativ hochwertigere Ergebnisse.

Die zu bearbeitenden Bereiche von Bahnsteigen müssen vom Auftraggeber anhand der planerischen Erfordernisse des konkreten Projekts definiert und in Form eines Umrings in ein vorhandenes Planwerk eingetragen werden. In dem vorgegebenen Aufnahmebereich ist der Bahnsteig mit Kanten, Blindenleitsystemen, Treppen, Unterführungen, Zugängen, Gebäudeanschlüssen, Dachkonstruktionen, Schächten, Ausstattungen wie Wartehäusern und Bahnsteigmöblierungen aufzunehmen. Alle Anschlüsse in den verbleibenden Altbestand sowie die am Bahnsteig anliegenden Gleise und Weichen sind ebenfalls aufzumessen. Zur Darstellung der Dimensionen und Belegung sind alle im Bearbeitungsbereich befindlichen Schächte zu öffnen, detailliert aufzumessen und zu fotografieren.

Dokumentiert werden Bahnübergänge oder Bahnsteiganlagen in Lage- und Höhenplänen im Maßstab 1:200 ergänzt durch Detaildarstellungen wie Schachtskizzen sowie zusätzlich als Digitales Geländemodell.

3.3.5 Anschluss- und Nebenbahnanlagen

Anschluss- und Nebenbahnen sind gekennzeichnet von einem eigenen Regelwerk, von speziellen Weichenformen und ggf. von der Regelspur abweichenden Spurweiten. Häufig vorzufindende Spurweiten sind dabei 750 mm, 900 mm oder 1.000 mm.

Die Aufmessung der Gleise, Weichen und Zwangspunkte unterscheidet sich kaum von den bereits beschriebenen Arbeiten für die Aufnahme von Bahnanlagen. Für die Erfassung der Gleisachsen sind separate Gleislehren erforderlich, die im Fachhandel für vermessungstechnisches Zubehör kaum angeboten werden, sondern meist Eigenentwicklungen der Vermessungsfirmen sind.

Vorgaben für die Entwurfsvermessung liefert der Auftraggeber bzw. der Planer, Abstimmungen zu Besonderheiten sind vor Ort mit dem jeweiligen Eisenbahninfrastrukturunternehmen (EIU) zu führen und in einer Begehungsniederschrift zu dokumentieren.

Geodätische Arbeiten finden häufig in speziellen vom EIU angelegten Werkskoordinatensystemen statt. Dies ist besonders in den Übergangsbereichen bzw. Schnittstellen zu den Anlagen anderer Bahnen zu beachten.

Die Prüfung der gleisgeometrischen Unterlagen ist bei einer separaten Abteilung des Eisenbahnbundesamts (z. B. Landeseisenbahnaufsicht) angesiedelt.

3.4 Bauvermessung

3.4.1 Grundlagen der Absteckung

Unter dem Begriff „Absteckung“ versteht man die Übertragung der in Bauausführungsunterlagen definierten und dokumentierten Objektgeometrie des Projekts in die Örtlichkeit.

Bei der Absteckung von Bahnanlagen handelt es sich im Allgemeinen um Gleise, Weichen, zugehörige Tiefbauten und trassenbegleitende Anlagen der Oberleitung, Leit- und Sicherungstechnik sowie Ingenieurbauwerke, wie Bahnsteige, Eisenbahn- und Straßenüberführungen. Abgesteckt werden dabei in den seltensten Fällen die Umgrenzungen des Objekts selbst, sondern in der Regel Bezugspunkte, Bezugsachsen und Bezugshöhen.

Gemäß § 3.2 der VOB/B (Verdingungsordnung für Bauleistungen, Teil B) ist Folgendes festgeschrieben: „Das Abstecken der Hauptachsen der baulichen Anlagen, ebenso der Grenzen des Geländes, das dem Auftragnehmer zur Verfügung gestellt wird, und das Schaffen der notwendigen Höhenfestpunkte in unmittelbarer Nähe der baulichen Anlagen sind Sache des Auftraggebers.“ Nicht ausgeführt wird dabei, was im konkreten Projekt als „Hauptachse der baulichen Anlage“ zu definieren ist.

Sowohl beim Bau von neuen Bahnstrecken als auch beim Bauen in Bestandsanlagen beschränkt sich der Bauherr Deutsche Bahn auf das Anlegen und die Übergabe eines „objektbezogenen Festpunktfelds (Kap. 3.2) sowie die Bereitstellung der fachtechnisch und fahrdynamisch freigegebenen Unterlagen zur Gleisgeometrie (Trassierungsentwürfe, Trassenpläne, Achsen und Gradienten)“.

Diese Vorgehensweise steht wie beschrieben im Widerspruch zur VOB und ist deshalb vertraglich besonders zu vereinbaren.

Vorbereitende Arbeiten im Büro

Vor Beginn der Arbeiten sind alle übergebenen Unterlagen zu sichten und auf Vollständigkeit zu prüfen. Vorliegen müssen:

- Einmessungen der Festpunkte,
- zugehörige Koordinaten und Höhenverzeichnisse,
- Koordinaten und Höhen der Gleisvermarkungspunkte (falls der Bearbeitungsabschnitt vermarkt sein sollte),
- Gleisgeometrische Bearbeitungen mit Achsen und Gradienten in bearbeitbarem Datenformat,
- Trassierungsentwürfe (Ivgg- bzw. Ivgw-Pläne),
- Einrechnungsskizzen,
- Weichenskizzen, Weichenhöhenpläne und Weichenverlegeskizzen,
- Trassenpläne (falls vorhanden),
- spezielle Absteckpläne für Bahnsteige, Bauwerke und sonstige Anlagen sowie
- Bauablaufpläne.

Die Trassierungsentwürfe, Trassenpläne, Weichenskizzen und Weichenhöhenpläne müssen fahrdynamisch und gleisgeometrisch geprüft sein und alle Unterlagen den Vermerk „Zur Ausführung freigegeben" enthalten.

Beim Sichten der Unterlagen sollten folgende Aspekte untersucht und gegebenenfalls beim Auftraggeber hinterfragt werden:

- Handelt es sich um eine Durcharbeitung bzw. einen Schienenwechsel oder einen grundhaften Ausbau?
- Sind Umbauanfang und -ende klar definiert?
- Werden im Umbau befindliche Bahnsteige und Bauwerke ebenfalls saniert oder umgebaut?
- Stimmen Koordinaten- und Höhensystem der Projektierung mit denen der Grundlagennetze bzw. den Planungsunterlagen ggf. mit zu erneuernden Bauwerken tangierenden bzw. kreuzenden Maßnahmen Dritter überein?
- Ist das übergebene Festpunktfeld ausreichend oder müssen Verdichtungsmessungen ausgeführt werden?
- Sind für einzelne Bauzustände zwischenzeitliche Anpassungstrassierungen erforderlich und sind diese berechnet und geprüft?
- Sind in den Bauablaufplänen Zeitfenster für die erforderlichen Vermessungsarbeiten vorgesehen?

Anschließend sollte nach Kenntnis des Bauablaufs ein Vermessungskonzept auf Basis des im Ingenieurvertrag definierten Leistungsumfangs in Zusammenarbeit mit der Bauüberwachung und dem bauausführenden Unternehmen erarbeitet werden. Dieses enthält eine exakte, durch den Bauablauf bestimmte Terminierung der erforderlichen Vermessungsleistungen. Außerdem werden Leistungsinhalte sowie Angaben zum geplanten Personal bzw. eingesetzten Instrumentarium definiert. Für einen reibungslosen und termingetreuen Bauablauf ist das Vermessungskonzept wichtig, da in den Bauabläufen die Vermessung häufig vollkommen vergessen wird bzw. dafür erforderliche zeitliche Vorläufe nicht eingerechnet werden.

Die Art des Absteckverfahrens ist ebenfalls Inhalt des Vermessungskonzepts. Bei der Auswahl des Absteckverfahrens bzw. der Art der Punktvermarkung sind folgende Gesichtspunkte zu beachten:

- Handelt es sich um einen ein- oder mehrgleisigen Streckenabschnitt?
- Definition des Umbauumfangs, d. h., werden nur Richt- und Stopfarbeiten durchgeführt oder sind auch Tiefbaumaßnahmen (Einbau Planumsschutzschichten, Neuverlegung Tiefenentwässerung, Kabeltiefbau, Böschungsregulierungen usw.) bzw. Arbeiten an Bauwerken geplant?
- Handelt es sich um eine permanent vermarkte oder um eine nicht permanent vermarkte Strecke?
- Bleibt die permanente Gleisvermarkung während der gesamten Baumaßnahme erhalten oder werden im Zuge des Umbaus auch Oberleitungsmaste erneuert und somit die Punkte der permanenten Vermarkung nicht mehr verwendbar?
- Sind durch Tiefbaumaßnahmen oder Arbeiten an Bauwerken Lage- und Höhenfestpunkte gefährdet?
- Welche Abstände der Absteckpunkte, bedingt durch die geometrischen Verhältnisse bzw. das Umbauverfahren, werden gefordert?
- Müssen zusätzliche Anschlussbereiche zur Herstellung eines homogenen Übergangs an den Istbestand abgesteckt werden?
- Gibt es eine zeitnahe Aufmessung der Anschlüsse oder muss ein aktueller Soll-Ist-Vergleich erstellt werden?

Vorbereitende Arbeiten in der Örtlichkeit

Die bei der Deutschen Bahn übliche Verfahrensweise zur Bauherrenabsteckung wurde im Abschnitt 3.4.1 erläutert. Die Übernahme des objektbezogenen Lage- und Höhenfestpunktfelds sollte in einer gemeinsamen Ortsbegehung erfolgen und in Form eines von Auftraggeber und Auftragnehmer unterzeichneten Übergabeprotokolls dokumentiert werden.

Vor Beginn der eigentlichen Absteckarbeiten müssen die übergebenen Lage- und Höhenfestpunkte bzw. die permanente Vermarkung, sofern vorhanden, in der Örtlichkeit überprüft werden. Dabei sollten folgende Grundsätze gelten:

- Überprüfen der eindeutigen Identifizierbarkeit der Lage- und Höhenfestpunkte anhand der Festpunktbeschreibungen.
- Vom Wiederherstellen zerstörter Punkte auf Grundlage der Maße aus den Einmessungsskizzen sollte abgesehen werden.

- Anschluss von geometrischen Nivellements grundsätzlich über zwei Höhenfestpunkte.
- Stationierung auf bekannten Standpunkten grundsätzlich mit zwei Anschlusspunkten.
- Bei freier Stationierung generell mindestens drei Anschlusspunkte verwenden.
- Das Messen von Spannmaßen zum Überprüfen der permanenten Vermarkung ist aus geodätischer Sicht nicht sinnvoll. Fehlerhafte Gleisvermarkungspunkte können bei der Bestimmung der Standpunktkoordinaten des Tachymeters mittels freier Stationierung ausgefiltert werden.

3.4.2 Absteckung für Oberbauarbeiten

Unter dem Begriff „Oberbauarbeiten" versteht man das Heben (Stopfen) und Richten eines vorhandenen, aber mit Lage- und Höhendeformationen behafteten Gleises.

Gegenstand der Absteckung im Oberbau sind Punkte der Gleisachse (Bogenhaupt- und Zwischen- oder Kleinpunkte) und geometriebestimmende Punkte von Weichen (Anfang und Enden von Stamm- bzw. Zweiggleis). In Ausnahmefällen sind zusätzlich Bauteile, die Zwangspunkte der Trassierung werden, abzustecken. Da die in der Achse liegenden Gleis- und Weichenpunkte beim Bau verloren gehen, werden stattdessen entsprechende seitliche Sicherungspunkte abgesteckt.

Für reine Richt- und Stopfarbeiten in vermarkten Streckenabschnitten erfolgte früher die Absteckung nach Langsehnen. Die Bereitstellung der dafür erforderlichen Unterlagen (Trassenpläne mit eingetragenen Langsehnen von Grund- und Aufriss bzw. separate Langsehnenberechnungsausdrucke auf Basis der permanenten Gleisvermarkung) oblag dem jeweiligen Streckenbetreiber. Die in der Örtlichkeit auszuführenden Arbeiten wurden meist von den Stopfmaschinenbesatzungen bzw. speziellen Maschinenmesstrupps vorgenommen.

Der Absteckung nach Langsehnen liegt folgendes Prinzip zugrunde: Für die Absteckung der Gleisachse werden Pfeilhöhen auf einer Langsehne bestimmt. Die Endpunkte der Langsehnen sind die Schnittpunkte der Verbindungslinie der jeweils gegenüberliegenden Gleisvermarkungspunkte mit der eingerechneten Gleisachse. Bei einseitiger Vermarkung ist der Langsehnenendpunkt der Schnittpunkt der Radialen des Vermarkungspunkts mit der Solltrasse.

Die Langsehnenpunkte wurden in der Örtlichkeit hergestellt und signalisiert. Den Aufbau der Sehnen realisierte man mittels Laser oder einer optischen Ziellinie. Mit speziellen, an den Langsehnenendpunkten zentrierten Pfeilhöhenabsetzgeräten war es möglich, die Pfeilhöhen an den Teilungspunkten abzusetzen.

Mit der Überarbeitung des DB-Handbuchs 88301 wurde 2017 festgelegt, dass in Trassenplänen keine Langsehnen mehr dargestellt werden. Die Absteckung nach Langsehnen wird heute durch das sogenannte „Vormessen" (Abschn. 2.8.4.2) ersetzt.

Ein weiteres, heute nicht mehr zum Einsatz kommendes Verfahren in der Oberbauabsteckung war die direkte Absteckung der Gleisachse mit anschließender seitlicher Sicherung. Hierbei wurden die Koordinaten der Trassenhaupt- und entsprechender Verdichtungspunkte (Kleinpunkte) der Gleisachse direkt abgesteckt und als Hilfspunkte temporär vermarkt (z. B. Farbkreuz auf Schwelle). Die so in die Örtlichkeit übertragenen Punkte wurden anschließend seitlich der Trasse und außerhalb des Baufelds radial gesichert. Mit dem Einsatz elektronischer Tachymeter entfiel diese Form der Absteckung.

Beim heute ebenfalls nicht mehr gebräuchlichen Verfahren „Abstecken durch Aufmessen“ wurden Punkte seitlich, außerhalb der zu bauenden Gleistrasse vermarkt. Danach erfolgte eine lage- und höhenmäßige Bestimmung dieser Punkte im System der abzusteckenden Trasse und Gradiente. Mittels Umformung der so ermittelten Koordinaten und Höhen der Absteckpunkte bezüglich der Sollgleisgeometrie wurden die entsprechenden Absteckwerte ermittelt.

Das Verfahren „Abstecken durch Aufmessen“ hat man ursprünglich unter der Voraussetzung entwickelt, dass die Stationen (Längsteilung) der Geometriehauptpunkte in der Örtlichkeit für Arbeiten mit Gleisricht- und Stopfmaschinen nur auf 5 m genau bekannt sein mussten. Mittlerweile werden aber durch Einsatz von automatisch gesteuerten Gleisrichtmaschinen Genauigkeiten von 0,1 m für die Stationen der Bogenhauptpunkte gefordert.

3.4.2.1 Gleisabsteckung

Eine eindeutige Festlegung linienförmiger Objekte ist über die Geometriehauptpunkte und die dazwischenliegenden Trassenelemente gewährleistet. Dies gilt für den Grundriss (Trasse) als auch für den Aufriss (Gradiente). Für die Absteckung von Eisenbahnstrecken haben deshalb Geometriehauptpunkte eine herausragende Bedeutung.

> Unter dem Begriff „Geometriehauptpunkte“ versteht man den Sammelbegriff für alle Punkte des Grund- und Aufrisses, an denen Trassenelemente mit verschiedenen Parametern aneinanderstoßen, z. B. Bogenhauptpunkte (BA, BE, BW, UA, UE), Neigungswechsel (NW), Ausrundungsanfänge und -enden (AA, AE).

Durch den Einsatz elektronischer Tachymeter ist es nicht mehr erforderlich, Bogenhauptpunkte direkt abzustecken und anschließend seitlich, außerhalb des Baubereichs, zu sichern. Ebenso ist eine vorherige häusliche Berechnung der Koordinaten der seitlichen Sicherungspunkte weder nötig noch empfehlenswert, da man die konkreten örtlichen Verhältnisse nicht kennt. Meist ist durch den vorher festgelegten Abstand des Sicherungspunkts zur Gleisachse die Absteckung problematisch (eingeschränkte Sichtverhältnisse, keine Vermarkungsmöglichkeit, Punkt liegt noch im Tiefbaubereich usw.).

Werden die seitlichen Sicherungen der Bogenhauptpunkte mit einem Tachymeter ohne integriertes Trassenprogramm abgesteckt, ist es erforderlich, vorab zusätzliche Punkte zu berechnen, wenn man oben genannte Schwierigkeiten ausschließen will. Zusätzlich zu den Koordinaten der Bogenhauptpunkte sollte jeweils an deren Station radial ein Punkt in einem beliebigen Abstand zur Trasse berechnet werden.

Mithilfe dieser beiden Punkte und den gängigen Absteckprogrammen der elektronischen Tachymeter ist es möglich, nach Bestimmung der Standpunktkoordinaten und der Orientierung im Koordinatensystem, Sicherungen im beliebigen Abstand zum Sollgleis auf den Stationen der Geometriehauptpunkte abzustecken.

Komfortabler und weitaus effizienter ist der Einsatz von Tachymetern mit Trassenprogrammen (intern oder extern). Damit ist es möglich, nach Standpunktbestimmung und Orientierung Stationen im Trassenkoordinatensystem direkt abzustecken und gleichzeitig den radialen Querabstand zur Solltrasse und die Höhendifferenz zur Sollgradiente zu erhalten.

Hochwertige Trassenprogramme können neben Trasse und zugehöriger Gradiente zusätzlich sogenannte Kilometrierungslinien verwalten. Dies erhöht speziell bei mehrgleisigen Strecken die Flexibilität im Feld und reduziert den Vorbereitungsaufwand im Büro.

Die Absteckung der umzubauenden Gleisabschnitte wird in folgenden Arbeitsschritten realisiert:

1. Bestimmen der Standpunktkoordinaten des Tachymeters und Orientierung im Koordinatensystem,
2. Abstecken der Stationen der Geometriehauptpunkte von Grund- und Aufriss durch seitliche, radiale Sicherungen,
3. Verdichten der Absteckung durch Vermarken von Zwischenpunkten ebenfalls seitlich der Trasse,
4. zweifaches, unabhängiges koordinaten- und höhenmäßige Bestimmen aller Absteckpunkte.

Für die Standpunktkoordinaten- und -höhenbestimmung steht im günstigsten Fall eine nach Lage und Höhe im Koordinatensystem der Trassierung bestimmte permanente Gleisvermarkung zur Verfügung. In diesem Fall erfolgt die freie Stationierung über wenigstens fünf Anschlusspunkte (Gleisvermarkungspunkte). Durch die Überbestimmung ist es möglich, fehlerhafte Punkte der permanenten Vermarkung herauszufiltern und in Einzelfällen neu zu bestimmen.

Existiert keine Gleisvermarkung, dienen dazu die Punkte des objektbezogenen Lagefestpunktfelds (PS1, PS2 und PS3), welches von der Deutschen Bahn an jeder Strecke als Grundlage vorgehalten wird (Kap. 2.1). Meist ist es erforderlich, dieses Festpunktfeld entsprechend zu verdichten.

Wichtig ist eine sorgfältige Auswahl der Standpunkte des Tachymeters. Dabei sind folgende Kriterien besonders zu beachten:

- Sicht zu hinreichend vielen Anschlusspunkten,
- Sicht zu allen neu zu bestimmenden Punkten,
- Standsicherheit (keine Erschütterungen bzw. Verdrehen des Instruments bei vorbeifahrenden Zügen),
- Profilfreiheit.

Nach jeder Zugfahrt ist es erforderlich, die Horizontierung und die Orientierung zu überprüfen.

Zum Signalisieren der permanenten Gleisvermarkung werden Spezialadapter angeboten, die aufgrund der hohen Genauigkeitsanforderungen generell genutzt werden sollten. Bei diesen Spezialadaptern handelt es sich um Vorrichtungen, die auf die Gleisvermarkungspunkte aufgesteckt werden und eine Dosenlibelle zum Horizontieren sowie eine Aufnahme für ein Tripelspiegelprisma besitzen.

Da die permanente Gleisvermarkung höhenmäßig exakt bestimmt ist (Kap. 2.1) und die Spezialadapter eine genau definierte Reflektorhöhe haben, kann eine sehr präzise Standpunkthöhenbestimmung mittels freier Stationierung durchgeführt werden. Allerdings sollten die Zielweiten zu den Anschlusspunkten nicht größer als 80 m sein. Müssen weiter entfernte Punkte zur Stationierung verwendet werden, sollte bei diesen Punkten die Höhenkomponente ausgeschaltet werden.

Sinnvoll ist es, während der Absteckung der Geometriehauptpunkte die Zwischenpunkte mit zu vermarken und anzumessen. Danach kann eine zweite, unabhängige Bestimmung aller Absteckpunkte nach Lage und Höhe erfolgen.

Bei Standpunktwechseln ist durch die Messung von Überlappungspunkten die Homogenität der Absteckung zu gewährleisten.

Für identische Punkte, die vom selben oder von benachbarten Festpunkten aus bestimmt wurden oder kontrolliert werden, gelten die Genauigkeitsforderungen:

- Lagefehler: $s_l = 5$ mm
- Höhenfehler: $s_h = 2$ mm

Bei grobmaschigen Festpunktfeldern (nur PS1- bis PS3-Punkte) ist die zweite, unabhängige Höhenbestimmung mittels technischem Nivellement empfehlenswert. Zur weiteren Bearbeitung wird die nivellitisch bestimmte Höhe der doppelt bestimmten und gemittelten Lagekoordinate zugeordnet. Die trigonometrisch bestimmten Höhen dienen in diesem Fall nur als Plausibilitätskontrolle der nivellierten Höhen.

Beim Aufmessen der vermarkten Absteckpunkte sind wiederum die saubere Signalisierung der Punktzentren und Zielweiten Hauptkriterien für die erreichbare Genauigkeit. Auch hierfür wird verschiedenes Spezialzubehör (z. B. Gleiswinkel für Vermarkungen am Schienenkopf) angeboten, deren Verwendung empfohlen wird.

Nach DB-Richtlinie 883.3200 wird die Absteckung von Gleisen über die Achshauptpunkte und bei langen Trassierungselementen zusätzliche Verdichtungspunkte im Abstand von 50 bis 70 m definiert.

Dieser gem. DB-Richtlinie definierte Punktabstand sollte einen Richtwert darstellen. Wichtig ist die gemeinsame Abstimmung mit dem Baubetrieb. Der Punktabstand richtet sich nach den geometrischen Verhältnissen der Strecke (Gerade, Bögen, Übergangsbögen), siehe auch Vermessungskonzept (Abschn. 3.4.1). Geometriehauptpunkte und ggf. vorhandene Punkte der permanenten Gleisvermarkung (PV) werden in das Abstandsraster einbezogen.

Eine weitere wichtige Festlegung, die gemeinsam mit dem Auftraggeber bzw. Baubetrieb getroffen werden sollte, ist die Art der Vermarkung.

Beim Umbau von zwei- oder mehrgleisigen Strecken erweisen sich Farbstriche am Schienenkopf der zum Baugleis gewandten Schiene des Betriebsgleises als sinnvolle Vermarkung.

Diese Vermarkungsart hat folgende Vorteile:

- einfache und schnelle Vermarkung der Punkte möglich,
- Punkte sind durch das Baugeschehen nicht gefährdet,
- Punkte sind von Mitarbeitern der Baubetriebe leicht zu finden,
- das Übertragen bzw. Kontrollieren der Absteckmaße ist mit einfachen Hilfsmitteln (Wiegelatte, Messband) möglich,
- geringe Fehlerübertragungswahrscheinlichkeit beim Absetzen der Absteckmaße durch den Baubetrieb (keine Lotungen erforderlich, kurze Strecke),
- gute Orientierungsmöglichkeit für das radiale Absetzen durch meist konzentrisch verlaufende Gleise,
- gute Möglichkeit zum Anschreiben von Punktnummern und Absteckwerten.

Nachteilig an dieser Vermarkungsform ist das beim Anbringen, Bestimmen und später auch beim Nutzen der Punkte durch den Baubetrieb erforderliche Betreten des meist zusätzlich beidseitig befahrenen Betriebsgleises. Unter den stetig steigenden Sicherheitsvorgaben der Deutschen Bahn für Arbeiten im Gleisbereich könnte diese momentan sehr häufig genutzte Absteckform in Zukunft an Bedeutung verlieren.

Andere sinnvolle Vermarkungsmöglichkeiten, speziell bei eingleisigen Strecken, sind mit Nägeln versehene Holzpflöcke, Markierungen an Bahnsteigkanten, Kabeltrögen, Schottermauern usw. Wichtig für die Auswahl der Vermarkung ist eine eindeutige lage- und höhenmäßige Identifizierung des Bezugspunkts (Abb. 3.26).

Bei sorgfältiger Auswahl der Absteckpunktstandorte können diese sowohl zur Angabe von Absteckwerten für den Tiefbau (Abschn. 3.4.3) als auch für den Oberbau, einschließlich des ersten und zweiten Stabilisierungsstopfgangs, genutzt werden. Bleibt die Gleisvermarkung vom Baugeschehen unversehrt, sollte der Belastungsstopfgang (auch als Qualitäts- oder 6-Wochenstopfgang bezeichnet) auf Grundlage der permanenten Gleisvermarkung erfolgen.

Da es sich bei den Stopfarbeiten um rein maschinell gesteuerte Vorgänge handelt, ist die örtliche Kennzeichnung der Geometriehauptpunkte nicht mehr unbedingt erforderlich. Basis für die Steuerung der Stopfmaschinen bilden mittlerweile immer häufiger die Daten des Vormessens (Abschn. 2.8.4.2), dafür ist das Punktraster der Gleisvermarkung ausreichend.

Wird die permanente Vermarkung durch den Umbau zerstört (Versetzen von Oberleitungsmasten bzw. Ersatz von Schienenstücken durch Bodenvermarkung), ist es ratsam, die neue PV vor dem 6-Wochenstopfgang zu bestimmen und somit präzise und dauerhafte Bezugspunkte für die Erstellung von Trassenplänen bzw. für die Vormessarbeiten zu erhalten.

Projekt:	80006420 VDE8.1PA21 Buttenheim-Hirsc	**Gleis:**	2
Strecke:	5110 Strullendorf - Ebrach	**Höhensystem:**	DHHN12
Abschnitt:		**Koo.-System:**	
km:		**erstellt:**	02.09.2021 Schmutzler

Lage- und Höhenbezug an den Absteckpunkten

GVP:

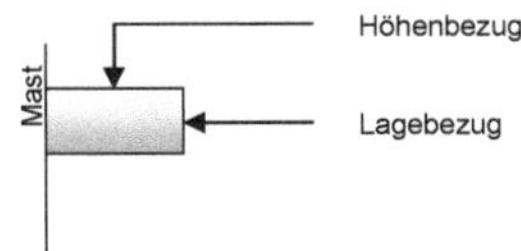

Schiene:

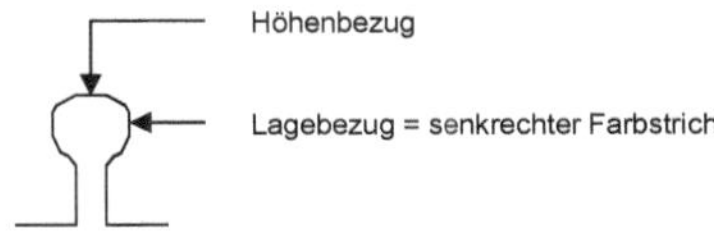

Kreuzschraube:
Lage- und Höhenbezug ist der Schraubenkopf

Pfahl:
Lage- und Höhenbezug ist der Nagelkopf

Spaltenbeschreibungen des Absteckbuches

Station (km-Linie/Gleisachse)
Station des Absteckpunktes

Abstand Gleisachse zum AP
Abstand SOLL-Achse des zu bauenden Gleises zum AP (+ ...AP liegt rechts vom Gleis)

Überhöhung
SOLL-Überhöhung am AP

Höhe SO
SOLL-Höhe der nicht überhöhten Schiene

Höhe AP
IST-Höhe des Absteckpunktes

Höhendiff. AP zur Gradiente
SOLL-Höhenunterschied vom AP zur nicht überhöhten Schiene (+ ...Gradiente liegt über dem AP)

Vermarkungsarten

Pf/N	Nagel auf Pflock	GFP	
GVP	PV an Fahrleitungsmast	Körng	Körnung
FM	Farbmarke	Lochstein	Lochstein
SAk	Schiene Außenkante	Mm	Messingmarke
SIk	Schiene Innenkante	GFP SW22	
N	Nagel	KS	Kreuzschraube
ER	Eisenrohr	Tiefpkt	
PV	PV an Schienenstück		

Abb. 3.26: Deckblatt Absteckbuch Gleisbau (intermetric GmbH)

Nach der Verlegung der Gleise erfolgt der erste und zweite Stabilisierungsstopfgang, nach denen noch nicht die erforderliche Lage- und Höhenstabilisierung des Gleises vorliegt. Die Betriebsbelastung deformiert das Gleis, sodass nach ca. sechs Wochen Zugbetrieb der Belastungsstopfgang, der die endgültige Stabilität sichert, erfolgen muss.

Bei zweigleisigen Streckenabschnitten, bei denen die Gleise nacheinander umgebaut werden und die Bauabsteckung am jeweiligen Betriebsgleis angebracht wird, ist Folgendes zu beachten: Nach Inbetriebnahme des umgebauten Gleises wird das Baugleis zum Betriebsgleis, an dem nun die Absteckpunkte für das zweite, umzubauende Gleis angebracht werden. Dabei ergeben sich häufig Probleme, da am neuen Gleis Veränderungen (speziell Setzungen) zu erwarten sind. Oft verstärken sich die ohnehin nach dem Neubau zu erwartenden Setzungen durch eine höhere Belastung des neuen Betriebsgleises wegen der temporär eingleisigen Streckenführung.

Für Tiefbau- und Gleisverlegearbeiten sind diese Gleisdeformationen und somit auch die Veränderungen an den Absteckpunkten unbedeutend, allerdings sollte der zweite Stabilisierungs- bzw. der Belastungsstopfgang nicht auf Grundlage dieser Absteckung ausgeführt werden, sondern wie oben beschrieben.

3.4.2.2 Abstecken von Weichen und Kreuzungen

Grundlage für das Berechnen der Absteckwerte sind zusätzlich zur Trassierung geprüfte und freigegebene Weichenskizzen, -verlegepläne bzw. bei Weichen in Überhöhung Weichenhöhenpläne.

Bei Weichen und Kreuzungen werden jeweils Weichenanfang (WA) und -enden vom Stamm- und Zweiggleis (WE, WEZ) bzw. bei Kreuzungsweichen oder Kreuzungen zusätzlich die Mitten (KM) abgesteckt (Abschn. 2.1.4). Außerdem sind weitere Verdichtungspunkte innerhalb der Weiche zu vermarken und zu bestimmen. Empfehlenswert ist es, sich hierbei an den Bauteillängen gemäß Weichenverlegeplan (Großteilstöße) zu orientieren.

Bei WA, WE und KM ist im Gegensatz zu sonstigen Geometriehauptpunkten (UA, UE, BA, BE, NW, AA, AE, siehe auch Abschn. 2.1.2) die Genauigkeit der Längsrichtung (Station) von besonderer Bedeutung. Deshalb sind für den Einbau von Weichen und Kreuzungen diese Punkte beidseitig radial abzustecken. Die Mitten von Kreuzungsweichen bzw. Kreuzungen werden nicht radial zur Gleisachse, sondern senkrecht zur Winkelhalbierenden gesichert (Abb. 3.28).

Die Punkte sind so zu vermarken, dass dem bauausführenden Unternehmen beim Weichenverlegen mit einfachen Methoden (z. B. Schnüren) ermöglicht wird, die Anfänge, Enden und Mitten in die Gleisachse zu übertragen.

Generell ist bei Weichen und Kreuzungen im Anschluss von WA und WE ein zusätzlicher Gleisbereich von mindestens 50 m abzustecken. Analog zur Gleisabsteckung eignen sich für die Vermarkung der Weichenabsteckpunkte Farbmarken an Nachbargleisen bzw. Bahnsteigen oder Kabelkanälen, Pflöcken mit Nägeln usw.

Der höhenmäßige Bezug erfolgt über die Angabe der Höhendifferenzen der Absteckpunkte zum nicht überhöhten Strang der Weiche an den Stationen des jeweiligen Absteckpunkts. Bei Bogenweichen in Überhöhung ist die Definition von Stamm- und Zweiggleis und daraus resultierend der zugehörige Gradientenverlauf zu beachten. Die Höhen im Zweiggleis sind nicht durch eine durchgängige Gradiente, sondern nur punktuell im Weichenhöhenplan definiert.

Die erforderliche Absteckgenauigkeit ist in der DB-Richtlinie 883.3200 definiert. Die relative Genauigkeit der Absteckpunkte zum umgebenden Festpunktfeld liegt in Lage und Höhe jeweils bei 5 mm. In Längsrichtung ist ein $d_{\text{längs}} \leq 50$ mm ausreichend, außer bei Weichen, hier ist $d_{\text{längs}} \leq 5$ mm festgelegt.

3.4.2.3 Berechnung der Absteckwerte und Dokumentation

Wurden die Standpunktkoordinaten aus freier Stationierung über die permanente Vermarkung ermittelt, ist aufgrund der hohen Dichte der koordinaten- und höhenmäßig bekannten Anschlusspunkte eine Mittelung der doppelt aufgemessenen Absteckpunkte ausreichend. Dienten nur PS1- bis PS3-Punkte als Absteckgrundlage, sollten die zwischengeschalteten Standpunkte mit hinreichender Überbestimmung gemessen und dreidimensional ausgeglichen werden.

Für jeden Absteckpunkt sind drei Werte zu berechnen:

- die Station (Kilometerwert) und die sogenannten Ablagemaße,
- der radiale Horizontalabstand des Absteckpunkts zur eingerechneten Gleisachse bzw.
- der Höhenunterschied vom Absteckpunkt zur geplanten Gradiente (bezüglich der nicht überhöhten Schiene auf der Station des Absteckpunkts).

Diese Werte erhält man durch Umformung der berechneten und gemittelten Koordinaten und Höhen des jeweiligen Absteckpunkts auf die Sollgeometrie (Abb. 3.27). Dabei ist die Vorzeichenregelung für die Ablagemaße gemäß DB-Richtlinie 883.3400 zu beachten.

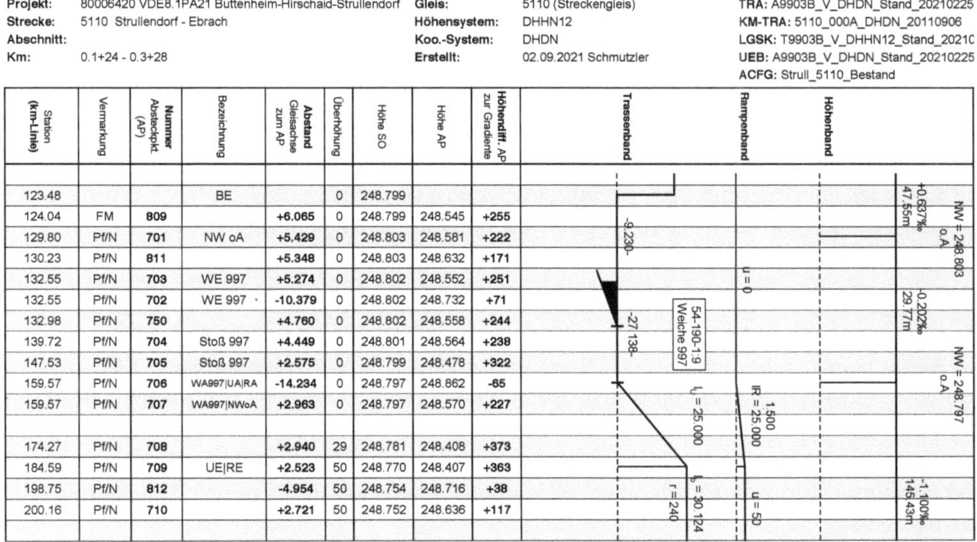

Projekt: 80006420 VDE8.1PA21 Buttenheim-Hirschaid-Strullendorf
Strecke: 5110 Strullendorf - Ebrach
Abschnitt:
Km: 0.1+24 - 0.3+28

Gleis: 5110 (Streckengleis)
Höhensystem: DHHN12
Koo.-System: DHDN
Erstellt: 02.09.2021 Schmutzler

TRA: A9903B_V_DHDN_Stand_20210225
KM-TRA: 5110_000A_DHDN_20110906
LGSK: T9903B_V_DHHN12_Stand_2021C
UEB: A9903B_V_DHDN_Stand_20210225
ACFG: Strull_5110_Bestand

Station (km-Linie)	Vermarkung	Nummer Absteckpkt. (AP)	Bezeichnung	Abstand Gleisachse zum AP	Überhöhung	Höhe SO	Höhe AP	Höhendiff. AP zur Gradiente	Trassenband	Rampenband	Höhenband
123.48			BE		0	248.799					
124.04	FM	**809**		**+6.065**	0	248.799	248.545	**+255**			
129.80	Pf/N	**701**	NW oA	**+5.429**	0	248.803	248.581	**+222**			
130.23	Pf/N	**811**		**+5.348**	0	248.803	248.632	**+171**			
132.55	Pf/N	**703**	WE 997	**+5.274**	0	248.802	248.552	**+251**			
132.55	Pf/N	**702**	WE 997	**-10.379**	0	248.802	248.732	**+71**			
132.98	Pf/N	**750**		**+4.760**	0	248.802	248.558	**+244**			
139.72	Pf/N	**704**	Stoß 997	**+4.449**	0	248.801	248.564	**+238**			
147.53	Pf/N	**705**	Stoß 997	**+2.575**	0	248.799	248.478	**+322**			
159.57	Pf/N	**706**	WA997|UA|RA	**-14.234**	0	248.797	248.862	**-65**			
159.57	Pf/N	**707**	WA997|NWoA	**+2.963**	0	248.797	248.570	**+227**			
174.27	Pf/N	**708**		**+2.940**	29	248.781	248.408	**+373**			
184.59	Pf/N	**709**	UE|RE	**+2.523**	50	248.770	248.407	**+363**			
198.75	Pf/N	**812**		**-4.954**	50	248.754	248.716	**+38**			
200.16	Pf/N	**710**		**+2.721**	50	248.752	248.636	**+117**			

Abb. 3.27: Absteckbuch Gleisbau (intermetric GmbH)

Das Ergebnis der Absteckung ist in Absteckbüchern zu dokumentieren. Im Absteckbuch werden alle Punkte (Geometriehaupt- und Zwischenpunkte) nach Gleisstationen geordnet aufgeführt. Zu jedem Punkt sind folgende Angaben zu machen:

- Punktnummer,
- Station (Angabe mit zwei Nachkommastellen),
- Vermarkungsart,
- radialer Abstand zur geplanten Gleisachse (Angabe mit drei Nachkommastellen),
- absolute Höhe des Absteckpunkts,
- absolute Höhe der Gradiente an der Station des Absteckpunkts,
- Höhendifferenz zwischen beiden Punkten (Angabe in Millimetern),
- geplante Überhöhung (Sollüberhöhung) an der Station des Absteckpunkts.

Außerdem werden Krümmungs- und Überhöhungsverlauf und die Gradiente in schematischen Bildern mit Angabe der Solllängen, -radien, -überhöhungen und -neigungen dargestellt (Abb. 3.27).

Im Regelfall werden die Absteckwerte der einzelnen Punkte den Umformungsprotokollen entnommen und in die Absteckunterlagen eingearbeitet. Mittlerweile gibt es auch Softwarelösungen, die auf Basis verschiedener Dateien (Trassen, Gradienten, Überhöhungsbänder, Koordinaten der Absteckpunkte) die Absteckbücher teilautomatisiert erstellen.

In Abschnitten mit besonders dichter Geometriefolge, bei Weichen oder in Bahnhöfen kann es zweckmäßig sein, Absteckrisse oder -pläne zu fertigen. Hierbei ist darauf zu achten, dass analog zu den Absteckbüchern alle für die Baufirma relevanten Angaben, wie Punktnummer, Vermarkungsart, Station, Lage- und Höhenabsteckwerte, Geometriebezeichnungen und Trassierungselemente, in der Unterlage verzeichnet sind (Abb. 3.28).

Sinnvollerweise sollen die Ablagemaße (radialer Abstand und Höhendifferenz) neben der Nummer des Absteckpunkts in der Örtlichkeit angeschrieben werden. Dies kann z. B. mit Öl- oder Dispersionsfarbe im Schienensteg bzw. auf Beilatten erfolgen (Abb. 3.29). An den Hauptpunkten wird zusätzlich die Geometriebezeichnung (UA, UE, BA, BE, NW usw.) vermerkt.

Alle Absteckunterlagen (Absteckbücher, -pläne, falls vorhanden Weichenhöhen- und Trassenpläne) sind dem zuständigen Vertreter der örtlichen Bauüberwachung sowie der Gleisbaufirma zu übergeben. Die Übergabe soll im Übergabeprotokoll nach DB-Richtlinie 883.3200V01 protokolliert und durch alle Beteiligten mittels Unterschrift bestätigt werden. Mit der Unterschrift geht die Verantwortung zum Erhalt der Absteckung an das ausführende Bauunternehmen über. Zusätzlich ist im Zuge der Übergabe auf Besonderheiten und kritische Bereiche (z. B. Zwangspunkte wie Bahnsteige, Schotterbalken) hinzuweisen.

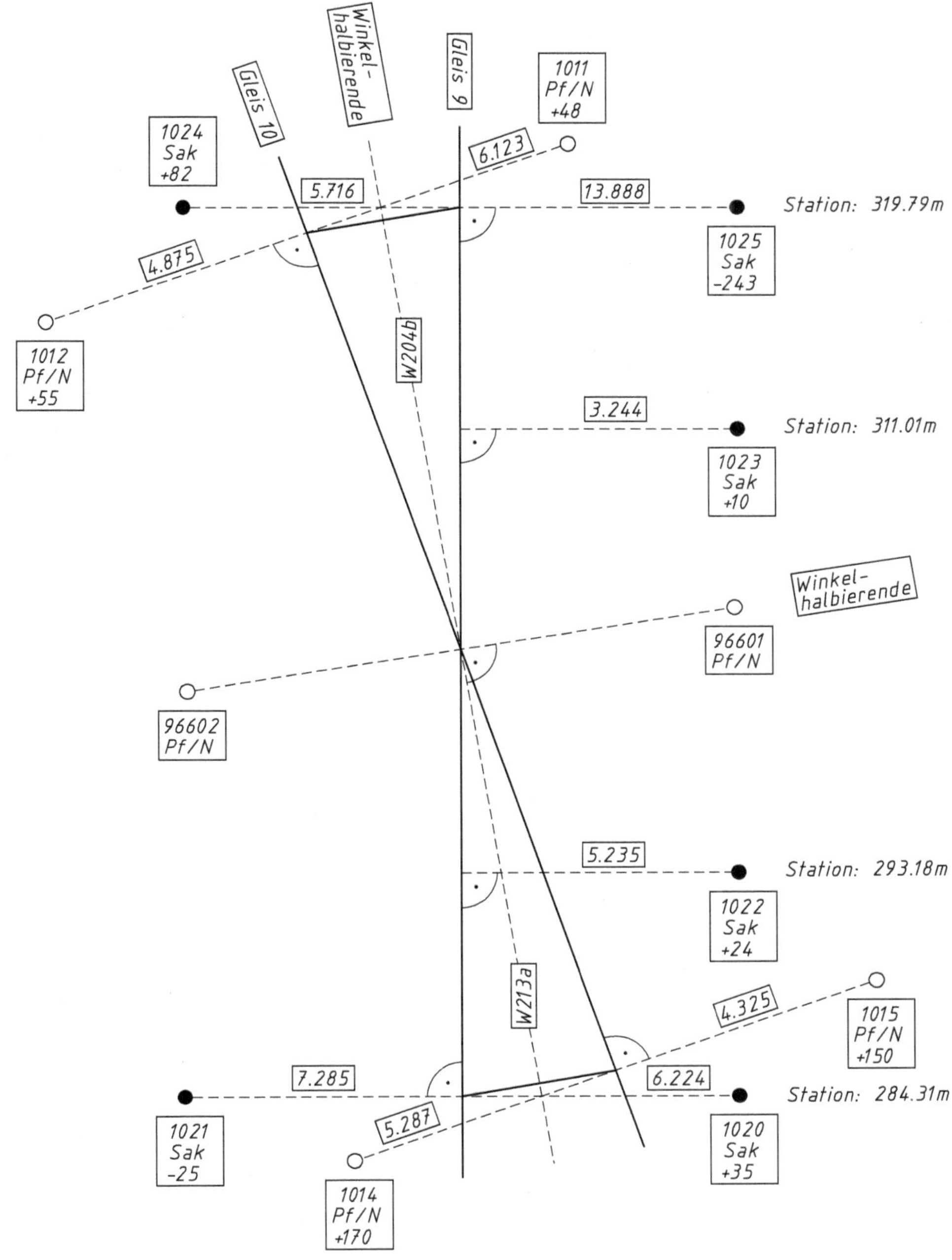

Abb. 3.28: Absteckplan für eine DKW (intermetric GmbH)

Abb. 3.29: Vermarkung eines Absteckpunkts am Nachbargleis (intermetric GmbH)

3.4.3 Absteckung für Tiefbauarbeiten

Unter dem Begriff „Tiefbau" versteht man im Eisenbahnbau das Einbringen der für den Oberbau erforderlichen Unterbauschichten: Erdplanum, Frostschutzschicht, Planumsschutzschicht und Verlegeschotter (auch als Grundschotter bezeichnet).

Die an den Geodäten gestellten Anforderungen bezüglich der für den Gleistiefbau zu erbringenden Vermessungsleistungen haben sich in den letzten Jahren stark gewandelt.

Bestand früher die Aufgabe meist im Erstellen spezieller Absteckungen als Grundlage für die Herstellung der einzelnen Unterbauschichten, geht es heute meist um die Berechnung spezieller Digitaler Geländemodelle für die genannten Schichten, welche dann als Grundlage für die Steuerung von Gradern, Raupen und Baggern dienen.

Ungeachtet der zunehmenden Nutzung dieser sogenannten Maschinensteuerdaten für Gleistiefbauarbeiten, haben auch konventionelle Absteckungen und die zugehörigen Absteckunterlagen (auch Abschachttabellen genannt) nach wie vor ihre Bedeutung. Sie werden vorrangig zur Kontrolle der fertigen Unterbauschichten durch die Poliere bzw. zur Abnahme durch die Bauüberwachung genutzt.

Da für den Tiefbau im Allgemeinen die Absteckpunkte für den Oberbau genutzt werden, beschränken sich die Tätigkeiten des Vermessungsingenieurs meist auf das Berechnen der Tiefbauabsteckwerte (Ausnahme: Abstecken von Entwässerungs- bzw. Kabeltiefbauanlagen) und das Erstellen der entsprechenden Dokumentationen. Dabei gilt folgende Faustregel:

Absteckpunkte, die im ursprünglichen Sinn für den Oberbau bestimmt wurden, erfüllen die Genauigkeitsanforderungen für den Tiefbau ohnehin.

Absteckwerte können für den Einbau des Erdplanums (EPL), der Frostschutzschicht (FSS), der Planumsschutzschicht (PSS) und den Grundschotter (GS) berechnet werden. Über die Art der anzugebenden Werte stellen die Baufirmen und örtlichen Bauüberwachungen verschiedene Anforderungen. Diese gilt es vor Baubeginn gemeinsam im Vermessungskonzept (Abschn. 3.4.1) zu definieren.

Projekt: 80006274 Peiting Ost
Strecke: 5444 Schongau - Peißenberg
Abschnitt:
Km:

Gleis: 2
Höhensystem: DB_Ref2003
Koo.-System: DB_Ref2003
Erstellt: 21.07.2021 Schmutzler

TRA: Achse Gleis 2 Peiting Ost 5444
KM-TRA: Streckenachse 5444
LGSK: Achse Gleis 2 Peiting Ost 5444
UEB: Achse Gleis 2 Peiting Ost 5444
DGM: Erdplanum

Absteckpunkt (AP)						1.40 links von Gleisachse				Gleisachse				1.50 rechts von Gleisachse				Längsneigung [‰]	SO-Höhe [m]
Station [m]	Vermarkung	Punkt-Nummer	Bezeichnung	Abstand zur Gleisachse [m]	Höhe absolut [m]	SOLL		IST	Abweichung	SOLL		IST	Abweichung	SOLL		IST	Abweichung		
						Höhe absolut [m]	Höhe bezüglich AP [m]	Höhe oder dh		Höhe absolut [m]	Höhe bezüglich AP [m]	Höhe oder dh		Höhe absolut [m]	Höhe bezüglich AP [m]	Höhe oder dh			
1	2	3	4	5	6	7	8	9	10	11	12	13	14	15	16	17	18	19	20
4 102.60	Pf/N	**4**	**BA**	3.862	717.268	716.29	-0.98			716.22	-1.05			716.14	-1.13			-5.967	717.223
4 115.80	Pf/N	**207**		2.523	717.246	716.21	-1.04			716.14	-1.11			716.06	-1.18			-5.967	717.144
4 130.00	Pf/N	**5**	**AA**	7.804	717.285	716.12	-1.16			716.05	-1.23			715.98	-1.31			-5.967	717.060
4 136.42	N	**6**	**BE**	7.339	717.181	716.09	-1.09			716.02	-1.16			715.95	-1.23			-4.052	717.028
4 140.00	N	**7**	**NW**	7.257	717.273	716.08	-1.19			716.01	-1.26			715.93	-1.34			-2.983	717.015
4 150.00	N	**8**	**AE**	7.168	717.256	716.06	-1.19			715.99	-1.26			715.92	-1.34			-0.001	717.000
4 160.41	N	**9**	**BA**	6.898	717.200	716.06	-1.14			715.99	-1.21			715.92	-1.28			±0.000	717.000
4 172.12	N	**10**		6.409	717.212	716.06	-1.15			715.99	-1.22			715.92	-1.29			±0.000	717.000
4 183.07	N	**11**		6.406	717.149	716.06	-1.09			715.99	-1.16			715.92	-1.23			±0.000	717.000
4 194.49	N	**12**	**BE**	5.893	717.183	716.06	-1.12			715.99	-1.19			715.92	-1.26			±0.000	717.000
4 200.00	SAk	**501**		-6.763	716.984	716.06	-0.92			715.99	-0.99			715.92	-1.06			±0.000	717.000
4 210.40	SAk	**502**		-6.765	716.984	716.06	-0.92			715.99	-0.99			715.92	-1.06			±0.000	717.000
4 219.30	Pf/N	**13**		6.409	716.965	716.06	-0.90			715.99	-0.97			715.92	-1.05			±0.000	717.000

Abb. 3.30: Absteckbuch Erdplanum (intermetric GmbH)

Im Allgemeinen wird ein kombiniertes Absteckbuch für das Erdplanum und Frostschutz- bzw. Planumsschutzschicht (Abb. 3.30), die sogenannte Abschachttabelle, gefordert. Darin sollten folgende Werte enthalten sein:

- Nummer des Absteckpunkts,
- Station,
- radialer Abstand zwischen Absteckpunkt und Hoch- bzw. Tiefpunkt der Einbauschichten EPL bzw. FSS, PSS,
- Höhendifferenz zwischen Absteckpunkt und Hoch- bzw. Tiefpunkt der Einbauschichten EPL bzw. FSS, PSS.

Weiterhin können Tabellen als Grundlage für die Herstellung der Tiefenentwässerung oder der Kabeltiefbauanlagen gefertigt werden.

Dabei werden die Stationen der Schächte außerhalb des Baufelds abgesteckt und analog zur o. g. Verfahrensweise der Abstand zur Schachtmitte und die Höhendifferenz zur Sohle (Entwässerungsschächte) oder Schachtoberkante (Kabeltiefbau) angegeben.

Eine wichtige Schnittstelle zwischen den ausführenden Unternehmen Tiefbau und Oberbau ist das sogenannte Grundschotterplanum.

Unter „Grundschotter“ versteht man den Schotter, der zur Herstellung des Verlegeplanums der Gleise verwendet wird.

Projekt: 80006274 Peiting Ost
Strecke: 5444 Schongau - Peißenberg
Abschnitt:
Km:

Gleis: 2
Höhensystem: DB_Ref2003
Koo.-System: DB_Ref2003
Erstellt: 21.07.2021 Schmutzler

TRA: Achse Gleis 2 Peiting Ost 5444
KM-TRA: Streckenachse 5444
LGSK: Achse Gleis 2 Peiting Ost 5444
UEB: Achse Gleis 2 Peiting Ost 5444
DGM: Grundschotter

Absteckpunkt (AP)						1.40 links von Gleisachse				Gleisachse				1.50 rechts von Gleisachse				Längsneigung [‰]	SO-Höhe [m]
						SOLL		IST		SOLL		IST		SOLL		IST			
Station [m]	Vermarkung	Punkt-Nummer	Bezeichnung	Abstand zur Gleisachse [m]	Höhe absolut [m]	Höhe absolut [m]	Höhe bezüglich AP [m]	Höhe oder dh	Abweichung	Höhe absolut [m]	Höhe bezüglich AP [m]	Höhe oder dh	Abweichung	Höhe absolut [m]	Höhe bezüglich AP [m]	Höhe oder dh	Abweichung		
1	2	3	4	5	6	7	8	9	10	11	12	13	14	15	16	17	18	19	20
4 102.60	Pf/N	**4**	**BA**	3.862	717.268	716.80	-0.46			716.80	-0.46			716.80	-0.46			-5.967	717.223
4 115.80	Pf/N	**207**		2.523	717.246	716.73	-0.52			716.73	-0.52			716.73	-0.52			-5.967	717.144
4 130.00	Pf/N	**5**	**AA**	7.804	717.285	716.64	-0.64			716.64	-0.64			716.64	-0.64			-5.967	717.060
4 136.42	N	**6**	**BE**	7.339	717.181	716.61	-0.57			716.61	-0.57			716.61	-0.57			-4.052	717.028
4 140.00	N	**7**	**NW**	7.257	717.273	716.60	-0.68			716.60	-0.68			716.60	-0.68			-2.983	717.015
4 150.00	N	**8**	**AE**	7.168	717.256	716.58	-0.67			716.58	-0.67			716.58	-0.67			-0.001	717.000
4 160.41	N	**9**	**BA**	6.898	717.200	716.58	-0.62			716.58	-0.62			716.58	-0.62			±0.000	717.000
4 172.12	N	**10**		6.409	717.212	716.58	-0.63			716.58	-0.63			716.58	-0.63			±0.000	717.000
4 183.07	N	**11**		6.406	717.149	716.58	-0.57			716.58	-0.57			716.58	-0.57			±0.000	717.000
4 194.49	N	**12**	**BE**	5.893	717.183	716.58	-0.60			716.58	-0.60			716.58	-0.60			±0.000	717.000
4 200.00	SAk	**501**		-6.763	716.984	716.58	-0.40			716.58	-0.40			716.58	-0.40			±0.000	717.000
4 210.40	SAk	**502**		-6.765	716.984	716.58	-0.40			716.58	-0.40			716.58	-0.40			±0.000	717.000
4 219.30	Pf/N	**13**		6.409	716.965	716.58	-0.38			716.58	-0.38			716.58	-0.38			±0.000	717.000

Abb. 3.31: Absteckbuch Grundschotter (intermetric GmbH)

Mit den Grundschotterabsteckbüchern (Abb. 3.31) ist es dem Bauunternehmen möglich, den Schotter vor dem Verlegen der Gleise auf die erforderliche Höhe und Breite zu bringen bzw. diese zu kontrollieren. Dazu werden jeweils die Abstände der Schotterkanten und die Höhenunterschiede der Schotteroberkante zum entsprechenden Absteckpunkt angegeben.

Wie bereits angedeutet, gewinnt die Berechnung von Digitalen Geländemodellen als Grundlage für den Einbau von EPL, FSS, PSS und Grundschotter mittels GNSS- oder tachymetergesteuerter Baumaschinen zunehmend auch für den Vermessungsingenieur an Bedeutung.

Grundlage für diese Berechnungen bildet die Ausführungsplanung Tiefbau sowie die Trassendaten der Gleis- und Weichengeometrie. Da vom Planer meist keine höhenmäßig klar definierten und eindeutig begrenzten 3D-Daten der Tiefbauschichten geliefert werden, ist häufig eine komplette trassenbezogene Neuberechnung der Geländemodelle der einzelnen Unterbauschichten erforderlich. Grundlage bilden dabei 2D-Daten in Form von Lageplänen und Querprofilen sowie die Trassen, Gradienten und Überhöhungsbänder der umzubauenden Gleise und Weichen.

Als Ergebnis entstehen Digitale Geländemodelle, die in verschiedenen Datenformaten abhängig von Art und Hersteller der Maschinensteuersysteme an die Baufirma übergeben und dort von den Bedienern in die Systeme eingelesen werden (Abb. 3.32).

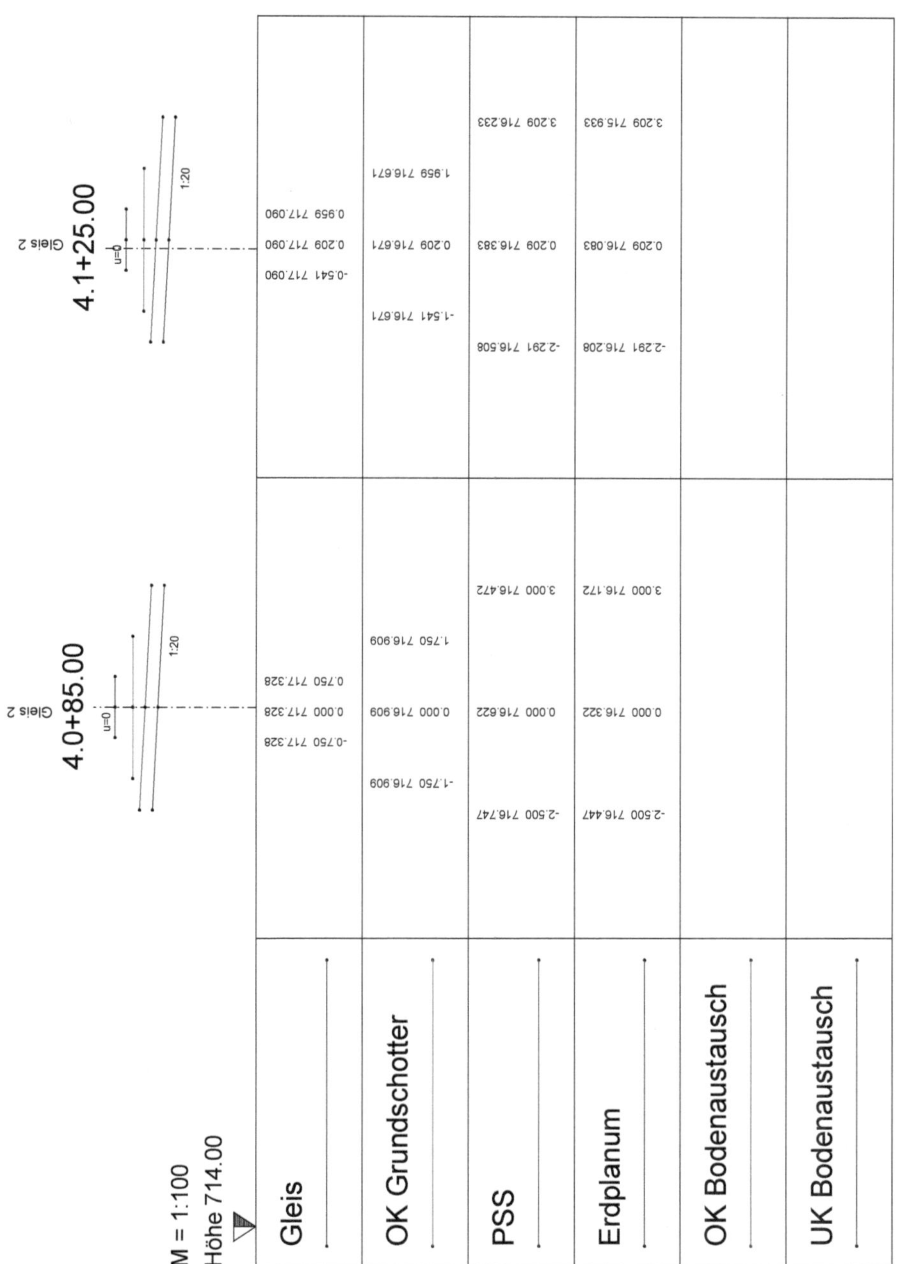

Abb. 3.32: Visualisierung von Tiefbausteuerdaten (intermetric GmbH)

Zusätzlich übergibt der Vermessungsingenieur um das Baufeld homogen verteilte, dreidimensional bestimmte Festpunkte, ebenfalls in den vom System definierten Datenformaten, die zur Orientierung bzw. Überprüfung der Tachymeter oder GNSS-Geräte dienen.

3.4.4 Absteckung von Bahnsteigen

Wichtigstes Kriterium beim Abstecken von Bahnsteigen ist die relative Lage und Höhe der Bahnsteigkante zum Gleis in Endlage und -höhe. Ist das Gleis fertiggestellt und liegt nach Lage, Höhe und Überhöhung im Soll, können die nach DB-Richtlinie 813.0201 ermittelten Maße (Abstand Bahnsteigvorderkante zur Gleisachse und Höhenunterschied der nichtüberhöhten Schiene zur Bahnsteigoberkante) vom neuen Gleis abgesetzt und somit der Bahnsteig in der Örtlichkeit eindeutig definiert werden.

In der Praxis laufen aber der Umbau der Gleise und die Neuerrichtung des Bahnsteigs parallel ab bzw. selbst fertiggestellte Gleise liegen nicht zu 100 % in der Sollachse bzw. -gradiente. Deshalb können Bahnsteige sinnvollerweise nur nach absoluten Koordinaten und Höhen, berechnet auf Basis der auf die Sollgleisgeometrie bezogenen Einbaumaße gemäß DB-Richtlinie 813.0201, abgesteckt werden.

Vor Beginn der Absteckung sind die Planungsunterlagen zu prüfen und auf Vollständigkeit zu kontrollieren. Gerade bei Unterlagen zur Bahnsteigplanung werden in der Praxis seitens des Planers häufig nur die Stationen von Bahnsteiganfang und -ende sowie Detailzeichnungen oder Regelangaben geliefert und der absolute Lage- bzw. Höhenbezug fehlt. Die Aufgabe des Vermessungsingenieurs besteht dann in der Ermittlung der Abstände der Bahnsteigvorder- bzw. -oberkante zur Sollgleisgeometrie. Basis bilden dafür die Tabellen gemäß DB-Richtlinie 813.0201 unter Beachtung der geplanten geometrischen Verhältnisse des Gleises im Bahnsteigsbereich (Bogen- und Überhöhungsverhältnisse). Weitere zu beachtende Zwangspunkte (z. B. Weichen) werden ebenfalls in der o. g. Richtlinie beschrieben.

Bei Bahnsteigen in Bögen ist zusätzlich darauf zu achten, dass die meist in der Kilometerlinie angegebenen Baulängen aufgrund der Längendifferenzen der konzentrischen Bögen (km-Linie und Bahnsteigkante) zu korrigieren sind. Dies ist besonders bei Bahnsteigen in Fertigteilbauweise von Bedeutung, da hier für die vorgefertigten Elemente exakte Längenraster eingehalten werden müssen.

Der Umfang der zu liefernden Absteckung richtet sich nach der Bauart (Massiv- oder Fertigteilbahnsteig) und nach der Lage des Bahnsteigs (Gerade, Bogen, Übergangsbogen).

Generell sind bei konventionellen (Massiv-) als auch bei modularen (Fertigteil-)Bahnsteigen die Stationen von Anfang bis Ende abzustecken und mittels Richtungspunkt orthogonal zur Bahnsteigvorderkante zu sichern.

Bei Fertigteilbahnsteigen werden die vorgefertigten Fundamente in einem sich nach den ebenfalls werkseitig hergestellten Abdeckplatten richtenden Längsraster verlegt. Deshalb ist die Lage jeder Fundamentachse exakt abzustecken. Die Kennzeichnung der Bezugspunkte zum Verlegen der Fundamente erfolgt mit zwei Punkten radial zum Gleis (falls vorhanden mittels Farbstrichen am Gleis bzw. Nägeln auf Schnurgerüst) außerhalb der Fundamentgrube.

Mit dem Festlegen der Fundamentachse ist die Längsrichtung (Station) definiert. Für die Angabe der Querrichtung (Abstand von der Gleisachse) wird von einem der beiden Punkte (dem fundamentnächsten) das Sollabstandsmaß zur Fundamentvorderkante in der jeweiligen Achsrichtung berechnet.

Von besonderer Bedeutung ist die exakte Höhenlage der Fundamente. Die Fundamente müssen mit der für die Bahnsteigoberkante zugelassenen Bautoleranz eingebaut werden, da durch den vordefinierten Höhenaufbau von Längsbalken und Abdeckplatten nahezu keine Regulierungsmöglichkeiten zur Verfügung stehen. Deshalb ist es wichtig, Höhenpunkte in hinreichender Dichte zu übergeben. Sinnvollerweise bestimmt man pro Achse einen Absteckpunkt auch höhenmäßig und dokumentiert den Höhenunterschied von diesem Punkt zur Fundamentunterkante in den Absteckunterlagen.

Für das Auflegen und Ausrichten der Abdeckplatten muss vom Vermessungsingenieur die exakte Lage der Bahnsteigvorderkante in die Örtlichkeit übertragen werden. Dafür können im besten Fall wieder die Punkte der Fundamentabsteckung genutzt und auf deren Grundlage eine neue Absteckunterlage mit den Abständen bzw. Höhenunterschieden zur Bahnsteigvorder- und -oberkante gefertigt werden.

Bei Bahnsteigen in Massivbauweise werden zusätzlich zu Anfang und Ende Verdichtungspunkte im Abstand von 5 bis 10 m (in Abhängigkeit von der Gleisgeometrie) entlang des Bahnsteigs vermarkt und nach Lage und Höhe bestimmt. Für jeden Absteckpunkt wird anschließend auf Basis des Abstands bzw. des Höhenunterschiedes zur Sollgleisgeometrie und der Solleinbauwerte gemäß DB-Richtlinie 813.0201 der Lage- und Höhenabstich ermittelt und in einem entsprechenden Absteckbuch bzw. -riss analog zum modularen Bahnsteig dokumentiert (Abb. 3.33).

Projekt:	85591 VDE8.1 PA2300	**Gleis:**	5100 links
Strecke:	5100 Bamberg - Hof Hbf	**Höhensystem:**	DHHN12
Abschnitt:	HP Hallstadt	**Koo.-System:**	DHDN
Km:	3.2 - .5	**Erstellt:**	28.01.2021 Schmutzl
Bahnsteig:	Bahnsteig 5100li		

		Absteckpunkt (AP)					**Bahnsteigkante**				
		Vermarkung					Lage		Höhe		
Station [m]	**Bezeichnung**	Art	Hinweise	**Punkt-Nummer**	Abstand zu geplanter Gleisachse [m]	Höhe absolut [m]	Abstand zur Gleisachse [m]	**Abstand zum AP [m]**	**Höhe bezüglich AP [m]**	Höhe absolut [m]	Höhe bezüglich Gradiente [m]
1	2	3	4	5	6	7	8	9	10	11	12
Erläuterungen der Abkürzungen und Vorzeichen im Absteckbuch											
Station des Absteckpunktes	NW... Neigungswechsel AA/AE...Ausrundung Anfang/Ende UA/UE..Übergangsbogen Anf./Ende BW... Bogenwechsel WA/WE...Weichenanfang/-ende	SAk..Schienenaußenkante (Farbe) SIk..Schieneninnenkante (Farbe) FM ... Farbmarke allgemein	nähere Erläuterungen zum Auffinden des Punktes		Abstand SOLL-Achse der geplanten Gleisachse zum AP ("+"...AP liegt rechts der Achse)	IST-Höhe des Absteckpunktes	SOLL-Abstand Bahnsteigkante von der Gleisachse ("+"...Bahnsteigkante liegt rechts der Gleisachse)	SOLL-Abstand Bahnsteigkante vom AP ("+"...Bahnsteigkante liegt rechts des AP)	SOLL-Höhenunterschied vom AP zur Bahnsteigkante ("+"...Bahnsteigkante liegt über AP)	SOLL-Höhe der Bahnsteigkante	SOLL-Höhenunterschied der Bahnsteigkante über SOLL-SO

Lage- und Höhenbezug an den Absteckpunkten

GVP: Höhenbezug

Mast — Lagebezug

Schiene: Höhenbezug

Lagebezug = senkrechter Farbstrich

Pfahl:
Lage- und Höhenbezug ist der Nagelkopf

Station [m]	Bezeichnung	Art	Hinweise	Punkt-Nummer	Abstand zu geplanter Gleisachse [m]	Höhe absolut [m]	Abstand zur Gleisachse [m]	Abstand zum AP [m]	Höhe bezüglich AP [m]	Höhe absolut [m]	Höhe bezüglich Gradiente [m]
3 238.65	**UE**						1.670				0.540
3 304.61	**UA**						1.670				0.540
3 349.24	**Bstg-Anf**	FM		**1**	0.823	243.859	1.670	**0.847**	**0.704**	244.563	0.540
3 359.44		FM		**2**	0.724	243.862	1.670	**0.946**	**0.675**	244.537	0.540
3 368.75		FM		**3**	0.578	243.824	1.670	**1.092**	**0.690**	244.514	0.540
3 378.05		FM		**156**	0.440	243.784	1.670	**1.230**	**0.707**	244.491	0.540
3 380.67	**UA**						1.670				0.540
3 387.37		FM		**4**	0.286	243.746	1.670	**1.384**	**0.721**	244.467	0.540
3 396.76		FM		**5**	0.212	243.741	1.670	**1.458**	**0.703**	244.444	0.540
3 405.89		FM		**6**	0.049	243.691	1.670	**1.621**	**0.730**	244.421	0.540
3 415.28		FM		**7**	-0.082	243.650	1.670	**1.752**	**0.748**	244.398	0.540
3 424.43		FM		**159**	-0.208	243.636	1.670	**1.878**	**0.739**	244.375	0.540
3 431.73	**UE-5**						1.670				
3 433.77		FM		**8**	-0.324	243.596	1.670	**1.994**	**0.755**	244.351	0.540
3 436.74	**UE**						1.670				0.540
3 442.88		FM		**9**	-0.378	243.555	1.670	**2.048**	**0.774**	244.329	0.540
3 452.44		FM		**10**	-0.519	243.534	1.670	**2.189**	**0.771**	244.305	0.540
3 461.71		FM		**11**	-0.583	243.544	1.670	**2.253**	**0.738**	244.282	0.540
3 469.76		FM		**162**	-0.701	243.480	1.670	**2.371**	**0.781**	244.261	0.540
3 479.01		FM		**12**	-0.741	243.467	1.670	**2.411**	**0.771**	244.238	0.540
3 489.34		FM		**10008**	-0.735	243.451	1.670	**2.405**	**0.762**	244.213	0.540
3 500.83		FM		**164**	-0.838	243.402	1.670	**2.508**	**0.782**	244.184	0.540
3 511.78		FM		**165**	-0.876	243.368	1.670	**2.546**	**0.789**	244.157	0.540
3 511.85	**UE**						1.670				0.540
3 516.86	**UE+5**						1.670				
3 521.16		FM		**13**	-0.897	243.353	1.670	**2.567**	**0.780**	244.133	0.540
3 530.37		FM		**14**	-0.970	243.325	1.670	**2.640**	**0.785**	244.110	0.540
3 539.74		FM		**15**	-0.966	243.298	1.670	**2.636**	**0.789**	244.087	0.540

Abb. 3.33: Absteckbuch Bahnsteig (intermetric GmbH)

3.5 Feste Fahrbahn

3.5.1 Bauart

Beim herkömmlichen Gleisbau werden Schwellen in ein Schotterbett verlegt. Darauf werden Schienen montiert und lückenlos verschweißt. Basierend auf den Ergebnissen des unmittelbar vorausgehenden vermessungstechnischen „Vormessens" (Abschn. 2.8.4.2), kann eine automatisierte Gleisstopfmaschine das herzustellende Gleis in einem Arbeitsgang einmessen, exakt in Solllage und -höhe bringen und verfestigen. Positionieren und Verfestigen erfolgt dabei durch Unterstopfen der Schwellen mit Schotter. Dieses Verfahren ist sehr effektiv und zugleich wirtschaftlich. Zudem lassen sich Sanierungsarbeiten einfach nach dem gleichen Verfahren und mit dem gleichen Werkzeug durchführen.

Strecken, über die sowohl Güterverkehr als auch Hochgeschwindigkeitspersonenverkehr führen, werden einerseits durch hohe Achslasten stark belastet, haben aber andererseits hohe Anforderungen an die Gleislagequalität. Beides zusammen führt bei Schottergleisen dazu, dass die Gleislage häufig korrigiert werden muss. Die hohen Belastungen und das regelmäßige Stopfen nutzen den Schotter ab. Die Folgen sind immer kürzere Wartungsintervalle und schließlich die Notwendigkeit, den Schotter auszutauschen. Während der Wartungsarbeiten kann die betroffene Bahnstrecke nicht genutzt werden. Daraus ergeben sich Behinderungen und Einschränkungen des Betriebsablaufs.

Bei der Bauart Feste Fahrbahn werden die Schienen nicht in Schotter gelagert, sondern unverrückbar fest mit dem Untergrund verbunden. Elastomere nehmen dabei die Vibrationen und starken Impulse bei der Überfahrt auf und kehren danach in ihre Ursprungslage zurück, ohne die Konstruktion dauerhaft zu verändern. Die Feste Fahrbahn ist dadurch konstruktionsbedingt deutlich wartungsärmer als ein Schotteroberbau. Es wurden unterschiedliche Bauformen entwickelt, ausprobiert und viele wieder verworfen.

Durchgesetzt haben sich drei Bauformfamilien (Abb. 3.34): Die einzelstützpunktbasierten, die schwellenbasierten und die plattenbasierten Verfahren. Allen Verfahren ist gemein, dass die Schienenstützpunkte industriell vorgefertigte Betonteile sind, deren Lage, Höhe, Orientierung, Längs- und Querneigung im Zuge der Montage so präzise justiert und fixiert werden müssen, dass die darauf montierten Schienen nahezu fehlerfrei, bis auf wenige Millimeter, in der Sollposition liegen. Die eigentliche Schienenmontage auf den Stützpunkten sieht zwar noch geringfügige Ausgleichsmöglichkeiten vor, diese sollen aber dem Ausgleich von Deformationen während des Betriebs zur Verfügung stehen und nicht bereits für das Herstellen der Sollgleislage im Bauprozess ausgenutzt werden. Die zulässigen Bautoleranzen sind in den Regelwerken der Bahnen definiert. Für den Bereich der Deutschen Bahn gilt die Richtlinie 883.4500.

Abb. 3.34: Feste Fahrbahn der drei Bauformfamilien. Links: System Rheda klassisch auf der Schnellfahrstrecke Nürnberg – Ingolstadt (Sebastian Terfloth), Mitte: System Low Vibration Track im Gotthard-Basistunnel (Ulrich Völter, intermetric GmbH), rechts: System Bögl auf der Schnellfahrstrecke Nürnberg – Ingolstadt (Jailbird).

Ende 2020 hat keine der Bauformen der Festen Fahrbahn für das Herstellen der finalen Gleislage einen ähnlich hohen Automatisierungsgrad erreicht wie eine Stopfmaschine.

Bei den einzelstützpunktbasierten und bei den schwellenbasierten Bauformen werden die Einzelstützpunkte bzw. die Schwellen zusammen mit Schienen zu einem Gleisrost montiert. Dieser wird dann mittels Spindeln aufgeständert und in Position gebracht. Anschließend werden die Einzelstützpunkte bzw. die Schwellen mit Beton unter- und umgossen, sodass sich nach dem Aushärten ein fester Betonkörper – die Feste Fahrbahn – ergibt.

Aus vermessungstechnischer Sicht kommt dem Justier- und Fixiersystem, mit dem der Gleisrost an den Spindeln befestigt ist, entscheidende Bedeutung zu. Es muss eine sehr feinfühlige Justage erlauben, um den Gleisrost an jeder Stelle und in jeder Dimension auf Zehntelmillimeter genau positionieren zu können, und es muss den Gleisrost bis zum Aushärten des Betons an exakt dieser Position halten und dies unter den gegebenen Witterungsbedingungen und den Belastungen der Baustelle.

Bei den plattenbasierten Bauformen werden Betonplatten von etwa 6,50 m Länge mit den Schienenstützpunkten industriell vorgefertigt. Die Schienenbefestigungspunkte folgen dabei bereits der für die Plattenposition vorgesehenen Gleisgeometrie. Die Bauformen unterscheiden sich dabei unter anderem darin, ob die exakte individuelle Geometrie für jede Platte im Werk eingefräst wird oder ob eine Näherungsgeometrie Verwendung findet.

Der Einbauprozess kann sich bei den plattenbasierten Bauformen ähnlich wie bei den schwellenbasierten an montierten Schienen orientieren oder direkt an den Schienenstützpunkten. Das hintere Ende der neu einzurichtenden Platte wird dabei am vorderen Ende der zuletzt eingerichteten Platte ausgerichtet. Das vordere Ende wird mittels eines geeigneten Messsystems absolut positioniert. Justiert wird die Position der einzurichtenden Platte dabei über Spindeln. Sind die Platten präzise in Position gebracht, werden sie mit einem besonders fließfähigen Untergussmörtel vollflächig untergossen und dauerhaft mit dem Untergrund zur Festen Fahrbahn verbunden.

Die Toleranzen für das Herstellen von Gleisen in der Bauart Feste Fahrbahn liegen im Bereich von wenigen Millimetern. Konventionelles Abstecken durch Angeben gleisnaher Bezugslinien, Bezugspunkte und Bezugshöhen ist ungeeignet, da die exakte Übertragung der Absteckwerte ohne vermessungstechnische Werkzeuge und Verfahren nicht sichergestellt werden kann. Aus diesem Grund werden die Gleise bei der Bauart Feste Fahrbahn im letzten Positionierungsprozess an jeder Justierposition unter Anleitung von geschultem Vermessungspersonal direkt in Position gebracht. Man spricht vom Einrichten der Festen Fahrbahn.

Der korrekten Geometrie des fertiggestellten Gleises kommt bei der Bauart Feste Fahrbahn besondere Bedeutung zu. Denn schließlich wird der gegenüber einem konventionellen Schottergleis erhöhte Aufwand deshalb betrieben, weil man sich von der Festen Fahrbahn eine dauerhaft stabile Gleislage verspricht. Diese stabile Gleislage entspricht den hohen geometrischen Anforderungen nur dann, wenn sie während dem Einbauprozess präzise eingerichtet wird.

Die Kriterien der inneren und äußeren Geometrie (Abschn. 2.1.3) sind in den Regelwerken der Bahnen definiert. Für die DB gilt auch hier die Richtlinie 883.4500. Die eng definierten Kriterien erfordern ein stabiles und homogenes gleisnahes Festpunktfeld (Kap. 3.2), dessen Punkte sich leicht und präzise signalisieren lassen.

3.5.2 Neubaustrecken

Grundlagen

Vor Beginn der Arbeiten sind alle relevanten Grundlagen bereitzustellen und auf Vollständigkeit zu prüfen:

- Richtlinien für die Abnahme mit Anforderungen an die Genauigkeit, die konkreten Abnahmekriterien und die geforderte Dokumentation,
- gleisgeometrisches Projekt mit Achsen, Gradienten, Überhöhungsbändern und Kilometrierungslinie,
- Koordinatensystem,
- Festpunktfeld des Gesamtprojekts mit Einmessungen der Festpunkte und den zugehörigen Koordinaten- und Höhenverzeichnissen,
- Beschreibung des Bauverfahrens,

- Genaue Beschreibung des Justier- und Fixiersystems (Abb. 3.35),
- Bauablaufpläne,
- Weichenpläne.

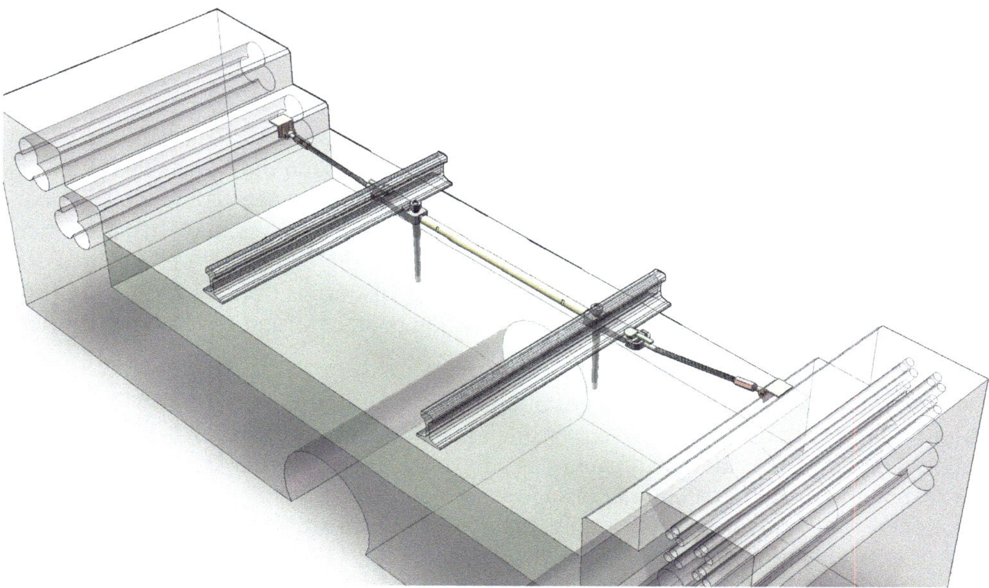

Abb. 3.35: Justier- und Fixiersystem mit Spurstange und seitlichen Abstrebungen im Gotthard-Basistunnel (Arge Transtec Gotthard)

Auf diesen Grundlagen wird ein projektbezogenes Messprogramm erarbeitet und mit dem Auftraggeber abgestimmt.

Projektbezogenes Messprogramm

Jede Neubaustrecke in Fester Fahrbahn stellt sowohl das ausführende Bauunternehmen als auch das Vermessungsunternehmen vor individuelle Herausforderungen. Die projektspezifische Kombination aus Topographie, Baugrund, urbanem Umfeld, Klima, Anforderungen des Bauherrn, Stand der Bautechnik und dem vom Bauunternehmen gewählten Bauverfahren ist jedes Mal neu.

Diese individuellen Anforderungen werden im projektbezogenen Messprogramm berücksichtigt. Es kann wie folgt gegliedert sein:

Vorbemerkungen

- Projektbeschreibung,
- Lage des Projekts im Netz des Eisenbahnunternehmens,
- vertragliche, projektspezifische und abnahmerelevante Grundlagen,
- Leistungen des Bauherrn,

- Aufgaben des Vermessungsunternehmens,
- eingesetztes Führungspersonal;

Ausrüstung

- Messsysteme,
- Programme;

Übernahme des gleisgeometrischen Projekts und der Trassierung

- Grundlagen,
- Koordinatensystem,
- Übernahme und Prüfung;

Festpunktfeld

- Übernahme des vorhandenen Festpunktfelds,
- Herstellen des objektbezogenen Festpunktfelds,
- Pflege des objektbezogenen Festpunktfelds,
- Dokumentation des objektbezogenen Festpunktfelds;

Übernahme von Bauwerken anderer Gewerke

- freie Strecke,
- Tunnel,
- Ingenieurbauwerke;

Absteckungen für den Oberbau

- freie Strecke,
- Tunnel,
- Brücken;

Messverfahren

- Aufnahme,
- Absteckung,
- Eigenkontrollen;

Einrichten der Festen Fahrbahn

- Einrichten von Streckengleisen,
  - Justier- und Fixiersystem,
  - Auslegen der Baumaterialien und Herstellen des Gleisrosts,
  - Grundheben auf 5 mm unter Soll,
  - Grobrichten auf 2 mm,
  - Feinrichten auf 0,5 mm;

- Einrichten von Weichen,
- Eigenkontrollen;

Nachweis der plangerechten Herstellung der Gleise

- Aufmessen der betriebsfertig hergestellten Gleise,
- Gleisdokumentation (Abb. 3.36),
- Korrekturen – Platteln,
- Dokumentation der Plattelarbeiten;

Kontrollen

- Vorbemerkungen,
- Personal,
- Prüfumfang,
- Prüfplan.

Dokumentation der Gleislage der Festen Fahrbahn

Strecke: NBS Wendlingen - Ulm
Gleis: 2 (Steinbühltunnel)
von km bis km
von Bau-km 48,7+05 bis Bau-km 53,4+45
Richtungskennzeichen: 1=Richtungsgleis 2=Gegenrichtungsgleis

FF-Bauart: Rheda mit Zweiblockschwelle
gemessen am: Dezember 2020
gemessen von: intermetric GmbH
Instrument: iGW / Gedo
Unterschrift: ....

übernommen am:
übernommen von:

Unterschrift: ....

Geometrie; Soll-Ist-Abweichung																
Schwellen-Nr.	Kilometrierung			Soll-Ist (absolut)		Überhöhung			Spurweite			kurzwellig		langwellig		
	Strecke	Kilometer	RiKeZ	Δ Lage	Δ Höhe	Soll	Ist	Soll-Ist	Soll	Ist	1436-Ist	(Δ Lage)i - (Δ Lage)i+8	(Δ Höhe)i - (Δ Höhe)i+8	(Δ Lage)i - (Δ Lage)i+230	(Δ Höhe)i - (Δ Höhe)i+230
				TG = ± 10	TG = ± 10			TG = ± 2			TG = ± 2	TG = ± 2	TG = ± 2	TG = ± 10	TG = ± 10
				[mm]	[mm]	[mm]	[mm]	[mm]	[mm]	[mm]	[mm]	[mm]	[mm]	[mm]	[mm]
1039247	4813	53.4 + 40,7	2	2	-3	170	171	-1	1436	1438	-2				
1039248	4813	53.4 + 41,4	2	2	-3	170	171	-1	1436	1438	-2				
1039249	4813	53.4 + 42,0	2	2	-3	170	171	-1	1436	1438	-2				
1039250	4813	53.4 + 42,6	2	2	-3	170	171	-1	1436	1438	-2				
1039251	4813	53.4 + 43,3	2	2	-3	170	171	-1	1436	1438	-2				
1039252	4813	53.4 + 44,0	2	1	-3	170	171	-1	1436	1438	-2				
1039253	4813	53.4 + 44,6	2	1	-3	170	171	-1	1436	1438	-2				
5317001	4813	53.4 + 45,3	2	1	-2	170	171	-1	1436	1438	-2				

Abb. 3.36: Dokumentation einer Gleiskontrollmessung auf der Neubaustrecke Wendlingen – Ulm (intermetric GmbH)

Übernahme der Vorgewerke

Bevor die eigentlichen Arbeiten für das Herstellen der Festen Fahrbahn beginnen, sind die Rohbauarbeiten abzuschließen. Die Fundamente, Erdbauarbeiten, Kunstbauwerke und Talbrücken für Eisenbahnüberführungen und Tunnel sind mit ausreichendem Vorlauf fertigzustellen, um die Setzungen vor dem Einbau der Festen Fahrbahn vollständig abklingen zu lassen.

Die Rohbau-Gewerke werden in aller Regel von einem anderen Unternehmen hergestellt als die Bahntechnik, zu der das Herstellen der Festen Fahrbahn gehört. Es ist empfehlenswert, die übergebenen Bauwerke mit einem Höhennivellement und, wenn Querverschiebungen nicht auszuschließen sind, wie etwa in den küstennahen Bereichen in den Niederlanden, auch mittels tachymetrischer Lagemessung abzunehmen. So lässt sich einerseits die geometrische Qualität der übergebenen Bauwerke überprüfen und andererseits lassen sich spätere Setzungen und ggf. Verschiebungen der Tragschichten erkennen und die Verantwortlichkeiten klären.

Basis für die Abnahme ist das trassennahe Festpunktfeld, auf dessen Grundlage die übergebenen Bauwerke hergestellt wurden. Dies sind im Bereich der Deutschen Bahn die PS2- und PS4-Punkte.

Abnahme der Weichen im Weichenwerk

Ist auch der Einbau von Weichen in Fester Fahrbahn (Abb. 3.37) Teil des Projekts, ist zu empfehlen, diese vom Hersteller im Weichenwerk aufbauen und vor der Auslieferung vom Vermessungsunternehmen geometrisch abnehmen zu lassen.

Abb. 3.37: Einrichten von Weichen in Fester Fahrbahn auf der Neubaustrecke Wendlingen – Ulm (Andreas Brucklacher, intermetric GmbH)

Dieser Schritt ist besonders bei Hochgeschwindigkeitsweichen wichtig, weil die Weichengeometrie im Weichenwerk festgelegt und auf der Baustelle nicht mehr verändert werden kann. Produktionsmängel der Weiche bilden sich also unmittelbar im Endprodukt ab.

Ein fehlerhafter Weichenwinkel hat somit einen unmittelbaren Einfluss auf Lagefehler im Zweiggleis. Bei einer Weichenverbindung führt das dazu, dass die Achsen der Zweiggleise nicht exakt zusammenfallen. Dann muss auf der Baustelle entschieden werden, ob der entstehende Ruck in der Weichenverbindung akzeptiert wird, ob und um welchen Betrag die Weichen verschoben werden sollen, um den Mangel zu kaschieren, oder ob die Weichen zum Hersteller zurückgesandt werden. Jedes der drei Szenarien ist mit erheblichen Verzögerungen und Kosten verbunden.

Objektbezogenes Festpunktfeld

Für die Feste Fahrbahn selbst ist das für die Rohbauarbeiten angelegte Festpunktfeld in aller Regel weder dicht noch homogen genug. Es ist also ein objektbezogenes, dichtes Festpunktfeld anzulegen und spannungsfrei auszugleichen. Idealerweise wird dieses Festpunktfeld auf der freien Strecke an den Masten der Oberleitungsanlage und in den Tunneln in der Tunnellaibung vermarkt. Die Vermarkung soll während aller Messarbeiten, insbesondere während der Netzmessungen und während des Einrichtens, ohne Hilfsmittel vom Boden aus erreichbar und die signalisierten Punkte von den vorgesehenen Instrumentenstandpunkten aus sichtbar sein. Beim Festlegen der Höhe der Vermarkung sollte eine Abstimmung mit dem vorgesehenen Bauablauf stattfinden, um Sichtbehinderungen durch Materiallager zu vermeiden. Die Setzungen von allen Objekten, an denen Punkte des objektbezogenen Festpunktfelds vermarkt werden, sollten vor der koordinativen Bestimmung vollständig abgeklungen sein.

Die Punkte des objektbezogenen Festpunktfelds werden mit tachymetrischer Netzmessung und Nivellement im Rahmen des übergeordneten, projektbezogenen Festpunktfelds aufgemessen. Die Koordinaten der Festpunkte werden mittels spannungsfreier Netzausgleichung und Lagerung auf das übergeordnete Festpunktfeld bestimmt. Die Details regelt das projektbezogene Messprogramm.

Absteckungen für den Oberbau

Vor dem Einrichten der Festen Fahrbahn sind etliche klassische Absteckungen zu erbringen. Darunter können Absteckungen für

- den Kabeltiefbau,
- die Ausgleichsschichten im Tunnel,
- das Herstellen von Frostschutzschicht (FSS) und
- das Herstellen von hydraulisch gebundener Tragschicht (HGT)

fallen. Als Grundlage für diese Absteckungen ist das für das Einrichten der Festen Fahrbahn erstellte, objektbezogene Festpunktfeld zu verwenden.

Abb. 3.38: Schichtaufbau Feste Fahrbahn System IVES Rhomberg Sersa

Für den Einbau von FSS und HGT (Abb. 3.38) kommen in der Regel tachymetrisch gesteuerte Grader bzw. Gleitschalungsfertiger zum Einsatz. Die entsprechenden Maschinensteuerungsdaten sind bezogen auf das projektbezogene Festpunktfeld zu erstellen.

3.5.3 Einrichten der Festen Fahrbahn

Einzelstützpunktbasierte und schwellenbasierte Verfahren

Die verschiedenen Bauverfahren unterscheiden sich sehr deutlich voneinander. Aus vermessungstechnischer Sicht sind diese Unterschiede aber von untergeordneter Bedeutung. Bei allen einzelstützpunktbasierten und schwellenbasierten Verfahren wird ein auf Spindeln aufgeständerter Gleisrost hergestellt, der Spindel für Spindel mithilfe vermessungstechnischer Verfahren in die Sollposition eingerichtet wird.

Exemplarisch sei dies am Verfahren dargestellt, das beim Projekt Stuttgart – Ulm auf dem Abschnitt Wendlingen – Ulm Anwendung findet.

Auslegen der Schienen und Schwellen sowie Herstellen des Gleisrosts

Die Schienen werden als sogenannte Langschienen von je 120 m Länge auf dem gesamten Bauabschnitt verteilt, weil die Zugänglichkeit für die langen Schienen nur zu Projektbeginn gegeben ist.

Für das Auslegen der Schwellen und die nachfolgenden Gleisbauarbeiten werden im Abstand von 10 m Hilfspunkte abgesteckt, je nach Verfügbarkeit auf der hergestellten HGT, dem hergestellten Tunnelbankett, dem Brückenüberbau oder als Strich am hergestellten Nachbargleis.

Die Schwellen werden ausgelegt und ausgerichtet. Darauf werden die Schienen montiert. Das Gebilde aus Schwellen mit den montierten Schienen wird Gleisrost genannt (Abb. 3.39).

Abb. 3.39: Ausgelegte Schwellen und Schienen für Rheda 2000 auf der Neubaustrecke Wendlingen – Ulm (Ulrich Völter, intermetric GmbH)

Grundheben

Im nächsten Schritt wird der Gleisrost vom Gleisbauunternehmen in etwa auf die Sollhöhe gehoben und auf das Justier- und Fixiersystem, die sogenannten Spindeln, abgestellt. Die Spindeln werden in jedem dritten Schwellenfach, bei 65 cm Schwellenabstand also im Abstand von 1,95 m, eingebaut. Die geforderte Genauigkeit beträgt ±10 mm in der Lage und –10 mm in der Höhe.

Orientierung bieten die oben genannten Hilfspunkte im Abstand von 10 m. Bezogen auf diese wird vom Vermessungsunternehmen eine Absteckliste für das neue Gleis erstellt. Basierend auf diesen Punkten kann das Gleisbauunternehmen mit einfachen Mitteln wie Rollbandmaß, Meterstab und Setzlatte und mit der gebotenen Sorgfalt den Gleisrost in der geforderten Genauigkeit einrichten.

Aus vermessungstechnischer Sicht ist dabei zu beachten:

- Der Gleisrost muss an jeder Stelle unterhalb der Sollhöhe bleiben, da die folgenden Einrichtschritte das Gleis viel einfacher präzise nach oben als nach unten spindeln können.
- Der Gleisrost soll möglichst ohne Spannungen abgestellt werden.
- Die einzelnen Spindeln des Justier- und Fixiersystems müssen gut gereinigt und leichtgängig sein, damit sie in den folgenden manuellen Einrichtschritten leicht bewegt werden können.
- Die Schienen müssen sauber sein bzw. gereinigt werden, denn sonst messen die folgenden Einrichtschritte nicht die Schiene, sondern die Verschmutzung ein.

Von der Akkuratesse, mit der das Grundheben ausgeführt wird, hängt es ab, wie aufwendig sich das nachfolgende Grobrichten gestaltet.

Grobrichten

Beim Grobrichten werden noch vorhandene Spannungen aus dem Gleisrost genommen und das Gleis in einem iterativen Prozess bis auf 2 mm in Lage, Höhe und Überhöhung an die Sollposition gespindelt.

An jeder Spindelposition werden Istgleislage, Istgleishöhe und Istüberhöhung messtechnisch bestimmt und die Differenzen zum jeweiligen Sollwert berechnet. Durch Drehen an den Spindeln für die Querverschiebung, die Höhe links und die Höhe rechts, werden die Differenzen reduziert. Erneutes Messen zeigt, ob eine erneute Korrektur erforderlich ist oder ob die für das Grobrichten angestrebte Genauigkeit von 2 mm erreicht ist. Ist dies der Fall, wird der Gleisrost seitlich gegen unbeabsichtigte Querverschiebungen fixiert und der Prozess an der nächsten Spindelposition wiederholt.

Dieses Grobrichten wird abhängig von den Witterungsbedingungen auf einem Abschnitt von etwa 30 bis 60 m durchgeführt. Sind alle Spindelpositionen grobgerichtet, erfolgt ein erneuter Durchgang. Dabei wird kontrolliert, ob sich das Gleis noch an allen Spindelpositionen in der angestrebten Genauigkeit befindet. Änderungen an bereits eingerichteten Positionen können etwa durch größere Verschiebungen an einer Folgeposition entstehen oder durch noch beim Grundheben vorhandene Spannungen im Gleisrost, die sich spontan lösen. Der bearbeitete Abschnitt wird so oft grobgerichtet, bis das Gleis an jeder Stelle auf 2 mm genau liegt.

Als Messinstrumente kommen für diesen Teilprozess zum Einsatz: Ein Präzisionstachymeter und ein Gleismesswagen, ausgestattet mit Präzisionsprisma, Neigungsmesser, Spurweitenmesser und einem Feldcomputer, der die Messdaten zusammenführt, auswertet, auf die Trasse und Gradiente bezieht und die Differenzen zum Soll berechnet und anzeigt.

Die Stationierung des Tachymeters sollte über acht Punkte des objektbezogenen Festpunktfelds nach dem Verfahren der Freien Stationierung erfolgen. Damit können einzelne fehlerhafte Festpunkte erkannt und ggf. ausgeschaltet werden. Außerdem werden kleine lokale Inhomogenitäten des Festpunktfelds ausgeglichen.

Die Punkte des Festpunktfelds sind mit Präzisionsprismen und Präzisionsadaptern zu signalisieren, sodass die Zielpunktzentrierung optimal gewährleistet ist.

Feinrichten

Das Feinrichten ist der finale Einrichtprozess, mit dem die endgültige Lage des Gleises hergestellt wird. Angestrebt wird hierbei, dass die Abweichungen in Lage, Höhe und Überhöhung an keiner Stelle 0,5 mm überschreiten (Abb. 3.40).

Das grundsätzliche Verfahren entspricht dem Grobrichten: abschnittsweises Messen und Zurückstellen der noch vorhandenen Ablagen an jeder Spindelposition, wiederholtes Durcharbeiten jedes Abschnitts, bis die gewünschte Genauigkeit erreicht ist. Besonders die relativen Abweichungen zu den Nachbarspindelpositionen sind dabei im Blick zu behalten und unter den angegebenen Grenzwert von 0,5 mm zu bringen.

Abb. 3.40: Feinrichten der Festen Fahrbahn durch Laseralignement mit aktiver Zieltafel im Gotthard-Basistunnel (Ulrich Völter, intermetric GmbH)

Beim Feinrichten kommt das Verfahren Laseralignement mit aktiver Zieltafel zum Einsatz. Es bietet gegenüber dem tachymetrischen Einrichten, wie es beim Grobrichten Verwendung findet, den Vorteil, dass die einzelnen Messungen wesentlich schneller sind als tachymetrische und dass die Länge des einzurichtenden Abschnitts nicht durch die Tachymeterpositionen bestimmt wird.

Das genannte Verfahren verwendet dieselbe Ausrüstung wie beim Grobrichten beschrieben. Zusätzlich ist auf dem Gleismesswagen jedoch eine aktive Zieltafel verbaut, die einen auf sie auftreffenden Laserstrahl detektieren kann. Diese Detektion erfolgt bei aktuellen Modellen mit 50 Hz, sodass ein Luftflimmern detektiert und der Bediener entsprechend informiert wird. Der den Laserstrahl emittierende Laser steht, je nach Sonneneinstrahlung, 30 bis 40 m entfernt und definiert die Alignementsgerade. Zu Beginn der Messungen auf einem Abschnitt werden wie beim Grobrichten die Anfangs- und Endpositionen tachymetrisch eingerichtet und gleichzeitig die relativen Zieltafelkoordinaten ermittelt. Daraus ergibt sich die Position der Lasergeraden. In der Folge lassen sich die Messungen entlang der Lasergeraden sehr präzise und schnell – Messzeit etwa 1 s – ausführen.

Diese Eigenschaften versetzen die Anwender des Verfahrens Laseralignement mit aktiver Zieltafel in die Lage, auch das Feinrichten iterativ auszuführen und so eine herausragende Homogenität des feingerichteten Gleises zu erzielen.

Vorteil ist bei diesem Verfahren, dass das Tachymeter nicht in der Gleisachse stehen muss und von ihm aus Laseralignementlinien bedient werden können, die in Stationsrichtung vor und auch nach dem Tachymeterstandort liegen, ohne die Homogenität der inneren Genauigkeit zu gefährden, da diese ja durch das Laseralignement sichergestellt wird.

Steht das Verfahren Laseralignement mit aktiver Zieltafel nicht zur Verfügung und muss daher auf dieselbe Ausrüstung wie beim Grobrichten zurückgegriffen werden, können ebenfalls hinreichend genaue Ergebnisse erreicht werden, wenn das Tachymeter immer in der Achse aufgestellt wird und dabei auf kurze Ziellinien und nicht auf zu steile Visuren in der Nähe des Tachymeters geachtet wird. Die Länge der Ziellinien sollte, insbesondere bei starker Sonneneinstrahlung, 40 m nicht überschreiten.

Unabhängig vom konkret angewandten Verfahren für das Feinrichten wird die erreichte „Endlage“ dokumentiert und das Protokoll der Bauüberwachung übergeben. Nach der Freigabe durch die Bauüberwachung erfolgt die Betonage zur Fertigstellung der Betontragplatte.

Prüfung nach der Betonage

Beim Abbinden und Aushärten schwindet der Beton. Würden die Schwellen bis zum Aushärten des Betons auf den Spindeln aufgeständert bleiben, dann würden sich unter ihnen unerwünschte Hohlräume ausbilden. Etwa 30 Minuten nach dem tatsächlichen Untergießen der Schwellen mit Beton werden die Spindeln daher gelöst.

In den ersten Abschnitten jedes Projekts sollte das Gleis möglichst kurz nach der Betonage vermessungstechnisch aufgenommen werden, um etwaige Mängel – etwa im Betonageprozess oder dem Fixiersystem – frühzeitig aufdecken und abstellen zu können.

Abstecken von Weichen

Die Weichenhauptpunkte (WA, WE, WEZ, WTS) werden tachymetrisch abgesteckt und vermarkt.

Das Richten der Weichen erfolgt grundsätzlich ähnlich wie das Richten der Festen Fahrbahn mit dem Gleismess- und Gleisrichtsystem. Zuerst wird das jeweilige Stammgleis der Weiche gerichtet, im Anschluss das abzweigende Gleis der Weiche. Dabei ist zu beachten, dass im Bereich der durchgehenden Schwellen das Zweiggleis nicht eingerichtet werden kann, ohne auch das Stammgleis wieder zu verändern. Eine Abnahme der Weichengeometrie im Weichenwerk ist daher dringend anzuraten.

Die Weichen werden zuerst gerichtet und betoniert und erst danach das daran anschließende Gleis. Nach Abschluss des Feinrichtens liegen die Weichen lage- und höhenmäßig entsprechend den Genauigkeitsanforderungen. Die Spurweite wird überprüft und dokumentiert.

Die erreichte „Endlage“ wird dokumentiert und die Protokolle werden an die Bauüberwachung übergeben. Nach der Freigabe durch die Bauüberwachung erfolgt der Einbau des oberen Teils der Betondeckschicht zur Fertigstellung der Betontragplatte.

Plattenbasierte Verfahren

Plattenbasierte Verfahren haben ihre eigenen, in das Bauverfahren integrierten, proprietären Vermessungssysteme. Sie sind nicht Gegenstand dieser Betrachtung.

Nachweis der plangerechten Bauausführung

Für die Abnahme ist der Nachweis der plangerechten Bauausführung zu erbringen. Dazu ist das betriebsfertig hergestellte, verschweißte Gleis stützpunktbezogen aufzunehmen (Abb. 3.41). Die Auswertung ist gemäß den Vorgaben des Bauherrn zu erstellen. Darin enthalten sind insbesondere Berechnungen, welche die für die Fahrdynamik ausschlaggebende innere Geometrie bewerten. Für den Bereich der Deutschen Bahn ist dies die Richtlinie 883.4500.

Als Messverfahren eignet sich das beschriebene Vermessungssystem zum Grobrichten der Gleise. Die entsprechende Auswertungssoftware erzeugt die vorgegebenen Protokolle automatisch.

Besonders hohe Homogenität und Zuverlässigkeit der Ergebnisse gewährleistet auch hier das Verfahren Laseralignement mit aktiver Zieltafel, jedoch in einer speziell auf die Schlussdokumentation angepassten Messanordnung:

- Jeder einzelne Stützpunkt wird entlang von zwei Laserlinien aufgemessen.
- Die Laserlinien überlappen sich dabei jeweils zur Hälfte, sodass jeder Stützpunkt doppelt erfasst wird.
- Mittels Tachymetermessungen an je 70 m entfernten Schwellen wird der äußere Bezug hergestellt.
- Unter Verwendung einer Bündelblockausgleichung werden die Messungen ausgewertet und in der vorgegebenen Form präsentiert.

Abb. 3.41: Fertiges Gleis in Bauart Feste Fahrbahn System, Low Vibration Track im Gotthard-Basistunnel (Ulrich Völter, intermetric GmbH)

Korrekturen – Platteln im Neubaugleis

Wird im Zuge der Schlussdokumentation festgestellt, dass die Gleislage den geometrischen Anforderungen nicht genügt, so kann die Gleislage durch Austauschen der Winkelführungsplatten (Richtung und Spurweite) oder durch Austauschen der Zwischenlagen (Höhe und Überhöhung) korrigiert werden. Dabei werden für die Zwischenlagen Listen (sogenannte „Plattellisten") erstellt, die unter Berücksichtigung der bereits eingebauten Standard-ZW die Korrekturen ermöglichen. Für die Richtung wird von der Standard-Winkelführungsplatte ausgegangen und auf dieser Basis die Korrekturliste erstellt.

Für die Korrekturen im System Rheda 2000 stehen Zwischenlagen von 2 bis 12 mm zur Verfügung. Somit sind Korrekturen von –4 bis +6 mm möglich. Zusätzliche Regulierungsmöglichkeiten der Schienenbefestigung von 56 mm in der Höhe stehen durch Höhenausgleichsplatten zur Verfügung. Für die Richtung sind Winkelführungsplatten von 8 mm zugelassen. Somit stehen bauseitig ±4 mm für Korrekturen zur Verfügung.

Alle Korrekturen sind in Listen auszugeben und unter Anleitung und im Beisein eines Vermessungsingenieurs auszuführen. In den Korrekturbereichen wird die Schlussdokumentation mit zwölf Schwellen Überlappung wiederholt und dokumentiert. Die durchgeführten Korrekturen werden in einer Liste (sogenannte „Plattelliste") – im Bereich der Deutschen Bahn gemäß Richtlinie 883.4500V03 – dokumentiert.

3.5.4 Instandhaltung von Bestandsstrecken

Ausgangssituation

Seit den 1950er-Jahren bis 1991 wurden in Deutschland zahlreiche Untersuchungen unternommen, Eisenbahnstrecken mit Oberbau ohne Bettung zu realisieren. In dieser Zeit entstanden viele Versuchsstrecken in beinahe ebenso vielen Bauformen der Festen Fahrbahn; der bekannteste ist wohl der 1972 erstellte 637 m lange Abschnitt im Bahnhof Rheda-Wiedenbrück. Ab 1992 bis ins Jahr 2020 wurden die neuen Schnellfahrstrecken zunehmend in Fester Fahrbahn gebaut.

Abb. 3.42: Feste Fahrbahn im Bahnhof Rheda-Wiedenbrück (Holger Kohring)

Ein Großteil der über 1.500 km Fester Fahrbahn in Deutschland sind noch im Betrieb und demnach hohen Belastungen ausgesetzt (Abb. 3.42). Auch bei sorgfältiger Planung und Ausführung der Bauarbeiten ist nicht auszuschließen, dass es an einzelnen Stellen zu Setzungen oder gar Horizontalverschiebungen im Untergrund kommen kann. Havarien wie Entgleisungen und andere Unfälle können sich auch auf Strecken mit Fester Fahrbahn ereignen.

Für diese drei unterschiedlichen Szenarien, regulärer Verschleiß, lokale Deformationen des Untergrunds, plötzliche Störungen bis hin zur Zerstörung von Streckenabschnitten, müssen Verfahren vorliegen, wie diese erkannt, präzise lokalisiert und effizient saniert werden können.

Stellen Triebfahrzeugführer oder Zugbegleiter durch Rucke in der Überfahrt Hinweise auf Unregelmäßigkeiten des Gleiskörpers fest, melden sie diese. Mittels eines Messzugs werden diese vermuteten Gleislagefehler verifiziert und genau lokalisiert. Messzugfahrten finden auch turnusmäßig statt, um Gleislagefehler und Verschleiß aufzudecken. Schadstellen im Schotteroberbau lassen sich in der Regel durch Stopfen zügig sanieren.

Korrekturen – Platteln im Bestandsgleis

Gleislagefehler in der Festen Fahrbahn können bei den meisten Bauarten bis zu einem gewissen Maß durch Austauschen von Platten an den einzelnen Schienenstützpunkten korrigiert werden. Die Platten sind dabei meist ein Teil der Schienenbefestigungssysteme, mit denen die Schienen an den Betonstützpunkten befestigt sind, in manchen Systemen aber auch Einlegplatten in Gummischuhen unter den Einzelstützpunkten. Diese Platten gibt es in unterschiedlichen Materialstärken, sodass sich die Schienen durch Austauschen dieser Platten in Schritten von 1 oder 2 mm vertikal oder horizontal verschieben und wieder befestigen lassen.

Um den Gleislagefehler effektiv korrigieren zu können, muss dieser stützpunktbezogen und millimetergenau bekannt sein. Der entsprechende Stützpunkt muss vor Ort lokalisiert und die vorhandene Platte durch eine um das richtige Maß dickere oder dünnere Platte ausgetauscht werden. Es ist also auch nötig, die im Gleiskörper vorhandenen, vom Standard abweichenden Platten zu kennen, um die Sanierungsarbeit planen zu können. Dies leistet die sogenannte „Plattelliste".

Aufmessen der Schadstelle

Wurde eine schadhafte Stelle im Gleis detektiert, etwa durch eine Messzugfahrt, muss sie, bezogen auf den Stützpunkt, millimetergenau ermittelt werden. Meist handelt es sich nicht um einen einzelnen Stützpunkt, sondern um eine Reihe aufeinanderfolgender Stützpunkte. Die Gleislagefehler werden mittels Gleismesswagen bestimmt. Dies kann entweder durch einfache Gleismesswagenverfahren mit Tachymeter erfolgen oder durch das Verfahren Laseralignement mit aktiver Zieltafel, das besonders homogene und zuverlässige Ergebnisse liefert. Im Falle der Sanierung einer kurzen Schadstelle ist es noch dazu besonders schnell, da die Messung dann lokal eingepasst und auf ein Tachymeter gänzlich verzichtet werden kann.

Werden die Messungen mit Tachymeter ausgeführt, ist sicherzustellen, dass das objektbezogene Festpunktfeld im betreffenden Abschnitt 50 m überlappend in die intakten Streckenabschnitte hinein verfügbar ist. Gegebenenfalls ist das Festpunktfeld vorab mittels Netzmessung zu überprüfen bzw. neu zu bestimmen.

Für die Auswertung der Messungen müssen vollständige Trassierungsdaten vorliegen. Außerdem muss die stützpunktbezogene Liste der vor Ort bereits verbauten Korrekturplatten – die „Plattelliste" – vorliegen.

Als Ergebnis der Auswertung entsteht eine neue und erweiterte Fassung der „Plattelliste“. Die Erweiterung besteht darin, dass für jeden Stützpunkt vermerkt ist, welche Plattenstärke aus- und welche Plattenstärke neu eingebaut wird. Somit kann vor Ort noch überprüft werden, ob die alte „Plattelliste“ korrekt war und eventuelle Fehler ausgeglichen werden.

3.6 Literatur

Deutsche Bahn (2021): DB Netz AG. https://www.deutschebahn.com/de/konzern/konzernprofil/Konzernunternehmen/dbnetzag-6879534.

4 Digitale Technologien

4.1 Building Information Modeling (BIM)

Nach den Anforderungen des BMVI-Stufenplans 2020 sind in Deutschland künftig „alle zu erbringenden Leistungen […] auf der Grundlage 3D-fachmodellbasierten Arbeitens in digitaler Form zu liefern" (BMVI 2015). Dies gilt für die digitale Bestandsmodellierung ebenso wie für die Trassierung von Gleisen als auch allen abhängigen Fachanwendungen, wie der Leit- und Sicherungstechnik oder Lärmschutzplanung. Die eigentliche Fachplanung erfolgt dabei weiterhin nach konventionellen Regeln des Fachs, jedoch wird diese in ein BIM-Fachmodell eingebettet.

Heute sind zwar 3D-basierte Werkzeuge in vielen Ingenieur- und allen Naturwissenschaften Standard, dies stellt aber nur einen Schritt zur Umsetzung eines durchgängigen Building Information Modeling (BIM) dar. Es ist genauer zu klären, was 3D-fachmodellbasiertes Arbeiten für konkrete, insbesondere konventionelle Workflows bedeutet. Anhand der Definition von BIM wird die hiermit verfolgte Vision im Vergleich zur konventionellen Planung deutlich:

> BIM bezeichnet eine kooperative Arbeitsmethodik auf der Grundlage genau eines digitalen Gesamtmodells für das Bauwerk bzw. Infrastrukturprojekt. Alle für den gesamten Lebenszyklus (Planen, Bauen, Unterhalten, Rückbauen) verfügbaren Informationen sind in diesem Gesamtmodell vollständig und konsistent enthalten, werden darin erfasst und verwaltet. Das Gesamtmodell ist die einzige und eindeutige Quelle aller Informationen zu diesem Projekt (Single Source of Truth). Der Austausch und die Kommunikation finden mit BIM transparent zwischen allen Beteiligten und ausschließlich über das Gesamtmodell sowie in einer einheitlichen Umgebung statt. BIM beruht auf der verlustfreien Weitergabe genau eines digitalen modellbasierten Datensets. (TU Dresden 2021c)

Innerhalb des Gesamtmodells werden Fachobjekte wie Gleise, Weichen oder Signale in verschiedenen Fachmodellen – verschiedene fachliche Quellen – verwaltet. Die Trassierung stellt ein eigenes Fachmodell im Gesamtmodell dar. Alle Unteraspekte der Trassierung werden, wie alle anderen fachlichen Planungsgegenstände auch, als Fachobjekte modelliert. Während das Fachmodell einen in sich geschlossenen fachlichen Aspekt eines Projekts darstellt, werden erst im Gesamtmodell die notwendigen Relationen zur übergreifenden Bearbeitung und Auswertung definiert. Damit erschließt sich die Notwendigkeit eines ständig aktuell zu haltenden Gesamtmodells und dessen Eindeutigkeit.

Durch die Einhaltung grundlegender Prinzipien der Informationstechnik kann der gesamte Lebenszyklus der Fachobjekte in einem einheitlichen, widerspruchsfreien Modell abgebildet werden (Abb. 4.1). Dies sind unter anderem:

- Objektorientierte Datenmodellierung: Ein Planungsgegenstand bildet genau ein Fachobjekt ab; dieses besitzt Eigenschaften und steht in Relation zu anderen Fachobjekten.
- Eindeutige Objektidentifizierung: Jedes Fachobjekt ist über seinen gesamten Lebenszyklus durch eine eindeutige Objektidentifizierung (GUID) im Gesamtmodell bekannt. Diese bleibt über alle Veränderungen des Objekts hinweg erhalten.
- Single Source of Truth: Jede Information ist genau an einer Stelle im Modell verfügbar. Information wird nicht dupliziert, sondern es wird auf entsprechende Objekte und Informationspakete referenziert.

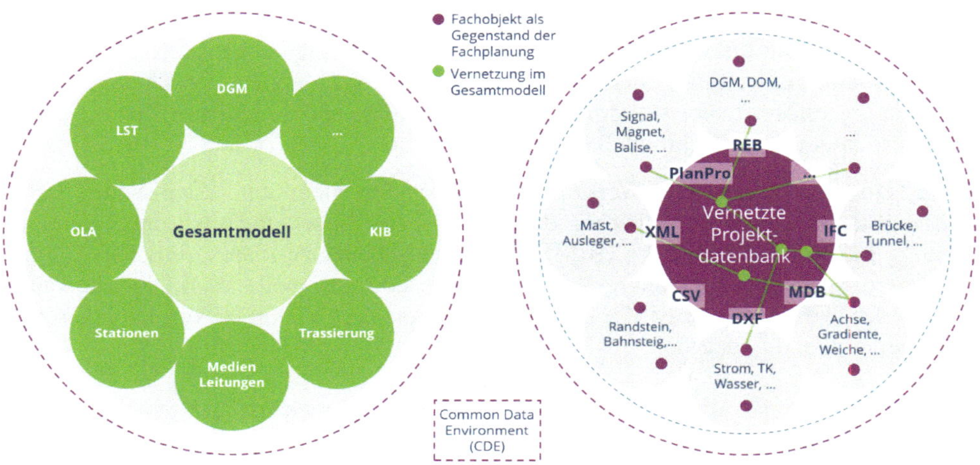

Abb. 4.1: Aufbau des Gesamtmodells aus Fachmodellen (links); im Gesamtmodell vernetzte Fachobjekte (rechts) (TU Dresden 2021a)

4.2 Infrastructure Information Modeling

Die Anwendung dieser Konzepte auf das Infrastrukturwesen und somit das Infrastructure Information Modeling (IIM) anstelle eines „abgrenzbaren“ Bauwerks im Sinne des Building Information Modeling (BIM) stellt deutlich höhere Anforderungen an die Workflows:

- Die Projektgrößen erfordern nicht nur die Beachtung des verwendeten Referenzsystems, sondern auch die Berücksichtigung der dazugehörigen Abbildungsvorschrift (Verebnung, siehe auch Kap. 2.3).
- Da bei der Planung von Infrastruktur das Umgebungsmodell in allen Aspekten berücksichtigt werden muss, sind die Datenmengen infolge einer umfassenden Bestandsmodellierung wesentlich höher.
- Infolge der hochgradigen Interaktion unterschiedlicher Gewerke mit vielfältigen gegenseitigen fachlichen Abhängigkeiten steigen Risiken und Fehlerquellen, zumal der Bau speziell bei Bahnprojekten in aller Regel unter „rollendem Rad“ erfolgt.

- Die linienhafte, stationsbezogene Definition der Infrastruktur erschwert die Modellierung. Dies zeigt sich insbesondere in Gleisnetzen, welche erst über eine Kilometrierung an ihre Stationsbezüge gelangen (siehe auch Kap. 2.5). In allen von der Gleislage abhängigen Objektdefinitionen sind somit diese Bezüge maßgebend und als solche in den entsprechenden Fachobjekten zu parametrisieren und zu vernetzen.

Neben einer räumlichen Visualisierung, stellen die fachmodellübergreifenden Relationen und somit die Informationsverknüpfungen unterschiedlichster Fachobjekte innerhalb des Gesamtmodells erst den wesentlichen Mehrwert von IIM dar. Eine darauf basierende Modelldefinition über fachtechnische Regeln innerhalb der Fachobjekte führt zu einer vernetzten fachtechnischen Qualitätssicherung des Gesamtmodells und damit zur Sicherstellung der Projektqualität.

4.2.1 Bestandsmodellierung

Klassischerweise startet ein Projekt mit der Bestandserfassung. Die Erstellung eines Bestandsmodells stellt einen ersten Anwendungsfall dar. Hierzu sind umfangreiche amtliche Geobasisdaten deutschlandweit verfügbar. Das in Abbildung 4.2 dargestellte Beispiel zeigt ein solches Bestandsmodell, welches

- ein texturiertes, Digitales Geländemodell mit 1 x 1 m geometrischer Rasterauflösung und 20 x 20 cm/Pixel Texturauflösung,
- ein räumliches Stadtmodell mit verknüpften Informationen sowie
- das Digitale Landschaftsmodell (DLM) und digitale Liegenschaftskataster mit zugehörigen Informationen

enthält. Das Beispiel wurde basierend auf den frei verfügbaren Geobasisdaten von Nordrhein-Westfalen automatisiert generiert. Da diese Datensätze auf amtlichen Koordinatenreferenzsystemen basieren, müssen alle Daten mit der vom Auftragnehmer geforderten Genauigkeit automatisiert in das DB-Referenzsystem (DB_REF) transformiert werden.

Abb. 4.2: Räumliches Bestandsmodell in KorFin, generiert aus Geobasisdaten (Geobasis NRW)

Als konventionelle Bestandsdaten des Gleisnetzes werden Lagepläne direkt in das Gesamtmodell durch Überlagerung mit dem Geländemodell (DGM) integriert. Im Unterschied zu den geforderten Fachobjekten im IIM können diese „Bildinformationen" ausschließlich für Visualisierungs- und Verifikationszwecke genutzt werden, nicht jedoch zur objektorientierten Vernetzung, Informationsanreicherung oder automatisierten Auswertung.

Die Ableitung von Fachobjekten der Trassierung wird erst über die datenbankbasierten Schnittstellen zu den Gleisnetzdaten im Geoinformationssystem der jeweiligen Bahn möglich.

4.2.2 Fachobjektbildung von Gleisnetzen

Damit eine fachmodellbasierte Integration von Gleisnetzen erfolgen kann, ist eine exakte Abbildung der Gleisnetzdaten und semantischen Informationen zum Gleisnetz im konsistenten Datenmodell des IIM erforderlich. Erst durch die vollständige Vernetzung von

- Streckenachsen mit Kilometrierungsangaben und -sprüngen,
- elementbasierten Gleisachsen,
- elementbasierten Gradienten,
- elementbasierten Überhöhungsangaben sowie
- Gleistopologie und Weichendefinitionen

ist das Gleisnetz für anknüpfende Anwendungsfälle anwendbar.

Die Datenstruktur der Gleisnetzdaten wurde durch das sog. 7-Linien-Modell vorgegeben (siehe auch Abschn. 2.1.3) und deckt diesen Anwendungsfall vollständig ab. Für die neuen Anforderungen einer räumlich-objektorientierten Modellierung muss dieses Datenmodell um entsprechende Fachobjekte (z. B. Gleisnetztopologie, siehe Kap. 2.5) erweitert werden.

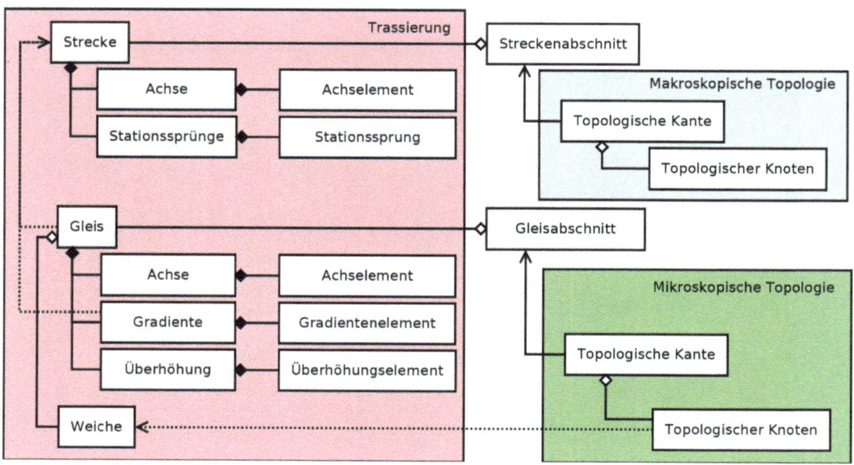

Abb. 4.3: Datenmodell des Gleisnetzes und Verknüpfung zur Topologie nach IIM in vereinfachter UML-Notation

In Abbildung 4.3 sind die notwendigen Fachobjekte des Gleisnetzes und deren Relationen genannt. Auf jedes Fachobjekt ist das datentechnische Konzept des IIM anzuwenden. Weiterhin enthalten die geometrischen Fachobjekte zusätzlich Rückbezüge auf ihr jeweiliges Koordinatenreferenzsystem.

Basierend auf der konventionellen, datenbankbasierten Datengrundlage kann über automatisierte Fachobjektbildung ein Gleisnetz nach obigem Schema generiert werden. Die größten praktischen Herausforderungen sind hierbei

- das teilweise Fehlen von Gradienten in praktischen Bestandsdatensätzen (dieses Problem ist jedoch dem Datensatz und nicht dem konventionellen Datenmodell geschuldet),
- eine fehlende, eindeutige Definition eines Gleises innerhalb des Datensatzes, z. B. realisiert über eine Gleis- oder Gleisabschnittstabelle,
- segmentweise definierte Gleisabschnitte mit unterschiedlichen Georeferenzen und dazu unbekannten Transformationsansätzen sowie
- unvollständige Datensätze, insbesondere in Bezug auf Weichen, welche nicht als eigenständige parametrisierte Tabelle, sondern über Freitexte realisiert sind.

Dennoch ist unter Berücksichtigung notwendiger geodätischer Transformationen mit dem aktuellen Datenmodell eine automatisierte Modellierung des Gleisnetzes nach IIM umsetzbar.

4.2.3 Positionierungen

Die parametrisierte Verortung von Fachobjekten erfolgt im Infrastrukturwesen getrennt nach Lage und Höhe. Ein Fachobjekt Signal kann z. B. über

- eine Referenz auf sein zugehöriges Gleis,
- eine Kilometerangabe, bezogen auf die (dem referenzierten Gleis zugehörige) Streckenachse, sowie
- einen orthogonalen Abstand zur angerechneten Position

in der Lage verortet werden.

Die Höhenverortung erfolgt in der Regel relativ zur Gradiente des Gleises, d. h. relativ zur Schienenoberkante der nicht überhöhten Schiene.

Am Beispiel eines Geschwindigkeitssignals zeigt sich jedoch, dass dieses relativ zum Gleis abgesetzt wird. Andere Fachobjekte, wie z. B. ein Abfallbehälter auf einem Bahnsteig, kann in der Lage relativ zu einem Wetterschutzhaus platziert werden, wobei das Wetterschutzhaus relativ zum Gleis über einen Kilometrierungswert und Abstand positioniert werden kann. Der Höhenbezug des Abfallbehälters ergibt sich aus Projektion des Behälters auf die Bahnsteigoberfläche, wobei sich der Höhenbezug des Bahnsteigs aus der Gradiente des Gleises und einer Vorgabe für die Bahnsteighöhe über SO ergibt.

Hierbei ergeben sich eine Vielzahl unterschiedlicher Positionierungsmöglichkeiten insbesondere durch den Trassierungsbezug. Eine Auswahl wird in Tabelle 4.1 gezeigt.

Tabelle 4.1: Auswahl von Positionierungsmöglichkeiten in Lage und Höhe mit Angabe praktischer Relevanz (TU Dresden 2021b)

Positionierung nach Lage und Höhe	Absolut kartesisch	Absolut geographisch	Relativ zu Punktobjekt	Relativ zu Kilometerbezug
Absolut	relevant	selten	relevant	
Relativ zu Punktobjekt			häufig	
Relativ zu Projektion auf ein anderes Objekt	relevant	selten	relevant	selten
Relativ zur Gradiente (Schienenoberkante)	relevant			häufig
Relativ zur quergeneigten Gradiente				selten
Relativ zur Höhe an der Achsposition im Querschnitt (mittige Höhe)				selten
Relativ zu einer ausgezeichneten Profillinie (z. B. Schotterbetthöhe)				selten

Durch Positionierungsvernetzungen lassen sich die ingenieurtechnischen Anforderungen der Infrastrukturplanung über parametrische Verknüpfung der Fachobjekte abbilden. Dies erzeugt eine dynamisch anpassbare, automatisierte sowie in ihrer Definition qualitätssichere Planung und ersetzt nachträgliche Kollisionsanalysen.

4.2.4 Anwendungen

Die visuelle, räumliche Repräsentation des Gleisnetzes in Form diskretisierter Volumenkörper ist „nur" das Nebenprodukt des IIM. Die Visualisierung in Abbildung 4.4 ergibt sich dynamisch aus der Parametrik der Fachobjekte des Gleisnetzes. Der eigentliche Mehrwert entsteht nachgelagert durch Vernetzung der Fachobjekte des Gleisnetzes mit weiteren Fachobjekten anderer Fachmodelle, z. B. durch Verknüpfung von Signalen, Oberleitungsanlagen oder Lärmschutzwänden an Kilometerangaben eines Gleises.

Durch parametrische Verknüpfung können weitere Fachobjekte in Abhängigkeit zum Gleisnetz definiert werden. Hierdurch entstehen auch grundlegend neue Anwendungsfälle, als Beispiel sei eine dynamische Signalsichtanalyse genannt. Fachlich kann diese nur räumlich erfolgen, da sie zwingend auf

- räumlich auswertbaren Positionen der Triebfahrzeugführer an einem konkreten Punkt eines Gleises in Lage, Höhe und Überhöhung,
- kilometer- und richtungsabhängigen Lichtpunktangaben des Signals sowie
- der vollständigen Geometrie aller weiteren Fachobjekte im Einflussbereich

Abb. 4.4: Räumliches Gleisnetz in KorFin, dargestellt als diskretisierte Volumenkörper mit eingeblendetem Lageplan (DB Netze 2019a)

basieren (Abb. 4.5). Dynamisch meint hierbei eine vollständige Parametrisierung in Abhängigkeit zu den notwendigen Fachobjekten im jeweils aktuellen Projektstand – im Gegensatz zur statischen, unveränderlichen Modellierung ohne parametrische Rückbezüge zu den bestimmenden Fachobjekten.

Für den Anwendungsfall heißt das, bei einer Änderung des Fachobjekts Gleis wird automatisiert ein Prozess zur Aktualisierung aller abhängiger Fachobjekte und somit auch der abhängigen Auswertungen gestartet.

Im Beispiel der Signalsichtanalyse wird durch Änderung des Fachobjekts Gleis bei einer kilometrierungsbezogenen Lagedefinition des Signals eine Neuanrechnung der Signalposition auf dem aktualisierten Gleis ausgelöst und somit die Position des Signals angepasst. Dies verändert wiederum direkt die Positionen der sicherheitsrelevanten Lichtpunkte. Anders ist der Fall bei einem bereits existierenden Signal, hier sind die Position und somit die Parametrisierung nicht mehr über die Kilometrierungsangabe bestimmend, sondern über die gemessenen Koordinaten. Das Modell für die Signalsichtauswertung wird in beiden Fällen automatisch ungültig und muss somit (auf Knopfdruck) neu ausgewertet, beurteilt und zentral aktualisiert werden. Alle erforderlichen Verknüpfungen sind jedoch schon vor Änderung im Modell vorhanden und bleiben auch nach Änderung im Modell konsistent bestehen. In diesem Prozess werden keine neuen Fachobjekte erzeugt, sondern lediglich bestehende aktualisiert.

Im Zuge der Änderungen können zudem weitere Modelle ungültig und andere Prozesse angestoßen werden. Beispielsweise kann die geometrische Änderung des Signalstandorts weitere Bearbeitungsschritte von Lärmschutzelementen oder Entwässerungsanlagen erforderlich machen. Kollisionen werden im Gesamtmodell durch automatisierte, fachlich definierte Kollisionsanalysen sofort ersichtlich.

Abb. 4.5: Signalsichtanalyse durch Integration einer sicherungstechnischen Planung über die PlanPro-Schnittstelle in KorFin (DB Netze 2019a)

In Abbildung 4.5 erfolgte die Integration der Signale über die Schnittstelle PlanPro der Deutschen Bahn und unter Nutzung einer eigenen Bauteilbibliothek. Auch hierbei werden durch Beachtung der räumlichen Komponente und der fachlichen Objektorientierung neue Anforderungen an das Datenmodell und bestehende Datenformate offensichtlich.

Weitere praktische Beispiele für die Anwendung des IIM auf Gleisnetze sind

- dynamische Integrationen von Lärmschutz und Schallbetroffenheitsanalysen (DB Netze 2019b),
- dynamische Ermittlungen von Baumengen und Kosten nach räumlichen Baugrundmodellen (Tilger & Bartnitzek 2020) sowie
- virtuelles Bauen mit gewerkeübergreifender, fachlicher Kollisionsprüfung (DB Station&Service AG 2019).

Es wurde aufgezeigt, dass sich der grundlegende Planungsprozess durch IIM nicht ändert, jedoch dazu übergegangen wird, ingenieurtechnisches Wissen durch explizite Parametrisierung von Fachobjekten direkt im Fachmodell abzubilden. Durch automatisierte Modellierung werden planerische Anpassungen während der Bearbeitung visuell schnell offensichtlich. Das fachliche Wissen wird innerhalb der Vernetzung zum Gesamtmodell (und damit allen weiteren fachlichen Gegebenheiten des Projekts) direkt für die Qualitätssicherung benutzt. Dadurch werden Fehler in der Parametrisierung innerhalb der Fachplanung durch technische Assistenten minimiert.

Durch konsequente Anwendung objektorientierter sowie relationaler Modellierung von Fachobjekten entsteht neben einem geometrisch exakten auch ein semantisch exaktes Abbild der Planungs- und Bauprozesse. Dies ermöglicht, das Modell mit ingenieurtechnischem Sachverstand anzureichern. Hierdurch entstehen als Folge weitere Anwendungsfälle, welche weit über rein geometrische Untersuchungen, wie z. B. Kollisionsanalysen, hinausgehen.

Am Beispiel des Gleisnetzes wird jedoch offensichtlich, dass die Bildung und Verknüpfung exakter Fachobjekte ein Kernproblem darstellen. Die Grundlage hierfür bilden aktuelle Systeme der konventionellen Planung, welche jedoch nicht für eine räumlich-objektorientierte Betrachtung ausreichend sind. Für eine praktische, übergreifende Anwendbarkeit muss das IIM hier die neuen Anforderungen an die bestehenden Systeme definieren und diese fachlich migrieren.

4.3 Multikopter

Ein komplexes Konzept für die künftige Digitalisierung der Gleisinfrastuktur beinhaltet, u. a. mit Multikoptern erhobene Daten auszuwerten und datentechnisch weiterzuverarbeiten.

Die Baustellen sind allerdings noch häufig von einer Digitalisierung der Abläufe entfernt: Auf- und Abnahmen werden manuell durchgeführt, Bauakten liegen in der Regel in gedruckter Form vor und der gesamte Baufortschritt wird durch hohen Ressourceneinsatz von Fachkräften mit konventionellen Messmethoden erfasst und dokumentiert. Dort, wo schon Realität, ermöglichen regelmäßige Einsätze von Multikoptern und ein einfacher Zugriff auf die daraus abgeleiteten Geodaten neue Anwendungsfälle.

So können ortsunabhängige Gleisfeldbegehungen am Computer, digitale Prüfprozesse (As-built vs. Planstand), neue Möglichkeiten der Qualitätssicherung und der betriebliche Einfluss der Baumaßnahmen optimiert werden.

4.3.1 Einsatz von Multikoptern

In den letzten Jahren hat der Einsatz von Multikoptern zur Befliegung stetig zugenommen. Aktuelle Wachstumsprognosen gehen von einem jährlichen kommerziellen Zuwachs von bis zu 19 % aus (VUL 2019). Die Integration von Echtzeitkinematik (Real Time Kinematic – RTK) und inertialen Messsystemen (IMU) in gängigen Multikoptersystemen erlaubt eine präzise Standortbestimmung jedes Bilds, wodurch die Photogrammetrie für Orthophotos, Höhenmodelle und Punktwolken ebenfalls sehr genaue Daten liefert. Für deren Erzeugung werden spezielle Programme mit komplexen mathematischen Algorithmen für den Auswerteprozess herangezogen. Daraus resultiert, dass diese umfangreichen Berechnungen oft nur mit leistungsstarker Rechentechnik durchgeführt werden können. Der Zeitbedarf liegt hier im Bereich von mehreren Stunden bis hin zu einigen Tagen. Zuvor muss jedoch eine Flugplanung erarbeitet werden, welche den Projektanforderungen des Auftraggebers entspricht. Nach der Auswertung werden die Daten in der Regel über Datenaustausch-Plattformen mittels FTP-Server oder Speichermedien geteilt, sodass der Endanwender diese in diversen Geoinformationssystemen (GIS) oder CAD-Anwendungen fachspezifisch nutzen kann.

4.3.2 Cloud-Technologien, künstliche Intelligenz und Geodatendienste

Mit der Technologie Drones2BIM wird bspw. eine Standardisierung des Gesamtprozesses sowie deren einfache Bereitstellung erarbeitet. Allen Projektbeteiligten ohne Expertenwissen werden dadurch nicht nur die Daten, sondern vielmehr die relevanten Informationen übermittelt. Diese Informationen können durch einfache Web-GIS-Anwendungen geteilt werden, um örtliche große Datendownloads zu minimieren. Um die ausgewerteten Daten in großem Umfang effizient und flächendeckend bereitzustellen, bedarf es eines hohen Grads an Automatisierung. Über Konzepte wie Data-as-a-Service, Cloud-Computing, Kubernetes und den Einsatz von künstlicher Intelligenz können Prozesse, welche bis dato manuell stattgefunden haben und örtlich an einem Desktop-Rechner gebunden waren, hochgradig optimiert und ortsunabhängig bereitgestellt werden.

Abbildung 4.6 zeigt den gesamten Automatisierungsprozess von Drones2BIM. Dabei müssen standardisierte Multikopter eingesetzt und einheitliche Flugparameter verwendet werden, sodass die Zielqualität der Datenprodukte konstant beibehalten wird. Nach erfolgreicher Flugdurchführung erfolgt das Hochladen der Daten über eine definierte Web-Schnittstelle auf eine Plattform. Dabei werden Metadaten wie Projektname, Bau-/Planungsabschnitte und der Zeitstempel der Befliegung erfasst.

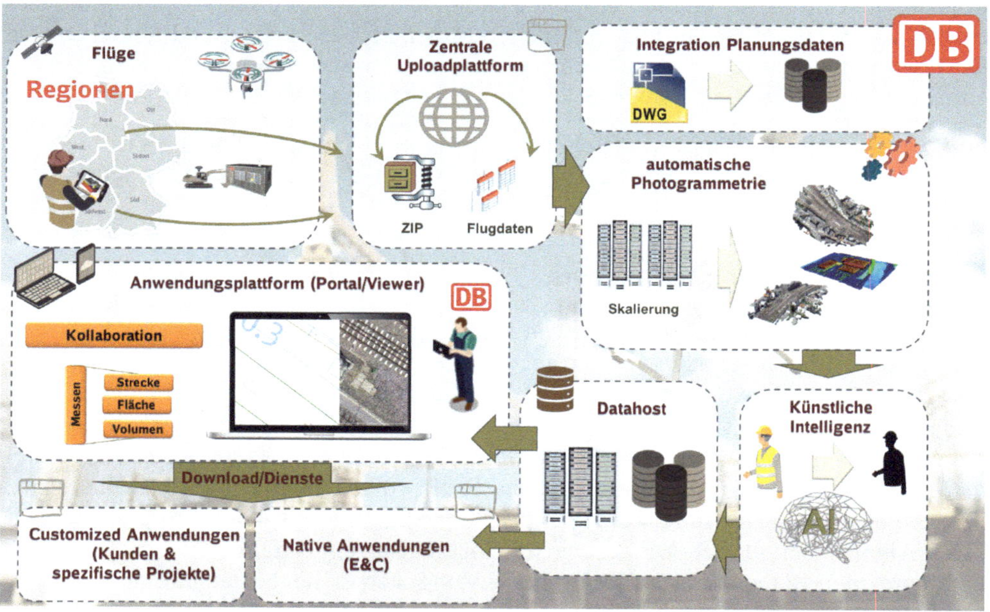

Abb. 4.6: Prozessvisualisierung von Drones2BIM (Deutsche Bahn)

Bei den Uploads handelt es sich in der Regel um einen Bildflug von 500 bis 2.000 Einzelbildern. Die Metadaten werden in einer Datenbank gespeichert. Dadurch kann eine Client-Anwendung die Daten für einzelne Projekte bzw. Abschnitte spezifisch visualisieren. Photogrammetrie benötigt auch in der Cloud viel Rechenleistung. Durch gezielte Skalierung sowie Parallelisierung mithilfe von Kubernetes kann die Berechnung jedoch schneller und kostengünstiger umgesetzt werden. Desktop-Rechner haben zwar den Vorteil der einmaligen Anschaffung, cloudbasierte Berechnungen hingegen können wesentlich besser skalieren und die Performance optimieren. Der Prozess der Datenauswertung benötigt diverse Berechnungsschritte unterschiedlicher Hardware-Ressourcen. Grafikkarten sind in einigen Berechnungsschritten um einen Faktor von zehn schneller als Berechnungen auf dem Prozessor. Führt man das auf die Desktop-Lösung zurück, so ist schnell ersichtlich, dass die Hardware-Ressourcen nur bedingt ausgelastet werden. Berechnungen in der Cloud hingegen erlauben u. a. anhand von Kubernetes eine Verteilung von einzelnen Prozessen auf unterschiedliche Instanzen, um somit kosten- und auch zeiteffizient zu arbeiten. Der größte Vorteil von Cloud-Anwendungen liegt jedoch in der Skalierung, so können mehrere Projekte parallel bearbeitet werden.

Als Ergebnis werden im aktuellen System Orthophotos mit einer Bodenauflösung von einem Zentimeter sowie Oberflächenmodelle mit einer Bodenauflösung von zehn Zentimetern ausgegeben. Durch die Integration des Quasigeoids GCG2016 (BKG 2017) werden die Koordinaten im Referenzsystem DB_REF2016 mit einer relativen Abweichung von 2 bis 4 cm in der Höhe ausgegeben. Die Punktwolken enthalten im Schnitt 300 Punkte pro Quadratmeter.

Die Datenschutz-Grundverordnung der Europäischen Union besagt, dass keine personenbezogenen Daten gespeichert werden dürfen. Aufnahmen vom Multikopter enthalten jedoch oft Mitarbeiter und andere Personen auf Baustellen und Bahnsteigen. Um dieser Verordnung gerecht zu werden, hilft eine künstliche Intelligenz (KI), Personen zu erkennen und unkenntlich zu machen. Mithilfe von anderen KI-Algorithmen werden Objekte, wie Signale, Haufwerke und die Gleisachse erkannt, und können als Geoobjekte im Viewer eingebunden werden.

Über spezielle Web-Schnittstellen und Map Server werden die Daten als Geodatendienste gehostet. Dazu werden freie Schnittstellendefinitionen vom Open Geospatial Consortium (https://www.opengeospatial.org/), wie Web Map Service (WMS), Web Processing Service (WPS) und Standards wie WebGL (Web Graphics Library), genutzt. Diese Dienste werden über eine clientseitige Programmierschnittstelle, hier im speziellen OpenLayers, angebunden. Diese ermöglicht es, die projektspezifischen Informationen nach räumlicher und zeitlicher Auflösung in einer Webanwendung anzuzeigen. Dadurch können Bauüberwacher ortsunabhängig mit einer Mobilfunk-Datenverbindung Überwachungsaufgaben durchführen. Zusätzliche Werkzeuge sind in Form von Längen-, Flächen- und Volumenberechnungen implementiert.

Als weiteres Werkzeug von Drones2BIM wird insbesondere der Planvergleich gesehen. Aktuelle Vergleiche zwischen As-built-Zuständen der Infrastruktur und der Ausführungsplanung erfolgen mithilfe eines geplotteten Plans direkt auf der Baustelle. Durch die Integration der Planungsdaten können Orthophotos im Viewer direkt mit der Planung verglichen und Messungen im Browser durchgeführt werden. Örtlich und von Gleissperrungen unabhängig kann so digital mit der geforderten Genauigkeit der Soll-Ist-Vergleich für viele bauliche Schritte mit einer entsprechenden Dokumentation, Qualitätssicherung und Mängeldokumentation erfolgen.

4.3.3 Genauigkeitsbetrachtung

Die bereits beschriebenen Prozesse zeigen die Komplexität einer bildbasierten Auswertung. Um die Schlüsseltechnologie für die Fläche nutzbar zu machen, ist eine Genauigkeitsbetrachtung der erzeugten Ergebnisse von essentieller Bedeutung. Drones2BIM untersucht demnach nicht nur die Machbarkeit, sondern auch die Zuverlässigkeit und Genauigkeit der erhobenen Daten.

Um die Genauigkeit der Produkte zu verifizieren, werden verschiedene Vergleiche durchgeführt, Grundlage sind die Messbilder. Der Einsatz und die Aufnahme dieser werden von Multikoptern mit GNSS-RTK ermöglicht. Dadurch sind Genauigkeiten in den Produkten von 1 bis 3 cm möglich. Zusätzlich können Passpunkte zur Steigerung der Genauigkeit und Verbesserung der Stabilität des Bildverbands dienen.

Die Flughöhe, die Geschwindigkeit und die Belichtungszeit sind für die Qualität und damit für die Genauigkeit der Befliegung von großer Bedeutung. Werden ungünstige Parameter gewählt, entsteht unbrauchbares Bildmaterial. Über- und Unterbelichtung sowie unscharfe Bilder sind die Folge solcher Einstellungen. Daher müssen die Parameter vor jedem Flug einsatzspezifisch gewählt werden. Viele Anwendungsfälle benötigen hochaufgelöstes Bildmaterial. Um Punkte in einem Orthophoto eindeutig identifizieren zu können, muss die Bodenauflösung (Kantenlänge eines Pixels im Bild) entsprechend hoch sein. Ist sie es nicht, wie beispielsweise im Orthophoto mit 2 cm Bodenauflösung (Abb. 4.7, oben), kann ein spezieller Punkt oder eine Kante nur schlecht erkannt werden. Im Gegensatz dazu steht die exakte Erkennbarkeit bei einer Bodenauflösung von ≤ 1 cm (Abb. 4.7, unten).

Abb. 4.7: Kantenabschätzung bei einer Bodenauflösung von 20 mm (oben) und 7,5 mm (unten)

Neben der Messunsicherheit im Bild spielt die globale Genauigkeit der erzeugten Daten eine entscheidende Rolle für den Anwender. Einer der Vergleiche befasst sich mit der Detektion von Unterschieden zwischen einer Laserscan-Punktwolke und einer Multikopter-Punktwolke. Dabei wurden identische Haufwerke erfasst und miteinander verglichen. Sowohl für die Befliegung als auch für den Laserscanner wurden identische Passpunkte bestimmt und für die Genauigkeitsbetrachtung herangezogen. Der Unterschied zwischen beiden Punktwolken ist äußerst gering, Differenzen sind höchstens im Detail ersichtlich. Volumenmessungen haben eine Differenz von lediglich einem Prozent ergeben (Abb. 4.8). Dabei ist zu beachten, dass ein terrestrischer Laserscanner in der Regel das Haufwerk nicht von oben erfassen kann. Hier hat der Multikopter einen deutlichen Vorteil, da auch Wölbungen bzw. Senkungen auf der Spitze des Haufwerks detektiert werden können. Zudem ist der Zeitunterschied zwischen beiden Aufnahmemethoden mit ca. 30 min Laserscan und ca. 3 min Flug sehr groß.

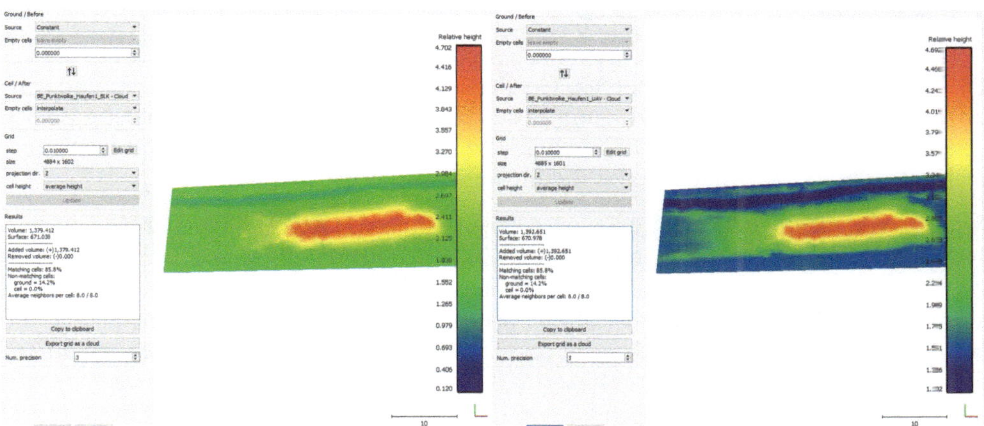

Abb. 4.8: Gegenüberstellung Volumen Laserscanning links (1379,412 m³) und Multikopter rechts (1392,651 m³)

Zur Evaluierung der Messdaten aus der Befliegung mit dem Multikopter wurden weitere Kontrollen und Vergleiche durchgeführt. Ein simples Beispiel ist der visuelle Nachweis eines genormten Objekts. Dazu wird ein 2-m-Gliedermaßstab ins Feld gelegt und ebenfalls vom Multikopter erfasst. Nach der Auswertung wird dieser im Bild gesucht und mithilfe der zur Verfügung stehenden Messtools gemessen. Die grafische Messung des Gliedermaßstabs im Bild ergibt ebenfalls 2 m (Abb. 4.9).

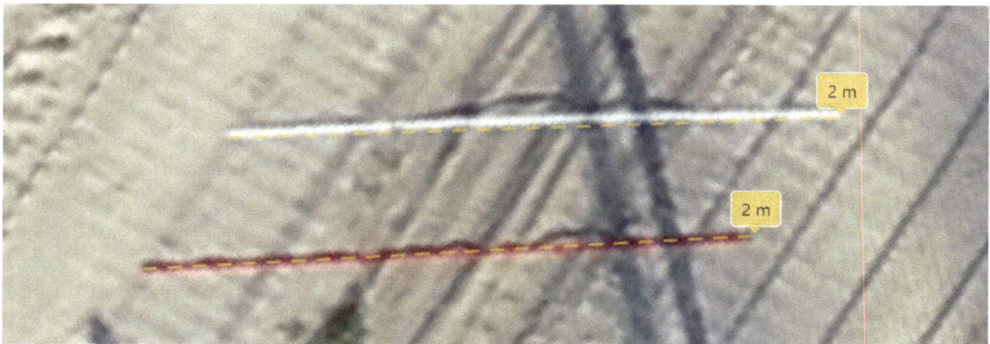

Abb. 4.9: Ausschnitt Orthophoto und Messung mit Gliedermaßstab

4.3.4 Anwendungen in der Bauüberwachung

Die genannten Systeme erlauben es, Geodaten qualitätssicher zu berechnen, und sehr zeitnah den Anwendern zur Verfügung zu stellen. Dadurch können kostengünstig Befliegungen von Infrastrukturanlagen durchgeführt, Baufortschritte dokumentiert und Informationen für alle Beteiligten bereitgestellt werden.

Mithilfe von visuellen Inspektionen oder Verwendung von Algorithmen der Künstlichen Intelligenz (KI) werden Arbeitsschritte in Zukunft effizienter, beispielweise zwischen zwei Leistungsständen einer Baustelle sowie der Überlagerung mit Planungsdaten. So können die örtliche Leistungsfeststellung, Aufgaben des Mängelmanagements wie die Beweissicherung und viele andere Prozesse mit Browserlösungen bzw. Viewern durchgeführt werden.

Pilotprojekt Verkehrsstation Hauptbahnhof Dortmund

Eins der Pilotprojekte im Rahmen von Drones2BIM ist die Modernisierung der genannten Verkehrsstation (Abb. 4.10). Das Vorhaben umfasst die Verbreiterung der bisherigen Personenunterführung mit barrierefreiem Ausbau der Bahnsteigzugänge und den kompletten Neubau von acht Bahnsteigen. Es werden die Bahnsteige inkl. Ausstattungselementen (Dach, Beleuchtung, Kommunikationstechnik, Wetterschutzhäuser usw.), Bahnsteigentwässerung und sämtlicher Medienleitungen erneuert. Dabei wird jeweils nur ein Bahnsteig gesperrt, um den Eisenbahnbetrieb nicht zu beeinträchtigen (https://bauprojekte.deutschebahn.com/p/dortmund-hbf).

Abb. 4.10: Bautätigkeit in Dortmund Hbf., Bahnsteig 7 (Stand 16.04.2020) (https://bauprojekte.deutschebahn.com/p/dortmund-hbf)

Es werden nachfolgend exemplarisch einige der Anwendungsfälle erläutert, die einen Mehrwert durch Multikopter-Einsätze gegenüber der konventionellen (Bauüberwachungs-)Praxis für die Projektbeteiligten erbracht haben.

Häufig kommt es bei Projekten zu (zusätzlichen) Leistungen, die zum Beispiel durch ein örtliches Aufmaß gemeinsam mit dem Bauunternehmen festzustellen sind. In Dortmund wurde der Verlauf der Baustraße, insbesondere beim Übergang zur nächsten Bauphase, teilweise mehrfach geändert und Details örtlich festgelegt. Durch die regelmäßigen Befliegungen der Baustelleneinrichtungsfläche entsteht so eine Dokumentation der Historie, mit der die Bauüberwachung die einzelnen Leistungsstände nachvollziehen und die Prüfung der Abrechnungsmengen leichter vornehmen kann. Kommt es zu zusätzlichen Änderungen, können diese zusammen mit dem Auftragnehmer gemeinsam anhand der Orthophotos festgestellt werden, anstatt die Mengen vor Ort anderweitig erfassen zu müssen (Abb. 4.11).

Abb. 4.11: Messung Kubatur und Kantenlänge Bauschutthaufwerk

Um die Ist-Lage der Objekte des Bahnsteigs zu prüfen, ist ein Soll-Ist-Vergleich mit der Ausführungsplanung (z. B. Bahnsteigausstattung, Entwässerung usw.) möglich. Die Lage von Schächten lässt sich so ohne zusätzlichen Vermessungsaufwand mittels Viewer prüfen. Die Lage von Objekten, die sich unter dem Bahnsteigdach befinden, können jedoch nur eingeschränkt geprüft werden (Abb. 4.12).

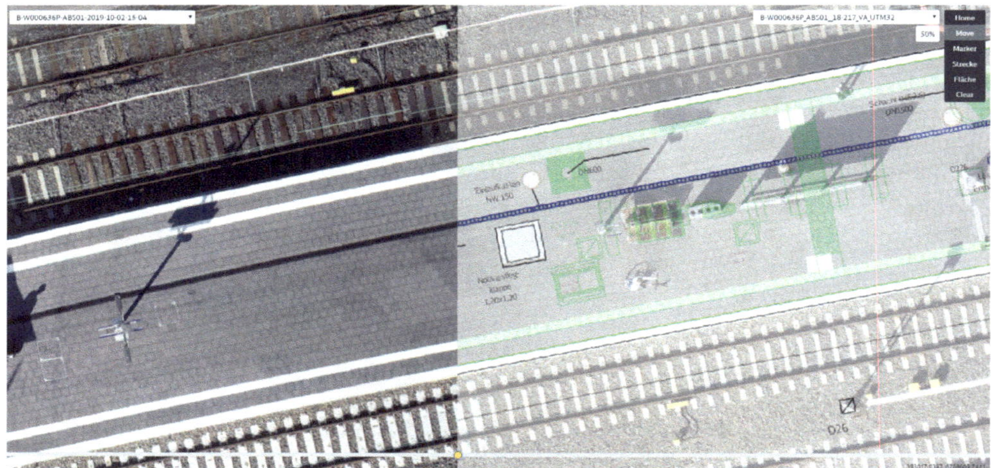

Abb. 4.12: Soll-Ist-Vergleich Orthophoto und Ausführungsplanung

Ein zusätzliches Thema im Pilotprojekt ist die neu zu planende Fahrzeugabstellanlage. Die Sichtung des Bestands (Gleisbereiche), Messungen für die Planung der Dienstwege, Gleisfeldbeleuchtung etc. ist mittels Multikopter-Aufnahme möglich. Auf eine Ortsbegehung mit größerer Teilnehmerzahl kann demnach verzichtet werden.

4.3.5 Fazit

Orthophotos sind eine effiziente Unterstützung bei Abrechnungsprozessen und steigern die Qualität einer langfristigen Dokumentation von Sach- und Leistungsständen. Die Bauüberwachung sowie der Bauherr und der Auftragnehmer profitieren von einer enormen Zeitersparnis durch die gemeinsame Leistungsfeststellung am Orthophoto gegenüber der konventionellen Messmethode von Distanzen vor Ort.

Durch das Integrieren der Orthophotos in die Planung mittels WMS-Diensten braucht es weniger Ortsbegehungen, die von der Bauüberwachung in der Regel mitorganisiert werden müssen (Bestellung der Sicherung, Gleissperrungen). Die Hinterlegung von Planunterlagen im Viewer ermöglicht es der Bauüberwachung, einen effizienten Soll-Ist-Vergleich durchzuführen. Damit ist auch der Aufwand bei der Revision von Ausführungsplänen deutlich geringer.

Im Laufe des Projekts ergaben sich verschiedene Fragestellungen, wobei die Bauüberwachung als örtlicher Ansprechpartner der Projektleitung und der Planung zuarbeitet. Nachgelagerte Gewerke können so Arbeitsschritte mithilfe der Orthophotos vorbereiten.

Drones2BIM ist ohne umfassendes Expertenwissen nutzbar und erzeugt somit nicht nur einen Mehrwert für die Bauüberwachung, sondern für alle Projektbeteiligten. Das Konzept der digitalen Baustelle wird in Zukunft deutlich greifbarer.

4.4 Literatur

BKG – Bundesamt für Kartographie und Geodäsie (2017): Quasigeoid der Bundesrepublik Deutschland. Die Höhenbezugsfläche der Arbeitsgemeinschaft der Vermessungsverwaltungen der Länder (AdV). Frankfurt a. M.

BMVI – Bundesministerium für Verkehr und digitale Infrastruktur (2015): Stufenplan Digitales Planen und Bauen, Leistungsniveau 1, S. 9-11. Berlin.

DB Netze (2019a): Beispielprojekt BIM LST Finnentrop. Frankfurt a. M.

DB Netze (2019b): 17. Dialogforum ABS/NBS Hanau-Würzburg-Fulda, S. 22 ff. Frankfurt a. M.

DB Station&Service AG (2019): Virtuelles Bauen in der Ausführung der VST Dortmund. Berlin.

Tilger, K. & Bartnitzek, J. (2020): Anforderungen an den Datenaustausch für das digitale Baugrundmodell. BAW Kolloquium „Digitalisierung in der Geotechnik“. Hannover.

TU Dresden, Fakultät Verkehrswissenschaften „Friedrich List“ (2021a): Vorlesungsreihe „BIM in der Verkehrsinfrastruktur“, Vorlesung „Einführung BIM II“, Folie 4 ff.

TU Dresden, Fakultät Verkehrswissenschaften „Friedrich List“ (2021b): Vorlesungsreihe „BIM in der Verkehrsinfrastruktur“, Vorlesung „Workflows der 3D-Planung“, Folie 6 ff.

TU Dresden, Fakultät Verkehrswissenschaften „Friedrich List“ (2021c): Vorlesungsreihe „BIM in der Verkehrsinfrastruktur“, Vorlesung „Einführung BIM I“, Folie 37.

VUL – Verband Unbemannte Luftfahrt (2019): Analyse des deutschen Drohnenmarktes. Berlin.

Stichwortverzeichnis

D

E

F

G

Wichmann
Geoinformationssysteme
Verkehrsplanung
Fernerkundung
Visualisierung
Geoinformatik
Photogrammetrie
GIScience
Geodaten
Geodateninfrastruktur
Digitale Bildverarbeitung
ArcGIS
Kataster
Vermessung
Kauer / Lehmkühler / Steinmann (Hrsg.)
BIM & GIS
Grundlagen, Synergien und Best-Practice-Beispiele
Wichmann
Technikwissen punktgenau:
Möglichkeiten und Nutzen einer Symbiose von BIM & GIS
Sowohl BIM (Building Information Modeling) als auch GIS (Geoinformationssysteme) beschreiben die uns umgebende räumliche Welt in digitaler Form. Die moderne IT ermöglicht nun die Symbiose von beiden Welten. Das Buch erläutert die Grundlagen von GIS und BIM und zeigt auf, wie durch die kombinierte Nutzung beider Welten bessere Entscheidungen erzielt werden können.
Preisänderungen und Irrtümer vorbehalten. Sowohl das E-Book als auch das Kombiangebot (Buch + E-Book) sind ausschließlich auf www.vde-verlag.de erhältlich.
2022. 193 Seiten
32,– € (Buch/E-Book)
44,80 € (Kombi)
Bestellen Sie jetzt: (030) 34 80 01-222 oder www.vde-verlag.de/buecher/537674
Werb-Nr. 2211050